Carole Boulianne
31/01/97

JOURNAL SECRET
D'UNE REINE
MOI, VICTORIA...

CYNTHIA HARROD-EAGLES

JOURNAL SECRET D'UNE REINE

MOI, VICTORIA...

Traduit de l'anglais
par Francine Siety

Préface de Françoise Barret-Ducrocq

belfond
12, avenue d'Italie
75013 Paris

Titre original :
I, VICTORIA
publié par Macmillan — a division of Pan
Macmillan Publishers Limited, Londres.

Si vous souhaitez recevoir notre catalogue
et être tenu au courant de nos publications,
envoyez vos nom et adresse, en citant ce livre,
aux Éditions Belfond,
12, avenue d'Italie, 75013 Paris.
Et, pour le Canada, à
Édipresse Inc., 945, avenue Beaumont
Montréal, Québec, H3N 1W3.

ISBN 2.7144.3326.X

© Cynthia Harrod-Eagles 1994. Tous droits réservés.
© Belfond 1997 pour la traduction française.

Préface

Lorsqu'elle écrit les dernières pages de son journal intime, Victoria, reine d'Angleterre et impératrice des Indes, peut à juste titre s'enorgueillir d'avoir été un monarque exceptionnel. Son règne est l'un des plus longs de l'histoire mondiale. Lorsqu'elle a accédé au trône, la France était gouvernée par Guizot. C'est l'empereur Napoléon III qui l'a accueillie quelques décennies plus tard pour une visite d'État triomphale. Au crépuscule de sa vie, le « petit père Combes » est à Matignon et le XXe siècle vient de commencer.

Dans son pays sont advenus des temps nouveaux : la démocratie s'est développée, l'industrie triomphe, Londres devient la plus belle ville du monde, les voies ferrées couvrent le territoire, d'incroyables techniques voient le jour. On peut désormais télégraphier, photographier, rouler en voiture, voyager dans les airs, naviguer sans l'aide du vent. Les richesses s'accumulent, innombrables. Mais aussi que de misère derrière ce brillant décor !

Sous son règne, l'Angleterre a établi un empire d'une puissance et d'une étendue inégalées, où, selon l'expression célèbre, « le soleil ne se couche jamais ».

L'économie britannique a pris un tel essor qu'au milieu du siècle sa puissance dépassait celle de tous les États continentaux réunis. Production de charbon et d'acier, chantiers navals, constructions ferroviaires, industries textiles, produits manufacturés, marchandises de luxe, dans tous ces domaines l'Angleterre occupe la première place. Elle est l'« atelier du monde » et sa flotte marchande, de très loin la plus grande, sillonne toutes les mers pour exporter le fruit de son industrie et importer des matières premières qui seront à leur tour transformées en autant de nouvelles richesses. La place de Londres domine toutes les autres : la *City* est la banque, la bourse, l'assureur que partout on cherche à imiter.

Les révolutions technologiques les plus surprenantes bouleversent la vie du pays. La généralisation de la machine à vapeur soulage l'homme des tâches les plus pénibles et décuple sa force, non sans jeter des milliers d'ouvriers à la rue. On peut désormais se rendre dans n'importe quel point du royaume en quelques heures.

Si les femmes restent encore écartées du pouvoir politique, malgré la présence de l'une d'entre elles sur le trône, presque tous les hommes ont conquis au cours du règne de Victoria le droit d'élire un Parlement désormais tout-puissant. Et ce n'est pas une des moindres gloires de la reine que d'avoir su se tenir constamment en dehors du jeu politique partisan, pérennisant ainsi le modèle moderne d'une monarchie parlementaire.

Malgré une remarquable résistance, l'aristocratie foncière a peu à peu cédé les rênes du pouvoir aux industriels, aux banquiers et autres grands entrepreneurs. Une nouvelle et puissante classe moyenne est née, éprise de démocratie, mais aussi des vertus puritaines que lui inspire un protestantisme intransigeant. Le travail, l'épargne, la famille sont ses valeurs fondatrices. D'immenses quartiers ouvriers se créent dans les villes et se peuplent sous l'afflux de l'exode rural. Un nouveau mode de vie urbain se développe peu à peu, avec bientôt les premiers week-ends et les villégiatures au bord de la mer.

L'armée et la marine britanniques ont créé cet empire et offert à Victoria l'hommage incroyable de la couronne impériale des Indes. Partout dans le monde elles font régner la *Pax britannica*. Vers la fin du règne, cependant, des ombres apparaissent au tableau : la croissance de l'économie britannique s'essouffle quelque peu, des puissances rivales surgissent : les États-Unis, mais aussi l'Allemagne récemment constituée sous l'égide de la Prusse. Chacun à sa manière, ces nouveaux rivaux sont de filiation anglaise. Le peuple aux États-Unis est largement issu du peuple de l'ancienne métropole. L'empereur d'Allemagne Guillaume est le petit-fils favori de la reine Victoria. Moins de quinze ans après la mort de la vieille souveraine, la guerre européenne fratricide allait coucher sur les champs de bataille les jeunes gens de tous ces pays.

Cette époque d'évolutions et de révolutions radicales, au cours de laquelle le mode de vie et le cadre institutionnel ont plus changé que lors des trois siècles précédents, a été dominée par la personnalité d'une femme. Aucun historien, aucun politologue n'a jamais songé à employer un autre qualificatif que le mot « victorien » pour désigner l'ensemble de cette ère, marquant ainsi l'influence capitale que la reine a exercée sur toute la période. Paradoxe ahurissant, les capacités que ses contemporains reconnaissent à l'envi à cette femme, ils refusent avec indignation d'en investir les autres femmes de son temps. Elle règne sur un empire, elle est le chef suprême des forces armées et de l'Église d'Angleterre, et pourtant la seule idée qu'une femme mariée puisse posséder des biens propres, décider de l'éducation de ses enfants, exprimer un avis sur le destin de son pays fait scandale aux yeux de la quasi-totalité des victoriens.

Mais l'image que nous conservons de la reine Victoria, c'est-à-dire essentiellement celle de la reine vieillissante, nous souffle presque la question : était-ce vraiment une femme ? N'était-elle pas plutôt cette douairière dominante dont on trouve l'image asexuée dans les albums de famille ? On songe même à cette interpellation d'Henri IV, roi de France, à la mort d'Élisabeth Ire : « Cette reine, quel homme ! »

On a tendance à oublier qu'à son accession au trône à dix-sept ans elle était l'image même de la jeune fille de son temps : timide et romantique, rêvant d'un prince charmant, de soirées de bal où danser jusqu'à épuisement dans des robes vaporeuses. Il faut lire ici l'amertume qu'elle exprime lorsqu'elle découvre qu'elle est enceinte si peu de temps après son mariage et voit ainsi compromise pour elle la saison de bals qui s'annonce. Elle fut une grande amoureuse. La passion et l'admiration éperdues qu'elle ressent pour le beau prince allemand qu'on lui a destiné étaient à son époque légendaires. Albert de Saxe-Cobourg et Victoria forment le couple idéal du Gotha européen. Ils ont tout pour eux, et même le luxe d'un amour réciproque et sincère. Elle a le teint vif et rose d'une jeune femme spontanée, impatiente, enthousiaste. Elle est drôle et avide des plaisirs que la vie lui promet. Le prince Albert, lui, a de quoi faire rêver toutes les jeunes filles de sa génération : une belle tournure, le visage agréable, la taille élancée, des manières franches et directes, et le regard de velours.

Victoria fut aussi une épouse et une mère de famille exemplaires. On sait combien elle prit plaisir à s'effacer devant son époux, lui donnant même des pouvoirs que la Constitution n'avait pas prévus et qu'elle sut tenir dans le cadre d'une collaboration fructueuse. C'est lui par exemple qui avait la garde du courrier officiel de la reine et qui devint au fil des ans son secrétaire et son bras droit. Elle aura à cœur de lui confier des responsabilités valorisantes afin que leur amour n'ait pas à souffrir des frustrations que peut engendrer sa position de prince consort. Au soir de l'inauguration de l'Exposition universelle de 1851 qui rassembla à Londres, dans l'immense palais de verre et de fer spécialement édifié à cet effet, les richesses du monde entier, Victoria ne pense qu'à noter dans son journal intime combien elle est heureuse de la réussite de son mari. C'est, en effet, au « très cher Albert » qu'elle avait confié la charge de préparer cette grande exposition, en dépit de l'opposition de son entourage.

Sur les portraits officiels, le regard noyé de dévotion que la reine pose sur le prince affiche sans ambiguïté leur félicité conjugale.

À la mort prématurée d'Albert, Victoria est déchirée de douleur. Elle restera inconsolable. Pendant quinze mois elle se refuse à paraître en public et à affronter les obligations de sa charge. Seuls sa foi profonde et le sentiment du devoir lui donneront la force d'assumer à nouveau ses fonctions. On oublie trop souvent que cette image morose d'une femme drapée de noir est l'image pathétique d'un véritable chagrin d'amour. Le sombre mausolée qu'elle a fait ériger au prince sur les bords de la Tamise en est encore le funèbre témoignage.

Elle avait mis au monde neuf enfants, chiffre courant à cette époque où les familles nombreuses sont la règle. Des naissances qui sont aussi source continuelle d'angoisse, lorsqu'on sait le taux énorme de mortalité en couches et le pourcentage relativement faible de survivants parmi les enfants. Pour Victoria, comme pour beaucoup d'aristocrates, les grossesses sont des circonstances ennuyeuses qui les privent pour un temps des plaisirs mondains. Mais plus encore que la grossesse, les douleurs de l'enfantement, les conditions de l'accouchement, les fièvres et les infections qui accompagnent la naissance terrorisent les mères. La reine Victoria qui incarne par ailleurs tant de valeurs traditionnelles a fait œuvre de pionnière en exigeant d'être anesthésiée au chloroforme au moment de la délivrance. C'est l'accouchement « à la reine », le premier accouchement « sans douleur » qui remettra en cause l'antique malédiction biblique. Combien de femmes vont désormais se sentir autorisées à recourir au chloroforme parce que la reine en a donné l'exemple ! Malheureusement, jusqu'à ce que les progrès de l'asepsie y mettent un terme, les accouchées continueront à être saisies de fièvres puerpérales devant lesquelles les médecins, totalement impuissants, ne savent prescrire que les sangsues appliquées sur les parties génitales, le porto et le calomel.

Victoria aura de la chance, tous ses enfants survivront. Elle leur prodiguera l'amour d'une mère attentionnée mais, jusqu'à la fin de sa vie, elle conservera le regret de n'avoir pas pu consacrer autant de temps à être l'épouse d'Albert qu'à être la mère de ses neuf enfants.

Cette représentation de la reine Victoria en femme moderne est toute nouvelle. Jusqu'aux années 1990, on évoquait volontiers en ricanant le puritanisme de Victoria, qui fustigeait sans pitié les plaisanteries un peu lestes et les histoires d'adultère d'un « we are not amused ». Notre siècle se rassurait de tant de pruderie et se donnait le beau rôle : comment avait-on pu avoir l'esprit aussi étroit ? Les victoriens étaient paralysés par des tabous qui leur faisaient la vie austère et étriquée. On se gaussait de l'interdiction faite aux femmes du monde de parler d'une « cuisse » de poulet, et de leur prétendue habitude de dissimuler les « pieds » des pianos sous des dentelles pudibondes. Sous Victoria, l'hypocrise était reine, affirmait-on. Le résultat de tant de contraintes ? On n'en finissait pas de décrire le déferlement de la pornographie, les maisons de prostitution, les péripatéticiennes qui harcelaient le passant dans le quartier des théâtres au centre de Londres, les bordels des bas-fonds près des docks, tout un univers de vice et de misère qui permettait d'assouvir les passions physiques. Cette débauche cachée se nourrissait de la pauvreté atroce que connaissaient des femmes du peuple réduites à vendre leur corps faute de trouver à vendre leur force de travail.

Les travaux récents des chercheurs ont modifié considérablement ce tableau. Historiens et philosophes ont fini par s'interroger sur cette description si commodément manichéenne. Était-il possible qu'en moins d'un siècle les mœurs se soient à ce point transformées ? À peine sorti de l'époque romantique, l'être humain s'était-il soudainement amputé de toute sensibilité, de toute sensualité, de tout épanouissement sexuel ? Les petits-enfants de Fielding s'étaient-ils transformés en si peu de temps en tartuffes anglicans ? L'éthique protestante de la réussite s'était-elle à ce point imposée que le prix de la prospérité victorienne était ce siècle prétendument sans péché ?

Les recherches furent difficiles, car la classe dominante victorienne avait pris soin de présenter son exemple comme unique modèle et de faire disparaître sous le masque de transgressions honteuses tout autre mode de comportement.

C'était, face à la bourgeoisie philistine, le double repoussoir des aristocrates libertins et du peuple intempérant et fornicateur. Mais la mise au jour des témoignages contenus dans des journaux intimes, l'analyse des rapports des enquêteurs des sociétés philanthropiques, l'ouverture des archives de l'hôpital des Enfants-Trouvés de Londres ont permis de dégager une image plus juste et plus nuancée de la réalité.

La démarche de Cynthia Harrod-Eagles s'inscrit dans le droit fil de cette nouvelle analyse. Elle montre bien comment la rédaction de ce journal intime durant les derniers mois de sa vie fut l'occasion pour Victoria de revoir en un bref laps de temps toute sa longue existence. L'édition de ce « journal imaginaire » permet au lecteur d'approcher la véritable personnalité de la reine et de soulever le voile noir derrière lequel on l'a trop longtemps laissée s'abriter. Nous entendons la reine s'interroger sur le bilan qu'elle va présenter devant son créateur, sur ce qu'elle laissera à ses successeurs et à son peuple. Grâce à une étude documentaire large et sérieuse, cette autobiographie fictive rejoint les dernières études universitaires publiées sur le même sujet.

À la dernière page du livre, la reine pose sa plume pour trouver le sommeil. C'est seulement aujourd'hui que l'ouvrage de Cynthia Harrod-Eagles nous fait retrouver grâce à ses derniers rêves le fil réel de la longue vie de cette femme profondément humaine.

On connaissait la force de son attachement pour le prince Albert : on trouve dans ces pages le frémissement d'une passion sensuelle. Victoria y évoque avec le charme spontané qui la caractérisait son désir pour son jeune époux, le plaisir qu'elle a éprouvé à découvrir le « goût d'un homme », l'excitation sexuelle qui la saisit lorsqu'elle s'abandonne à ses baisers fougueux. Ce journal apocryphe a un double propos ; il permet à la reine de donner l'image qu'elle a de sa vie au moment de quitter ce monde, il lui permet également de revivre les moments les plus émouvants de son existence : l'horreur des deuils successifs, des guerres et des affrontements sociaux, mais aussi les plaisirs hédonistes qu'elle a savourés avec gourmandise.

Certains passages sont imprégnés d'un érotisme bien peu victorien — le souvenir des sensations que provoque le contact de la « langue chaude et humide » d'Albert, les frissons qui s'emparent d'elle quand il pose ses mains sur son corps, l'émoi qu'elle ressent le soir de leurs noces lorsqu'ils se retrouvent seuls dans le château de Windsor et qu'elle balaie avec une joyeuse impatience ses scrupules attentionnés devant sa « délicatesse virginale », la liberté avec laquelle elle se fond sous les draps dans des étreintes tendrement intimes, ses initiatives de nouvelle épousée qui cherche à guider un jeune amant maladroit vers un partenariat plus actif.

L'épicurisme trop méconnu de la reine ne se limite pas à la sexualité ; elle éprouve de la jouissance à être libre, elle s'enivre de l'odeur épicée des bois, de la douceur des étoffes, elle s'étourdit du parfum d'une rose que le soleil caresse.

Elle s'endort enfin. Le lecteur rencontrera-t-il au fil de ces fausses confidences la véritable femme, la véritable reine que fut Victoria ? Qui sait ? Il y a dans ce portrait l'empreinte de la création littéraire, il y a aussi la distance que le temps donne à l'interprétation du récit historique, et il y a enfin le prisme des valeurs au travers desquelles chacun d'entre nous indéfiniment réinterprète le passé. C'est le paradoxe auquel nul ne peut échapper, qu'il soit écrivain ou historien, lorsqu'il fait parler notre mémoire collective.

Françoise Barret-Ducrocq [1]

---

1. Professeur des universités, Françoise Barret-Ducrocq enseigne l'histoire de la civilisation britannique à l'Université Paris VII - Denis Diderot. Elle est l'auteur de *L'Amour sous Victoria*, Plon, 1989 ; *Pauvreté, charité et morale à Londres au XIXe siècle*, PUF, 1991 ; *Love in the Time of Victoria*, London, Verso, 1990/New York, Penguin/Viking, 1993.

Enfants, petits-enfants et arrière-petits-enfants de la reine Victoria et du prince Albert en 1900

1. **VICTORIA** (Pussy, Vicky), princesse royale, née en 1840. En 1858, épouse Frédéric III (Fritz), empereur d'Allemagne, de mars à juin 1888.

Leurs enfants :

— Willy, né en 1859 ;

— Charlotte, née en 1860 ;

— Henri, né en 1862. Épouse Irène de Hesse, fille d'Alice ;

— Siggie, né en 1864. Meurt de méningite en 1866 ;

— Moretta, née en 1866 ;

— Waldie, né en 1868. Meurt de diphtérie en 1879 ;

— Sophie, née en 1870 ;

— Margaret, née en 1872.

2. **ALBERT ÉDOUARD** (Bertie), prince de Galles (futur Édouard VII), né en 1841. Épouse en 1863 Alexandra de Danemark (Alix).

Leurs enfants :

— Albert Victor (Eddy), duc de Clarence, né en 1864. Meurt de pneumonie en 1892 ;

— Georgie, né en 1865. Épouse en 1893 Mary of Teck. Ils ont quatre enfants : David, né en 1894 ; Albert, né en 1895 ; Marie, née en 1897 ; Henry, né en 1900 ;

— Louise, née en 1867 ;

— Toria, née en 1868 ;

— Maud, née en 1869 ;

— John, né et mort en 1871.

3. **ALICE** (1843-1878), épouse en 1862 le grand-duc Louis de Hesse (mort en 1892).

Leurs enfants :

— Victoria, née en 1863. Épouse Louis de Battenberg ;

— Ella, née en 1864. Épouse Serge, grand-duc de Russie ;

— Irène, née en 1866. Épouse Henri de Prusse, fils de Vicky ;

— Ernie, né en 1868. Épouse Ducky, fille d'Affie ;

— Frittie, né en 1870. Meurt d'hémophilie en 1873 ;

— Alicky, née en 1872. Épouse Nicolas II (Nicky), tsar de Russie ;

— May, née en 1874. Meurt de diphtérie en 1878.

4. **ALFRED** (Affie), duc d'Edimbourg et de Saxe-Cobourg (1844-1900). Épouse en 1874 la grande-duchesse Marie de Russie.

Leurs enfants :

— Le jeune Affie né en 1874. Meurt de pneumonie en 1899.

— Marie (Missy), née en 1875 ;

— Victoria Melita (Ducky), née en 1876. Épouse Ernie de Hesse, fils d'Alice ;

— Sandra, née en 1878. Épouse Ernest de Hohenlohe, petit-fils de Feo ;

— Béatrice (Baby Bee), née en 1884.

5. **HELENA** (Lenchen), née en 1846. Épouse en 1866 le prince Christian de Schleswig-Holstein.

Leurs enfants :

— Christian Victor (Christl), né en 1867. Meurt de la typhoïde en 1900 ;

— Albert, né en 1869 ;

— Thora, née en 1870 ;

— Marie Louise, née en 1872 ;

— Harold, né et mort en 1876.

6. **LOUISE**, née en 1848. Épouse en 1871 le marquis de Lorne.

7. **ARTHUR**, duc de Connaught, né en 1850. Épouse Louise de Prusse (Louischen).

Leurs enfants :

— Margaret, née en 1882 ;

— Le jeune Arthur, né en 1883 ;

— Patricia, née en 1886.

8. **LÉOPOLD** (Léo), duc d'Albanie (1853-1884). Épouse en 1882 Hélène de Waldeck-Pyrmont.

Leurs enfants :

— Alice, née en 1883 ;

— Charlie, né en 1884 (duc de Saxe-Cobourg à partir de 1900).

9. **BÉATRICE** (Bébé), née en 1857. Épouse Henri de Battenberg (Liko), mort en 1896.

Leurs enfants :

— Alexandre (Drino), né en 1886 ;

— Ena, née en 1887 ;

— Léopold, né en 1889 ;

— Maurice, né en 1891.

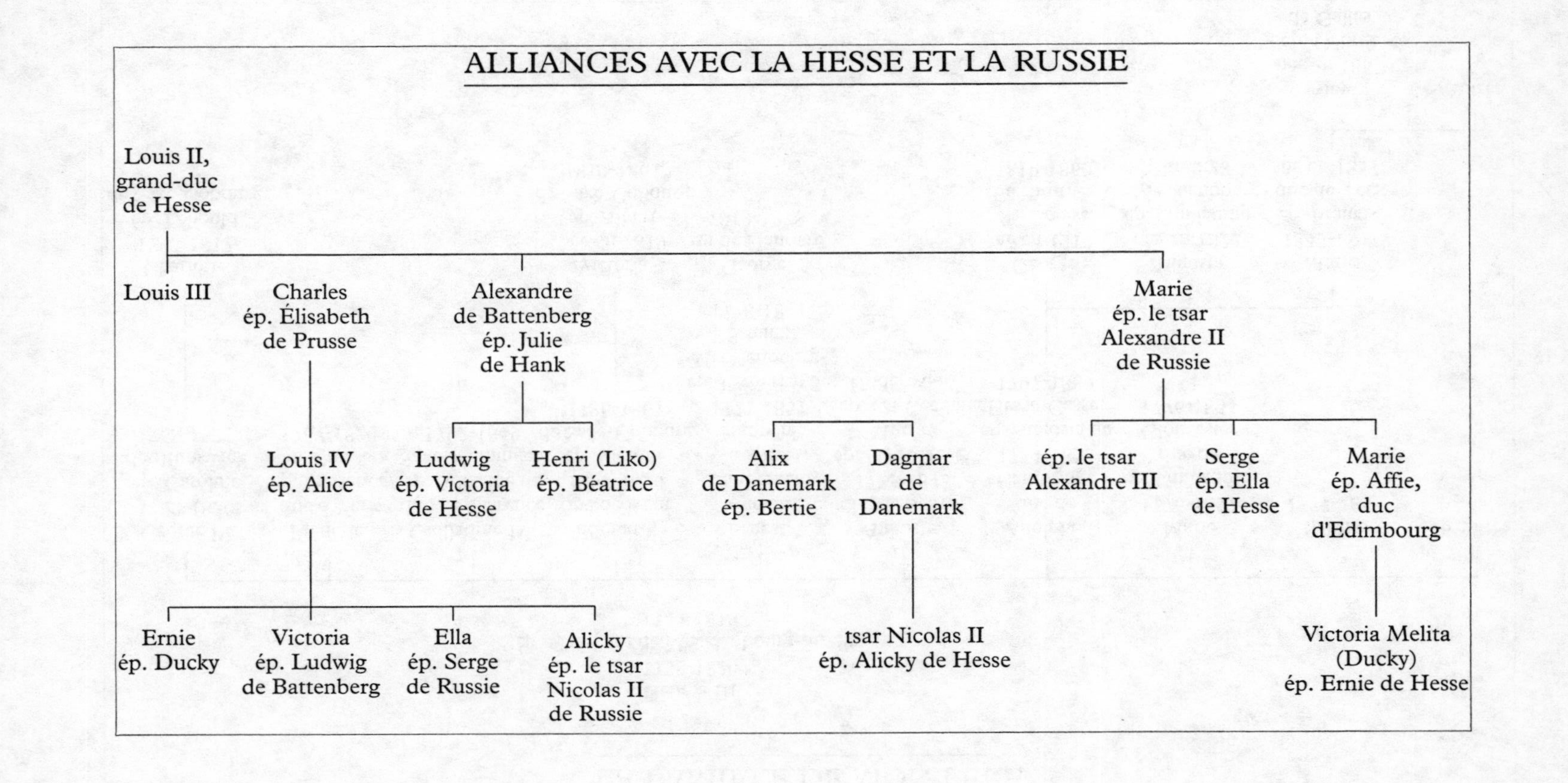
ALLIANCES AVEC LA HESSE ET LA RUSSIE
Louis II, grand-duc de Hesse
Louis III
Charles ép. Élisabeth de Prusse
Alexandre de Battenberg ép. Julie de Hank
Marie ép. le tsar Alexandre II de Russie
Louis IV ép. Alice
Ludwig ép. Victoria de Hesse
Henri (Liko) ép. Béatrice
Alix de Danemark ép. Bertie
Dagmar de Danemark
ép. le tsar Alexandre III
Serge ép. Ella de Hesse
Marie ép. Affie, duc d'Edimbourg
Ernie ép. Ducky
Victoria ép. Ludwig de Battenberg
Ella ép. Serge de Russie
Alicky ép. le tsar Nicolas II de Russie
tsar Nicolas II ép. Alicky de Hesse
Victoria Melita (Ducky) ép. Ernie de Hesse

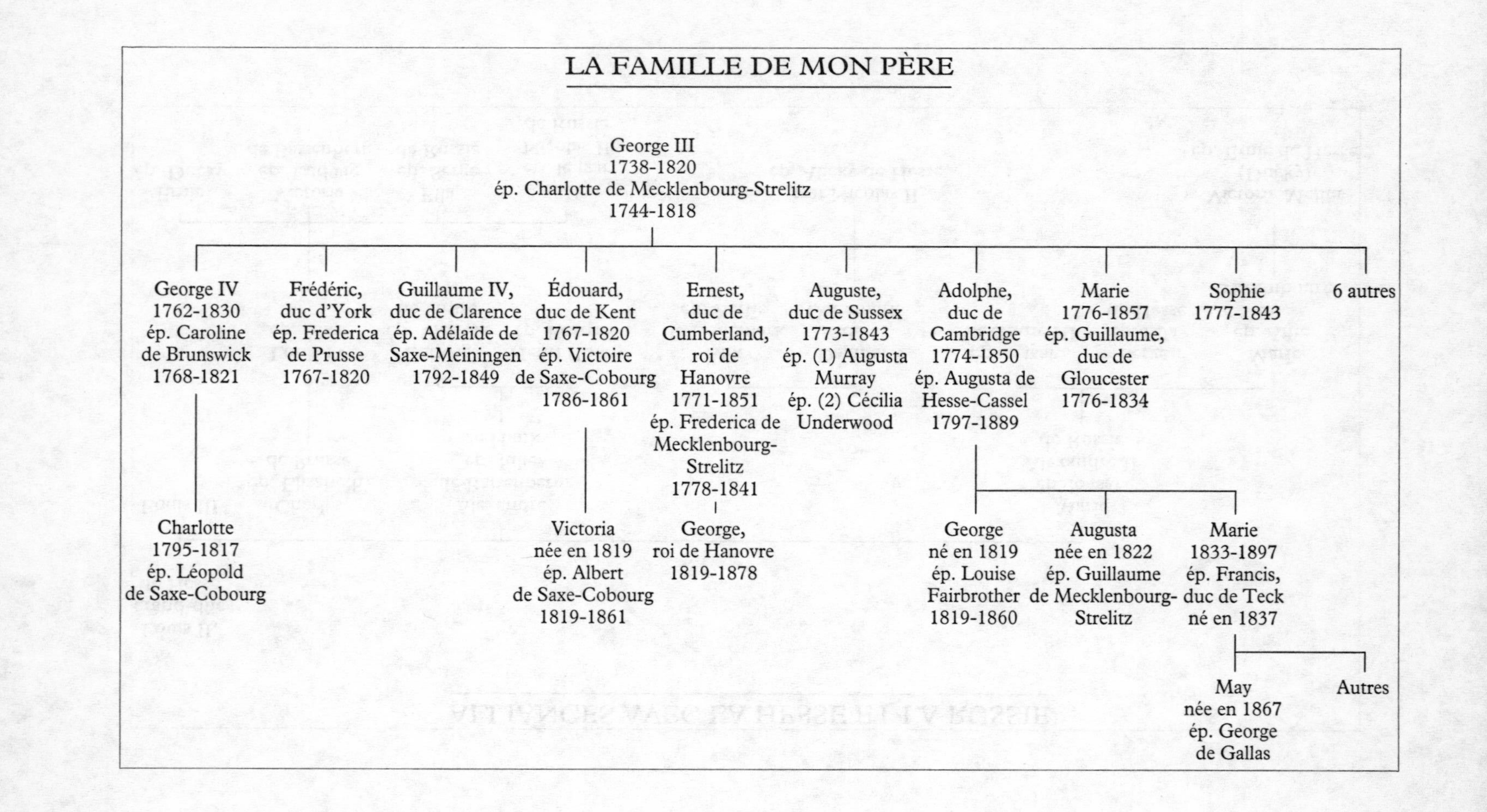

LA FAMILLE DE MON PÈRE
George III
1738-1820
ép. Charlotte de Mecklenbourg-Strelitz
1744-1818
George IV
1762-1830
ép. Caroline
de Brunswick
1768-1821
Frédéric,
duc d'York
ép. Frederica
de Prusse
1767-1820
Guillaume IV,
duc de Clarence
ép. Adélaïde de
Saxe-Meiningen
1792-1849
Édouard,
duc de Kent
1767-1820
ép. Victoire
de Saxe-Cobourg
1786-1861
Ernest,
duc de
Cumberland,
roi de
Hanovre
1771-1851
ép. Frederica de
Mecklenbourg-
Strelitz
1778-1841
Auguste,
duc de Sussex
1773-1843
ép. (1) Augusta
Murray
ép. (2) Cécilia
Underwood
Adolphe,
duc de
Cambridge
1774-1850
ép. Augusta de
Hesse-Cassel
1797-1889
Marie
1776-1857
ép. Guillaume,
duc de
Gloucester
1776-1834
Sophie
1777-1843
6 autres
Charlotte
1795-1817
ép. Léopold
de Saxe-Cobourg
Victoria
née en 1819
ép. Albert
de Saxe-Cobourg
1819-1861
George,
roi de Hanovre
1819-1878
George
né en 1819
ép. Louise
Fairbrother
1819-1860
Augusta
née en 1822
ép. Guillaume
de Mecklenbourg-
Strelitz
Marie
1833-1897
ép. Francis,
duc de Teck
né en 1837
May
née en 1867
ép. George
de Gallas
Autres

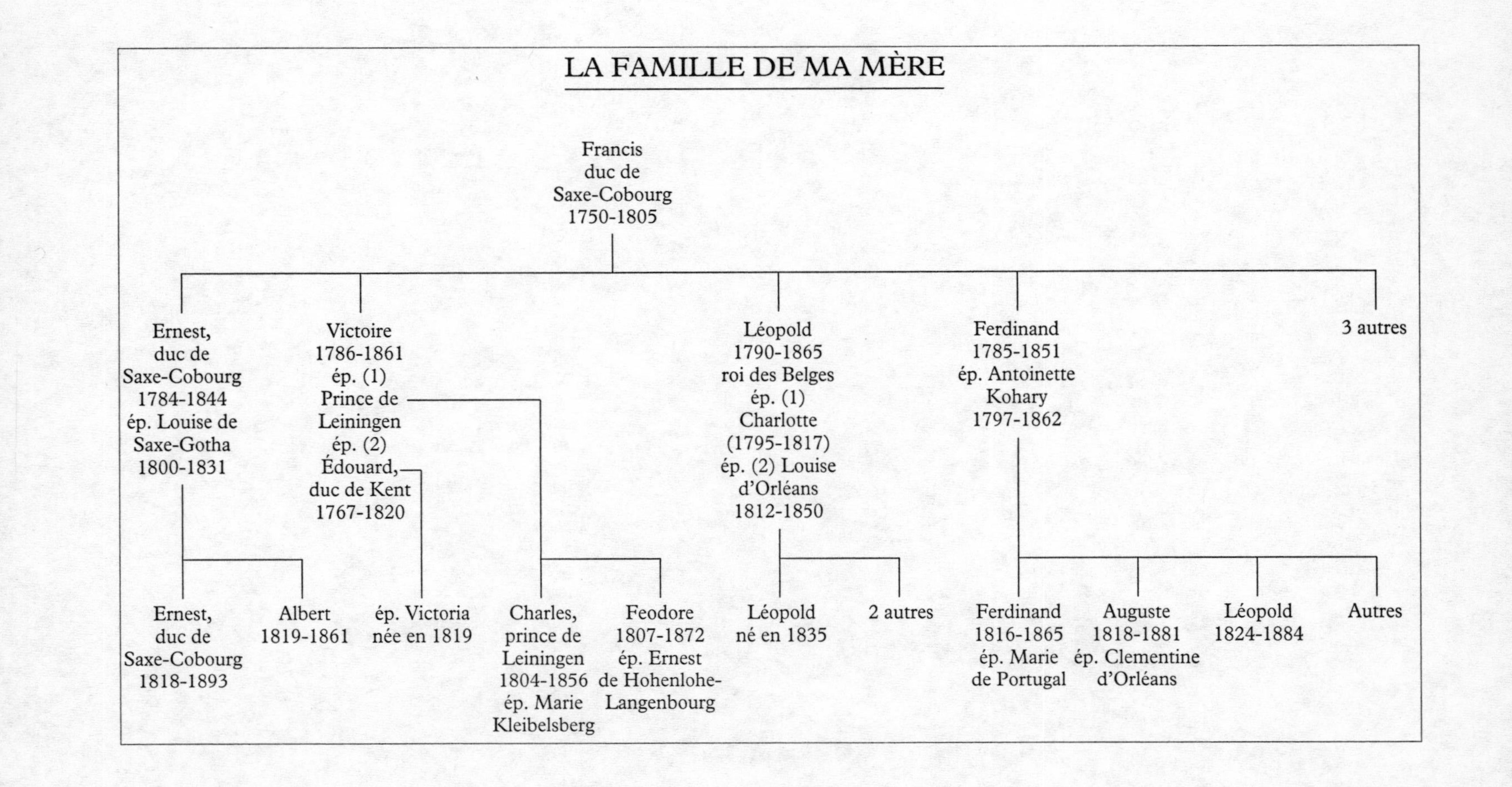
LA FAMILLE DE MA MÈRE
Francis duc de Saxe-Cobourg 1750-1805
Ernest, duc de Saxe-Cobourg 1784-1844 ép. Louise de Saxe-Gotha 1800-1831
Victoire 1786-1861 ép. (1) Prince de Leiningen ép. (2) Édouard, duc de Kent 1767-1820
Léopold 1790-1865 roi des Belges ép. (1) Charlotte (1795-1817) ép. (2) Louise d'Orléans 1812-1850
Ferdinand 1785-1851 ép. Antoinette Kohary 1797-1862
3 autres
Ernest, duc de Saxe-Cobourg 1818-1893
Albert 1819-1861
ép. Victoria née en 1819
Charles, prince de Leiningen 1804-1856 ép. Marie Kleibelsberg
Feodore 1807-1872 ép. Ernest de Hohenlohe-Langenbourg
Léopold né en 1835
2 autres
Ferdinand 1816-1865 ép. Marie de Portugal
Auguste 1818-1881 ép. Clementine d'Orléans
Léopold 1824-1884
Autres

HIVER

1

Osborne, le 28 janvier 1900

Si loin qu'il m'en souvienne je n'ai jamais aimé être photographiée : trop de tracas pour un résultat incertain ! Aux premiers temps de la photographie, il fallait poser de longues minutes devant l'objectif. Moi qui suis sujette aux fous rires, je prenais alors un air sinistre, qui n'est pas dans mes habitudes, comme peuvent en témoigner tous mes proches. J'aime rire, mais encore aujourd'hui on ne rit pas sur une photo, malgré les progrès réalisés dans ce domaine. On a même du mal à sourire, surtout quand on est une reine, tenue à une certaine dignité.

Si j'avais eu l'exquise beauté de cette chère Alix, sans doute me serais-je plus volontiers soumise à cette corvée. Ma belle-fille possède la finesse et la sérénité d'une statue d'albâtre. Elle fera un jour une reine superbe. Quel genre de roi fera mon fils ? est une question sur laquelle je préfère revenir.

J'accorde une grande importance à la beauté physique ; trop d'importance, disait Albert. Mais il était si beau lui-même qu'il avait tendance à sous-estimer cette qualité ! Maman fut jolie dans sa jeunesse — un visage régulier, des yeux sombres, des joues roses et de beaux cheveux bouclés. Ma sœur Feo était sa copie conforme. Quant à moi, je ressemble plutôt à mon cher père. J'ai hérité de son long nez — saillant comme un promontoire et légèrement incurvé au bout —, de son menton fuyant et de sa lèvre inférieure trop lourde. (Quand j'étais enfant, on me grondait parfois à cause de ma bouche toujours entrouverte, mais comment éviter cela quand on a une lèvre inférieure trop charnue et une lèvre supérieure particulièrement courte ?) Papa passait pour un prince de belle allure, mais je ne considère pas comme un privilège le fait de lui ressembler. À tous égards, je tiens des Hanovre, et ma mère, hélas, ne m'a pas transmis la grâce des Cobourg.

Pourtant, je produis parfois une impression inattendue ! Quand ma petite-fille, la délicieuse Sophie, est venue me rendre visite pour la première fois, voici ce qu'elle a écrit dans son journal : « Ma chère grand'maman est toute petite et très, très jolie ; elle porte un voile comme une mariée. » Sophie, septième enfant de Vicky, avait alors quatre ans et j'en avais cinquante-cinq ! Cette remarque m'a comblée de joie : on a beau être reine et avoir de graves préoccupations, on n'en reste pas moins sensible aux compliments.

C'est donc avec un plaisir mitigé que j'ai passé l'après-midi à regarder d'anciennes photos avec Thora : (Adorable Thora ! De tous mes petits-enfants, c'est la plus serviable. Lenchen a bien de la chance d'avoir une fille comme elle, qui ne lui a jamais donné le moindre souci !)

Il fait un temps exécrable, avec un vent violent et une grosse pluie de neige fondue. Même une promenade en voiture est impossible ! Je n'ai pas l'habitude de me laisser impressionner par les intempéries, mais, un jour comme aujourd'hui, les poneys n'auraient pas pu avancer. Sans compter que je me serais montrée bien cruelle d'obliger mes dames d'honneur à m'accompagner : ce sont de véritables fleurs de serre ! En plus, cette pauvre Jane Churchill a un mauvais rhume de cerveau. J'ai beaucoup toussé ces derniers temps, plus à cause de l'humidité que du froid. Mon genou souffre aussi de l'humidité. Toujours cette douleur lancinante. Quelle tragédie que la vieillesse ! L'esprit reste alerte, mais le corps ne suit pas et n'aspire qu'à un bon fauteuil au coin du feu !

Osborne a toujours été une demeure très froide en hiver. Malgré nos merveilleuses flambées, un vent du nord-est venu de la mer pénètre à travers les volets et transforme les pièces en véritables glacières, si bien qu'on gèle dès que l'on s'éloigne de l'espace douillet où se rassemblent les chiens, autour de chaque cheminée. Il est vrai que cette résidence était prévue pour remplacer, en été, le Pavillon de Brighton. L'astucieuse installation de chauffage d'Albert — qui souffle de l'air chaud à travers des grillages pour réchauffer les corridors et les chambres à coucher — permet de tempérer la fraîcheur des soirées d'été, mais n'est pas d'un grand secours contre les courants d'air d'un hiver glacial.

À vrai dire, le froid ne me dérange pas ; et plus je vieillis, plus la chaleur m'insupporte. Mes dames d'honneur sont loin de partager mon point de vue ! Parfois, je m'amuse à les taquiner à ce sujet. Par un jour de grand froid, à Balmoral, j'étais descendue à l'heure habituelle de ma promenade ; elles m'attendaient, le nez rouge, et blotties les unes contre les autres comme des ânes des montagnes. De mon air le plus sérieux, je leur ai demandé s'il ne faisait pas trop chaud pour sortir. Ces idiotes m'ont prise au sérieux !

Du vivant d'Albert, nous n'avons jamais passé les fêtes de fin d'année ici. Quel dommage ! Plusieurs semaines avant Noël, le château embaume le pin et le myrte dont nous décorons les chambres, le bois de pommier que nous brûlons dans les cheminées, ainsi que l'orange, la cannelle et le clou de girofle. Les odeurs m'ont toujours paru merveilleusement évocatrices : une bouffée d'un arôme et on croit revivre une époque depuis longtemps révolue ! Grâce à Dieu, mon odorat est resté intact, alors que ma vue ne cesse de baisser. J'y vois de plus en plus mal, même avec mes lunettes — abominables choses ! Si seulement les gens avaient une écriture plus lisible tout irait mieux. J'en ai touché un mot à Ponsonby, mon secrétaire : il devrait y prendre garde.

Sans être dure d'oreille, je n'ai plus l'ouïe aussi fine, moi qui pouvais entendre le hululement de la chouette quand je me promenais au crépuscule avec mon cher époux. J'étais capable de saisir des conversations chuchotées à l'autre bout d'une pièce, ce qui m'a toujours été fort utile. C'est fou la quantité de choses de toutes sortes que les gens essaient de vous cacher !

Mes plus lointains souvenirs sont liés à des odeurs. Je me revois me traînant sur un tapis du palais de Kensington — un tapis jaune à losanges rouges, usé jusqu'à la corde par endroits. Il s'agit sans doute de mon tout premier souvenir, car j'ai su marcher avant un an ! J'étais assise à même le sol, qui me paraissait bien froid à travers ma fine robe de mousseline. (On s'habillait très légèrement à l'époque, raison pour laquelle, sans doute, je suis si sensible à la chaleur maintenant que la mode a changé.) Je tenais le réticule violet, brodé au fil d'or, de tante Adélaïde. La douceur du tissu contrastait avec la rugosité de la broderie. Ce réticule embaumait la menthe, et j'essayais de l'ouvrir, tandis que maman et ma tante bavardaient en allemand au-dessus de ma tête ; on eût dit un pépiement d'oiseaux, avec des drôles de sifflements, ponctué de *zo !* de *he ?* et de *ach !*

Ma pauvre tante Adélaïde sentait toujours la pastille de menthe : ayant de mauvaises dents, elle avait tendance à avaler sans mâcher, ce qui lui procurait des brûlures d'estomac. Je réalise maintenant sa force de caractère : elle était toujours de bonne humeur malgré ses terribles souffrances... Une fièvre ou une blessure suscite la compassion, mais les troubles digestifs sont de ceux que nous préférons ignorer, surtout quand il s'agit des autres. Moi qui ai un estomac d'acier, je crains de n'avoir été guère compréhensive avec mon pauvre Albert lorsqu'il avait des problèmes de digestion. Et Dieu sait qu'il en a souffert !

Quant j'étais tout enfant, nous recevions souvent la visite de tante Adélaïde, oncle Guillaume ayant insisté auprès de sa femme pour qu'elle aille voir maman tous les jours afin de la consoler, au début de son veuvage. En raison de leur origine allemande, il pensait qu'elles pourraient bavarder et prier dans la même langue. C'était bien là l'idée de l'homme simple et pragmatique qu'était mon bon oncle ! Hélas, cette intimité n'a pas duré, car une « certaine personne » a insufflé des doutes dans l'esprit de maman. À partir de l'âge de six ou sept ans, j'ai pratiquement cessé de voir mon oncle et ma tante. Cependant, ils continuaient à m'écrire et à m'envoyer des cadeaux ; et, quand je les rencontrais, ils se montraient toujours aussi affectueux à mon égard. Encore aujourd'hui, j'évoque leur souvenir avec nostalgie...

Un autre souvenir inoubliable est l'odeur de camphre qui flottait autour de moi chaque fois que la princesse Sophie, la sœur de papa, me frôlait dans les allées du parc. J'étais toute petite à l'époque : ses jupes noires me râpaient le visage et j'entendais crisser le gravier sous ses pas. Depuis, j'associe l'odeur de camphre à la mélancolie, car cette pauvre princesse Sophie — l'un des nombreux « morts vivants » qui hantaient le palais de Kensington — était éternellement en deuil, pleurant ses amours déçues et la mort du bébé qu'elle avait eu en secret. Je n'étais pas censée être au courant, mais les domestiques bavardaient — il suffisait d'écouter.

Le palais de Kensington était alors une sorte d'asile royal pour les membres de la famille en difficulté. Oncle Sussex, un autre protégé de mon père, y habitait. Homme au plus haut point excentrique, il vivait en reclus et parlait tout seul la plupart du temps. Je le revois se précipitant dans un couloir, avec de grands gestes comme pour se convaincre lui-même. Il me terrifiait littéralement quand j'étais petite, non qu'il m'eût fait du mal, le pauvre homme, mais parce que mes nurses le faisaient passer pour un véritable croque-mitaine. Si je refusais de me repentir de quelque mauvaise action (ce qui était fréquent), elles prétendaient que l'oncle Sussex allait m'enlever.

Une rafale de vent vient de faire claquer les volets intérieurs, exactement comme s'il n'y avait pas de vitres aux fenêtres. Quand Béatrice était petite, on lui a demandé un jour à quoi servaient les fenêtres. L'espiègle enfant a répondu du tac au tac : « À faire entrer le vent, bien sûr. »

Elle a dû oublier tout cela, la pauvrette ! Assise en face de moi, les pieds posés sur un tabouret, elle tricote quelque chose en laine kaki. (Nous tricotons toutes comme si notre vie en dépendait.) Elle est toujours aussi jolie, avec son gracieux port de tête et ses mains délicates — bien que je n'apprécie pas ces petites boucles serrées, à la mode ces temps-ci, qui lui donnent l'air d'un caniche. La voir en habits de deuil me navre. Quelle tristesse de penser que ma plus jeune fille est veuve ! Elle fait preuve d'un grand courage et ses enfants lui apportent un précieux réconfort. J'aime les entendre rire et babiller, et j'ai eu plaisir à rouvrir l'ancienne nursery qu'il avait fallu fermer, Bébé elle-même étant devenue trop grande et aucune autre naissance n'ayant suivi. Vous n'imaginez pas le bruit que font quatre enfants à eux seuls ! Si Liko avait vécu, je suppose que Bébé et lui en auraient eu d'autres, car ils étaient très amoureux.

Mais Liko s'est mis en tête d'aller se battre chez les Ashantis. En 1895, pendant la seconde guerre, évidemment ! (Il me semble que l'Afrique ne nous attire que des ennuis — à la différence de l'Inde...) Je lui avais déconseillé de partir, mais il m'a rappelé qu'il appartenait à une famille de soldats et que son devoir était de se battre pour obliger le roi des Ashantis à abandonner le commerce des esclaves. À ma demande, Reid l'a mis en garde contre le climat de la Côte-de-l'Or, dangereux pour sa santé. Il n'a rien voulu entendre, et Bébé l'a soutenu, bien qu'aussi inquiète que moi de le voir partir. J'avais vu juste : ce pauvre garçon n'a tenu que quelques semaines ! Il a attrapé la malaria dans cette horrible jungle, et il est mort pendant son voyage de retour. Certes, quand un homme au cœur noble brûle de servir son pays, on peut difficilement l'en dissuader, mais ce deuil m'a bouleversée ! J'aimais Liko comme mon propre fils ; sa présence était un véritable rayon de soleil pour moi ! À sa mort, Bébé n'avait que trente-neuf ans — moins que moi quand je suis devenue veuve. Le destin est parfois très cruel...

Elle vient de lever les yeux sur moi comme si elle avait deviné mes pensées. Un phénomène courant quand on vit ensemble ! Elle se demande sans doute ce que je suis en train d'écrire et si je vais la prier de poursuivre sous ma dictée — comme je l'ai fait une ou deux fois quand mes pauvres yeux étaient trop fatigués et mes mains trop engourdies. Voilà, justement, elle m'a proposé de prendre la plume à ma place, mais je lui ai répondu que je préférais continuer à écrire par moi-même : « Je tiens mon journal scrupuleusement, bien qu'il n'y ait pas grand-chose à dire aujourd'hui, ai-je précisé. Le temps, ma santé, mais rien de nouveau concernant la guerre. » Elle a souri et s'est remise à son ouvrage.

J'avais treize ans quand maman m'a offert un cahier pour mon premier journal. Un magnifique cahier relié de cuir, au papier couleur crème et à la tranche marbrée. Nous allions nous mettre en route pour un voyage à travers l'Angleterre. (La première de nos « tournées royales », comme disait mon oncle Guillaume, qui régnait à l'époque. Il était furieux que maman ne lui demande pas l'autorisation ! Il ne supportait pas non plus que nous soyons saluées sur notre passage par des salves de canon, comme si j'étais déjà reine. Je l'entends encore vociférer : « Ce vacarme infernal doit cesser ! ») Maman m'avait donné ce cahier pour que je note les événements quotidiens, considérant cela à la fois comme une gymnastique intellectuelle et un exercice de rédaction... Depuis, j'ai toujours tenu mon journal, à l'exception de quelques jours particulièrement sombres de ma longue vie, en 1861.

Comme de juste, maman lisait ce que j'écrivais ; je ne pouvais donc écrire que ce qu'elle approuverait. En un sens, j'ai toujours continué à souhaiter son approbation, bien que je ne l'aie plus laissée lire mon journal du jour où je suis devenue reine, et qu'elle soit morte depuis bientôt quarante ans. Toute ma vie, j'ai écrit pour les autres : pour maman, pour mes enfants et petits-enfants, pour ma famille dans son ensemble, pour mes sujets de Grande-Bretagne et d'au-delà des mers, mes sujets que je considère comme mes propres enfants... Or, quand on écrit pour d'autres, peut-on être absolument sincère ? Ma prose a toujours été conçue et arrangée pour n'offenser personne — et même, si possible, ne pas surprendre !

J'ai maintenant atteint un âge vénérable, et, bien que ma fin ne me semble pas imminente, je pense que Dieu ne tardera pas à me rappeler à lui ; le moment est donc venu de rédiger mes mémoires. À la mort de mon bien-aimé Albert, Sir Théodore Martin a écrit le récit de sa vie en s'assurant que j'étais d'accord sur tous les points et en évitant prudemment ce qui aurait risqué de me déplaire. On publiera sans doute à ma mort une biographie officielle, sur laquelle Bertie aura rayé d'un trait de plume les éventuelles indiscrétions. Bien des vérités risquent de s'envoler à tire-d'aile comme des moineaux !

Mon pauvre Bertie a été fort choqué lorsque j'ai exprimé l'intention de relater la vie de mon cher John Brown ! (Ce projet a suscité une telle opposition que j'y ai renoncé, de crainte d'entendre les commères de salon médire de mon fidèle ami.) Si je rédige maintenant mes mémoires, je dirai des vérités qui ne résisteront pas à la censure de Bertie ou même de Béatrice. Cette jeune génération est bien plus stricte que la mienne... Tôt ou tard, mes écrits devront être brûlés, et j'aime autant me charger moi-même de cette tâche pour ne pas rendre la vie encore plus difficile à mes descendants.

Quitte à détruire mes notes avant que quelqu'un ne les lise, j'ai grande envie de m'atteler à cette tâche. Ce sera une entreprise de longue haleine, et je n'aurai peut-être pas le temps de la mener à bien ; mais pourquoi ne pas au moins commencer ?

Cela m'occupera pendant mes longues insomnies... Moi qui fus une si grande dormeuse, je déteste me réveiller au bout d'une heure ou deux en sachant qu'il me sera impossible de retrouver le sommeil ; le monde paraît alors si vide et inquiétant. On éprouve une sensation bizarre — comme si on avait faim aussitôt après un repas. Il m'arrive de sonner dans ces cas-là ; mais une personne arrachée brusquement au sommeil du juste n'est pas la compagne idéale pour quelqu'un qui ne connaît plus cette béatitude. Ces yeux rougis et ces visages ensommeillés me mettent en rage, et je préfère, à la veille du Jugement, éviter les occasions de pécher !

Je prendrai donc ma plume pendant ces heures solitaires et chaque fois que j'en aurai l'occasion au cours de la journée. Ce sera une réelle satisfaction pour moi d'écrire, pour mon plaisir, des choses que personne ne lira ni ne critiquera. D'écrire pour la vraie Victoria qui se cache derrière la reine et impératrice ! Cette vieille femme corpulente, vêtue de noir, que tout le monde connaît grâce à de multiples chromos, reste au fond d'elle-même une jeune fille rangée, timide, et surtout très seule...

L'intérieur et l'extérieur n'ont jamais coïncidé et coïncident de moins en moins. Le monde entier a les yeux braqués sur moi, on me consulte sur tout, je suis entourée d'enfants, de petits-enfants, de serviteurs fidèles et de ministres respectueux, mais je me sens bien solitaire, car tout l'amour du monde ne peut suffire à combler le manque d'affection dont on a souffert dans son enfance. Ils m'ont tous quittée un à un, les êtres chers que j'aimais et qui m'aimaient. Ma très chère Béatrice, assise face à moi, s'efforce de satisfaire le moindre de mes désirs. J'ai beaucoup de chance d'avoir ma « Benjamina » — comme je l'appelle — à mes côtés, et je lui voue une profonde reconnaissance. Mais la compagnie et l'affection d'une femme ne remplaceront jamais l'intimité partagée avec celui qui est pour vous un père, un frère, un ami, un amant ; l'autre moitié de votre âme... Quand vous avez connu ce sentiment sublime, plus rien ne peut combler votre solitude, pas même votre arrière-petit-fils, un adorable bébé potelé, gazouillant sur vos genoux.

31 janvier 1900 — 1 heure du matin

En rêve, je me suis vue dans l'ancienne chambre à coucher du palais de Kensington, que je partageais avec maman quand j'étais enfant. Allongée dans mon petit lit blanc, à la lumière d'une chandelle, j'entendais le tic-tac de la montre d'argent et d'écaille de papa, posée sur la table de nuit. Jusqu'à l'âge de dix-huit ans, je me suis endormie au son de ce tic-tac. On ne m'a jamais laissée seule un instant tant que je n'ai pas été reine ! Lehzen, assise sur une chaise à haut dossier, lisait à côté de mon lit en attendant que maman monte se coucher. Elle levait son livre de manière à capter la lumière, se tenant bien droite, car, disait-elle, une dame ne doit jamais s'appuyer au dossier de sa chaise. Mais parfois elle s'assoupissait un moment ; son livre glissait alors sur ses genoux, son menton tombait sur sa poitrine tandis que le souffle léger de sa respiration faisait voltiger sur ses joues les rubans de son bonnet.

Mais, dans mon rêve, ce n'était pas Lehzen qui veillait sur moi, assise à côté de mon lit. Bien que je ne puisse tourner la tête pour regarder, j'étais certaine que quelqu'un avait pris la place de ma bonne et gentille gouvernante. Or, je devais absolument montrer que je savais de qui il s'agissait — que je ne dormais pas vraiment... Mais je sombrais sans cesse dans le sommeil malgré mes efforts, et j'étais désespérée, car j'allais me réveiller différente, dans un autre monde, et l'occasion serait à jamais passée.

Comment interpréter cela ? Un rêve aussi frappant doit avoir une signification — mais j'ai toujours fait des rêves étonnants. Au début de mon mariage, je les racontais à Albert chaque matin, comme tout ce qui m'arrivait, mais, voyant qu'il détestait cette manie, j'ai cessé de le faire. Pauvre chéri, pour un homme éclairé, il était terriblement superstitieux ! Enfant des Lumières et protestant, il réprouvait l'idolâtrie et le paganisme ; pourtant, les signes et les présages le troublaient beaucoup plus que moi. Ces choses-là m'amusaient et m'intéressaient plutôt. J'aimais à penser que nous étions entourés d'un monde invisible empiétant sur le nôtre comme la mer sur le rivage.

Voir un fantôme ne m'aurait pas déplu, et m'aurait même ravie quand j'étais plus jeune — surtout la première fois que j'ai séjourné à Windsor. S'il est un seul endroit au monde où il peut y avoir des spectres, c'est bien là. (Mon cher Lord Melbourne prétendait en avoir vu plus d'un, mais, d'après lui, le niveau de leur conversation laissait à désirer !) Albert ne voulait pas entendre parler de présages : mon cher ange avait une nature plus éthérée que la mienne, et beaucoup plus sensible aux choses de l'esprit. Ses rares heures de sommeil étaient sans doute troublées par de mauvais rêves, il n'avait donc que faire des miens... Alors que j'avais les pieds sur terre, il devait passer sa vie dans un monde peuplé de fantômes, le pauvre homme !

Je me demande maintenant si la personne qui, dans mon rêve, avait pris la place de Lehzen était papa. J'ai parfois l'impression de me souvenir de lui, bien qu'il soit mort quand j'avais huit mois. Quand j'en ai parlé un jour à maman, elle a hoché la tête en disant que c'était impossible. Pourtant, je me souviens de quelqu'un me soulevant de terre et me tenant au-dessus de sa tête ; j'avais la sensation d'un contraste délicieusement inquiétant entre ma position précaire, et la force de ces deux mains masculines. Aussi longtemps qu'elles me soutiendraient, rien de fâcheux ne pourrait m'arriver...

Ce souvenir est si net que je ne pense pas qu'il puisse s'agir d'un rêve. Je ne me rappelle pas le visage de mon père — malgré les nombreux portraits que j'ai pu voir —, mais il ne se passe pas un jour sans que je pense à lui. Petite fille, j'écoutais le léger tic-tac de sa montre avant de m'endormir, et je croyais entendre un bruit de pas en train de s'éloigner. Comme il s'est vite éloigné de moi, mon cher papa ! Cependant même si je n'ai pas eu le temps de connaître son visage, son esprit ne m'a jamais quittée. Ma vie aurait été différente s'il n'était pas mort, m'abandonnant, petite et sans défense, moi qui avais tant besoin de sa protection. Sa présence m'a manqué durant toute mon enfance, et j'ai subi à l'époque des épreuves qu'il m'aurait évitées. Ces années où j'ai dû me battre, seule, m'ont marquée à tel point que j'ai passé le reste de ma vie à la recher che du bras solide et du cœur sage dont j'ai été privée si jeune

Mon destin aurait été tout autre si papa n'était pas mort dans la fleur de l'âge. Maman et lui auraient certainement eu d'autres enfants — le fils qu'elle lui avait promis... S'ils m'avaient donné un frère, je ne serais pas devenue reine. Aurais-je préféré cela ? C'eût été merveilleux de ne pas être toujours le point de mire, de ne pas ployer en permanence sous les soucis et sous cette montagne de travail qui ne diminue jamais malgré les longues heures que je lui consacre. Vivre au calme, loin des regards indiscrets et des mauvaises langues ; être femme, mère et non plus reine, comme cela m'aurait plu ! Dans un sens...

Mais, en toute franchise, je dois avouer que l'idée de ne pas être reine m'emplit d'horreur. Aurais-je supporté d'être un simple sujet et de ne pas avoir la première place en toutes circonstances ? Et comment aurais-je pu faire confiance à quelqu'un d'autre, moi qui redoute le jour où Bertie me succédera à la tête du royaume ?

Par ailleurs, si j'avais épousé Albert (ce qui est peu probable car mon père m'aurait sans doute choisi un autre époux), mon bien-aimé m'aurait emmenée vivre en Allemagne où il aurait été maître chez lui, je n'en doute pas. Mon cher tyran domestique ne demandait qu'à exercer son autorité ! Je l'adorais, j'avais plaisir à lui faire des concessions, mais céder par choix et céder par nécessité sont deux choses bien différentes. Si je n'avais pas pu lui opposer mon indiscutable souveraineté, qu'en aurait-il été ? De violentes querelles éclataient parfois entre nous ; si je n'avais été que sa *kleines Frauchen*, sa petite femme, il aurait toujours eu le dernier mot. Je ne manque pas de caractère, mais il m'aurait dominée par son intelligence, et si j'avais vécu dans son pays et sur ses terres, je n'aurais eu aucun droit à la parole. En outre, Albert aurait-il aussi bien toléré mes nombreux défauts si je n'avais pas été reine d'Angleterre ?

Il valait donc mieux que je sois reine. Malgré ce fardeau — plus lourd encore qu'on ne l'imagine — je n'ai aucun regret. Dieu savait ce qu'il faisait ; mais ne pouvait-il arriver autrement à ses fins ? On ne doit pas remettre en question la volonté de Dieu, me répétait Albert. Pourtant, une partie de moi sera toujours en révolte contre le destin. Après tout, ce trait de caractère sied assez bien à une reine. Quand je serai morte, j'aurai tout le temps pour reposer en paix. Et si mon chéri avait eu un peu de mon obstination, il serait peut-être encore là, et nous aurions vieilli ensemble comme il me l'avait promis. J'estime qu'il faut toujours tenir ses promesses, même si elles sont faites à la légère.

1er février 1900

Le fait que je sois devenue reine mérite certaines explications sur le plan historique, car papa n'était que le quatrième fils du roi George III. Dans sa jeunesse, il ne pouvait pas supposer que l'un de ses enfants monterait un jour sur le trône. Il fit carrière dans l'armée, comme beaucoup de cadets. (J'ai toujours été fière d'être fille de militaire, et je pense que nos vaillants soldats ont toujours apprécié l'intérêt particulier que je leur porte.) Mon père s'est distingué par sa bravoure et ses faits d'armes, tout particulièrement aux Indes occidentales et au Canada. Il commandait ses troupes avec cette exigence du détail et ce sens de la discipline qu'il s'appliquait à lui-même. Il avait horreur du laisser-aller, de l'inexactitude, de l'ivrognerie et du mensonge, qu'il punissait sévèrement — ce qui le rendait impopulaire auprès des coupables. Exprimant ouvertement son opposition au jeu, à la boisson et à la fornication, il se faisait aussi des ennemis dans sa propre famille — en tout cas parmi les éléments masculins. Ses frères mêmes le haïssaient, ainsi qu'une bonne partie de la société ! Quant au côté aimable de sa personnalité, il ne le révélait qu'aux femmes, avec qui il se montrait spirituel, attentif, empressé, brillant causeur et imitateur de talent. Mrs. Fitzherbert (épouse officieuse de mon oncle, le régent) était une fidèle amie de papa, et la princesse Charlotte l'appelait son « cher oncle bien-aimé » ; comme elles étaient toutes deux des femmes intelligentes, j'ai tout lieu de me fier à leur opinion.

Je me félicite d'avoir hérité de certaines de ses qualités. Grand mélomane, il avait un orchestre d'instruments à vent qu'il emmenait dans tous ses déplacements ; il aimait les chevaux et détestait la cruauté envers les animaux ; foncièrement franc, il honnissait le mensonge ; il appréciait l'ordre et ne reculait pas devant l'effort ; enfin, il était fidèle et loyal. À ce propos, je dois parler de Mme de Saint-Laurent — Julie — une Française dont papa avait fait connaissance à Gibraltar en 1790, et qu'il avait emmenée au Canada. Maman a toujours cru que j'ignorais son existence. Elle ne m'a jamais parlé d'elle, en partie par décence, mais surtout, à mon avis, par égard pour mon père : elle craignait sans doute que je ne cesse de révérer sa mémoire si j'apprenais qu'il avait eu une maîtresse.

Néanmoins, j'étais au courant ! Les ragots des domestiques, je suppose... Quand je suis devenue reine, ce cher Lord Melbourne m'a raconté en détail l'histoire de papa. Pourquoi aurais-je eu honte de sa liaison avec Madame Julie ? Elle était charmante, spirituelle et honnête ; papa et elle ont vécu un grand amour pendant vingt-sept ans, sous tous les climats et dans des circonstances parfois difficiles. Si elle avait été princesse — ou s'il n'avait pas été prince — je suis sûre qu'il l'aurait épousée. Alors, je ne serais pas née, car elle n'a jamais eu d'enfants.

Le vrai point faible de papa était sa prodigalité. Il aimait vivre dans le luxe et l'apparat, à tel point que sa pension, votée par le Parlement, ne suffisait pas à ses besoins. Au lieu de limiter ses dépenses, il accumulait les dettes. Il n'était ni joueur ni buveur, mais avait la passion des objets d'art, des meubles, des chevaux de race. Il collectionnait les livres et s'intéressait tout particulièrement à l'architecture. Son grand plaisir était de construire ou de restaurer des maisons. En d'autres termes, je regrette d'avoir à l'admettre, il vivait largement au-dessus de ses moyens, dépensant sans vergogne l'argent qu'il n'avait pas. En 1803, une véritable catastrophe se produisit ! Envoyé à Gibraltar pour rétablir l'ordre dans la garnison, il se montra si sévère qu'il faillit provoquer une mutinerie. Il fit flageller deux hommes, dont l'un mourut sous les coups, tandis que l'autre était gravement blessé. Ce fut un tel scandale qu'on dut le révoquer et le retirer définitivement du service actif.

De retour en Angleterre — avec des revenus sensiblement réduits —, papa n'eut plus rien d'autre à faire que de dépenser son argent. Il acheta à Ealing une maison de campagne qu'il remit en état, avant de la décorer, la meubler et d'en repeupler les écuries, cela, tout en fuyant ses créanciers ou en inventant des systèmes ingénieux pour rembourser ses dettes et s'installer confortablement. Mais, en 1816, sa situation devint si dramatique qu'il décida de s'exiler avec Madame Julie à Bruxelles (où la vie était moins chère) en attendant qu'un comité, désigné par ses créanciers pour gérer ses revenus et lui verser une pension, ait remboursé ses dettes par versements échelonnés. Cela risquait de durer des années. Une véritable sentence de mort pour ce prince hardi et ingénieux, qui n'avait que quarante-huit ans à l'époque...

Papa quitta ainsi l'Angleterre en août 1816, non sans avoir eu le bonheur d'assister au mariage de sa nièce bien-aimée, Charlotte, princesse de Galles, avec le beau prince Léopold de Saxe-Cobourg, dont elle était éprise depuis deux ans. Elle l'avait rencontré à Londres en 1814, lors de la célébration de la paix, à laquelle il assistait en tant que membre de la suite du tsar de Russie. Mais le prince régent s'était opposé à leur union ; il disait de Léopold qu'il était « un prince sans le sou » et avait interdit à sa fille de correspondre avec lui. Papa, qui souhaitait le bonheur de Charlotte, avait joué les intermédiaires en faisant passer aux amoureux les lettres qu'ils s'écrivaient. Les deux jeunes gens lui vouaient une profonde gratitude.

Ce fut un mariage parfaitement heureux mais tragiquement bref. Dix-huit mois plus tard, la belle et intelligente héritière du trône mourait, le 6 septembre 1817, après deux jours de couches laborieuses : elle avait enfanté un petit garçon parfaitement constitué, mais mort-né. Seule une mère peut imaginer le calvaire de Charlotte. En l'occurrence, une erreur fut sans doute commise, car le médecin qui l'avait assistée mit fin à ses jours trois mois après le drame. Toute l'Angleterre pleura. Même le Duc — je veux parler de Wellington, si populaire après Waterloo qu'on l'appelait simplement « le Duc » — déclara : « Sa mort est l'un des plus grands malheurs que notre pays ait connus. » Et pourtant il n'a jamais passé pour un sentimental !

Le fait est que, mis à part ses qualités personnelles qui la faisaient aimer de tous, elle avait une importance dynastique sans égale. Saignée à blanc par vingt-deux ans de guerres européennes, l'Angleterre devait faire face au chômage, à la hausse des prix, à de mauvaises récoltes et à une menace de révolution dans les classes les plus défavorisées. Une monarchie stable, forte et populaire aurait été la bienvenue ; or la princesse Charlotte était la seule descendante légitime du roi, la seule héritière du royaume. Sa disparition créait une situation lourde de menaces.

2 février 1900

Au cours du dîner, Sir John Mc Neill a déclaré qu'il jugeait désespérée la situation à Ladysmith : selon lui, il va falloir céder la place aux Boers[1]. J'ai dû lui dire assez vertement que je n'apprécie pas les propos défaitistes : dans cette maison, personne n'est démoralisé. Le vieux général White nous fait savoir depuis Ladysmith (par héliographe — mais oui !) qu'ils en sont réduits à manger les chevaux, mais cette information ne doit pas être communiquée à la presse. Malgré tout, s'ils ont des munitions suffisantes, ils peuvent tenir encore six semaines.

Je suis écœurée par le gouvernement, qui redouble de lenteur et de maladresse, mais je ne peux blâmer Salisbury qui a les mains liées. Tous les autres ne pensent qu'aux élections et n'écoutent pas mes conseils, ni ceux des experts de l'armée ; or, les civils ne comprennent absolument rien aux questions militaires. J'en veux aussi à la presse qui se montre déloyale et inefficace, et j'ai dû bannir le *Morning Post* de chez moi — mais je crains fort qu'un exemplaire ne pénètre en fraude, car mes gens le considèrent comme un oracle. Le pire est de ne pas avoir d'informations crédibles. On dirait que tout recommence comme pendant la guerre de Crimée, il y a un demi-siècle de cela !

Hier soir, je me suis endormie en écrivant. Le remède est donc efficace ! Je reprends là où je m'étais arrêtée en espérant que l'écriture me distraira de cette effroyable guerre.

Il était question de la princesse Charlotte. Je ne l'ai jamais connue, car elle est morte avant ma naissance. À vrai dire, si elle avait vécu, peut-être ne serais-je pas née... Est-ce pour cette raison que je me suis toujours sentie attachée à elle, comme si un lien étrange nous unissait ? Quand j'étais petite, j'entendais souvent maman parler d'elle avec oncle Léopold. Mon oncle avait adoré sa jeune femme, qu'il n'avait pas quittée un instant pendant les douleurs de l'enfantement. (D'ailleurs, Albert a fait de même à la naissance de chacun de nos enfants. De tendres époux, ces Cobourg !) Il lui avait tenu la main en lui chuchotant des paroles réconfortantes, s'allongeant à son côté sur le lit. Sa mort lui a brisé le cœur...

Je me demande parfois si cela explique ma peur instinctive de l'enfantement. Avant même d'en comprendre la signification exacte, je redoutais ce sombre aspect du mariage. Ai-je surpris des conversations chuchotées alors que je n'étais pas censée entendre ? Les adultes me croyaient-ils trop jeune pour

---

1. De 1899 à 1902, les Boers (descendants des colons néerlandais qui s'établirent au Cap) menèrent une guerre contre la souveraineté britannique en Afrique du Sud. *(N.d.T.)*

comprendre ? Leurs paroles ont germé dans mon esprit comme des graines semées par hasard. Les enfants enregistrent toutes sortes de choses dont ils ne prennent conscience que des années plus tard, quand ils sont assez grands pour comprendre les idées cachées derrière des mots jusque-là dénués de sens.

La princesse Charlotte est présente dans mes pensées, comme le souvenir d'une sœur aînée que j'aurais adorée pendant mon enfance et perdue prématurément. Il existe de nombreux points communs entre nous : toutes deux des Hanovre, héritières du trône d'Angleterre, nous étions censées réparer les dommages infligés par nos oncles à la réputation de la monarchie, et l'une et l'autre avons épousé des princes de Cobourg que nous adorions. C'est un peu comme si Dieu, n'ayant pu empêcher la mort accidentelle de Charlotte, avait voulu la faire revivre en moi. Dans ce cas, j'ai accompli un destin qui aurait dû être le sien... Est-ce là une interprétation fantaisiste ? Peut-être pas. À cette heure mystérieuse de la nuit, la lumière de la lampe laisse dans l'ombre certains coins de la pièce, comme les hésitations inattendues d'un conférencier suggèrent des vérités cachées. Je crois qu'il n'y a rien de fantaisiste à affirmer que Dieu vise un but et qu'il eut bien du mal à m'installer sur le trône d'Angleterre. Cela n'aurait pas été nécessaire si Charlotte et son enfant avaient vécu...

Comment se fait-il qu'elle ait été l'unique héritière ? Ce n'est pas la faute de mon grand-père. Le roi George III s'acquitta amplement de ses devoirs de géniteur : il conçut quinze enfants, dont douze étaient vivants en 1817. (Quinze enfants ! ma pauvre grand-mère eut bien du courage ! Elle devait être d'une constitution exceptionnellement robuste, car elle a vécu au-delà de soixante-dix ans.) Parmi ses filles, trois étaient alors mariées, mais sans enfant ; les deux autres, restées célibataires, avaient plus de quarante ans. Quant à ses sept fils — papa et mes satanés oncles —, le Duc les considérait comme « le pire boulet à traîner pour un gouvernement », à cause de leur prodigalité, de leurs querelles politiques et surtout de leurs vies dissipées.

Selon Lord Melbourne, c'était la faute du Royal Marriages Act, qui stipule que toute union contractée sans le consentement du roi n'a aucune valeur légale. Cet acte devait mettre la dynastie à l'abri des mésalliances et éviter aux princes du sang de se laisser piéger par de dangereuses aventurières ou des matrones cupides. En réalité, il a donné aux princes la liberté de se mal conduire avec les femmes, sans jamais assumer les conséquences de leurs actes.

« Comment s'étonner de leurs frasques ? me dit un jour Lord M. Ces princes étaient jolis garçons et les dames se pendaient à leur cou, vous savez. » Il ponctua sa phrase d'un petit hochement de tête entendu à l'adresse de la jeune fille encore bien naïve que j'étais. « Le Marriages Act eut peut-être du bon, poursuivit-il, mais il leur a donné les moyens de se déchaîner comme des bêtes sauvages. En général, les hommes se sentent tenus d'épouser les jeunes filles qu'ils ont longtemps courtisées, mais ces princes étaient quasi intouchables. Ils brisaient les cœurs et se disaient ensuite "navrés de ne pouvoir se marier". » Son air comique, lorsqu'il imita un prince se confondant en excuses, me fit rire aux éclats.

À vrai dire, à cette époque, quatre de mes oncles étaient mariés.

Le prince régent, père de cette pauvre Charlotte, détestait sa femme, Caroline de Brunswick, une femme étrange, vulgaire et qui fumait la pipe. Séparé d'elle depuis des années, il aurait souhaité divorcer ; le Parlement, se souvenant de l'embarrassante saga des enfants d'Henri VIII, l'en avait dissuadé. Il ne pouvait donc se remarier et n'aurait certainement pas d'autre enfant de Caroline.

Mon oncle York, le deuxième fils, avait épousé une princesse prussienne parfaitement respectable ; mais ils n'avaient pas de descendance et elle avait passé l'âge d'enfanter. Devenue très excentrique, elle vivait seule à la campagne au milieu de centaines d'animaux apprivoisés et d'oiseaux de toutes sortes. Son mari, tenant à elle malgré tout, ne songeait pas à divorcer.

Mon oncle Cumberland, le cinquième fils, homme mauvais et au tempérament violent, était marié à une femme deux fois veuve, qui avait, disait-on, assassiné ses précédents maris. Jusque-là — grâce au ciel — ils n'avaient pas eu d'enfants.

Mon oncle Sussex, le sixième fils, marié deux fois, avait des enfants de sa première épouse. Mais son père n'ayant autorisé aucune des deux unions, celles-ci étaient sans valeur légale et ses enfants ne pouvaient prétendre au trône.

Restaient donc trois princes célibataires. Mon oncle Guillaume de Clarence, le troisième fils, avait servi dans la marine, où il devint l'ami de l'amiral Nelson. Pendant vingt ans, il avait vécu dans le péché avec une actrice, Mrs. Jordan, qui lui avait donné une dizaine de bâtards, mes cousins Fitzclarence.

Il y avait aussi mon oncle Adolphe de Cambridge, le benjamin, qui vivait surtout dans le Hanovre pour ne pas rembourser ses dettes ; et enfin, papa, le duc de Kent, contraint par ses dettes à s'exiler en Belgique avec sa chère et fidèle Madame Julie. Triste destin pour un homme de goût et d'une grande intelligence !

Mais la fortune allait bientôt cesser de sourire à cette pauvre Julie. La vie à Bruxelles déplaisait tant à papa qu'il songea à un expédient désespéré : le mariage. S'il se mariait conformément au Royal Marriages Act, le Parlement augmenterait sa rente et lui donnerait peut-être un capital lui permettant de rembourser ses dettes. Mon oncle York avait reçu vingt-cinq mille livres sterling à l'occasion de ses noces ; papa comptait en obtenir au moins autant. À l'insu de Julie, il se mit discrètement en quête d'une épouse.

En cette année 1817, il était toujours en contact régulier avec la princesse Charlotte, à qui il confia son problème. Depuis son mariage, Charlotte correspondait affectueusement avec sa belle-sœur, la princesse Victoire de Leiningen, veuve retirée du monde à Amorbach, avec ses deux enfants, Charles et Feodore. La princesse avait trente ans, de grands yeux noirs et un joli teint. Charlotte assura papa qu'elle était honnête, sensible, et douée d'une grande générosité naturelle. Que pouvait-il souhaiter de plus ? Armé d'une lettre d'introduction de Charlotte, il fit le voyage jusqu'à Amorbach en août 1817 (tandis que Julie, qui ne soupçonnait rien, allait à Paris rendre visite à sa sœur) et rencontra la princesse qu'il trouva charmante. Il présenta sa demande en mariage qui fut refusée. Déçu, il regagna Bruxelles, retrouva sa compagne et reprit sa vie futile.

Mais, trois mois plus tard, Charlotte mourait ainsi que son bébé, et la crise constitutionnelle défraya la chronique. Il fallait maintenant que soit papa, soit oncle Clarence, soit oncle Cambridge se marie pour avoir un héritier : ce n'était plus une question de convenance mais de devoir. La pauvre Julie ouvrit en toute innocence le journal de Londres, un dimanche matin au petit déjeuner, et se trouva mal en lisant l'éditorial, qui pressait les trois ducs de convoler...

Papa essaya de la réconforter et remit à plus tard ses projets matrimoniaux. Mais lorsqu'il apprit qu'oncle Cambridge avait déjà été accepté par la princesse Augusta de Hesse-Cassel et était en première place pour ce que les journaux appelaient « la course à la succession », il n'osa plus attendre. Il écrivit à Amorbach en exigeant une réponse immédiate, qui, cette fois, fut favorable. (Grand-maman Cobourg m'a dit un jour, avec sa franchise habituelle, que cette demande présentait beaucoup plus d'avantages que la première : alors que papa n'était auparavant qu'un duc entre deux âges endetté jusqu'au cou, il pouvait maintenant espérer accéder un jour au trône d'Angleterre — ou, sinon lui, du moins son futur héritier. Telles étaient les explications de ma grand-mère et non celles de ma mère...)

J'appris par Lord Melbourne que papa fit preuve de beaucoup de tact à l'égard de Madame Julie quand les circonstances l'obligèrent à se séparer d'elle. Il assura le plus généreusement possible sa subsistance à Paris, où elle s'est retirée, et veilla à ce qu'elle ne manquât de rien tant qu'il vécut : « En tout cas, concluait Lord M., les maîtresses royales savent ce qui les attend, elles ne se font guère d'illusions. » Je suppose qu'il disait vrai.

Papa et maman se sont donc mariés le 29 mai 1818, selon le rite luthérien, à Amorbach. Ensuite, papa ramena maman en Angleterre pour une seconde cérémonie. Il y eut un double mariage au Palais de Kew, en présence de ma grand-mère. (Mon pauvre grand-père avait déjà sombré dans la démence et restait enfermé à Windsor.) L'autre couple était composé de mon oncle Clarence et de la princesse Adélaïde de Saxe-Meiningen. Ma très chère tante Adélaïde, qui m'aimait tant et était si bonne avec moi quand j'étais enfant — dans la mesure où une certaine personne le lui permettait... Le prince régent conduisit les futures mariées à l'autel et offrit le banquet de mariage à Carlton House. Étant donné qu'il détestait papa, on ne pouvait pas en attendre davantage.

Après une courte lune de miel chez l'oncle Léopold, à Claremont, papa regagna avec maman son appartement du palais de Kensington, avec l'espoir d'une augmentation de sa pension. Une cruelle déception l'attendait ! Le Parlement ne lui accorda que six mille livres par an (alors qu'il comptait sur vingt-cinq mille), et pas le moindre capital. Or, son mariage avait déjà accru ses dettes : sa jeune et charmante épouse étant aussi dépensière qu'il était généreux, il lui avait offert des robes, des bijoux, des parfums, des chevaux et même un pianoforte. Les créanciers se firent insistants, le prince régent se montra hostile, et ma grand-mère, craignant peut-être que papa ne lui empruntât de l'argent, lui suggéra fermement de quitter le pays. Ne voyant pas d'autre solution, il repartit en septembre à Amorbach avec maman.

4 février 1900

Quand j'ai été en âge d'avoir des enfants, nous nous sommes réconciliées maman et moi. Nous passions de longues heures à bavarder ensemble à cœur ouvert, dans une intimité dont nous avait longtemps privées une certaine personne... Elle me parlait de papa, de son mariage avec lui, et des circonstances de ma naissance. Quand je ferme les yeux, je crois entendre sa voix à l'accent germanique, bien qu'elle ait vécu trente-cinq ans en Angleterre. Ses paroles étaient ponctuées de « *Zo* », sortes de soupirs permettant de souligner son point de vue ou de compenser son manque de vocabulaire. Toujours bien en chair, elle devint à la fin de sa vie une aïeule aux formes opulentes ; mais ses doigts avaient gardé leur agilité, son visage était toujours aussi lisse et ses yeux sombres brillaient du même éclat. Son amour des chapeaux ne s'est jamais démenti : ses portraits de jeunesse la montrent souriante, sous un couvre-chef à large bord, orné de plumes ; plus tard elle a porté des coiffes qui étaient un merveilleux entrelacs de dentelles et de rubans. « On en mangerait », dit un jour Vicky ; j'ai parfaitement compris ce qu'elle entendait par là.

Le premier mariage de maman l'avait rendue bien malheureuse. Le prince de Leiningen, beaucoup plus âgé qu'elle, était un homme froid et grossier qui ne s'intéressait qu'à son héritage. Il vivait dans un château, au cœur de la forêt, et passait ses journées à la chasse, tandis que sa femme habitait ailleurs, seule avec les enfants. Elle n'avait personne à qui parler et n'exerçait aucun contrôle sur la maison, car le prince supervisait tout, y compris le choix des domestiques.

Papa l'avait arrachée à la solitude. « Comment aurais-je résisté à son charme ? me confia un jour maman. Il me parlait de sa belle voix musicale, et il avait l'art de choisir le sujet qui intéresserait ses interlocuteurs. J'aurais pu bavarder des jours entiers avec lui ! Après des années de silence, ma Victoria, tu n'imagines pas comme je me sentais bien ! »

Elle ne parlait pas l'anglais, il ne parlait pas l'allemand ; ils communiquaient donc en français, une langue que papa maîtrisait parfaitement, et pour cause ! (Aucun amour n'est inutile, je suppose. Vingt-sept ans passés aux côtés de cette pauvre Madame Julie lui avaient donné les moyens de rendre la princesse Victoire heureuse.) « Quand il parlait français, on aurait dit une mélodie », affirmait maman. Papa chantait d'ailleurs fort bien, et ils partageaient l'amour de la musique et de l'équitation. La première demande en mariage qu'il présenta, alors qu'il ne l'avait connue que deux jours, sonnait comme un poème. Il lui écrivait qu'il la trouvait si charmante et si conforme à ses goûts, qu'il serait le plus heureux des hommes si elle acceptait sa main. Ils passeraient l'hiver à Bruxelles, où il avait une superbe résidence, l'été à Amorbach, et ils feraient de brefs séjours en Angleterre. Les journées leur paraîtraient bien courtes, car ils écouteraient de la musique et monteraient à cheval ensemble. Il lui déclarait enfin que, s'il avait le bonheur de devenir son époux, il chérirait ses enfants comme s'ils étaient les siens.

— Comment se fait-il que vous ayez refusé la première fois ? lui demandai-je un jour.

Elle s'était caché le visage dans les mains en soupirant :

— *Ach*, j'étais une vilaine ! Mais j'avais eu une pénible expérience avec mon premier mari et je connaissais à peine ton père à l'époque ! De plus, j'aurais dû renoncer à ma pension de cinq mille livres par an, alors qu'il n'avait aucune fortune personnelle. Mais, vois-tu, l'amour finit toujours par triompher !

Sans le moindre doute quant à sa réponse, je l'interrogeai :

— Avez-vous été heureux ensemble ?

— Très heureux ! Il était si gentil ! Le meilleur des maris... Un véritable compagnon, toujours attentif à ce que je faisais ou disais. Du jour de notre mariage à celui de sa mort, nous ne nous sommes jamais quittés, et nous n'avons jamais eu une seule querelle. Je l'adorais et j'appréciais par-dessus tout d'avoir rencontré un homme intelligent, ayant une telle expérience du monde. Il disait qu'un vieux soldat comme lui avait eu une chance inouïe de conquérir le cœur d'une jeune princesse de dix-neuf ans sa cadette.

Ils regagnèrent donc Amorbach en octobre 1818, avec le titre de duc et de duchesse de Kent. Charles était pensionnaire en Suisse, mais Feo était là, et papa ne tarda pas à gagner son affection. « Il s'entendait si bien avec les jeunes ! me répétait maman. C'était merveilleux de les voir ensemble, et Feo l'adorait. »

Leur bonheur fut à son comble, en novembre, lorsque maman eut la certitude d'attendre un enfant. « Si vite ! » me disait-elle en rougissant légèrement, ce qui pour moi signifiait que papa était son amant autant que son mari... La tendresse qui les unissait transparaît dans une lettre qu'il lui adressa le 31 décembre 1818, à la veille du Nouvel An. Une lettre que maman m'a montrée et dont je connais certains passages par cœur à force de l'avoir relue.

> *Cette soirée mettra fin, chère et bien-aimée Victoire, à l'année 1818, où, pour mon plus grand bonheur, vous êtes devenue mon ange gardien...*
>
> *Tous mes efforts visent un seul but : la préservation de votre précieuse santé et la naissance d'un enfant qui vous ressemblera. Si Dieu m'accorde ces deux faveurs, j'oublierai tous mes malheurs et toutes mes déceptions...*
>
> *J'aurais souhaité vous dire cela en vers, mais vous savez que je suis un vieux soldat qui n'a pas ce talent. Vous devrez donc vous contenter de mes bonnes intentions...*
>
> *Rappelez-vous que je suis votre dévoué mari et que vous représentez pour moi tout le bonheur du monde...*
>
> *Je termine en vous disant, dans la langue de mon pays natal : Dieu vous bénisse et aimez-moi comme je vous aime...*

Dès que papa apprit l'état de maman, il décida de la ramener en Angleterre. Amorbach était un endroit malsain pour accoucher — mal aéré et situé à cinquante miles de la ville la plus proche. De plus, il souhaitait que son enfant vît le jour sur le sol anglais : le fait qu'il naisse à l'étranger risquait en effet de mettre en question sa légitimité s'il devenait un jour l'héritier du trône...

« Ton père était sûr de devenir roi, me confiait maman, avant d'ajouter en soupirant : Ce pauvre Édouard ! Il avait coutume de me dire : "Je suis le plus robuste de ma famille, et j'ai mené une vie plus rangée que mes frères ; je leur survivrai et la couronne sera pour moi et mes enfants." »

Ses espoirs furent sans doute ébranlés lorsque parvint du Hanovre, où vivaient les Clarence et les Cambridge, la nouvelle que les deux duchesses attendaient un enfant pour le mois de mars ou d'avril. En effet, papa n'était que le quatrième fils. Certes, le régent et mon oncle York ne risquaient plus de donner un héritier à la couronne d'Angleterre et un enfant de papa aurait priorité sur un Cambridge, mais un Clarence serait en première place ! « Toutefois, disait maman en pinçant les lèvres, mettre au monde un enfant est une affaire délicate ; personnellement j'avais déjà eu deux enfants en parfaite santé, tandis que la duchesse de Clarence, qui approchait mon âge, n'avait jamais enfanté. Or, vingt-six ans est un âge avancé pour une première grossesse ! Sans lui souhaiter le moindre mal, on pouvait avoir des doutes sur ce que l'avenir lui réservait, raison de plus pour papa de vouloir absolument rentrer en Angleterre. »

Un souhait difficile à exaucer pour un homme couvert de dettes ! Mon père adressa des lettres frénétiques à toutes ses relations pour rassembler l'argent nécessaire, mais il ne parvint à ses fins qu'en mars 1819. Puis il annonça triomphalement au régent qu'ils arriveraient à Calais le 18 avril. Il demandait que le yacht royal soit mis à leur disposition pour la traversée. Par ailleurs, il souhaitait s'installer dans l'appartement du palais de Kensington, autrefois occupé par Caroline de Brunswick. Comme cela ne lui coûtait rien, le régent accepta, bien qu'à contrecœur, en regrettant que son frère ait décidé d'effectuer ce voyage si tardivement. Son objection n'était pas sans fondement : maman n'était qu'à huit semaines du terme.

2

Osborne, 15 février 1900

Le temps est meilleur aujourd'hui, car la tempête s'est éloignée. Un petit rayon de soleil nous permettra de faire une agréable promenade en voiture cet après-midi...

Georgie, May et leurs jeunes garçons viennent déjeuner. Je ne me permettrais pas de le leur dire en face (ni à personne d'autre, d'ailleurs, même si je suis certaine que beaucoup partagent mon point de vue) mais je me félicite que ce soit Georgie — et non son pauvre frère — qui accède au trône après Bertie. J'ai eu du chagrin à la mort d'Eddy, et ce garçon m'inspirait une réelle affection ; pourtant quelque chose me déplaisait en lui. Peut-être son côté « mollasson », comme on disait dans mon jeune temps. Aurait-il fait un bon roi ? J'ai des doutes à ce sujet. Les voies de Dieu sont impénétrables, mais il sait où il va, et il ne faut jamais perdre espoir quoi qu'il arrive...

Georgie sera un roi travailleur et consciencieux, et May, jeune femme intelligente et raisonnable, lui apportera beaucoup. Elle est la fille de ma pauvre cousine Mary Cambridge ; par chance, elle ne ressemble en rien à sa vieille folle de mère. Ses petites mains potelées ne jetteront jamais l'argent par la fenêtre. (À la mort de cousine Mary, il y a tout juste trois ans, on s'est aperçu qu'elle n'avait pas laissé de testament. Que d'ennuis cela a causés ! En plus, les embaumeurs n'ont pas fait leur travail correctement, ce qui m'a paru choquant et fort déplaisant ! J'étais si contrariée que j'ai pris aussitôt des dispositions très précises pour mes propres funérailles, et j'ai veillé à ce que des copies soient distribuées à plusieurs personnes, pour qu'il n'y ait pas d'erreur le moment venu.)

S'il est devenu un homme sage et posé, dans sa jeunesse, Georgie était parfois déchaîné. Je me souviens qu'un jour, quand il était petit, il s'était tenu si mal pendant le déjeuner que je lui ai ordonné de s'asseoir sous la table pour se calmer.

Il a obtempéré, et au bout d'un moment, j'ai entendu sa voix enfantine :

— Grand-maman, je suis sage maintenant. Est-ce que je peux sortir ?

— Bien sûr, ai-je répondu.

Il a soulevé la nappe et il s'est relevé, complètement nu ! Il faisait des cabrioles devant moi, avec le grand sourire de quelqu'un qui vient de vous jouer un bon tour. J'ai dû cacher mon visage derrière ma serviette de table pour qu'il ne me voie pas éclater de rire. Encore maintenant, quand il arrive d'un air grave et solennel, je ne peux m'empêcher de penser à ce petit lutin bondissant. Il doit parfois se demander pourquoi mon visage s'éclaire si brusquement !

David, le fils aîné de Georgie, est un charmant enfant — intelligent et affectueux, lui aussi. Il n'aime pas me voir dans mon fauteuil roulant, et surtout, il voudrait que je me lève pour courir et jouer avec lui. Il me tire par la main en marmonnant : « Lève-toi, Gangan ! Lève-toi ! », puis il essaie de pousser mon fauteuil, évidemment trop lourd pour lui. Alors, il va chercher un domestique et lui ordonne — d'un ton merveilleusement impérieux — de pousser mon fauteuil à sa place. Bon sang ne saurait mentir...

J'ai terminé mes « boîtes » de dépêches et écrit mon courrier officiel ; il me reste donc peu de temps pour continuer mon récit. Ce délicieux soleil me donne l'impression de rajeunir ! Quand Reid est venu me rendre sa visite matinale, je me suis sentie si en forme que je l'ai autorisé à ausculter mon cœur, juste pour le plaisir. Il m'a paru agréablement surpris.

Quel voyage pour ma pauvre maman ! Il n'y avait pas de trains à l'époque... Elle dut parcourir quatre cent cinquante miles en voiture, sur ces routes exécrables du continent (elles ne se sont guère améliorée depuis) et, pour finir, traverser l'une des pires étendues d'eau du monde civilisé !

— Vous n'aviez pas peur ? lui demandai-je, un jour.

— Pas vraiment, me répondit-elle. Le huitième mois est plus sûr que le septième, et j'avais confiance en mon mari. Il ne m'aurait pas laissée entreprendre un tel périple s'il l'avait jugé trop dangereux. Il veillait à mon confort avec une attention qu'aucune femme n'aurait pu égaler.

Papa conduisait maman lui-même dans un léger phaéton, qui, selon lui, devait moins la secouer sur les terribles ornières de la route qu'une lourde voiture fermée. Il maniait le fouet avec dextérité, et le phaéton était tiré par ses deux magnifiques juments noires, qu'il connaissait à la perfection. Une interminable caravane les suivait : un landau emmenant la suite de Feo et ses femmes de chambre anglaises ; un cabriolet avec la dame d'honneur de maman, la baronne Späth et la sage-femme ; une chaise de poste vide en cas de mauvais temps ; une autre chaise de poste avec Feo et sa gouvernante ; un cabriolet avec deux cuisiniers ; un chariot chargé d'argenterie ; un phaéton supplémentaire tiré par la seconde paire de chevaux de papa ; un cabriolet avec le laquais de papa et le valet de pied de maman ; un autre avec les secrétaires (mon père entretenait une volumineuse correspondance) ; puis un cabriolet conduit par le médecin personnel de papa, le Dr Wilson et enfin une dernière voiture transportant la literie de maman. « Les gens ouvraient de grands yeux sur notre passage, et nous avions beaucoup de mal à trouver un gîte chaque soir, me raconta maman. Nous progressions par très petites étapes, pour ne pas me fatiguer, mais je t'assure que je me sentais bien ! Le plus dur a été de passer mes journées assise pendant trois semaines. »

Comme je la comprends ! J'ai toujours eu horreur des voyages en voiture : on est couvert de bleus à force d'être brinquebalé, on a les muscles tendus et parfois la nausée à cause des cahots. La « tournée royale » que je dus entreprendre dans ma jeunesse fut une dure épreuve pour moi. Dieu merci, nous avons maintenant des chemins de fer !

Ils arrivèrent à Calais sains et saufs, le jour dit. Des nouvelles du Hanovre les attendaient : la duchesse de Cambridge avait donné naissance le 26 mars à un fils en parfaite santé, et, le 27 mars, la duchesse de Clarence avait eu une petite fille qui n'avait vécu que quelques heures.

Ma pauvre tante Adélaïde ! Comme elle aurait aimé avoir un enfant ! Mais Dieu ne l'entendait pas ainsi, et son cœur en fut brisé. Je n'ai jamais eu à pleurer la mort d'un bébé, quoique j'aie perdu deux enfants adultes. Perdre un enfant est une douleur intolérable. Cependant, le deuil de ma tante Adélaïde renforçait papa dans la certitude que sa lignée serait un jour appelée à régner.

Les vents ne devinrent favorables que le 24 avril, et la Manche était très agitée lorsqu'ils s'embarquèrent enfin. Ce vent violent permit d'écourter la traversée, mais ma pauvre maman fut très malade jusqu'à Douvres. En étais-je consciente, nichée dans son sein ? J'ai toujours eu le mal de mer — moins pourtant que mon cher Albert, dont l'estomac délicat ne manquait jamais une occasion de se manifester.

Pâles et épuisés par leur voyage, papa et maman arrivèrent donc enfin au palais de Kensington, où je vins au monde un mois plus tard, le 24 mai 1819.

C'était un matin glacial. Il tombait une pluie fine. On entendait les moineaux se répondre d'une haie ruisselante à l'autre, et, derrière les vitres, les merles sautillaient sur les grandes pelouses humides et verdoyantes. Dans la pièce voisine, attendait le duc de Wellington, en compagnie de mon oncle Sussex, de l'archevêque de Canterbury, de l'évêque de Londres, de la marquise de Lansdowne, du fameux Mr. Canning, le secrétaire à la Guerre et du chancelier de l'Échiquier. Lorsque l'aube grise se leva sur Kensington, papa les conduisit dans la chambre de la jeune accouchée pour signer, selon la coutume, mon certificat de naissance et l'acte attestant mon parfait état de santé.

Cela ne posa pas de problème, d'autant plus que les douleurs de l'enfantement avaient été brèves et relativement supportables. J'étais un robuste bébé, « une jolie petite princesse, dodue comme une perdrix », selon les termes employés par le Dr Stockmar, le secrétaire d'oncle Léopold, quand il me vit peu après.

— Mais ce n'était qu'une fille, fis-je observer à maman. Papa a dû être bien déçu !

— Pas le moins du monde ! Il disait qu'il fallait toujours s'incliner devant les décrets de la providence. De plus, ajouta maman avec un sourire pensif, il m'a raconté qu'une gitane, rencontrée jadis à Gibraltar, lui avait prédit la naissance d'une fille destinée à devenir une grande reine.

Disait-il vrai ? Dans ma jeunesse, je croyais de tout mon cœur à l'histoire de la gitane. Elle prouvait que j'étais en somme « prédestinée » et renforçait ma conviction que Dieu lui-même avait souhaité que j'accède au trône. Plus tard, quand j'en ai parlé à Albert, il a fait observer avec bon sens que papa avait sans doute inventé cette anecdote pour rassurer maman, qui regrettait profondément de ne pas lui avoir donné un fils.

Je me suis aussitôt rangée au point de vue d'Albert, mais, par la suite, j'ai eu tendance à revenir à ma première opinion. Le ciel et la terre défient la simple logique ! Papa n'a jamais déclaré — comme Albert et moi à la naissance de Vicky — que le prochain bébé serait à coup sûr un garçon ; il n'a pas envisagé la possibilité d'avoir un fils, car il savait que je serais son unique enfant... Dès mon plus jeune âge, il me présentait à ses amis comme la future souveraine, et s'il insistait tant pour que je sois élevée en Angleterre c'était précisément pour je puisse régner un jour. À mon avis, il a toujours pensé que je symbolisais l'espoir du pays, prenant en cela la place de la princesse Charlotte !

Papa ne quitta pas maman un seul instant pendant ses couches. Oncle Léopold fit de même avec Charlotte, et Albert avec moi. Toutes trois nous avons eu beaucoup de chance avec nos maris ! Par un curieux hasard, il s'est agi d'unions de grande importance constitutionnelle entre des Cobourg et des Hanovre, d'unions heureuses, illuminées par l'amour, et brisées prématurément. De telles similitudes n'apparaissent pas tout de suite et dépassent notre entendement, mais elles méritent réflexion...

Ma grand-mère Cobourg eut le mot juste. En réponse à la lettre de papa annonçant ma naissance, elle lui écrivit ceci : « Une nouvelle Charlotte ! Ne sois pas déçu par la naissance d'une fille, les Anglais aiment les reines ! »

Voici un autre signe du destin, dont Albert lui-même reconnaissait l'importance. Dans sa lettre à grand-maman Cobourg, papa faisait l'éloge de la sage-femme, *Frau* Siebold, dont il avait apprécié « l'efficacité et la compétence exceptionnelle ». Aussitôt après les relevailles, *Frau* Siebold repartit à Cobourg pour s'occuper de la belle-sœur de maman — la jolie Louise, mariée à son frère le duc Ernest — qui, à dix-neuf ans, attendait son deuxième enfant. Trois mois plus tard, l'énergique sage-femme aidait la duchesse de Saxe-Cobourg à mettre au monde un petit garçon « aussi vif qu'un écureuil ». En temps voulu, on le baptisa Francis Charles Augustus Albert Emmanuel, mais il a toujours été connu dans la famille sous le nom d'Albert.

16 février 1900

Les nouvelles d'Afrique du Sud sont bien meilleures aujourd'hui, et, puisque le temps s'améliore aussi, tout concourt à me mettre de bonne humeur. Le général Buller avance à nouveau (pas assez vite selon moi), et la feinte de Lord Roberts pour que les Boers se retirent a l'air de réussir : ils commenceraient, paraît-il, à se disperser devant Ladysmith.

Grâce à Dieu, White a refusé de se rendre ! S'il peut tenir encore quelque temps, je suis sûre du succès de Lord Roberts. Il a envoyé French, le plus jeune de nos généraux (mais la valeur n'attend pas le nombre des années), au secours de Kimberley avec la cavalerie. Nous attendons donc maintenant des nouvelles de deux fronts. L'ordre va être enfin donné de lancer la 8e division ; une manœuvre qui, selon moi, s'imposait depuis trois bonnes semaines. Mais si Roberts parvient à s'emparer de Bloemfontein, il pourra se procurer des renforts et des vivres par chemin de fer, ce qui changera du tout au tout cette campagne.

Je suis maintenant la marraine de trois petits garçons dont le père a été tué en Afrique du Sud. Aujourd'hui, a eu lieu le baptême de l'un d'eux — il s'appelle Albert Victor en mon honneur, et Thomas comme son père. Cet événement me fait penser à mon baptême, que je vais raconter pour ne plus guetter l'arrivée des télégrammes.

Mon baptême fut, hélas, l'occasion d'un déferlement de mauvais sentiments. À vrai dire, le régent avait toujours détesté papa ; maintenant que sa propre fille était morte, il devait être terriblement amer de voir le bonheur de son frère, dont la lignée hériterait du trône. « Un Hercule en miniature, plutôt qu'une Vénus » disait papa à mon sujet, et il ajoutait que sa fille était « en trop bonne santé au gré de certains membres de sa famille ». De plus, manquant parfois de tact, il affirmait que ma vigueur était la juste récompense de sa rectitude morale. « Ma santé est excellente, disait-il, et la vie que j'ai toujours menée me permet d'espérer que cela continuera. » Son frère, le régent — dont le corps était empâté et les jambes enflées —, souffrait de violents maux de tête, de douleurs à l'estomac et à la vessie... Comment aurait-il pu entendre de tels propos avec plaisir ?

Papa demanda au régent ainsi qu'au tsar de Russie d'être mes parrains. Il avait aussi choisi mes prénoms : Victoire (en l'honneur de maman), Georgina (en l'honneur du régent), Alexandrina (en l'honneur du tsar), Charlotte (en souvenir de la défunte princesse Charlotte de Galles) et Augusta (en l'honneur de grand-maman Cobourg). Quand il les soumit au régent avec son assurance habituelle, il n'obtint aucune réaction, ce qu'il considéra comme un accord de sa part.

Il appartenait aussi au régent de fixer la date du baptême. Ayant opté pour le lundi 24 juin, il ne prévint papa que le vendredi pour lui compliquer la vie ; puis il décréta que la célébration n'aurait pas lieu à la chapelle royale mais, en privé, dans la salle de la coupole du palais de Kensington. Personne ne porterait donc l'uniforme, et il n'y aurait ni dignitaires étrangers ni invités de marque. Papa dut être navré : ni dorures, ni épées, ni plumes, ni pompe — simplement les proches en vêtements civils, comme s'il s'agissait d'un quelconque baptême ! Le régent voulait signifier par là que je n'avais d'importance que pour mes parents. « Il cherche évidemment à me rabaisser. Je sais bien que certains membres de la famille considèrent ma petite fille comme une intruse ! » déclara papa, furieux, à ma pauvre maman.

Le régent lui porta un autre coup en l'informant, le dimanche dans la soirée, que je ne pourrais m'appeler Georgina en son honneur. Le protocole interdisait que ce prénom précède celui du tsar, et, en même temps, il n'admettait pas de venir après. Quant aux autres prénoms, il souhaitait s'en entretenir avec papa durant la cérémonie.

Tout se déciderait donc à la dernière minute ! Maman m'a raconté que le régent attendit que l'archevêque de Canterbury me tienne au-dessus des fonts baptismaux, pour annoncer brusquement qu'il refusait que je sois prénommée Charlotte et Augusta.

« Il y eut un profond silence, me dit maman. Nous avons échangé un regard navré, Édouard et moi. Les gens détournaient les yeux d'un air embarrassé, sachant que c'était pure et simple jalousie de la part du régent, qui ne voulait pas pour toi de prénoms à résonance royale. »

Au bout d'un moment, l'archevêque, jugeant préférable de régler l'affaire avant de me plonger la tête dans l'eau, demanda de quel nom il devrait baptiser l'enfant.

— Alexandrina, comme le tsar, son parrain, grommela le régent.

Il avait dû adopter un ton particulièrement sarcastique... Lord Melbourne m'a raconté par la suite que papa m'avait donné le tsar pour parrain dans l'intention de contrarier le régent. En effet, ce dernier détestait mon oncle Léopold, à qui il reprochait, sans la moindre raison, la mort de la princesse Charlotte ; or, le tsar était l'ami et le protecteur de Léopold.

Pourquoi pas Alexandrina ? Mais un unique prénom, ni anglais, ni royal, ne pouvait convenir à un aussi illustre bébé.

— Il faut un second prénom ! protesta papa. Que dirait Votre Altesse Royale d'Élisabeth ?

— Je m'y oppose ! aboya le régent, dont les jambes devaient être particulièrement douloureuses ce jour-là. Élisabeth est un nom de reine, il ne convient pas.

Maman avait fondu en larmes sous son grand chapeau à plumes. Les yeux de mon oncle Léopold jetaient des éclairs, et les princesses Sophie et Augusta, les yeux baissés, auraient souhaité rentrer sous terre.

Papa, rouge de colère, insista :

— Elle ne peut pas s'appeler simplement Alexandrina.

— Dans ce cas, admit le régent d'un ton rogue, appelez-la comme la mère. (Notez bien qu'il avait dit avec mépris *la* mère, et non *sa* mère !)

Le visage de papa s'éclaira : il avait marqué un point.

— Alors, Victoire ? (C'était son premier choix, après tout.)

— Victoria, précisa le régent, mais ce prénom ne peut pas précéder celui du tsar.

Je fus donc baptisée Alexandrina Victoria. Ce soir-là, papa et maman offrirent un dîner au palais de Kensington pour célébrer l'événement ; le régent refusa d'y assister. Trois mois plus tard, il ignora publiquement papa à une réception donnée par l'ambassadeur d'Espagne, et les plus jeunes membres de la famille l'imitèrent. Ensuite, la saison s'ouvrit à Kensington, mais nous étions des intouchables pour quiconque aspirait aux faveurs du régent.

Malgré tout, le printemps 1819 fut une période heureuse pour mon père, sans doute la plus heureuse de sa vie. Maman et lui s'aimaient de plus en plus chaque jour et leur douce intimité était éclairée par la présence d'une belle-fille affectueuse (Feo m'a maintes fois répété qu'elle adorait papa), et d'un bébé dodu et vigoureux qui serait bientôt — selon toute vraisemblance — l'héritière officielle du trône d'Angleterre. La famille royale avait beau ignorer et insulter papa, personne ne pouvait rien contre cela — à l'exception de ma pauvre tante Adélaïde, qui fut à nouveau enceinte cet été-là...

Suivant l'exemple de son frère, mon oncle Clarence décida de la ramener du Hanovre, afin que le bébé naisse en Angleterre. Ma tante, n'étant pas aussi robuste que maman, fit une fausse couche pendant le voyage. Papa fut donc rassuré ; maman et lui multiplièrent les réceptions au palais de Kensington. Ils donnaient des dîners, des soirées musicales, allaient ensemble à des revues et au théâtre, et ils nous emmenèrent

— nous les enfants — rendre visite à mon oncle Léopold, à Claremont.

Le seul nuage à l'horizon était le perpétuel problème d'argent de papa : ses revenus auraient à peine suffi à un célibataire économe, ce qu'il n'était nullement ! Il acheta des meubles, des tentures, des tapis, des tableaux, ainsi qu'une nouvelle voiture ; des vêtements et d'innombrables chapeaux pour maman ; des livres, des vins coûteux et des chevaux pour lui — dépensant sans compter, ou plutôt sans savoir comment il paierait. À l'automne, ses créanciers impatients revinrent à la charge, et il apparut clairement que notre petite famille devrait quitter Londres pour raison d'économie et pour éviter de déplaisantes rencontres.

Papa ne pouvait admettre sans déchoir qu'il n'avait pas les moyens d'assurer à sa famille le train de vie convenant à son rang. Il prétendit donc que sa femme avait besoin de prendre des bains de mer à cause de ses rhumatismes. « Ce qui était en partie exact, car il avait horreur du mensonge, m'assura maman, mais mes douleurs étaient plus désagréables qu'alarmantes. »

Papa partit en octobre avec son écuyer, à la recherche d'une maison confortable. Il fixa son choix sur le Devon — ce fatal Devon ! —, suffisamment éloigné de ses créanciers et censé jouir d'un climat tempéré. Il finit par dénicher à Sidmouth le Woolbrook Cottage, une villa meublée, située à cent cinquante yards seulement de la plage, avec une installation permettant de prendre des bains salés chauds. Notre famille quitta Londres en décembre et arriva au cottage le jour de Noël 1819, au milieu d'une tempête de neige.

« *Ach*, quelle sinistre maison ! me dit maman, troublée par ce souvenir. Sombre et empestant le moisi — impossible à chauffer ! »

J'imagine un cottage de pacotille, avec des plafonds bas, de longs couloirs et des murs de plâtre humide. De vastes baies et des balcons branlants pour couronner le tout ! Cette vallée riante et boisée doit être un délicieux endroit de villégiature en été, mais, à cette saison, la maison n'avait pas été louée depuis plusieurs mois. L'endroit était gris et maussade, isolé du monde par des tonnes de boue, et terriblement déprimant.

« Le plus *schreckliches*[1] des hivers, me dit maman avec un triste sourire. Des tempêtes de neige, des vents violents ! Même

1. Épouvantable. *(N.d.T.)*

quand le soleil brillait, l'âpreté de l'air vous déchirait la poitrine. Les nuits étaient si froides ! Presque polaires. »

Et, pour comble de malheur, papa eut de sérieux problèmes gastriques qui l'affaiblirent considérablement. « L'eau d'ici joue de sales tours à mes entrailles », écrivit-il à oncle Léopold. Ses ennuis de santé, ajoutés à ses soucis d'argent, ne firent rien pour le réconcilier avec ce nouvel exil. Maman étudiait l'anglais à la maison (sans grand résultat), prenait chaque jour ses bains chauds d'eau salée et faisait de longues promenades sur le rivage, en compagnie de Feo. Papa, lui, passait son temps à écrire des lettres dans l'espoir d'améliorer sa situation, et à jouer avec moi au coin du feu. (Si seulement je pouvais m'en souvenir !)

« Tu étais sa consolation, ma Victoria, me dit maman, saine et robuste comme un enfant d'un an, alors que tu n'avais que sept mois ! Tu as percé tes deux premières dents sans le moindre problème, et papa aimait te faire rire pour les apercevoir. Un bébé radieux, mais volontaire aussi. À cet âge tendre, tu savais déjà ce que tu voulais, et comment faire pour l'obtenir ! »

À contrecœur, mon père en vint à conclure que le mieux serait de repartir à Amorbach, où nous serions mieux que dans ce taudis du Devon. Mais il fallait d'abord survivre à ce Noël glacial. Papa, malgré un fort rhume, insista pour aller voir les chevaux le 7 janvier, sous une pluie battante. Il revint les pieds mouillés, et glacé jusqu'à la moelle des os. Le lendemain il avait la fièvre.

« Ce n'était qu'un rhume, me dit maman, les yeux embués de larmes. Un rhume banal, et papa avait toujours été si vigoureux ! Ce sont les médecins qui l'ont tué. »

Le Dr Wilson, qui nous avait suivis dans le Devon, lui prescrivit d'abord des remèdes classiques qui se révélèrent inefficaces. La fièvre monta, s'accompagnant de douleurs dans la poitrine. Il eut alors recours à des saignées. En ces temps primitifs, la saignée — à l'aide de sangsues ou d'un bistouri — passait pour le remède souverain en cas de fièvre ou d'inflammation. Certains médecins croyaient même à son efficacité en toutes circonstances. Aujourd'hui, nous avons réalisé d'immenses progrès dans ce domaine, mais trop tard pour mon pauvre papa !

Wilson le saigna à nouveau le lendemain, mais n'obtint aucune amélioration. Maman, qui commençait à s'inquiéter, fit quérir à Londres Sir David Dundas, le médecin de la famille royale qui avait connu papa tout enfant. En attendant, elle le veilla jour et nuit avec un tendre dévouement. Un froid humide de la pire espèce, qu'aucun feu ne pouvait combattre, régnait dans la maison — d'autant plus que le vent s'infiltrait sous les fenêtres comme à travers des passoires. Feo s'enrhuma et je me mis à éternuer, ce qui contraria maman. Mais elle concentrait toute son attention sur papa, qui avait maintenant de terribles maux de tête et des difficultés à respirer. Wilson lui appliqua un vésicatoire sur la poitrine. Ne voyant aucune amélioration, il lui mit des ventouses sur tout le corps et même sur la tête dans l'espoir de le soulager. Sans résultat...

« Il tourmenta mon pauvre Édouard pendant quatre heures, me dit maman. Ça me rendait malade de voir ça, mais, quoi qu'il arrive, j'étais décidée à ne pas le quitter un seul instant. Devant l'inefficacité des ventouses, Wilson reprit les saignées. »

Le 17 janvier, un médecin finit par arriver de Londres, mais ce n'était pas Sir Davis Dundas. Le vieux roi était apparemment au plus mal, et Sir David, ne voulant pas quitter son chevet, avait envoyé le Dr Matet à sa place. Ce qui mit maman au désespoir, car il parlait mal le français et elle parlait peu l'anglais. La communication entre eux fut particulièrement difficile !

Plus grave encore, Matet était un ardent partisan de la saignée. Bien qu'on eût déjà prélevé près de six pintes de sang au malade, il lui appliqua à nouveau des sangsues.

« J'ai protesté, me dit maman. Papa était si faible qu'il me semblait dangereux de le vider de son sang, mais Matet m'a affirmé que sa constitution robuste lui permettrait de supporter ce traitement. »

Ils continuèrent donc à le torturer jusqu'à ce que son corps soit entièrement marqué.

— Il était vraiment stoïque, me dit maman, mais sa pâleur faisait peur à voir, et il s'affaiblissait de jour en jour.

— Pourquoi les as-tu laissés faire ? demandai-je, horrifiée, à maman.

Elle leva les mains au ciel d'un air effaré :

— On doit faire confiance aux médecins, non ? Pourquoi les consulter si on refuse leurs conseils ? Suppose que je me sois opposée à eux et que ton père soit mort tout de même, je me serais certainement sentie coupable. Mais je t'assure que j'aurais souhaité de tout mon cœur souffrir à sa place...

J'ai éprouvé plus tard ce même sentiment, et j'imagine son terrible dilemme. Pourtant, je pense que j'aurais prié Matet d'interrompre les saignées et les ventouses au bout d'une journée. Je pense, mais je n'en suis pas sûre...

Il continua donc à vider papa de son sang. Maman, épouvantée, écrivit à mon oncle Léopold de venir le voir. Un ami de la famille, le général Wetherall, qui séjournait dans la région, se rendit à son chevet ; il conseilla à maman d'avertir le régent, en tant que chef de famille, de l'état de son mari. « J'ai cru entendre prononcer sa sentence de mort, me dit-elle, et pourtant je n'y croyais pas encore. Il n'avait que cinquante-deux ans et il était le plus robuste de sa famille. Un homme dans la force de l'âge ne meurt pas d'un petit rhume ! »

Oncle Léopold se mit en route pour le Devon dès qu'il reçut la lettre de maman. Il était accompagné de son secrétaire, le bon Dr Stockmar. Le 22 janvier, jour de leur arrivée, papa était à demi inconscient et son pouls si faible que Stockmar, un médecin avisé, dit à maman qu'il risquait de ne pas passer la nuit. Ils le veillèrent tous les trois pendant de longues heures. Hélas, je sais maintenant tout ce qu'a pu éprouver maman et combien elle a dû souffrir !

« Le lendemain matin, à dix heures, me raconta-t-elle, je lui tenais la main, agenouillée à côté de son lit, quand, d'une légère pression, il a attiré mon attention. Je me suis levée et je l'ai embrassé sur le front ; il a ouvert les yeux et chuchoté en me regardant : “Ne m'oublie pas.” Un moment après, je l'ai senti s'en aller, à jamais... Oh, Victoria, l'homme que j'aimais, mon compagnon, m'avait abandonnée ! Il m'avait choyée et chérie. Sans lui, je n'étais plus rien. »

Dans son testament, papa avait confié ma tutelle exclusive à maman, mais il ne lui laissait que des dettes. Elle n'avait même pas de quoi payer le loyer ni le voyage de retour à Londres. Et une fois à Londres, où irait-elle ? Rien ne laissait supposer que le régent autoriserait maman à occuper de nouveau les appartements de Kensington. Maman, l'épouse étrangère d'un frère qu'il haïssait et la sœur d'un gendre qu'il détestait tout autant ! Il avait enfin l'occasion de s'en débarrasser définitivement en les renvoyant en Allemagne, elle et son encombrant bébé.

Oncle Léopold vint à son secours. Il ne pouvait nous emmener à Claremont où sévissait une épidémie de rougeole, mais il paya les premières factures et persuada ma tante Marie Gloucester, la sœur préférée du régent, d'intervenir en notre faveur. Finalement, le régent nous autorisa de mauvais gré à nous réinstaller du palais de Kensington.

« Décemment, il ne pouvait pas nous mettre à la rue », me

dit maman, avant d'ajouter en soupirant : « Ma pauvre Feo et moi peut-être, mais pas toi, la fille de son propre frère, à peine enterré. »

Un jour lugubre de janvier, nous dîmes adieu au Devon. Le voyage jusqu'à Londres fut atroce : un temps de chien, des routes dans un état effroyable, et ma mère brisée par le chagrin après la mort de ce mari bien-aimé qu'elle n'avait pas quitté depuis le jour de leur mariage.

Le 29 janvier 1820, maman et sa suite arrivaient au palais de Kensington, dans un appartement quasiment vide. (Les créanciers de papa étaient passés par là !) Elle n'avait ni argent ni amis, à l'exception de mon oncle Léopold, et tous les parents de son mari, à part oncle Guillaume et tante Adélaïde, la haïssaient. Exilée sur une terre étrangère, dont elle connaissait à peine la langue et les usages, elle craignait que la famille de mon père n'eût le pouvoir de lui retirer son enfant. Imaginez sa détresse !

Le jour de notre arrivée à Londres, elle apprit que le vieux roi, mon grand-père George III, n'avait survécu que six jours à mon père. Le « fantôme de Windsor », ce pauvre roi fou, refusant depuis près d'une semaine de se nourrir, était mort de faim le matin même. Mon oncle, le régent, lui succédait sous le nom de George IV.

Windsor, 21 février 1900

Pendant tout l'après-midi j'ai repensé au palais de Kensington, un étrange labyrinthe de pièces communiquant entre elles et d'escaliers obscurs où le tout était délabré et démodé. Pour certains il avait l'avantage d'être situé suffisamment loin de St. James pour que ses occupants soient tenus à l'écart. À mon avènement, j'ai quitté ce lieu où j'avais été si malheureuse pendant les dernières années et je l'ai négligé, au point qu'il est presque tombé en ruine... L'ayant visité, l'année dernière, à l'achèvement de sa restauration, j'ai dû admettre que c'était une belle bâtisse, après tout. Mais ce palais évoque trop de mauvais souvenirs pour moi !

Pourtant j'y ai passé aussi de bons moments : les six ou sept premières années de ma vie ont été très heureuses, il me semble. Nos appartements étaient situés au rez-de-chaussée

— humide, grouillant d'insectes et de souris. En hiver, toutes les pièces sentaient le moisi, de même que nos vêtements, restés trop longtemps dans les armoires. Je n'avais pas spécialement peur des souris, mais parfois elles s'attaquaient à nos livres ou à nos chaussures, et nous n'étions pas assez riches pour ne pas nous en soucier.

Au moins, nous avions la chance de pouvoir profiter du parc qui s'étendait au-delà de nos hautes fenêtres et devenait en été comme un prolongement de l'appartement. Je me souviens de ses pelouses verdoyantes, de ses allées de gravier, de ses arbres magnifiques, et surtout du bassin où nous allions nourrir les canards, Feo et moi. Peu de plaisirs de la vie adulte égalent la joie enfantine de jeter du pain à des canards. Dieu n'aurait pu inventer créatures plus stupides et plus attachantes !

Du temps de mon enfance, Kensington était encore la campagne, avec de nombreux vergers et des potagers qui alimentaient la grande ville. Un coin très calme, en dehors des moments où les voitures de poste passaient sur la route à péage d'Uxbridge. À cette époque, Hyde Park correspondait à l'extrême ouest de Londres. Au nord, c'était la pleine campagne ; et au sud de Kensington Road, là où s'élèvent maintenant l'Albert Hall et l'Albert Museum, s'étendaient d'immenses domaines appartenant à des nobles.

J'ai peine à croire qu'il fut un temps où aucune rue, aucune place, aucune institution de ce pays ne portait le nom d'Albert ; où aucun petit garçon n'était baptisé de ce prénom à résonance allemande, et où aucune petite fille, à part moi, ne s'appelait Victoria. L'Angleterre commençait juste à s'industrialiser, et Londres ressemblait plus à une ville de province qu'à la capitale d'un empire. Des troupeaux de bœufs, de moutons ou d'oies cheminaient jusqu'à Londres et parvenaient au marché par des rues grouillantes de monde. Il n'y avait ni électricité, ni téléphone, ni confort moderne. Le chemin de fer n'existait pas, non plus que ces effroyables automobiles ! Il y avait seulement des chariots, des voitures, de rapides chaises de poste, et de magnifiques chevaux...

J'ai toujours adoré monter à cheval ! Au début de mon règne, je prenais grand plaisir à faire de longues promenades en compagnie de Lord Melbourne et d'un ou deux gentilshommes. Si j'avais pu, j'aurais passé mes journées en selle ! À l'époque, la campagne arrivait devant notre porte, et il suffisait de traverser la route pour être dans les champs. Ils ont maintenant disparu sous des rangées de maisons identiques, serrées les unes contre les autres comme dans une boîte de sardines. Une fois, j'ai noté dans mon journal que nous avions traversé les champs jusqu'à Acton, ce qui serait impensable aujourd'hui ! Un réseau ininterrompu de rues s'étend jusqu'à Ealing, où papa avait jadis acheté une maison isolée en rase campagne.

Quand j'étais jeune, je n'aimais rien tant qu'un bon galop. Je devais être une véritable sauvageonne ! Sous l'influence d'Albert, j'ai réalisé plus tard qu'il y avait sûrement mieux à faire pour une jeune femme que de foncer à bride abattue comme un hussard. Je me rappelle avoir vivement sermonné Vicky, après son mariage, car elle parcourait la campagne au galop sur sa monture, au lieu de se satisfaire d'une promenade dans le parc, menant son cheval au pas, comme une dame. Victoria, la fille d'Alice, avait les mêmes penchants, et je lui ai déclaré crûment que c'était fort malséant et dangereux pour sa santé. Malgré tout, il m'arrive encore de me souvenir avec nostalgie de ces galops de ma jeunesse : le vent frôlait mes joues et le martèlement des sabots m'enchantait. Quelque part en moi, demeurera toujours un peu de cet esprit frondeur que mon cher Albert n'a jamais pu amender !

Mais ces grandes cavalcades appartiennent à une époque plus tardive. En effet, mes premières années à Kensington ont plutôt été marquées par l'austérité, et je pense qu'elles expliquent mon peu de goût pour les grandes cérémonies, les robes somptueuses et les palais grandioses. En toute sincérité, je dois admettre qu'au début de mon règne je ne voyais pas d'un si mauvais œil les beaux vêtements et le faste. Les banquets, les bals et les toilettes furent loin de me déplaire pendant les deux premières années ; c'est seulement après mon mariage que j'ai aspiré à une vie simple et paisible. Décidément, j'ai le sentiment de m'être beaucoup améliorée grâce à mon très cher Albert !

Maman avait un train de vie modeste, et, à la nursery, nous étions nourries très simplement. Le riz au lait et le mouton figuraient si souvent à notre menu que je fis vœu de ne plus jamais en voir à ma table ; encore maintenant j'évite d'en manger, quoique j'apprécie l'agneau tendre et rôti. Les douceurs et les plats raffinés — sauces savoureuses, crèmes et gelées de toutes sortes — qui flattent le palais, m'étaient totalement inconnus.

C'est ainsi qu'il faut élever les enfants ! Mais quand je suis devenue reine, j'ai éprouvé une telle envie de satisfaire mon appétit qu'en un an j'ai pris plusieurs livres. Vu ma très petite taille (je mesure à peine cinq pieds[1]), j'ai fini par avoir une forme presque sphérique à cause de mon embonpoint. Reid me conseille maintenant de me modérer, ou tout au moins d'éviter les plats les plus riches, mais je n'en ai cure. À quatre-vingts ans, je ne peux tolérer que quelqu'un, fût-il mon médecin personnel, me remette au pain sec...

Une idée me vient à l'esprit : si j'avais pu donner libre cours à ma gourmandise étant enfant, aurais-je été plus raisonnable dans mon alimentation à l'âge adulte et moins friande de sucreries et de douceurs ? Bertie, qui a été élevé comme moi, est devenu lui aussi grand amateur de mets délicats. S'il avait reçu une autre éducation, serait-il attiré comme il l'est aujourd'hui par le fruit défendu ? Réflexion faite, ce raisonnement ne tient pas debout ! Albert, bien qu'élevé de manière spartiate, n'est jamais devenu un gros mangeur. Si les enfants avaient tout ce qu'ils désirent, que leur resterait-il à espérer ? Et puisque nous devons, semble-t-il, nous rebeller contre quelque chose, nous tomberions sans doute dans un péché bien pire que la gourmandise si rien ne nous était refusé pendant nos premières années !

Je possédais apparemment de bonnes dispositions naturelles : désireuse de satisfaire mes proches, j'étais douée d'un caractère aimant et je riais volontiers. Mais j'avais une volonté farouche et un tempérament passionné. Un enfant né dans une famille nombreuse apprend à partager, or personne n'était là pour m'ôter ma conviction que j'étais le centre du monde. À l'exception de Feo, qui avait douze ans de plus que moi, mon entourage se composait d'adultes. Tout le monde m'adorait et mettait son point d'honneur à satisfaire tous mes moindres caprices. En conséquence, je devenais de plus en plus autoritaire, et je piquais des colères à la moindre contrariété. Maman, ma nurse Boppy (Mrs. Brock), cette chère Späth (la dame d'honneur de maman), l'adorable Feo, et bien sûr tous les domestiques flattaient mon obstination naturelle et me laissaient faire mes quatre volontés.

Je n'avais que trop conscience de mon importance, car chacune de mes apparitions en public éveillait un grand intérêt. Quand je jouais sur les pelouses du palais de Kensington, une foule curieuse se pressait derrière les grilles pour m'applaudir. La petite coquine que j'étais faisait des courbettes, envoyait des baisers et s'approchait de ses admirateurs chaque fois qu'elle

1. Un mètre cinquante deux.

pouvait échapper à la vigilance de Boppy. J'adorais attirer l'attention, et mes futurs sujets étaient sensibles au charme de cette petite fille blonde et potelée, aux joues roses et aux yeux bleus. Une parfaite Hanovre !

À cinq ans, je n'en faisais plus qu'à ma tête, et maman, qui n'était pas d'une grande énergie, désespérait parfois de moi. Elle se tordait les mains en se lamentant : « Vickelschen est si *ausgelassen*[1] ! Toute la maisonnée la gâte et Brock n'arrive pas à se faire obéir. Quand elle pleure, elle met mes pauvres nerfs à dure épreuve. »

Mes hurlements, guère supportables dans nos appartements exigus, étaient mon arme la plus efficace. Plusieurs de mes enfants avaient l'habitude de hurler eux aussi, mais au palais de Buckingham et à Windsor, il suffisait de s'éloigner pour ne pas les entendre. Maman cherchait en vain à m'amadouer. Bien des années plus tard, elle m'a raconté l'anecdote suivante : un jour où je faisais l'un de mes caprices, elle m'avait dit d'un air mécontent : « Quand tu es vilaine, Victoria, tu *te* rends et tu *me* rends très malheureuse. » « Non, maman, avais-je répliqué du tac au tac et avec une sincérité désarmante, ça te rend malheureuse, mais pas moi ! »

À partir de cinq ans, j'ai subi une influence qui me sauva du désastre : celle d'une personne qui n'avait pas peur de mon mauvais caractère, et m'aimait assez pour réaliser qu'elle m'aurait joué un bien mauvais tour en cédant à mes colères. La baronne Lehzen était venue s'installer sous notre toit en 1819, en tant que gouvernante de Feo ; elle m'avait donc connue quand je n'avais que quelques mois. Or, âgée maintenant de dix-sept ans, Feo n'avait plus besoin d'elle. Après avoir consulté mon oncle Léopold, maman congédia donc Boppy, et Lehzen prit en main mon éducation.

Ainsi débuta une relation qui allait grandement modifier mon caractère. Intelligente, sensible, énergique et ne transigeant pas sur ses principes, Lehzen voulut faire de moi un être humain raisonnable. Elle eut quelques difficultés, car mes crises de rage ne cessèrent pas du jour au lendemain. Je supportais difficilement la discipline et me montrais souvent colérique et agressive. Un jour, en proie à une de mes colères, j'eus même l'audace de lui lancer une paire de ciseaux à la figure, pointes en avant, au risque de l'éborgner ! Sévère et juste, elle gardait toujours son calme et j'étais assez fine pour compren-

1. Turbulente.

dre qu'elle m'était plus bénéfique que les personnes qui me gâtaient au point de me pourrir. Au début, elle me terrorisait presque, mais je finis par l'aimer et la respecter sincèrement. Elle me fut entièrement dévouée pendant les treize années où elle fut ma gouvernante ! Aucune indisposition (ni ses terribles migraines, ni les maux de ventre dont elle souffrait périodiquement) ne l'a jamais éloignée de moi un seul instant.

3

Windsor, 26 février 1900

Avant de me coucher, je viens de prendre mon petit verre de whisky, censé m'aider à m'endormir ; mais je n'y crois plus guère. Ce cher John Brown m'a initiée à cette boisson — moi qui n'ai jamais apprécié le goût du cognac —, et je lui en suis très reconnaissante. Il l'appelait le Paradis de l'Écossais ou l'Eau de la Vie. Hélas ! il ne pouvait plus s'en passer, et c'est sans doute ce qui l'a tué, le pauvre. Au début, il en versait à mon insu une bonne rasade dans mon thé de cinq heures. J'ai mis des années à comprendre pourquoi il était la seule personne à mon service capable de me préparer un breuvage aussi délicieux !

Il y a actuellement dans ce pays un très fort mouvement en faveur de la tempérance, et je suppose qu'un bon citoyen serait choqué d'apprendre que sa souveraine consomme des boissons à forte teneur en alcool. Ces respectables bourgeois font leur possible pour imposer leurs idéaux, leurs goûts, leur moralité... Ils exhibent ma photo sur le mur de leur salon et ils s'imaginent que je leur appartiens ; mais on ne doit pas me juger selon leurs critères — ni moi ni mes protégés. C'est le whisky qui a fini par tuer ce pauvre John, mais pour rien au monde je ne l'aurais privé de ce plaisir, même si j'en avais eu les moyens. Les gens sont ce qu'ils sont...

Comme je regrette John Brown ! Il avait une manière si originale de s'exprimer et faisait preuve d'une telle chaleur humaine, quelle que fût l'importance de mes problèmes ! Il ne se laissait impressionner par personne : pour lui, il y avait la reine, et le commun des mortels, sans aucune autre distinction. Il a fait beaucoup de mécontents en refusant d'accorder à des personnes bien nées les égards prétendument dus à leur rang.

J'ai entendu raconter qu'un jour, à Balmoral, après qu'il eut séjourné à Londres, un villageois de ses amis lui demanda s'il avait rencontré certains dignitaires. « Pour sûr ! répondit Brown d'un air hautain, mais la reine et moi, on s'en moque. » Si personnellement une telle attitude m'enchantait, elle ne lui attirait pas la sympathie de la maison royale ni des personnes trop attachées à leurs privilèges.

Une autre fois, à Osborne, je l'avais prié d'informer certains gentlemen qu'ils dîneraient à ma table ce soir-là. Il faillit provoquer un scandale en passant la tête par la porte de la salle de billard et en braillant : « Tout le monde qui est ici dîne avec la reine ! » En d'autres circonstances, il alla déclarer de vive voix au maire de Portsmouth qui m'avait demandé d'assister à quelque défilé : « La reine a dit qu'il en est pas question ! »

Ça ne me déplaisait pas d'entendre mon Highlander rabattre leur caquet aux prétentieux avec son franc-parler. Il n'était ni moqueur ni vaniteux, mais il se considérait comme mon porte-parole ; il transmettait donc mes ordres sans détour. Les nobles le croyaient arrogant. Ils considéraient sa dévotion aveugle comme de la familiarité et son absence de servilité comme de l'impudence. Le peuple des Highlands ignore la servilité, mais il est fidèle et a le sens du devoir. John me servait de bon cœur parce qu'il m'aimait. Il s'est consacré à moi, jour et nuit, pendant sa vie entière, et seules la maladie et la mort ont fini par l'éloigner de sa souveraine.

Puisque je suis seule et que le sommeil ne vient pas, j'en profite pour porter un toast à ce vieux John, et je continue mon histoire.

La mort de mon père laissa maman dans une situation financière désastreuse. Les créanciers avaient fait main basse sur toute sa fortune, et, quand elle revint du Devon, elle ne trouva à Kensington ni meubles, ni argenterie, ni linge — bref, plus une petite cuillère ni une serviette de table ! Elle avait pour unique revenu les six mille livres annuelles, allouées par le Parlement au moment de son mariage. Une somme qui ne lui permettait pas de subvenir à ses besoins, à ceux de ses enfants et de ses domestiques, et encore moins de payer les intérêts du capital de douze mille livres qu'elle avait dû emprunter pour notre installation.

Le nouveau roi, estimant qu'il avait fait preuve de largesse en nous attribuant l'appartement du palais de Kensignton, n'envisagea pas un seul instant de donner ne serait-ce qu'une pièce de six pence à maman pour lui faciliter la vie. Il n'avait qu'une idée en tête : la renvoyer avec moi en Allemagne et ne plus jamais entendre parler de nous. Maman, qui regrettait Amorbach, envisagea un moment cette possibilité ; mais son problème était l'argent, toujours l'argent... Et même si elle arrivait à financer le voyage, comment ferait-elle pour rembourser les dettes contractées par papa en Allemagne ?

Un mois plus tard, en février 1820, alors qu'elle était toujours dans l'incertitude, le roi mon oncle fut atteint d'une grave pleurésie. Son état sembla quelque temps désespéré, menaçant de faire de son règne l'un des plus courts de l'histoire d'Angleterre et de rapprocher du trône la petite « Vickelschen », comme m'appelait maman. Après avoir été abondamment saigné (ou peut-être malgré cela), le roi retrouva la santé ; mais mon oncle Léopold saisit cette occasion pour rappeler à maman ma place dans la succession et le désir exprimé par papa que je sois élevée en Angleterre et à l'anglaise. Il ne fallait fournir aucun prétexte à ceux qui voudraient, le jour venu, me dénier la couronne que papa avait tant souhaitée pour moi.

Donc, plus question d'Amorbach ! À regret, maman renonça à sa régence en faveur de mon demi-frère, Charles, et s'efforça de considérer l'Angleterre comme sa patrie. Mais son problème financier n'était toujours pas résolu. Ne pouvant laisser sa sœur et ses nièces mourir de faim, mon oncle Léopold alloua généreusement à maman une pension de trois mille livres par an. Lorsque le Parlement se réunit en juillet pour reconsidérer les pensions de toute la famille royale, il fut décidé qu'aucun supplément ne serait voté nous concernant, puisque le prince Léopold nous avait prises en charge.

Le fait est que les Anglais n'ont jamais eu de sympathie pour les étrangers, et, à l'époque, les Allemands étaient particulièrement mal vus. Tous les Anglais, quels qu'ils soient, contestaient la pension de cinquante mille livres par an que recevait mon propre oncle depuis son mariage avec la princesse Charlotte. Ils auraient trouvé parfaitement légitime de la supprimer à la mort de celle-ci. Tout ce bel or anglais qui allait remplir les poches de cet Allemand ! Il pouvait bien contribuer à l'entretien de sa nièce ! Comme disait le roi : « Son oncle est assez riche pour s'occuper d'elle ! »

Ainsi, maman dut se débrouiller avec neuf mille livres par an — une somme notoirement insuffisante ! En tant que duchesse royale, elle était tenue de garder un certain train de vie ; de plus, elle devait élever ses deux filles et faire fonctionner la maison... Bien que je l'aie beaucoup aimée par la suite, je dois admettre qu'elle n'a jamais eu la moindre notion de la valeur de l'argent ni le sens des économies. En fin de compte, à la montagne de dettes de papa, elle ne tarda pas à en ajouter d'autres de son propre cru. (Une autre raison, que nous ignorions à l'époque, expliquait sa débâcle financière, et l'aurait empêchée de rembourser ses dettes même si elle avait eu la frugalité d'une nonne.) Son seul espoir était de tenir jusqu'au jour où je deviendrais reine ; alors, tout rentrerait dans l'ordre. On ne peut donc pas la blâmer d'avoir guetté d'un œil avide tous ceux dont l'existence me barrait encore l'accès au trône.

Au début, sa chance fluctua, telle la marée. En août 1820, la mort de la duchesse d'York laissa mon oncle York veuf ; il était très vert malgré ses cinquante-sept ans, et le roi mon oncle pesa de tout son poids pour qu'il se remarie. Il n'avait jamais été au mieux avec York, mais que n'aurait-il pas fait pour éloigner du trône l'enfant de son frère, le duc de Kent ? Maman était sur des charbons ardents... Le duc d'York déclara finalement qu'il n'envisageait aucunement de se remarier et que sa décision était irrévocable.

La fortune nous souriait à nouveau, mais quatre mois plus tard, en décembre 1820, ma tante Adélaïde mit au monde une petite fille, prématurée mais en bonne santé. Maman était au désespoir. Les projets de papa paraissaient compromis, d'autant plus que mon oncle Clarence ayant donné la preuve évidente de sa fertilité, on pouvait s'attendre à d'autres bébés Clarence. Le roi n'essaya même pas de cacher sa satisfaction : je n'étais plus l'héritière du royaume ! Son comportement, lors du baptême de ma jeune cousine, fut, à cet égard, tout à fait révélateur. Lui qui m'avait refusé tout prénom à consonance royale, accepta avec joie que la princesse soit nommée Élisabeth et Georgina, en plus du prénom de sa mère.

Mais, contre toute attente, la petite Élisabeth de Clarence mourut à trois mois d'une occlusion intestinale. J'étais à nouveau l'héritière de la Couronne. Ma pauvre chère tante Adélaïde, fidèle à sa grande bonté, m'envoya un cadeau d'anniversaire, à peine deux mois après la mort de son bébé. Un petit mot — que j'ai toujours gardé — l'accompagnait : « Mon cher cœur, j'espère que tu vas bien et que tu n'oublies pas ta tante Adélaïde qui t'aime tendrement... » Elle désirait tant avoir un enfant ! Mais après tout, elle n'avait que vingt-neuf ans, et mon oncle Clarence était un homme fort robuste. Le roi n'avait donc pas lieu de désespérer pour le moment.

Il continua de nous ignorer maman et moi ; d'autant plus que la mort subite de sa femme, Caroline de Brunswick, en août 1821, lui donnait la possibilité de se remarier. Malgré son âge (il avait cinquante-neuf ans) et ses infirmités croissantes, il partit, guilleret, pour un grand voyage en Irlande, puis au Hanovre — dont il était aussi le roi, évidemment —, et enfin à Vienne d'où, pensait-on, il ramènerait quelque princesse avant Noël.

Un contretemps l'en empêcha. Son genou ayant enflé après une chute de cheval, il eut une terrible attaque de goutte, or quiconque a enduré de telles crises sait pertinemment qu'elles n'incitent guère à faire le joli cœur. Il rentra en Angleterre en boitillant, renonça à l'idée d'épouser quelque jeune princesse fantasque, et reprit une vie paisible aux côtés de sa maîtresse vieillissante, Lady Conyngham. (Lord M. l'appelait ironiquement la « Vice-Reine », ce qui avait le don de me faire rire !) Chose étrange, le roi mon oncle eut toujours un penchant pour les femmes beaucoup plus âgées que lui. Je regrette qu'il n'ait pu épouser Mrs. Fitzherbert à laquelle il était très attaché, car il aurait mené avec elle une vie plus paisible et plus heureuse. Encore ce fichu Royal Marriages Act ! J'oublie, il est vrai, que Mrs. Fitzherbert était catholique : mon oncle aurait dû renoncer au trône s'il l'avait épousée ; je n'imagine pas un seul prince de Galles faisant ce choix.

27 février 1900

Aucune nouvelle sérieuse de Ladysmith, ce qui est très éprouvant pour moi ! J'ai vu Salisbury ; il m'a paru très vieux et très las. Il est à la fois ministre des Affaires étrangères et Premier ministre : une trop lourde charge pour lui, mais à qui se fier ? J'essaie, malgré tout, de garder le moral et de communiquer mon optimisme à ceux qui m'entourent. En temps de guerre il le faut, et j'ai acquis une certaine expérience en la matière. Ce dernier siècle fut si mouvementé !

J'ai visité à nouveau l'hôpital militaire de Netley avec Bébé et Lenchen. Je trouve toujours intéressant et émouvant de bavarder avec les malades et les blessés. Certains racontent des histoires qui me fendent le cœur, et leur loyauté me touche vivement. Nous avons discuté Bébé et moi avec le comité qui aide les blessés gravement atteints à retrouver un travail et nous avons envisagé une collecte pour toutes les familles. Je déplore que tant d'hommes souffrent de maladies de cœur à cause de longues marches épuisantes. Certes, le climat africain est éprouvant, mais ne pourrait-on éviter cela grâce à une meilleure organisation ?

Ces braves soldats ont appris que chacun d'eux allait recevoir une boîte en aluminium ornée de mon portrait, et contenant une tablette de chocolat : mon cadeau de Noël. Ils en ont plus parlé que de leurs blessures, ce qui ne me surprend pas, étant donné leur courage et leur esprit chevaleresque. Un homme qui a perdu une jambe a déclaré qu'il aimerait mieux perdre l'autre que repartir sans son chocolat ! Pour une fois, j'ai la certitude qu'ils recevront leur dû... Pendant la guerre de Crimée, je leur avais fait envoyer maintes fois de petites choses, mais j'ai découvert par la suite que les officiers avaient tout gardé pour eux. Ce n'était vraiment pas mon but !

Je pensais être très fatiguée après la visite, car je suis restée sortie plus de six heures, dont deux passées à faire le tour de l'hôpital et à parler avec les blessés, ce qui n'est pas rien à mon âge. Je refuse de me ménager en de telles circonstances ! Pendant le dîner, je me suis sentie assez lasse pour me coucher de bonne heure, mais, après deux heures de sommeil, me voici réveillée. J'en profite donc pour reprendre ma plume et poursuivre mon récit.

En mai 1825, mon sixième anniversaire fut l'occasion d'un nouveau débat au Parlement concernant ma situation. Le Premier ministre, Lord Liverpool, proposa de m'allouer six mille livres par an pour mon entretien et mon éducation ; avec une unanimité inhabituelle, les deux Chambres donnèrent leur accord. À cette occasion, Lord Eldon et Lord Brougham complimentèrent maman sur l'éducation exemplaire qu'elle me donnait. Cet éloge dut la réjouir presque autant que l'argent, car elle craignait toujours qu'en dépit du testament de mon père l'État ne m'arrache à elle si son influence sur moi était jugée néfaste. Se sachant jusqu'alors haïe par la famille royale, elle avait lieu de penser que le Parlement partageait ce sentiment. Voilà que soudain j'étais considérée comme l'héritière présomptive, et elle, comme une mère vertueuse et dévouée !

Comment expliquer cette volte-face ? Le roi mon oncle en était sans doute à l'origine. Son attitude à mon égard avait évolué petit à petit. Après la mort de ma cousine Élisabeth de Clarence en 1821, tante Adélaïde n'avait été enceinte qu'une seule fois, mais une fausse couche avait mis fin à ses espérances. Il semblait donc vraisemblable que le duc de Clarence ne donnerait pas d'héritier à la Couronne. (Ironie du sort, dix Fitzclarence étaient vivants et en parfaite santé ! Mais l'homme propose et Dieu dispose.) Le roi et mon oncle York n'ayant pas d'épouse, j'étais la troisième dans l'ordre de succession au trône. C'était une réalité incontournable.

À l'époque, le roi étant paraît-il d'une santé chancelante devait se préoccuper en priorité de sa succession. Aurait-il senti que son héritière — élevée par sa mère avec l'aide financière de son oncle Léopold — était un peu trop sous l'influence allemande des Cobourg et qu'il fallait faire un geste pour s'assurer de sa loyauté ? Je me plais à penser que sa bonne nature finit par prendre le dessus : il ne pouvait plus se permettre d'ignorer et d'insulter sa propre nièce, même si elle était la fille de son frère le plus détesté ! Quoi qu'en disent les gens, il n'avait pas que des mauvais côtés et il se rendit compte peu à peu que j'étais une vraie Hanovre. Nous nous ressemblions, et pas uniquement en apparence... (Un roi est un roi ; il faut être de sang royal pour comprendre ce que cela signifie.)

J'avais sept ans — pendant l'été 1826 — quand j'ai remarqué pour la première fois son changement d'attitude. Le roi mon oncle séjournait au château de Windsor avec sa maîtresse Lady Conyngham, le mari de celle-ci (oui, son mari !) et ses enfants. Il nous a invitées maman, Feo et moi à passer quelques jours à Cumberland Lodge. On peut supposer que maman rendit visite avec réticence à ce souverain qui l'avait si longtemps méprisée, lui avait refusé son soutien financier et l'avait reléguée dans un palais délabré ; mais une invitation royale ne se refuse pas. Quant à Feo et moi, nous étions folles d'excitation à l'idée de cette diversion imprévue à notre vie monotone.

Le lendemain de notre arrivée, on m'emmena au château pour être présentée. (J'avais déjà eu cet honneur à quatre ans, mais je ne gardais aucun souvenir de ma première rencontre avec mon illustre oncle.) Impressionnée, mais plus curieuse qu'inquiète, car j'adorais les nouvelles expériences, je m'agrippais à la main de maman. De plus, j'étais ravie, comme chaque fois que je me sentais le point de mire...

Le roi était assis, ses jambes étant enflées à cause de la goutte et ses pieds — petits pour un homme de sa taille — le faisant souffrir s'il restait trop longtemps debout. Il avait l'air vieux et las, paraît-il ; à moi, il sembla grandiose. Son visage bouffi apparaissait entre sa perruque et le haut col qui l'étranglait, comme la pleine lune entre deux nuées. Grand et fort de naissance, il était devenu énorme depuis quelque temps, et ses étroits corsets moulaient ses chairs abondantes en un bloc massif qui n'avait plus guère forme humaine.

Ce potentat oriental — avec ses soies chatoyantes, ses bijoux, ses délicieux parfums — m'éblouit pourtant comme s'il sortait tout droit d'un conte de fées. Je m'immobilisai devant lui, fascinée par tant de prestance et par cette lumière qui semblait émaner de sa personne. Il m'adressa un sourire — à moi seule — et me tendit une main épaisse, aux phalanges couvertes de bagues.

— Donne-moi ta petite patte ! marmonna-t-il avec une gentillesse bourrue.

Maman me rappela d'une légère pression sur l'épaule que je devais faire la révérence, comme je l'avais appris. Je m'exécutai en murmurant :

— Bonjour, Votre Majesté.

Puis je levai les yeux, et son visage, d'où avait disparu toute réserve, me sembla rayonner de bonté. J'abandonnai ma main dans la sienne et, tout naturellement, je lui rendis son sourire.

Satisfait, il partit d'un grand rire.

— Tu as de bien jolies petites dents, Victoria ! Prie Dieu de te les conserver ; c'est un merveilleux atout pour une femme, surtout quand elle sait en faire usage. Et maintenant, viens t'asseoir sur mes genoux, puisque tu n'as pas peur de moi.

Je lui tendis les bras et me sentis enlevée dans les airs, puis déposée sur un genou bien rembourré. La panique me saisit un instant, car je risquais de glisser, ce qui me semblait contraire au protocole. Heureusement, un bras solide — qui m'inspira aussitôt confiance — me retint par la taille. Je me détendis à nouveau, et mon oncle chuchota gentiment : « C'est bien ! » Le visage qui se penchait sur moi était abondamment maquillé : une bizarrerie qui ne déplut pas à la petite fille que j'étais. Après tout, pourquoi n'utiliserait-on pas un visage nu comme support pour peindre plutôt qu'une toile blanche ? Nullement sauvage par nature, j'étais surtout sensible à la bienveillance que me témoignait ce personnage insolite et magnifique.

Ses yeux d'un bleu de porcelaine clignèrent un instant, et il me demanda un baiser que je lui donnai de bon cœur. Sa joue, glissant sous mes lèvres à cause du maquillage, me surprit, mais il embaumait la cire d'abeille et la rose — une senteur délicieuse, qui, mêlée à celle du citron, du cèdre et de la lavande, m'envoûta. Telle une abeille dans une roseraie, je me sentais grisée. Les rois, me dis-je, sont faits de soie et de satin, de dentelle et de lavande.

Il me posa une ou deux questions sur mes leçons et sur mes

goûts, auxquelles je répondis aisément et avec une certaine franchise qui parut le réjouir. Soudain, comme si cette question découlait des autres, il me demanda à brûle-pourpoint :

— Aimes-tu les pêches ?

— Je ne sais pas, Sire, je n'en ai jamais mangé, mais je crois que je devrais essayer, répondis-je judicieusement.

Le roi partit d'un grand éclat de rire.

— Tu as raison, ma petite chatte. Eh bien, tu en mangeras tant que tu voudras, d'excellentes, cultivées dans ma serre. Qu'elle s'en gave, entendez-vous, madame ? insista-t-il à l'intention de ma mère qui fronçait les sourcils.

Puis il fit un signe à Lady Conyngham. Cette dernière lui tendit un objet qu'il me montra : c'était une miniature ovale, montée sur or avec un cadre serti de diamants et fixée à un ruban bleu comme une décoration.

— Voici mon portrait, qu'en penses-tu ? me demanda le roi.

— Je le trouve très beau ! m'écriai-je.

— Chacune de mes sœurs a le même. Elles le portent à l'épaule gauche comme un signe de leur rang et une marque de ma faveur. C'est un grand honneur... Le mérites-tu toi aussi ?

— Oui, mon oncle, répliquai-je après avoir réfléchi un instant. (Une réponse négative m'aurait semblé à la fois désagréable et mensongère...)

Le roi s'esclaffa à nouveau en me pinçant la joue, puis il me posa à terre et déclara que j'étais une enfant intelligente, mais bien lourde pour ses genoux. Soudain, il semblait fatigué. Il pria Lady Conyngham (qu'il appelait Maria) d'épingler le ruban sur ma robe de mousseline blanche. Je n'avais d'yeux que pour lui ! Au moment où je reçus la décoration, il fixa sur moi un regard si grave et si bon que j'eus l'impression qu'un lien particulier nous unissait. C'est moi qu'il a choisie, pensai-je orgueilleusement, pas maman. Petite ingrate, je me sentais flattée d'avoir plus d'importance que ma propre mère !

Le roi nous congédia alors, mais il tint sa promesse. Un page vint bientôt me chercher pour me conduire à la serre royale. Ravie que personne ne puisse faire obstacle à ma gourmandise et craignant que l'occasion ne se représente pas de si tôt, je dus me gaver avec joie. En vérité, je ne crois pas avoir goûté depuis un fruit aussi velouté, aussi juteux, aussi fondant que ces pêches-là.

Mais ce n'était qu'un début. Le lendemain, comme nous nous promenions, le phaéton du roi nous dépassa. Un magnifique véhicule noir, brillant comme du verre, et traîné par les plus beaux alezans qu'il m'ait été donné de voir. (Malgré mon jeune âge, j'avais déjà le coup d'œil de mon père en matière de chevaux.) Les laquais, debout à l'arrière, portaient des livrées écarlates, et mon oncle conduisait, vêtu d'un splendide manteau à cape et d'une toque démodée en poil de castor ; ma tante Marie Gloucester était assise à ses côtés. Le phaéton nous dépassa avec un crissement de roues et dans un nuage de poussière ; les plumes de maman s'agitèrent, lui balayant le visage.

L'attelage que je regardais passer avec envie s'arrêta brusquement. Les chevaux furieux, semblables à des dragons, hennissaient en rongeant leur frein. Je sentis la main de Lehzen serrer fortement la mienne comme si j'étais en danger. Je levai la tête et vis son regard sévère. Mais ma tante Gloucester nous faisait signe d'approcher et nous n'avions plus qu'à suivre maman qui se dirigeait à grands pas vers le phaéton. Le roi tendit le cou et s'écria d'un ton désinvolte : « Bonjour, madame, ravi de vous voir ! Si la petite souhaite faire un tour, confiez-la-moi. »

Ces mots me comblèrent de joie. Maman et Lehzen échangèrent un coup d'œil inquiet, mais comment auraient-elles désobéi au roi ? On me hissa, et après avoir posé un pied sur la marche, j'atterris dans les bras de ma tante Gloucester. Elle me déposa sans cérémonie entre elle et le roi, qui embaumait ce jour-là le cuir et la laine, le linge amidonné et la lotion capillaire. Il abaissa les rênes dès que je fus assise ; les chevaux foncèrent à bride abattue, me collant à mon siège.

Bien que tout se fût passé en un clin d'œil, j'avais eu le temps d'apercevoir le visage consterné de maman, figée sur le bord de la route. Dans mon innocence, je me disais : « Elle a peur que je me casse les os ou que je me tue, mais elle a bien tort ! Je suis absolument en sécurité. » Je me sentais grisée par le vent qui fouettait nos visages et par le spectacle des daims qui détalaient sur notre passage, comme des feuilles mortes emportées par le vent. Rien ne vaut un phaéton monté sur de bons ressorts et des chevaux bien dressés ! De plus, mon oncle savait manier le fouet. Au bout d'un moment, il fit ralentir ses bêtes pour qu'elles reprennent leur souffle. Il engagea alors une délicieuse conversation avec moi, en me traitant comme une grande personne — une amie qui comprenait tout ce qu'il disait. Sans me harceler de questions ni me faire la leçon... Enchantée par mon escapade, j'étais littéralement amoureuse lorsque l'on me rendit à maman. Comment ne pas admirer un homme qui avait un jour conduit jusqu'à Brighton une voiture attelée de trois chevaux, en moins de cinq heures ? (Un record inégalé, si je ne me trompe !)

En me quittant, le roi m'invita de nouveau, et ce fut une semaine délicieuse : expédition au Temple de la Pêche, où tout le monde alla pêcher sur une barque, tandis qu'un orchestre jouait à côté ; visite à la ménagerie du roi à Sandpit Gate ; spectacle de danses tyroliennes ; pique-nique en bateau sur la Tamise ; promenade à Eton pour prendre le thé au bord de l'eau. Quel ravissement pour moi ! D'autant plus que le roi manifestait un vif intérêt à mon égard et un désir évident de me charmer.

D'ailleurs, je ne demandais qu'à me laisser séduire et à le charmer en retour. Un soir, après le dîner, on m'emmena au Conservatoire, magnifiquement illuminé, pour assister à un concert. Le roi me fit appeler pendant l'entracte pour me demander quel air j'aimerais entendre ensuite.

À sept ans, j'avais déjà l'esprit rapide.

— S'il vous plaît, Sire, répliquai-je, le *God Save the King*.

Il m'adressa un sourire approbateur.

— Mademoiselle la diplomate, qui vous a appris la flatterie ? Vos désirs sont des ordres, mais il vous faudra rester avec moi pendant que l'orchestre joue.

J'avais plaisir à le satisfaire, et cela me donnait conscience de mon pouvoir, ce qui est peu courant chez les enfants. Le sentiment qu'il m'appréciait ne me laissait pas non plus indifférente. À la fin de l'hymne, il me garda à côté de lui pour me demander laquelle de mes sorties de la semaine j'avais préférée. Sans hésiter, je lui répondis, non par ruse mais en toute sincérité :

— La promenade avec vous dans le phaéton !

Je compris qu'il était content de ma réponse.

— J'ai un cadeau pour toi, m'annonça-t-il d'un air grave. Je le remettrai à ta mère avant ton départ ; c'est une paire de bracelets de diamants.

Que répondre ? Malgré mon jeune âge, je savais déjà qu'un cadeau d'une telle valeur de la part du roi était un témoignage de son intérêt. À sept ans, je n'avais que faire de bracelets de diamants, mais ce cadeau m'inspira une profonde reconnaissance !

— On ne t'a pas assez vue à la cour, reprit-il d'un air pensif, mais nous allons y remédier. Il faut que nous fassions plus amplement connaissance toi et moi. Je veux que tout le monde remarque ta présence et se souvienne de ton rang. Qu'en dis-tu ?

— J'aimerais vous revoir, mon oncle, murmurai-je timidement en pensant à la réaction de maman. J'aimerais passer ma vie ici.

Il esquissa un sourire, puis il se pencha pour m'embrasser, et je l'entendis murmurer à mon oreille :

— Nous sommes de la même espèce, petite Victoria, et nous partageons un secret que les autres ignorent.

« Les autres » devait signifier maman et Lehzen, me dis-je au premier abord ; puis j'ai pensé qu'il voulait parler de l'ensemble de la famille royale — mes oncles, tantes et cousins — et que ce secret était celui de notre amitié. Une idée déjà assez grisante, mais à force de me répéter ses paroles et de revoir son regard le soir avant de m'endormir, je parvins à une tout autre conclusion : il avait voulu dire que nous étions différents du reste du monde, car nous avions une destinée hors du commun. Effrayée et ravie à la fois, j'avais l'impression qu'un joug s'était abattu sur mes épaules. J'allais porter un fardeau dont je me serais volontiers passée, mais puisque tel était mon destin, je ne songeais pas une seconde à m'y soustraire.

28 février 1900

Bertie et Alix m'ont rendu visite aujourd'hui. Alix est restée déjeuner, tandis que Bertie s'éclipsait selon son habitude. Alix est toujours très belle, malgré son âge, et elle a acquis une certaine sérénité qui lui va bien. On dirait une créature venue d'un autre monde.

La petite Alicky, la fille d'Alice, m'a donné la même impression la dernière fois que je l'ai vue — avec Nicky, en 1896. Toutefois, chez Alicky, il s'agit d'un air mélancolique qui date de la mort de sa mère. Auparavant, c'était une créature pétillante de joie, mais elle est devenue pensive, et, très pieuse, hélas ! Bien que je trouve bon que les gens aient la foi, cette profonde piété — qui tend à l'adoration et à la contemplation, et se complaît dans les chapelets et les cierges — me semble malsaine et parfois dangereuse. En 1889, je souhaitais qu'elle épouse Eddy (j'ai toujours eu un faible pour elle à cause de sa ressemblance avec Alice, et j'aurais aimé l'avoir à mes côtés), mais elle n'avait aucune sympathie pour lui. Après tout, c'est sûrement mieux comme ça, car, si Eddy avait vécu, elle aurait fait une fort belle reine, mais il l'aurait rendue très malheureuse...

L'air lointain d'Alix vient en réalité de sa surdité, qui est aussi gênante que la piété, quoique beaucoup moins dangereuse. Je me lasse vite de hurler quand je lui parle ! La pauvre Alix a eu, en 1867, après la naissance de Louise, une fièvre rhumatismale qui l'a rendue sourde comme un pot, mais elle refuse de l'admettre — ce qui rend les conversations avec elle très fatigantes. Elle répond à ce qu'elle croit avoir entendu, et vous devez décider si vous revenez à votre sujet ou si vous poursuivez dans sa direction.

La surdité provoque parfois des quiproquos amusants. Un soir, à Osborne, je recevais à dîner un vieil amiral particulièrement dur d'oreille, chargé de renflouer un bateau qui venait de sombrer dans la baie de Sandown. Après lui avoir parlé un moment de cette mission, je voulus changer de sujet ; je pris donc des nouvelles de sa sœur, qui avait été l'une de mes dames d'honneur. « Eh bien, madame, me répondit le vieux marin, nous l'avons hissée sur la plage, et nous allons bien la récurer après l'avoir placée sur le flanc. » Évidemment, il me parlait de l'embarcation sauvée des eaux ! J'ai failli étouffer de rire, et, feignant une quinte de toux, j'ai cherché un mouchoir dans mon sac.

Je triais de vieux papiers, en quête d'une lettre que je voulais montrer à Alix, quand je suis tombée sur quelques lignes écrites par ma chère vieille Lehzen : le récit de la manière dont j'ai appris que je deviendrais reine. L'événement eut lieu, selon elle, le 11 mars 1830, alors que j'avais à peine onze ans. Mon précepteur s'étant absenté pour la journée, j'avais ouvert la *Généalogie des rois et des reines d'Angleterre*, de Howlett, pour apprendre ma leçon. Elle y avait glissé, avec l'accord de maman, une page supplémentaire : un arbre généalogique mis à jour de la famille de mon père.

— Pourquoi n'ai-je jamais vu cela ? avais-je demandé.

— Cela ne semblait pas nécessaire.

Parcourant l'arbre généalogique sur lequel était inscrite la date du décès des membres de ma famille, je pus constater que seul mon oncle Clarence s'interposait entre le trône et moi. (Mon oncle York était déjà mort, évidemment.)

— Je suis plus proche du trône que je ne pensais, m'étonnai-je.

— C'est exactement cela, madame.

La confirmation de Lehzen me fit fondre en larmes. Au bout d'un moment, je me remis à étudier le document en murmurant :

— Beaucoup d'enfants tireraient vanité de ma situation, parce qu'ils n'ont pas idée des responsabilités qu'elle implique.

D'un air grave, je mis alors ma petite main dans celle de Lehzen, lui promettant de faire de mon mieux.

Cette anecdote poignante a été écrite par ma vieille gouvernante, de retour en Allemagne après avoir quitté mon service. Elle a soumis l'original à mon approbation, et, dans la marge, mon bien-aimé Albert a noté : « La reine se souvient parfaitement de cette révélation, qui la rendit fort malheureuse. » C'est donc que je le lui avais dit. D'ailleurs, j'ai toujours été officiellement d'accord avec la version de Lehzen, que je trouve plaisante. J'ai même accepté qu'elle soit incluse dans la biographie de mon bien-aimé, écrite par Martin.

Selon moi, ma très chère Lehzen, se sentant bien seule loin de la cour et de tout ce qu'elle avait aimé, voulut sans doute dans ses vieux jours se donner de l'importance et passer pour celle qui m'avait révélé la vérité. Je ne prétends pas qu'elle ait inventé de toutes pièces cette anecdote, mais je n'en garde aucun souvenir, moi qui ai si bonne mémoire. Pour ne pas exposer Lehzen aux critiques de mon cher Albert, je ne l'ai pas désavouée : elle méritait ma loyauté pour son fidèle soutien pendant les heures les plus sombres de ma vie !

Comment aurais-je pu prendre conscience de ma situation aussi soudainement ? Quel que fût mon isolement, comment aurais-je pu grandir sans avoir une idée de la place que j'occupais dans la famille ? Je savais que mon oncle était le roi, mon père le quatrième fils du roi George III, et que les deuxième et troisième fils étaient morts sans descendance. Comment aurais-je pu étudier l'histoire d'Angleterre sans connaître les règles de succession ? D'autant plus que je me passionnais pour la reine Élisabeth et la dynastie des Tudor, féconde en problèmes de succession souvent liés à la place des femmes par rapport au trône.

En outre, depuis mon plus jeune âge, les domestiques s'adressaient à moi en disant « Princesse » ou « Votre Altesse Royale » et me faisaient des révérences, me traitant avec un évident respect. Les étrangers me donnaient du « madame », et les gentilshommes se découvraient devant moi — ce qu'ils ne faisaient pas en présence de Feo, pourtant mon aînée et presque une adulte. Lorsque par hasard on m'autorisait à jouer avec d'autres enfants, on les priait de ne pas m'appeler par mon prénom, alors que j'étais libre d'utiliser le leur. Je ne sais pas quand j'ai pris pleinement conscience de mon destin ; cela a dû se faire petit à petit, mais j'en avais sans doute une notion assez nette lorsque mon oncle m'a chuchoté, cet été-là à Windsor, que nous partagions un secret...

Néanmoins, si Lehzen m'avait annoncé solennellement que je serais reine un jour, il me paraît vraisemblable que j'aurais fondu en larmes. Un enfant ne reste pas insensible lorsqu'il s'entend confirmer une nouvelle de cette importance par quelqu'un qu'il considère comme l'autorité suprême.

Lehzen, d'après son récit, m'aurait affirmé que ma tante Adélaïde était encore assez jeune pour avoir des enfants, et que ces derniers, s'ils voyaient le jour, hériteraient de la couronne à ma place. Je suis censée avoir répondu que cela ne serait pas une déception pour moi, car je savais que ma tante Adélaïde adorait les enfants.

Cette deuxième affirmation de Lehzen me paraît absolument exacte : très attachée à ma tante, je la plaignais de tout mon cœur de ne pas connaître les joies de la maternité... Grâce au ciel, c'est Dieu qui m'a placée sur le trône, et je n'ai jamais nourri de noirs desseins vis-à-vis de mes éventuels rivaux !

Est-ce à dire que je n'aurais pas été déçue si la couronne m'avait échappé ? J'ai la certitude que si ! Mes responsabilités m'ont parfois semblé bien lourdes, mais pour rien au monde je n'aurais échangé mon destin contre un autre. Il était écrit que je deviendrais un jour Victoria, reine d'Angleterre... C'est pourquoi je n'imagine pas qu'un prince de Galles puisse renoncer à ses prétentions au trône afin d'épouser une personne, fût-elle l'amour de sa vie. La royauté prime tout. Papa, qui a tout fait pour que je monte sur le trône — quitte à payer ce rêve de sa propre vie —, l'avait bien compris, et ne suis-je pas la digne fille de mon père ?

La fatigue m'oblige à m'arrêter. Je suis sur le point de m'endormir ; je reprendrai demain.

1er mars 1900

J'ai beaucoup écrit hier soir avant de m'endormir, mais j'ai l'impression de devenir de plus en plus illisible. J'avais autrefois une belle écriture, qui se dégrade à mesure que ma vue baisse et que mes doigts s'engourdissent. Après tout, je n'aurai peut-être pas besoin de détruire mes mémoires : mon affreux gribouillage est aussi efficace qu'un code secret.

Que cette insomnie est donc pénible ! Quand je trouve le sommeil à l'aube, je me réveille à une heure impossible et je prends du retard jusqu'à la fin de la journée. Du fait de mes nombreuses obligations, je déteste tout ce qui vient contrarier mes habitudes. Portant le fardeau de la souveraineté sans l'aide de personne, je dois mon salut à la routine et à mon application.

Cette dernière qualité n'était pas dans ma nature ; Lehzen me l'a inculquée. Elle m'a beaucoup appris en insistant posément pour que je finisse ce que j'entreprenais. Mon éducation officielle a commencé en 1827, lorsque George Davys devint mon précepteur. Pasteur évangélique, mais peu tenté par la prédication, c'était un homme libéral et tolérant, qui n'a jamais cherché à m'endoctriner. Discret et bon, il avait beaucoup d'affection pour moi. Une fois passé l'âge de me rebeller contre l'autorité (un aspect regrettable de mon caractère !), j'ai été en mesure d'apprécier ses qualités exceptionnelles. Devenue reine, c'est avec joie que je l'ai récompensé en le faisant nommer évêque de Peterborough par Lord Melbourne. À sa mort, en 1864, le *Times* écrivit à son propos : « Toute sa vie durant, il aspira à la bonté plutôt qu'à la grandeur. » Une modeste oraison funèbre, peut-être, mais quel plus authentique éloge pouvait souhaiter cet homme qui avait sincèrement vénéré Dieu ?

Davys m'a enseigné l'anglais, la poésie, l'histoire, la géographie, le latin, et bien sûr les Écritures et le catéchisme. Mr. Steward m'a appris à rédiger et à compter. J'étais très bonne en mathématiques, et j'avais le sens inné des chiffres — donc de l'argent — qui avait tant fait défaut à mes chers parents.

D'autres précepteurs vinrent me donner des leçons de chant, de dessin, de danse, qui me procuraient un grand plaisir et dans lesquelles je brillais. Ma maîtresse de danse, Madame Boudin, m'apprit à me mouvoir avec une grâce qui frappait tout le monde. J'avais, malgré ma petite taille, un port de reine...

J'ai, Dieu soit loué ! conservé ce maintien quand j'ai pris du poids en vieillissant, mais il ne m'arrive plus très souvent, hélas, de me mouvoir — gracieusement ou non ! Il n'y a pas si longtemps (en octobre 1891), j'ai dansé un quadrille avec ce pauvre cher Liko, à Balmoral. Sir Henry Ponsonby — dont je suis l'aînée de huit ans — m'a déclaré qu'il enviait la légèreté et la souplesse de mes pas. C'était au bal donné pour célébrer la naissance de Maurice, le petit dernier de Béatrice ; une fête impromptue comme aimait en organiser ce cher Liko. Il était réellement mon « maître des divertissements », et sa mort est un crève-cœur pour moi comme pour Bébé. (Qui d'entre nous aurait pu se douter à cette occasion que Dieu nous le reprendrait si vite ?)

Une autre caractéristique que les gens remarquent chez moi est la clarté de ma voix — d'une sonorité argentine, paraît-il. Elle m'a rendu de grands services depuis bien des années ! Quelqu'un a dit un jour que je parlais comme une étrangère — voulant dire par là, à mon avis, que je m'exprime plus distinctement qu'une personne née sur le sol anglais. Je dois cela aux leçons de chant, prises dès mon plus jeune âge avec John Sale, l'organiste de Westminster. Il m'a donné les bases indispensables pour contrôler ma respiration, placer ma voix et articuler — ce dont une personne qui souhaite être écoutée ne saurait se passer...

Je pense aussi que je peux être reconnaissante à maman — et à son origine germanique — de ma bonne diction. À propos, il serait inexact de prétendre que je parlais allemand à la maison, étant enfant. Je l'ai appris avec un professeur, comme une langue étrangère, au même titre que le français et l'italien. À vrai dire, je m'exprimais bien mieux dans ces deux dernières langues ; et nous avons beaucoup parlé français, Albert et moi, à l'époque de nos fiançailles. Maman tenait à ce que je sois élevée à tout point de vue comme une Anglaise, si bien que toutes les conversations auxquelles je participais à la maison étaient en anglais. Mais Späth (sa dame d'honneur) et elle s'exprimaient avec un fort accent allemand, qui m'a incitée à contrôler mon élocution, beaucoup plus que si elles avaient parlé un anglais parfait. La clarté de ma diction m'a rendu, je le répète, de grands services dans mes obligations officielles, surtout lorsque je m'adressais à des dignitaires étrangers. Il m'a toujours semblé qu'ils me comprenaient infiniment mieux que mes ministres, lesquels avalaient leur consonnes et employaient des expressions familières.

Dans l'ensemble, mon éducation fut bien pensée et soigneusement menée. Je m'efforçais de me concentrer, mais ce bon Mr. Davys me reprochait mes moments d'inattention, une certaine tendance à me réfugier dans mes songeries. Pour ma défense, je dirais que ce n'était pas une question de paresse, mais la conséquence de l'isolement dans lequel j'avais vécu — surtout après le mariage de ma sœur Feo, en 1828, et son départ en Allemagne.

À cette époque, le bonheur de ma petite enfance n'était plus qu'un lointain souvenir et, Feo et moi, nous venions de traverser une période sombre qui allait influer sur ma vie, ma personnalité et mon sort — enfin tout ! Voici ce que Feo m'écrivait plusieurs années après :

> *« Quand je repense à cette période, qui aurait dû être la plus belle de ma vie, je ne puis m'empêcher de m'apitoyer sur mon sort. Ne pas avoir profité des plaisirs de la jeunesse serait peu de chose, si je n'avais été privée de toute compagnie et du moindre moment de gaieté. Mon seul bonheur était d'aller me promener avec toi et Lehzen ; je pouvais alors me sentir libre de parler et d'agir comme j'en avais envie. Grâce au ciel, je me suis libérée ! J'ai évité plusieurs années d'emprisonnement, que tu as dû endurer sans moi, ma pauvre petite sœur. »*

Elle avait trouvé refuge — j'emploie à dessein ce terme — dans le mariage. Le charmant prince Ernest de Hohenlohe-Langenbourg la rendit très heureuse.

« J'ai souvent remercié Dieu de m'avoir envoyé ce cher Ernest, poursuivait-elle dans sa lettre, *car j'étais prête à épouser n'importe qui pour échapper à mon triste sort... »*

Pauvres comme Job, ils s'étaient installés loin du monde, dans le château de Langenbourg, dont les vastes pièces vides et les corridors glacés résonnaient de sinistres échos. Je plaignais l'adorable Feo, si gaie, si pétillante, de vivre chichement, loin des mondanités et des toilettes élégantes. Mais bien qu'elle ait souffert toute sa vie du manque d'argent, elle a tendrement aimé son mari. Sa mort, en juin 1860, l'a beaucoup affectée. Ils eurent cinq enfants, et je fus très heureuse lorsque Ernest, le petit-fils de Feo, épousa récemment ma petite-fille Sandra (la fille d'Affie), unissant ainsi nos deux lignées.

> *« La misère de nos existences à Kensington,* concluait Feo, *aurait été peu de chose sans l'erreur — je dirais même l'inconvenance — dans laquelle une "certaine personne" entraîna notre mère. »*

Maintenant, je n'ai plus le choix ; je dois parler de lui si je veux mener à bien ce récit. Allons, Victoria, nomme-le ! Ce démon, ce mauvais génie qui t'a tourmentée, t'a empêchée de vivre en paix, et a empoisonné ton innocence enfantine ! La vile créature qui t'a éloignée de ta propre mère et t'a privée d'une relation normale avec le roi et ton oncle Clarence !

John Conroy. Je m'étonne que la page sur laquelle j'ai écrit son nom ne se mette pas à roussir immédiatement...

1er mars 1900 — un peu plus tard

La merveilleuse nouvelle que nous attendions a fini par arriver ; Buller, après être entré dans Ladysmith, nous la confirme par télégramme : les Boers se sont évanouis comme la brume sous le soleil levant ! Les assiégés sont affamés et beaucoup sont malades après s'être nourris de mules et de chevaux pendant plusieurs semaines. Les soldats de White ne pourront repartir en campagne avant de s'être fait soigner — mais notre soulagement est immense et notre joie sans pareille...

Un service d'action de grâces aura lieu dimanche. J'ai demandé au doyen de choisir un hymne joyeux : après ces semaines sombres, une bouffée d'allégresse sera la bienvenue. Des centaines de télégrammes m'ont été adressés par des gens de tous les milieux. Je vais me rendre à Londres, traverser la ville en voiture et être reçue au palais de Buckingham par les deux Chambres qui me réserveront un accueil triomphal. Quel bonheur ! Mais cela va m'obliger à mettre mes écrits personnels en sommeil pendant quelque temps...

4

Windsor, 10 mars 1900

J'ai effectué mes deux visites officielles dans la capitale : jeudi à Blackfriars, et hier une parade en voiture à l'ouest de Londres. Les deux jours, une foule immense — encore plus importante que pour mon jubilé de diamant — formait une haie d'honneur sur mon passage. Une telle preuve de loyauté et d'affection m'a vivement touchée. C'est un grand privilège pour moi d'avoir gagné la confiance de tant de gens.

La seule ombre au tableau était le cheval qui trottait derrière ma voiture : il ne cessait pas de secouer la tête et d'écumer. Cet incident m'a rappelé mon jubilé de diamant. Je me souviens qu'en arrivant à St. Paul, ce jour-là, Lord Dundonald, qui chevauchait derrière moi, criait sans cesse : « Du calme, ma vieille ! Allons, du calme ! » Lorsque je me suis retournée vers lui pour le foudroyer du regard, j'ai réalisé que ses admonestations s'adressaient à sa jument — et non à moi !

Malgré ces quelques jours de réjouissances, j'ai éprouvé une contrariété personnelle : ce printemps-ci, je ne séjournerai pas dans le midi de la France. Après ce long hiver sombre, tous mes sens aspirent à la lumière du soleil, aux vives couleurs des fleurs et à la senteur des pins ! Mais je n'irai pas, pour la première fois depuis quatorze ans. Les Français se sont si mal conduits en soutenant les Boers contre ce qu'ils appellent notre « oppression » ! Il ne se passe pas un jour sans qu'ils nous couvrent d'injures grossières dans les journaux ; même moi, je ne suis pas à l'abri de leur hargne. Tant que la guerre n'est pas finie et que tout n'est pas réglé, il ne me semble pas sage — ni même prudent — d'aller dans ce pays

Je suis d'autant plus navrée que je devais rencontrer ma chère Vicky à Bordighera. Si seulement elle pouvait me rendre visite en Angleterre ! Il faudrait pour cela qu'elle voyage par petites étapes, car d'atroces douleurs la clouent parfois au lit.

Ses médecins ignorent, apparemment, leur origine. Raison de plus pour qu'elle vienne ici consulter un médecin anglais ! J'espère qu'elle acceptera, car sa santé me donne beaucoup de soucis.

Au lieu d'aller en France, je ferai une courte visite en Irlande le mois prochain, à partir du 4 avril — la première depuis des années ! Le peuple irlandais mérite des remerciements pour les services qu'il nous a rendus en Afrique du Sud. J'espère que ma visite aura une influence positive et que mon séjour sera agréable.

Trop excitée pour trouver le sommeil, je vais poursuivre mon récit. Le moment est venu de parler du capitaine Conroy.

John Conroy, l'écuyer de mon père...

Du même âge que maman, il était grand et plutôt bien de sa personne. Mais avec l'air sournois et rusé d'un chien qui, après avoir vidé le garde-manger, vient tourner autour de vous en ayant l'air de n'avoir rien avalé depuis plusieurs jours ! Il était donc malin et sans scrupules, doté d'un charme superficiel et d'un esprit vulgaire, bien qu'il jouât les gentlemen quand cela l'arrangeait. Il se montrait familier, surtout avec les femmes — qui lui inspiraient en réalité le plus grand mépris.

Sa famille venait d'Irlande et il avait choisi la carrière des armes, comme souvent les Irlandais. Devenu officier de cavalerie, il monta en grade plus à cause de sa connaissance des chevaux que de ses qualités militaires. Par chance, et grâce à d'habiles discours, il fit un mariage avantageux avec la fille du général de division Fisher, un vieil ami de mon père. Papa et Fisher s'étaient trouvés ensemble sous les drapeaux, au Canada ; c'est pourquoi, à la mort de ce dernier en 1814, Conroy pria papa de l'aider. En souvenir de son défunt ami, papa demanda de l'avancement pour le capitaine, mais en vain. Il l'engagea donc comme écuyer en 1817. Fatale décision ! Si mon père s'était douté de la suite des événements, il lui aurait passé une épée à travers le corps au lieu de le prendre à son service.

Conroy, un homme avide et ambitieux, était pauvre : il avait six enfants à nourrir et ses revenus personnels en Irlande ne dépassaient pas cent livres par an. La disparition de papa, en 1820, le laissa sans illusions quant à son avenir et surtout sans le sou. Comme il était avec nous à Sidmouth à la mort de papa, il s'empressa d'offrir ses services à maman, pour ne pas se retrouver à la rue avec sa famille. Je pense qu'il envisageait une situation provisoire, mais ma pauvre mère, endeuillée, cherchait désespérément un bras sur lequel s'appuyer : elle le pria de devenir son intendant... Cette offre réveilla aussitôt ses ambitions. Maman ne connaissait rien aux affaires ; elle était seule et rejetée par sa belle-famille. De nature timide, elle manquait totalement de confiance en elle-même — ce qui lui permit de la dominer aisément. D'autre part, d'une absolue loyauté une fois qu'elle avait accordé sa confiance, elle était une proie facile. Enfin, elle avait le privilège — qui ne manqua pas d'intéresser Conroy — d'avoir la tutelle exclusive d'une fillette susceptible de devenir un jour reine d'Angleterre.

Il parvint sans peine à se rendre indispensable. Prenant toutes les décisions, il disait à maman de ne se soucier de rien, ce qui n'était pas pour déplaire à la jeune veuve dans la mesure où cet avis lui était donné par un homme parfaitement sûr de lui. « Que ferais-je sans Conroy ? Il possède une énergie et des capacités fabuleuses », écrivait-elle à grand-maman Cobourg.

Quand nous nous installâmes à Kensington, il obtint aussi les faveurs de ma tante, la princesse Sophie, qui habitait les appartements voisins. Ils s'entendirent bientôt comme larrons en foire ; Sophie l'appréciait tellement qu'elle en fit elle aussi son intendant. En 1827, elle pria le roi de le décorer. Mon oncle, qui avait beaucoup d'affection pour Sophie, ainsi qu'un faible pour les aventuriers et autres « sympathiques fripons », nomma Conroy chevalier commandeur de l'Ordre de Hanovre. Sans être un honneur insigne, c'était dix fois plus qu'il ne méritait — et Sir John Conroy gagnait ainsi une respectabilité totalement usurpée.

L'objectif de Conroy était de mettre maman sous sa coupe en gérant ses affaires, en tenant les cordons de sa bourse et en l'isolant du reste de la famille royale. Par ce biais, il comptait aussi exercer son contrôle sur moi. Les souverains anglais sont autorisés à monter sur le trône dès dix-huit ans ; mais vu l'âge et la mauvaise santé de mes oncles, il semblait probable que la succession serait ouverte avant ma majorité et qu'il y aurait une régence. En ce cas, Sir John voulait s'assurer que maman deviendrait régente et qu'il pourrait, à travers elle, régner de fait sur l'Angleterre. Il devait être fou d'impatience à l'idée du pouvoir et de la richesse que cela signifierait pour lui !

Si quelqu'un était en mesure de contrecarrer les projets de Conroy, c'était mon oncle Léopold, le propre frère de ma mère, et par la même occasion son trésorier. Il éprouvait pour elle une affection fraternelle et pour moi un intérêt paternel : j'attendais avec impatience ses visites à Kensington, tous les mercredis, après-midi. Comme il était bon pour moi ! Je le guettais, le nez collé à la fenêtre, et je me précipitais dans ses bras dès qu'il apparaissait. On aurait dit qu'un oiseau de paradis venait égayer nos lugubres appartements. Je dois admettre qu'il avait un air excentrique avec sa perruque, son fard, ses parfums, ses chaussures à hauts talons et ses longs boas de plumes qui traînaient jusqu'à terre. Il nous invitait dans sa résidence champêtre de Claremont, près d'Esher, où je goûtais un luxe inconnu chez moi. Dispensée de leçons, je pouvais m'amuser ; maman était toujours de bonne humeur, et Conroy, tenu à l'écart, ne nous dérangeait plus. Ces visites à Claremont sont mes meilleurs souvenirs d'enfance. Que de fois nous sommes reparties en larmes, Feo et moi !

Mon oncle Léopold était un homme intelligent et capable, mais maman — quoiqu'elle lui fût reconnaissante de sa protection et de son aide financière — ne s'entendait pas bien avec lui. La mort de la princesse Charlotte lui avait donné une gravité particulière. Il parlait très lentement et d'un air solennel, et ne se décidait qu'après mûre réflexion. (La princesse Sophie l'avait surnommé, en français, « *Monsieur Peu à Peu* ».) Il donnait des avis toujours éclairés, donc rarement agréables à maman. Au contraire, l'optimisme débridé de Conroy la nourrissait d'illusions d'autant plus délicieuses qu'elle n'avait jamais eu la moindre notion de l'argent.

Conroy ne ratait jamais une occasion de distiller son venin contre mon oncle Léopold, si bien que maman, non contente de trouver son frère triste et assommant, se mit à le considérer avec suspicion. C'est, hélas, au moment où Conroy décidait de passer à l'action afin de nous mettre définitivement sous sa coupe, que mon oncle quitta l'Angleterre. Il ne supportait plus l'oisiveté, et le gouvernement — qui lui versait une pension — ne cachait pas son ressentiment d'avoir à l'entretenir. En quête d'une situation qui lui permettrait d'exercer ses talents, il faillit accepter en 1829 la couronne de Grèce (ce royaume venait de se détacher de la Turquie), mais le roi et le Parlement s'y opposèrent. En 1830, les Belges, depuis peu indépendants des Pays-Bas, lui offrirent de monter sur le trône. Il accepta, partit à Bruxelles en 1831, et disparut de ma vie pendant quatre ans.

Ce fut un excellent roi des Belges — éclairé, libéral et juste — et ces derniers n'eurent qu'à se féliciter de leur choix, mais son départ fut désastreux pour moi. Maman ne serait jamais tombée à ce point sous la dépendance de Conroy si mon oncle avait été là pour la guider ; et je n'aurais pas vécu d'aussi sombres années. Privée dès ma naissance de l'amour d'un père, j'étais maintenant privée de l'amour de ma mère par la faute de ce méprisable Conroy, à qui je ne pardonnerai jamais sa vilenie.

Son ambition était de nous isoler afin d'avoir la haute main sur nous. Il rêvait de créer à Kensington une cour séparée, dont lui seul choisirait les courtisans. À cette fin, il devait couper les ponts entre nous et la véritable cour, d'autant plus que le roi mon oncle commençait à manifester un certain intérêt à mon égard.

Conroy entretint donc l'inquiétude de ma mère en lui faisant croire que le roi voulait m'arracher à elle. Peut-être y avait-il une ombre de vérité en cela, car mon oncle aurait souhaité m'initier à la vie de cour et me faire faire plus ample connaissance avec ma famille paternelle. Puis l'infâme Conroy persuada maman qu'un complot se tramait pour m'assassiner. Le roi, prétendait-il, me haïssait comme il avait haï papa, et son plus cher désir était que mon oncle Cumberland — auquel succéderait son fils, George — monte sur le trône !

Maman se méfiait de cet oncle qui alliait un caractère redoutable à une apparence inquiétante (due à une cicatrice sur le visage, fort honorablement acquise au cours d'une bataille) et à une réputation de grande méchanceté (sans doute grandement imméritée). Elle crut tout ce que lui racontait Conroy... Mon oncle Cumberland allait tout d'abord m'affaiblir en soudoyant un domestique qui mêlerait de petites doses de poison à ma nourriture. Je passerais alors pour une enfant en mauvaise santé, rumeur que Cumberland se ferait une joie d'entretenir. Le moment venu, le roi m'arracherait à elle, m'installerait à la cour, et au bout de quelques semaines personne ne serait surpris d'apprendre la nouvelle de ma mort.

Ma pauvre mère, apeurée, suivit à la lettre les directives de Conroy. Elle m'interdit de communiquer avec qui que ce soit, refusa les invitations à la cour et éloigna tous les visiteurs, hormis ceux qui avaient obtenu l'approbation de Conroy. Pour me protéger d'un éventuel assassinat, je devais être jour et nuit avec Lehzen, maman ou quelque autre personne de confiance. Ma nourriture était goûtée avant de m'être servie, et je n'avais pas le droit de descendre un escalier sans donner la main à quelqu'un. Toujours sous surveillance, je ne devais jamais jouer avec d'autres enfants, à l'exception de Victoire, la propre fille de Conroy. Elle avait exactement mon âge et venait me voir une ou deux fois par semaine, mais elle m'inspirait une profonde antipathie. Comme son père, elle se donnait des airs et m'attirait des ennuis en lui rapportant chacune de mes paroles.

Telle était ma vie — une vie sinistre et totalement anormale. Ni distractions, ni visites, ni compagnons de jeu, ni rires, ni joies enfantines ! J'étais si souvent avec des adultes que j'en oubliais mon jeune âge. Plus dur encore me semblait le fait de ne jamais avoir un moment à moi pour lire ou rêver en paix ! Par une cruelle ironie du sort, je me suis toujours sentie solitaire alors que je n'ai jamais été seule. À l'époque, que n'aurais-je donné pour être à l'abri des intrusions de cet individu !

Que d'humiliations et d'affronts il m'a infligés ! Cet homme à la voix tonitruante était foncièrement tyrannique, irascible et vaniteux. Le genre de personne qui trouve les points faibles de ses victimes, fait de cruelles remarques à leur sujet, puis les tourne en ridicule après les avoir humiliées : « Tu pleures encore, petite nigaude ? me disait-il. Tu ne comprends donc pas la plaisanterie ! » Il était comme ces gamins qui arrachent les ailes des mouches et rient de leur affolement. Le pouvoir était à ses yeux un moyen de tourmenter et de blesser autrui. Il ne lui serait pas venu à l'idée un seul instant qu'il permet aussi de faire le bien...

Comme ce triste sire m'a rendue malheureuse ! Il a piétiné sans merci ma dignité d'enfant. Par exemple, il se moquait de mon apparence (toujours un point sensible pour moi), ridiculisant ma petite taille, mon menton fuyant et mon nez fort. Il se moquait aussi de mon sens de l'économie et m'appelait la « grippe-sou », une allusion à ma grand-mère, la reine Charlotte, dont l'avarice était proverbiale. Alors que je me consolais secrètement de mon visage disgracieux en l'attribuant à mon ascendance paternelle (mon sang royal), il me trouvait une ressemblance frappante avec mon oncle Gloucester, un homme au physique ingrat et à l'esprit lent, connu dans la famille comme « Willy le Sot ». Par la faute de cet individu, beaucoup de gens me prenaient pour une demeurée, à peine capable de se tenir correctement, et encore moins de diriger un pays.

Il commettait une erreur fatale en me traitant ainsi. Lui qui espérait gouverner un jour l'Angleterre par mon intermédiaire, ne se rendait-il pas compte que chaque insulte ou chaque moquerie me prenant pour cible était un clou planté dans son cercueil ? S'imaginait-il que le jour où je monterais sur le trône, je le garderais avec gratitude à mes côtés ? Il me prenait pour une enfant sans défense, entièrement dépendante de lui, ignorant que j'avais hérité des Hanovre une volonté de fer que chaque humiliation contribuait à renforcer. Quoi qu'il arrive, je n'ai jamais supporté de me laisser dominer, et cet homme à l'imagination diabolique n'est jamais parvenu à me briser...

Il prenait mon apparente soumission pour argent comptant. Si seulement j'avais eu quelqu'un vers qui me tourner ! Je ne pouvais même pas compter sur maman, qui avait totalement perdu son libre arbitre. Plus je la voyais approuver les traitements qu'il m'imposait, plus j'avais la certitude qu'elle était incapable de m'aimer. Elle connaissait la haine que je vouais à Conroy, mais elle l'expliquait par mon mauvais caractère. Pas un instant elle ne douta de lui... En moi-même, je finissais par l'identifier à ce monstre, et donc à la haïr elle aussi.

C'est bien triste à dire, mais le monde me semblait divisé en deux camps : « eux » (ceux qui étaient de son côté) et « nous ». « Eux » incluait ma mère, évidemment ; mon frère Charles, lui-même un roué, en admiration devant le panache de Conroy ; et la princesse Sophie, si entichée de lui qu'elle l'appelait son « cher ami » et se faisait un plaisir d'espionner le roi et les Clarence pour son compte.

Après le mariage de Feo, « nous » n'inclua plus, à part moi, que Lehzen et la baronne Späth (la dame d'honneur de ma mère), et bientôt se réduisit encore. Conroy, malgré son manque de sensibilité, savait se montrer lucide lorsque son intérêt était en jeu. Puisque Späth et Lehzen avaient de l'affection pour moi, mais aucune sympathie pour lui, elles devaient céder la place !

Il obtint un premier succès à l'automne 1829, lorsque la baronne Späth fut congédiée. Sans doute eut-il du mal à convaincre maman, car Späth ne l'avait pas quittée depuis vingt-cinq ans. Elle était à ses côtés pendant les sombres années de son premier mariage et de son premier veuvage, puis pendant la période heureuse de son second mariage. Après avoir traversé la Manche au prix d'un terrible mal de mer, elle l'avait assistée au moment de ma naissance ; plus tard, elle avait veillé mon père à Sidmouth pendant sa maladie. Elle avait souvent renoncé à ses gages et supporté courageusement les épreuves de l'exil ! Sans être brillamment intelligente, Späth était une femme de cœur et d'une absolue loyauté.

On la congédia brusquement sous prétexte qu'elle était « trop allemande » et que la duchesse de Kent souhaitait s'entourer d'Anglaises de haut rang. En homme complètement dénué de cœur Conroy n'avait pas imaginé un instant qu'un prétexte aussi injuste pourrait choquer certains.

La cour manifesta sa surprise, si bien que Conroy, embarrassé, se crut obligé de trouver d'autres justifications hasardeuses. Les manières de Späth n'étaient pas adaptées à la bonne société anglaise ; son comportement n'était pas celui d'une dame d'honneur ; elle se montrait trop bavarde, gâtait exagérément la princesse Victoria, et allait même jusqu'à mettre en cause les principes d'éducation de la duchesse de Kent...

Seule cette dernière allégation avait un fond de vérité. Pour le reste, Späth avait eu le tort de manifester son antipathie à l'égard de Conroy, de critiquer ouvertement son attitude envers moi et les grands airs qu'il se donnait. (Il lui parlait insolemment et insistait pour que sa femme ait la préséance sur elle et Lehzen, toutes deux baronnes.) Enfin, elle avait commis le crime de gronder Victoire Conroy pour quelque effronterie. En somme, elle avait montré trop clairement qu'elle n'était pas dans le camp de Conroy — un péché impardonnable...

Son renvoi provoqua un scandale. Personne ne pouvant supposer que maman avait congédié une fidèle suivante pour des motifs aussi futiles, le bruit courut que Späth avait surpris des « familiarités » entre elle et Conroy. Les mœurs de l'époque étaient si relâchées que personne n'imaginait qu'un homme et une femme puissent vivre sous le même toit sans partager le même lit. Maman et Conroy étaient donc amants... Un odieux mensonge, qui dut profondément blesser ma pauvre mère — une femme de haute vertu ! Malgré ses faiblesses pour Conroy, j'ai la certitude qu'elle ne s'est jamais conduite avec lui de manière inconvenante.

Mais je reconnais qu'elle eut des torts envers Späth ; et elle aurait sans doute autorisé Conroy à me priver de Lehzen, si cette dernière n'avait pas été trop maligne pour lui. Conroy voulait se débarrasser de ma gouvernante, trop liée avec Späth pour lui inspirer confiance ; mais Lehzen n'était pas dupe... Évitant de contrarier ce tyran, elle avait soigneusement dissimulé la haine qu'il lui inspirait, et obtenu l'appui du roi ainsi que de mon oncle Clarence. Quand le roi apprit indirectement que maman se préparait à renvoyer Lehzen, il lui fit savoir aussitôt qu'il n'en était pas question.

La pauvre Späth, perplexe et les yeux rougis de larmes, alla rejoindre la douce Feo à Langenbourg, où elle resta pendant des années sa suivante, sans jamais comprendre pourquoi elle avait été si durement traitée en échange de ses bons et loyaux services. Nous nous rapprochâmes, Lehzen et moi, comme deux oiseaux se blottissent l'un contre l'autre pour se tenir chaud en hiver. Nous ne discutions jamais des événements — elle aurait jugé cela déplacé — mais j'avais clairement conscience de ce qui se passait, et je m'inquiétais ! Depuis que Feo et mon oncle Léopold étaient partis et que maman avait pris position contre moi, je considérais Lehzen comme la seule personne au monde sur qui je pouvais compter. Cette tentative pour me priver de mon unique soutien gonflait mon cœur de rage et d'appréhension...

Sachant qui blâmer, j'admirais la réserve de Lehzen et je m'efforçais de prendre exemple sur elle. Elle devenait parfois d'une pâleur effrayante en présence de Conroy ; elle répondait par monosyllabes, et rien ne trahissait sa haine hormis sa manière de pincer légèrement les lèvres, et le pétillement de son regard dès qu'il repartait. Quant à moi, j'étais trop jeune et impétueuse pour feindre la soumission, mais j'appris à revêtir face à lui un masque inexpressif, qui le privait au moins de la satisfaction de me voir souffrir.

Pierre à pierre, j'édifiai un mur entre lui et moi, et donc entre maman et moi. Pour un enfant, c'est une dure épreuve que de penser du mal de sa propre mère. Un véritable calvaire que d'en arriver là ! Ma blessure était profonde ; et bien que j'aie ensuite renoué de tendres liens avec maman, je garde — et garderai toujours — les cicatrices de ces années contre nature que j'ai passées à Kensington.

Le renvoi de Späth eut une autre conséquence regrettable. Tante Adélaïde, en partie de son propre chef, en partie sous l'influence du roi, écrivit à maman une lettre très sèche pour la mettre en garde contre Conroy :

> *La famille souhaite unanimement que vous ne permettiez pas à Sir J.C d'exercer une trop grande influence sur vous. N'ayant jamais vécu auparavant dans la bonne société, il va parfois à l'encontre de nos usages, qu'il ignore totalement, et dont il semblerait que vous vous éloigniez de plus en plus, vous-même et votre enfant. À tort ou à raison — je ne saurais dire — la famille attribue votre attitude aux manœuvres de Conroy, qui cherche à éliminer tout ce qui risquerait de compromettre son ascendant sur vous. Il veut exercer son pouvoir seul et seul en récolter un jour les fruits. Vous ne devriez pas l'autoriser à vous isoler de tous, hormis de sa propre famille — dont le rang n'est pas assez élevé pour être l'unique compagnie offerte à la future reine d'Angleterre.*

Cette lettre se poursuivait sur le même ton. Maman dut être mortifiée quand elle la reçut. Et Conroy fut sans doute déconcerté à l'idée qu'une femme aussi simple que tante Adélaïde eût déjoué ses plans les plus secrets. Il dicta à ma mère une réponse odieuse et insolente, d'après ce que j'ai entendu dire, et qui blessa vivement ma tante. Oncle Clarence adorait sa femme. Furieux de l'affront qu'elle avait subi, il se fâcha contre maman et Conroy. Dès lors, ce fut une guerre ouverte entre les deux camps.

Le moment était mal choisi, car le roi était alors fort mal en point ; il mourut cinq mois plus tard, le 26 juin 1830, et oncle Clarence lui succéda, sous le nom de Guillaume IV. Tante Adélaïde ayant abandonné tout espoir d'être mère — ce qui apparaissait clairement dans sa lettre — j'étais désormais la première dans l'ordre de succession. Dès lors, j'aurais dû prendre ma place à la cour pour m'initier à ses usages et faire la connaissance de mon futur entourage. Mon aimable oncle et ma douce et pieuse tante n'auraient demandé qu'à m'accueillir comme leur propre fille, mais, si près d'atteindre son but, Conroy ne l'entendait pas ainsi.

12 mars 1900

Au sujet de mon oncle, le roi George IV, Greville a écrit : « Il ne fallut pas attendre plus de trois jours après sa mort pour que tout le monde découvre que ce n'était pas une grosse perte. »

Quand on est roi (ou reine) d'Angleterre, on a le désagrément d'être considéré comme un bien public, et, qu'on le veuille ou non, il faut s'habituer à subir des critiques injustes et certaines insultes de la part de proches auxquels on est attaché. Le roi mon oncle s'était montré très bon avec moi, et j'ai beaucoup pleuré à sa mort. Bizarrement, c'est un Français, le prince de Talleyrand, qui lui a rendu l'hommage le plus émouvant : il l'a qualifié de *grand seigneur*[1], en précisant qu'il n'y en aurait plus d'autre... George IV était un homme d'apparat et d'une ostentatoire munificence — une sorte de despote orien-

1. En français dans le texte.

tal du temps jadis ; mais c'était précisément ce qu'autrefois on attendait d'un roi. Mais tout change, et le siècle qui vient de s'achever s'est peu à peu montré plus exigeant et plus critique que le précédent. Si la monarchie voulait se perpétuer, elle devait s'adapter et donner la preuve de sa valeur.

Mon oncle Guillaume — un vieux gentleman au grand cœur, à la voix puissante, et d'un caractère naturellement amical — était un roi bien de son temps. Il avait horreur du faste, des cérémonies, des falbalas et des festins à la française. Il adorait son épouse, manifestait beaucoup d'amour et d'intérêt à ses nombreux enfants illégitimes, et ne demandait qu'à passer des soirées tranquilles au coin du feu, tandis que tante Adélaïde tricotait. C'était un homme grand et fort, aux joues roses et aux yeux bleus comme beaucoup de membres de ma famille. Il n'avait aucun signe particulier, à l'exception de la forme proéminente de son crâne, qui lui avait valu, dans la marine, le surnom de « noix de coco ».

Ne s'étant jamais attendu à monter sur le trône, il lui fallut un certain temps d'adaptation. Un jour, au tout début de son règne, il se glissa hors du palais St. James pour aller se promener dans la rue, comme à l'époque où il était duc de Clarence. Naturellement, on ne tarda pas à le reconnaître. Une foule excitée et admirative lui emboîta le pas ; avec sa bonhomie habituelle, il ne fit rien pour l'en dissuader. Quand une prostituée se permit de l'embrasser sur la joue alors qu'il passait devant le *White's Club*, les membres du club scandalisés sortirent comme un seul homme et escortèrent leur souverain jusqu'au palais. Ses gens, soulagés de le voir revenir, voulurent le convaincre de ne plus sortir seul, mais oncle Guillaume n'était pas prêt à céder.

« Ne vous inquiétez pas, dit-il en adressant un salut à la foule hilare qui s'attardait dans la rue, avec l'espoir d'une autre escapade. Quand ils se seront habitués à mes sorties, ils ne les remarqueront même plus. » Ma tante Adélaïde se fit un devoir de l'admonester sévèrement, en le priant de ne pas récidiver. Sur ce, il hocha la tête d'un air contrit et murmura : « Si vous, vous y tenez, ma chère... »

J'ai une prédilection pour cette anecdote. C'est exactement l'oncle Guillaume dont je garde le souvenir ! Bien qu'il ne se fût pas préparé à devenir roi, il décida de faire de son mieux lorsque le trône lui échut. Il avait un réel sens du devoir (un trait de caractère que je me flatte de partager avec lui) et une manière rigoureuse d'aborder les problèmes.

Le Duc le tenait en haute estime. En effet, il se levait tôt, travaillait pendant de longues heures jusqu'à ce qu'il fût venu à bout de sa tâche quotidienne, et n'hésitait jamais à poser des questions quand il ne comprenait pas un problème. « En cela, il différait de son prédécesseur, disait le Duc (évidemment, à d'autres que moi), car ce dernier mettait son point d'honneur à ne jamais admettre son ignorance. » Toujours selon le Duc, oncle Guillaume abattait autant de besogne en dix minutes que George IV en dix jours. Il admirait par-dessus tout la manière dont il régla la masse d'affaires négligées par ce dernier, en signant notamment quelque quarante mille documents « différés ». Sir Herbert Taylor, son secrétaire, affirmait qu'il veillait tard dans la nuit, jusqu'à ce que ses vieilles mains soient ankylosées, afin de rattraper le retard et de « mettre tout en ordre ».

Des légendes malveillantes et injustes ont fait courir le bruit qu'oncle Guillaume était stupide — ce que je conteste, bien que ses manières simples et directes n'aient pas eu l'heur de plaire à nos intellectuels prétentieux. On l'a accusé également d'avoir été réactionnaire, ce qui me choque tout autant ! Il avait un sens profond des égards dus à la Couronne, mais une absolue loyauté vis-à-vis des ministres qui avaient pour mission de le conseiller. Quand le gouvernement lui déclara qu'une réforme électorale était nécessaire, il lui donna son accord. Malgré ses convictions personnelles, son soutien n'a jamais fait défaut à Lord Grey — au grand dam de ma tante Adélaïde qui était plus hostile que lui à une telle réforme.

Il s'agit naturellement du Reform Act de 1832, l'amorce d'un processus qui s'est développé sous mon règne — notamment par l'extension du droit de vote en 1867 et en 1884 — et qui, selon moi, n'est pas encore achevé. Je veux bien accorder le droit de vote à tous les honorables citoyens exerçant une profession et respectant Dieu, mais les gens s'agitent pour l'accorder à tout homme majeur, quelle que soit sa contribution au bien public. Je m'insurge contre cette idée, car un tel droit m'a toujours semblé un privilège qui ne s'acquiert que par le mérite. Enfin, grâce au ciel, ce n'est plus mon problème ! Bertie essaiera sans doute de s'y opposer. (Il a l'esprit beaucoup moins démocratique que moi, et j'ai l'impression qu'il s'imagine secrètement en monarque absolu...) Mais le suffrage universel finira par voir le jour ! Mon long règne m'a appris que certaines choses se produisent non parce que quelqu'un les a particulièrement souhaitées, mais parce que tel est le sens de l'histoire.

Mais revenons-en à l'avènement de Guillaume IV. Conroy attendit à peine un jour pour tirer sa première salve. Il écrivit une lettre — signée par maman et adressée au Duc — qui présentait les exigences suivantes : j'étais déclarée héritière présomptive de la Couronne ; une femme bien née, de préférence une duchesse, m'était donnée comme gouvernante officielle ; maman, désignée comme régente par un décret du Parlement, recevait le titre de princesse douairière de Galles (auquel, soit dit en passant, elle n'avait aucun droit) et un revenu digne de son rang.

Choqué par l'effronterie de cette lettre — dont il devinait l'instigateur — le Duc refusa de la communiquer au roi. Il avertit maman que, la considérant comme une communication à caractère privé et confidentiel, il n'en informerait même pas ses collègues. Les affaires de la duchesse de Kent et de son auguste fille seraient portées, selon la procédure normale, devant le Parlement à sa prochaine session...

Le Duc reçut une réponse cinglante de maman : elle tenait à obtenir la régence pour le bien de sa fille, et ce, en dépit de ses inclinations personnelles ; d'autre part, ajoutait-elle, si elle n'avait pas exposé ses souhaits, la cour, qui affichait le plus grand mépris pour elle, n'aurait pas pris la peine de la consulter. Le Duc répliqua que personne ne songeait à nuire aux intérêts de la princesse et il engageait maman à « ne laisser personne la persuader du contraire ». Cette allusion évidente à Conroy indigna maman : voyant en lui son unique protecteur, elle n'admettait toujours pas qu'on la mette en garde. Après cet incident, elle refusa donc pendant un certain temps d'adresser la parole au Duc ou de le recevoir.

Cependant, Conroy n'avait aucune raison de s'inquiéter : en novembre 1830, quand eut lieu le débat sur la régence, le Parlement recommanda à l'unanimité qu'elle fût accordée à maman. Mon oncle Cumberland (le plus proche du trône après moi) aurait dû, en principe, être nommé régent, mais il inspirait la haine et la crainte à pratiquement toute la cour et à l'ensemble de la population. Un habile prétexte permit de l'évincer : je ne pouvais hériter du trône du Hanovre — uni au trône d'Angleterre depuis George Ier — puisque la loi salique, qui exclut les femmes, y avait cours ; à la mort de mon oncle Guillaume, l'oncle Cumberland deviendrait donc roi du Hanovre. Or, un souverain étranger ne peut être régent de la reine d'Angleterre ! Cumberland hors jeu, maman fut nommée régente — au grand soulagement de tous...

Forts de leur triomphe, Conroy et maman mirent tout en œuvre pour accroître leur prestige et se donner un train royal, en ne manquant pas une seule occasion de contrarier et d'insulter le roi et la reine. Isolée dans ma salle d'étude, je n'assistais guère à tout cela ; toutefois, je m'étonnais de ne pas voir mon oncle Guillaume ni ma tante Adélaïde aussi souvent que je l'aurais souhaité. Ils m'aimaient tant qu'ils auraient sans doute ignoré la plupart des insultes venant de Kensington, si maman n'avait pas adopté une attitude hostile à l'égard de mes cousins Fitzclarence. Mon oncle était un père aimant ! Puisque sa femme acceptait de bon cœur la présence de ses *bâtards*[1] dans le cercle familial, il ne comprenait pas que ma mère ne fît pas de même. Cette dernière affectait de les ignorer, même quand elle les rencontrait chez le roi. Pauvre oncle Guillaume ! Quand je suis devenue reine, je me suis montrée parfaitement correcte vis-à-vis d'eux et j'ai maintenu leur pension — bien qu'il fût trop tard pour réparer l'affront infligé par ma mère.

Des querelles continuèrent à opposer la cour au palais de Kensington. Elles me rendaient la vie bien pénible, même si elles n'éclataient jamais au grand jour. Ces tensions, ajoutées aux persécutions que me faisait subir Conroy, finirent par altérer ma santé. Pendant mon adolescence, j'ai souffert périodiquement de maux de tête et de dos, d'affections hépatiques et d'insomnie — conséquence, sans aucun doute, de la vie misérable et contre nature que je menais.

De rares diversions vinrent égayer la monotonie de mon existence quand maman et Conroy décidèrent que je devais faire mon entrée dans le monde : je fus alors invitée à venir saluer les hôtes au salon quand maman donnait de grands dîners. Il y eut par ailleurs certaines réceptions royales qu'il lui fut impossible de refuser en mon nom — comme le bal donné par mon oncle Guillaume en mai 1833, à l'occasion de mon quatorzième anniversaire.

J'ouvris le bal (de même que les années suivantes) avec mon cousin, le prince George de Cambridge. Ce pauvre George avait exactement mon âge, et beaucoup de gens s'imaginaient que nous étions destinés à devenir un jour mari et femme. Cette union aurait convenu à ma famille paternelle, et surtout à ma tante Adélaïde qui avait un faible pour George. Mais nous n'étions pas du tout de cet avis mon cousin et moi ! Bien sûr, nous n'en parlions jamais ouvertement, mais quand certaines

1. En français dans le texte.

circonstances — comme des bals — nous rapprochaient, nous nous comportions avec une froideur tout juste polie, afin de persuader notre entourage qu'il n'était pas question de nous marier. Je le trouvais bête et laid ; quant à lui, je suppose qu'il éprouvait la même antipathie à mon égard.

Après mes fiançailles avec Albert, nous nous sommes sentis soulagés et notre comportement a changé aussitôt. Il me parut plaisant, et j'ai même éprouvé beaucoup d'amitié pour lui. En raison de sa vie assez dissipée, on l'envoya à l'armée (il fut commandant en chef de mes troupes jusqu'en 1895), puis il épousa à vingt-huit ans une actrice, Louise Fairbrother. Une *mésalliance*[1] si choquante que son père en mourut de chagrin ; mais c'était un mariage d'amour qui eut pour effet de l'assagir. Entièrement dévoué à Mrs. Fitzgeorge (le nom sous lequel elle était connue), il lui donna trois fils et eut le cœur brisé quand elle mourut, en 1890.

Ce fut aussi à l'occasion de mon quatorzième anniversaire que je fus autorisée à adopter Dash, l'épagneul offert par Conroy à ma mère quelques mois auparavant. (Le seul et unique bienfait dont je me sente redevable à ce triste individu !) Un enfant a besoin de prodiguer ses caresses à quelqu'un, et je m'interdisais de manifester mon affection à Lehzen — que j'aimais beaucoup, mais qui avait pour principe de maintenir certaines distances. Mon cher petit Dashy fut donc l'objet de toutes mes câlineries. Je l'adorais, et je n'ai jamais vu un animal plus charmant. Dash ne m'a pas quittée, de 1833 jusqu'à sa mort, l'année de la naissance de Vicky. J'ai fait construire un monument de marbre sur sa tombe, dans le jardin d'Adelaide Cottage, ici à Windsor.

14 mars 1900 — vers minuit

Des voix, toujours des voix... Lorsque je ferme les yeux, je crois entendre leur murmure, léger comme celui des feuilles mortes balayées par le vent.

Celle du roi — une sorte de grondement assourdi, avec cette prononciation démodée des voyelles qui a disparu aujourd'hui, sauf dans les coins les plus reculés du Norfolk et du Lincoln-

1. En français dans le texte.

shire. « Ha, soyez tranquille, ma chère ! Je ne suis peut-être qu'un vieux loup de mer, mais ces yeux-là ont toujours eu bonne vue, et je suis capable de voir ce qui se passe sous mon nez, sacrebleu ! »

La voix douce et sifflante de maman, dont le ton montait à la fin de chaque phrase comme s'il y avait un point d'interrogation — de sorte que son assurance était teintée d'une légère hésitation. « *Zo*, ma chère Victoria, tu ne dois pas t'imaginer que je suis en colère, alors que je veux seulement te montrer tes torts ? Tu as un caractère obstiné et volontaire ? Je te dis cela pour ton bien, *nicht* ? Tu ne peux pas comprendre toute seule ce qu'exige ta position. »

La voix forte et autoritaire de Conroy, avec une pointe d'accent irlandais, comme du lait aigre dans du thé. « Rien n'est plus haïssable qu'une jeune fille qui cherche à contredire ses aînés. Je ne peux admettre cela même chez mes propres filles, et je tiens à vous dire, duchesse, que je me battrai sans pitié contre cette fâcheuse habitude ! »

Je me souviens aussi d'une voix aux intonations acides, apparue au cours de l'été 1834 — celle de Lady Flora Hastings, la fille aînée de la marquise. Une jeune femme de vingt-huit ans, vive et intelligente, non dénuée d'élégance et de charme, mais dont le caractère aurait mieux convenu à un homme... Elle arriva en tant que dame d'honneur de ma mère ; je compris tout de suite que sa venue marquait une nouvelle étape dans la bataille visant à me priver de ma très chère Lehzen, et à me placer sous le contrôle de Conroy.

Mes paisibles promenades en voiture avec Lehzen — ces havres de paix dans ma vie tourmentée — perdirent tout leur charme : sur ordre de maman, Lady Flora, véritable espion à la solde de Conroy, venait nous chaperonner. Elle s'entendait à merveille avec lui et leur mutuelle estime se teintait presque d'affection. Ambitieuse, elle l'utilisait dans l'espoir de faire son chemin ; quant à lui, il la considérait comme un outil si précieux qu'il lui pardonnait presque d'appartenir au sexe faible. Il la traitait avec familiarité, mais sans la grossièreté ni la condescendance dont il usait avec les autres femmes.

Nous prîmes l'habitude, Lehzen et moi, de tenir nos langues en présence de Lady Flora, car elle rapportait la moindre de nos paroles à son protecteur. Mais toute notre habileté ne nous mettait pas à l'abri de son ingéniosité à détourner de leur sens les plus innocents de nos propos... En outre, prenant modèle sur Conroy, elle se montrait dure et méprisante à l'égard de

Lehzen. Leur objectif à peine dissimulé était de la rendre si malheureuse qu'elle finirait par donner spontanément sa démission. Lehzen, habituée maintenant aux insultes de Conroy, avait le cuir solide, ce que j'ignorais à l'époque. J'étais donc très inquiète et je haïssais Lady Flora avec la profonde amertume d'un être désarmé.

Une nouvelle machination se tramait contre moi. Au cours de l'été 1835, comme j'entrais dans ma dix-septième année, maman et Conroy déclarèrent que je pouvais me passer de gouvernante. La duchesse de Northumberland, ma gouvernante officielle depuis 1832, avait déçu Conroy : bien qu'elle ne fût là que pour le prestige de la maison, elle s'était préoccupée de mon bien-être et avait osé contester le dur régime auquel j'étais soumise. Il fallait congédier la duchesse et Lehzen, décida Conroy. Je tiendrais compagnie à ma mère et disposerais d'une dame d'honneur : Lady Flora Hastings. (Notez le paradoxe : j'étais trop âgée pour avoir une gouvernante, mais pas assez pour choisir moi-même mes suivantes.)

Ce projet nécessitait l'approbation du roi, mais comment aurais-je pu me douter qu'il allait s'y opposer violemment ? Ma tante Adélaïde et lui avaient de la sympathie pour Lehzen, qui ne courait donc aucun risque de leur vivant, à condition d'endurer à son poste de continuelles humiliations. Dans l'ignorance de tout cela, je souffris le martyre pendant un an, au vu des manœuvres destinées à me priver de mon unique soutien. Je devenais de plus en plus dure et Lehzen de plus en plus sombre, mais nous n'abordions jamais cette question entre nous. Aux difficultés de l'adolescence s'ajoutait cette terrible angoisse, qui ne trouvait aucun exutoire, hormis dans mes rêves et dans les crises de larmes auxquelles j'étais sujette le soir, lorsque maman dormait déjà.

À cette époque, eut lieu ma confirmation, le 30 juillet 1835. Agenouillée devant l'archevêque de Canterbury, dans la chapelle royale de St. James, je portais une robe blanche en dentelle et une coiffe de crêpe blanc, ornée d'une guirlande de roses. Mon cher tuteur, Mr. Davys, assistait au service, et j'essayais de concentrer mes pensées sur cette importante cérémonie à laquelle il me préparait depuis longtemps. J'aurais dû rayonner de joie et de sérénité, mais j'étais à bout de nerfs. Oncle Guillaume m'avait menée à la chapelle, et lorsqu'il avait senti ma main trembler sur sa manche en drap fin, il l'avait caressée de ses longs doigts osseux pour me rassurer. Mais, soudain, il aperçut John Conroy dans la suite de ma mère :

avec un rugissement de lion en colère, il lui ordonna de quitter les lieux.

Conroy obéit ; son regard noir ne présageait rien de bon. Quand, dans son discours, l'archevêque évoqua mes futures responsabilités, je ne pus retenir mes larmes. Je n'avais pas tort de m'inquiéter... Aussitôt après notre retour au palais de Kensington, maman me tendit une longue lettre — la méthode favorite des Cobourg pour transmettre d'importants mais déplaisants messages. Je me mis à la lire en sanglotant : mon attitude vis-à-vis de Lehzen devait changer, écrivait maman, et le moment était venu de prendre mes distances par rapport à elle. Je devais accorder toute ma confiance à ma mère dévouée, qui avait consenti de grands sacrifices dans mon intérêt, et me fier à ses sages conseils jusqu'à dix-huit ou vingt et un ans.

J'eus du mal à sécher mes larmes après avoir lu cette lettre qui m'obligeait à me séparer de Lehzen. Papa était mort peu après ma naissance ; maman avait choisi de se fier à John Conroy ; Feo était partie pour se marier ; et mon oncle Léopold pour devenir roi des Belges. La pauvre Späth, pour m'avoir aimée trop tendrement, avait été renvoyée. Au roi George IV avait succédé mon oncle Guillaume, mais on m'interdisait de le voir, ainsi que ma tante Adélaïde. Les seules amies auxquelles j'avais droit étaient les filles de Conroy — ses espionnes. Lehzen était l'unique personne en qui je pouvais avoir confiance. Partageant de son plein gré ma prison, elle me protégeait des pires excès de mes geôliers. Sans elle, comment aurais-je pu survivre ?

La lettre de maman abordait une autre question : celle de ma majorité. Alors que celle-ci était fixée à dix-huit ans pour les personnes de sang royal, elle suggérait de la retarder jusqu'à vingt et un en ce qui me concernait. Depuis longtemps déjà je rêvais de liberté, et je me voyais soudain condamnée à trois années de prison supplémentaires. Je fondis en larmes à cette idée...

15 mars 1900

Dieu, qui connaît individuellement chacune de ses créatures, ne nous impose jamais que ce que nous pouvons supporter. À l'heure la plus noire, il envoya à mon secours mon oncle Léopold, qui effectua, en septembre 1835, sa première visite en Angleterre depuis quatre ans. Nous passions maman et moi des vacances à Ramsgate, où il arriva en compagnie de sa toute jeune femme, la princesse Louise d'Orléans, fille du roi Louis-Philippe de France. Elle était jolie, gaie et chaleureuse ! J'eus le coup de foudre dès qu'elle m'embrassa en murmurant : « C'est absurde que je sois ta tante : je n'ai que sept ans de plus que toi ! Pense à moi, s'il te plaît, comme à une sœur aînée, et nous nous sentirons beaucoup plus à l'aise. »

Cette chère Louise, comme elle était charmante ! À sa finesse naturelle, elle alliait un esprit d'une exubérance juvénile. Et pourtant, elle avait mis au monde son deuxième fils quelques mois plus tôt. Elle riait, bavardait, s'intéressait à tout ce que je faisais, y compris à mes croquis, et jouait aux dames avec moi après le dîner. Quand je lui fis timidement part de mon admiration pour ses exquises toilettes, elle m'emmena dans sa chambre pour me montrer sa garde-robe et me faire essayer les vêtements qui me plaisaient.

Les femmes qui ont connu une éducation normale ne peuvent pas imaginer le ravissement que me procura cette petite attention. Jamais personne n'avait parlé de la mode avec moi — je n'avais pas d'amies et le sujet n'intéressait guère Lehzen — ni même abordé ce thème pourtant plaisant en ma présence. Ma tante Louise discutait avec moi comme si nous avions le même âge, déployait sous mes yeux ses charmantes robes parisiennes, me disait ce qui m'irait le mieux et comment me mettre en valeur.

— Maintenant, cette robe de moire blanche. Si, si, tu as exactement les formes qui conviennent ! Moi, j'ai une poitrine d'adolescente... Tes épaules, *ma chère*[1], sont fort jolies ; tu dois les montrer. Et regarde, cette rose de soie. Mets-la dans tes cheveux !

— Oh, ma tante ! m'écriai-je.

J'admirai dans le miroir la jeune fille souriante qui avait pris un moment la place de l'enfant triste.

— Cette robe te plaît ? Alors, elle est à toi, *ma chère*. Mais si, j'insiste ! C'est une bagatelle qui ne mérite pas tant de remerciements !

Après quoi, un grand nombre d'articles ravissants passèrent, mine de rien, de ses tiroirs aux miens — des rubans de soie, une écharpe pailletée, une pèlerine en dentelle, une paire de

1. En français dans le texte.

gants couleur lavande, des mules brodées, un éventail peint à la main, une étole de fourrure. Son charme et sa gentillesse me réchauffaient le cœur, et j'en vins à lui confier mes doutes intimes concernant mon aspect extérieur. Des doutes que j'avais toujours jugés trop frivoles pour une personne de mon rang...

Tante Louise se montra rassurante : elle ne me blâmait pas le moins du monde de penser à mon apparence.

— Il est naturel d'aimer la beauté, me dit-elle. Cet amour nous vient de Dieu. Le vilain crapaud et le petit moineau sont également chers au Tout-Puissant, je suppose, mais nous ne pouvons pas nous interdire d'avoir une préférence pour le joli oiseau. Et je pense que nous lui donnons satisfaction, *ma chère petite Victoire*[1], quand nous voulons ressembler à l'oiseau plutôt qu'au crapaud.

— Vraiment ?

— *Bien sûr*[1] ! Nous cohabitons sur terre, et notre devoir est de nous rendre agréables les uns aux autres, si possible. De vilains vêtements et des cheveux mal coiffés sont une insulte à notre prochain...

Mon oncle Léopold m'apporta une autre sorte de réconfort, car il était venu à Ramsgate avec la ferme intention de me prodiguer ses conseils. Depuis son départ, nous avions correspondu régulièrement, mais les lettres risquant de tomber sous des regards indiscrets, nous restions sur la réserve. Il s'inquiétait depuis longtemps de la situation à Kensington, dont il avait eu vent en plusieurs occasions, et il jugeait nécessaire d'avoir avec moi une conversation à cœur ouvert. Cet entretien eut lieu deux jours après son arrivée, lorsqu'il vint me voir, seul, et passa presque une heure à me parler...

Quel soulagement pour moi ! Il me confirma dans mes soupçons ; mais en détaillant le complot ridicule et mesquin ourdi par Conroy, il dissipa en partie la terreur que m'inspirait cet être ignoble. Alors que je le considérais comme un monstre, doté de pouvoirs quasi surnaturels, mon oncle Léopold me le présenta comme un individu intéressé et ambitieux, mais profondément stupide, complotant pour améliorer sa situation grâce à une faible femme, pourtant animée des meilleurs sentiments. (Je compris alors les motivations de Conroy ! Les paroles de mon oncle ne purent rien changer à ma rancune contre ma mère, mais elles jetèrent des bases qui me permirent plus tard de lui pardonner ses erreurs et de l'aimer à nouveau.)

1. En français dans le texte.

En outre, il me rassura sur mon avenir.

— Si tu tiens bon, me dit-il, ils ne pourront rien faire contre ta volonté. Fie-toi à Lehzen ; elle a la confiance du roi, de la reine, du gouvernement, ainsi que la mienne. C'est une femme sensée sur qui tu peux t'appuyer. (Puis il ajouta :) Je serai toujours de ton côté, prêt à t'aider ou à te guider.

— J'ai une absolue confiance en vous, mon oncle, répondis-je. Vos avis sont les meilleurs et les plus sages...

Il prit un air grave.

— Puisses-tu dire vrai ! En tout cas, tu peux compter sur mon impartialité. Je souhaite du fond du cœur que tu occupes avec la plus grande intégrité la place qui sera la tienne. De grandes responsabilités t'attendent, Victoria. Tu ne dois pas te laisser distraire par des plaisirs frivoles. Toutes les satisfactions sont passagères, hormis celle que nous procure le sentiment d'avoir accompli notre devoir.

Confuse en repensant à ma soirée avec tante Louise et à nos bruyants éclats de rire quand nous étions penchées sur le jeu de dames, je murmurai d'un air coupable :

— J'étudie très sérieusement, mon oncle.

— Je sais que tu es une jeune fille sérieuse, mais, je te le répète, les temps sont durs pour la royauté. Tu dois te forger une personnalité capable de prendre des décisions. Tu ne manques pas de caractère, et je suis sûr que tu seras d'une absolue probité, mais il faudra aussi te montrer patiente, sage et avisée...

Comme je gardais le silence en méditant ses paroles, il poursuivit :

— Tu devras porter un lourd fardeau, ma nièce, mais tu en auras la force et je ferai mon possible pour te soutenir. Si j'insiste sur tout cela ce n'est pas dans le dessein de t'effrayer ni de te décourager, bien au contraire !

Je levai les yeux, et remarquai la grande bonté qui éclairait son visage.

— Les épreuves que tu traverses actuellement ne pèsent pas lourd, comparées à ce qui t'attend, reprit-il. Quand tu seras reine d'Angleterre, ma nièce, tous les Conroy du monde et leurs machinations stupides te paraîtront dérisoires. Ta vraie vie commencera alors, et cette sombre période ne sera plus qu'un de ces mauvais rêves qui se dissipent au lever du jour.

Soudain, je crus voir une lueur dans les ténèbres. Mon avenir m'apparut au-delà de cette misérable prison, jusqu'à ce jour mon unique horizon.

— Je ferai de mon mieux, répliquai-je.

Il m'observa avec émotion.

— Je n'en doute pas, Victoria.

Sur ces mots, il se leva. Je fis de même, et il serra doucement ma main dans la sienne.

— Tu ne manques pas d'obstination, mon enfant. Uses-en sagement ! Ne cède jamais à Conroy, mais efforce-toi de rester en bons termes avec ta mère. Il n'y en a plus pour longtemps...

Certes, mais à seize ans, une année paraît bien longue. Cent fois plus longue qu'à soixante ! Je dis adieu à mes chers oncle et tante, le mercredi 7 octobre. Après avoir vu leur navire appareiller à Douvres, je sombrai dans un profond désespoir à l'idée de retrouver Conroy, mon geôlier.

5

Windsor, 19 mars 1900

Notre séjour à Ramsgate se prolongea plus longtemps que prévu. Terrassée par la typhoïde, je fus obligée de garder la chambre pendant cinq semaines après le départ de mon oncle et ma tante. Pâle et amaigrie, j'étais si faible que je tenais à peine debout sans un bras secourable. Mes longs cheveux — qui faisaient tout mon charme — se mirent à tomber par poignées ; Lehzen dut me les couper très courts. Avec mon air d'oiseau déplumé, je faisais peine à voir, et Conroy lui-même finit par admettre que je ne simulais pas ! Il déambulait dans la maison, anxieux, marchant sur la pointe des pieds. « Son inquiétude aurait été touchante, me dit plus tard Lehzen, si on n'avait pas su qu'il était surtout tourmenté à l'idée de perdre son capital... »

Il montra son véritable visage une fois la crise passée, quand il parut probable que je survivrais. Alors que j'étais encore alitée et d'une extrême pâleur, il persuada maman de faire pression sur moi — puisque je n'avais pas encore retrouvé mes forces, comprenez-vous ? — pour que je m'engage à le prendre comme secrétaire particulier quand je deviendrais reine. Cela vous en dit long sur sa vilenie ! Cette brute haïssable venait chaque jour dans ma chambre me sermonner de sa voix rauque, jusqu'à ce que j'aie des maux de tête et que je tombe d'épuisement. Maman ajoutait avec plus de douceur ses arguments aux siens, tout en me reprochant ma froideur et mon ingratitude.

Ils avaient l'art de me tourmenter et de me harceler, mais je n'ai pas cédé ! Les paroles de mon oncle Léopold m'étaient encore présentes à l'esprit, et je savais que je ne devrais jamais donner à Conroy la moindre fonction officielle au sein de la maison royale. Dès que j'en aurais le pouvoir, je le bannirais aussi loin que possible de la cour : l'essentiel était de résister pendant quelques années encore. Il m'arrachait chaque jour des larmes et je me cachais le visage dans mon oreiller pour ne pas le voir, pour ne pas entendre ses insultes et ses menaces... Il alla même jusqu'à placer brutalement une plume dans ma main pour m'obliger à signer le papier qu'il me présentait. J'avais beau être faible et malade, je n'ai pas cédé !

Entêtée de naissance, comme tous les Hanovre, je m'étais forgé une volonté de fer sous l'effet des mauvais traitements infligés par cet individu. La convalescente de seize ans resta inflexible, et la reine que je devins ensuite ne s'est jamais laissé intimider non plus — comme ont pu le constater certaines personnes, dont Sir Robert Peel et Sir William Gladstone.

Nous quittâmes Ramsgate le 12 janvier 1836. J'étais parfaitement remise de ma typhoïde et contente de rentrer à la maison. Après avoir dormi en route dans une auberge, nous arrivâmes au palais de Kensington par un jour froid et ensoleillé, trois mois et demi après l'avoir quitté. Alors que j'étais sur le point d'entrer, maman me retint en souriant sur le pas de la porte :

— J'ai une surprise pour toi, Victoria. Nous nous installons dans de nouveaux appartements, deux étages au-dessus des anciens !

Je la regardai, agréablement étonnée.

— Ils sont enfin prêts ?

— Oui, et tous les travaux que je souhaitais ont été réalisés, les pièces retapissées et les draperies renouvelées.

— Oh, maman, quelle chance !

Je me précipitai avec une joie enfantine dans la suite spacieuse du deuxième étage, dont les fenêtres donnaient sur les pelouses et les parterres de fleurs. Au rez-de-chaussée, nous étions à l'étroit dans un appartement sombre et humide, où il était difficile de recevoir dignement. Ici, juste à côté des appartements de mon oncle Sussex, nous avions maintenant deux vastes salons ornés de colonnes et de sculptures magnifiques, auxquels on accédait par un majestueux escalier. Notre chambre était très vaste et haute de plafond ; au-delà, se trouvaient une petite pièce pour la femme de chambre et un cabinet de toilette pour maman. L'ancienne galerie était partagée par des cloisons en trois jolies pièces fort agréables : un salon pour moi, un bureau et une antichambre. Les ouvriers étaient encore à l'ouvrage dans le bureau et faisaient un bruit d'enfer.

Courant d'une pièce à l'autre, j'admirai meubles et draperies, prenant à témoin Lehzen, qui observait le tout, les lèvres pincées, avec un regard vaguement amusé.

J'étais ébahie de me trouver là, car, trois ans plus tôt, maman, lassée par notre appartement trop exigu du rez-de-chaussée, avait dressé des plans ambitieux pour ces pièces et présenté son projet à mon oncle Guillaume, qui l'avait refusé. Devant l'insistance de maman, il avait même écrit de sa propre main en travers du projet : « Le roi dit NON ! »

Comment se faisait-il que nous soyons enfin dans ces merveilleux appartements ? Mon oncle s'était sans doute laissé fléchir, par gentillesse pour moi, car il était toujours à couteaux tirés avec maman et Conroy. J'étais émue par sa bonté...

Je virevoltais sur moi-même en battant des mains.

— Quelle chance nous avons ! Plus de moisissures dans les placards, plus de cafards ! Mais pourquoi mon oncle Guillaume a-t-il changé d'avis ?

Maman hésita un instant, et je remarquai que Lehzen guettait sa réponse.

— À cause de ta santé, Victoria. Le Dr Clark dit que tu dois vivre dans un appartement sec et aéré pour ne pas retomber malade. L'appartement du rez-de-chaussée était malsain pour toi. (Devinant que j'allais lui poser d'autres questions, elle ajouta promptement :) Va donc dans ton ancienne chambre et remonte ici tes livres et tes poupées.

— Oh oui, maman !

Toute à mon excitation, j'obéis aussitôt, sans accorder d'importance à la légère tension que j'avais perçue dans sa voix.

20 mars 1800

Après les joies de l'installation, mon existence monotone reprit son cours. Ma santé s'améliora grâce au nouveau mode de vie imposé par le Dr Clark. Il m'avait prescrit de ne pas travailler trop longtemps sans interruption, de me lever fréquemment pour varier ma position, de marcher le plus souvent possible au grand air (celui de Kensington n'était pas assez vivifiant) et de faire de la gymnastique pour améliorer ma silhouette et ma circulation. Les promenades conseillées eurent lieu à Hampstead, Highgate, Finchley, Harrow, dont j'appréciais fort les paysages variés. Si Clark ordonna le grand air, maman, pour sa part, m'imposa la compagnie — toujours aussi ennuyeuse — de Lady Flora Hastings et de Victoire Conroy : comme toutes les jeunes filles de dix-sept ans, je rêvais d'une vie joyeuse et trépidante, entourée de gens aimables... Je voulais du pain, on me donnait de la pierre !

À part cela, je continuais à prendre des leçons avec Mr. Davys (devenu alors doyen de Chester). On avait ajouté à mon programme des cours de droit et la lecture régulière des journaux — qui, je l'avoue, ne me passionnait guère. Les nouvelles du jour m'intéressaient beaucoup moins que les réceptions et les bals auxquels je rêvais d'assister. Le soir, je dînais à la même table que maman, Sir John, Lady Conroy et la princesse Sophie ; habituellement, je restais muette comme une carpe. Cette monotonie n'était interrompue que par une soirée au théâtre ou à l'opéra tous les quinze jours, ou une visite occasionnelle à la cour.

Lors d'une de ces visites, mon bon oncle prit ma main entre les siennes et murmura d'un air grave qu'il avait bien l'intention « de tenir bon » et de régner jusqu'à ma majorité.

— J'espère que vous avez encore de nombreuses années devant vous, répondis-je d'une voix mal assurée.

— Sois tranquille, ma chère, je suis un vieux loup de mer, mais j'ai des yeux pour voir, sacrebleu, et je suis encore solide !

Ces paroles m'arrachèrent des larmes, comme le faisait à l'époque toute marque de sympathie. Elles me rappelèrent aussi qu'il avait soixante-dix ans, qu'il souffrait d'asthme et de goutte, et que sa mort pourrait survenir dans un proche avenir. Et moi, que deviendrais-je alors ?

C'est au cours de l'année 1836 qu'eut lieu une horrible scène à Windsor. L'anniversaire de tante Adélaïde était le 13 août, celui de mon oncle Guillaume le 21, et celui de maman tombait entre les deux, le 17. Toujours courtois, mon oncle qui s'efforçait de rester en bons termes avec maman l'invita à Windsor du 13 au 21 août. Maman répondit froidement qu'elle préférait fêter son anniversaire à Claremont et qu'elle arriverait à Windsor le 20 ; de l'anniversaire de ma tante, elle ne fit pas mention. L'arrogance et la grossièreté de sa lettre étaient confondantes, mais le roi, qui pourtant ne supportait pas le manque de respect vis-à-vis de sa femme, ne broncha pas.

Le 20 août, après avoir prorogé le Parlement à Londres, il décida de faire un tour au palais de Kensington avant de rentrer chez lui. (Je me demande quel démon le poussa alors). Ce soir-là, à dix heures, nous dînions maman et moi à Windsor, avec les autres invités, lorsqu'il arriva. Il avait le visage plus coloré que d'habitude et, sous ses sourcils broussailleux, ses yeux semblaient légèrement sortir de leurs orbites. Mauvais signe ! Il parcourut la pièce du regard, puis marcha droit dans ma direction. J'eus peur tout d'abord, mais son visage se détendit à mesure qu'il approchait et il me prit chaleureusement les deux mains.

— Ma chère enfant, me dit-il, je suis heureux, vraiment très heureux, que tu sois ici ce soir. Nous voudrions, ta tante et moi, te voir beaucoup plus souvent à la cour...

Puis il se tourna vers ma mère avec une tout autre expression : son sourire avait disparu et il fronçait les sourcils d'une manière menaçante. Maman esquissa une révérence, à laquelle il répondit en inclinant légèrement la tête, puis il lui reprocha d'une voix tonitruante d'avoir pris des libertés inadmissibles dans l'un de ses palais.

— Je reviens de Kensington, madame. Qu'en dites-vous ? lança-t-il.

La gorge serrée, je levai les yeux vers maman : malgré son air hautain, son appréhension était perceptible.

— Que devrais-je dire, Sire ?

— Ne faites pas l'innocente, madame ! rugit-il littéralement. Vous m'avez volé, je dis bien volé, dix-sept pièces dans des appartements dont vous vous êtes emparée sans mon consentement ! Des murs ont été abattus, d'autres ajoutés, des ouvriers ont été embauchés, des factures réglées — tout cela sans me consulter, et en dépit des ordres que j'avais donnés. Une telle conduite dépasse les bornes !

Maman avait blêmi, moi aussi, je suppose. Tout devenait clair maintenant. Et moi qui m'étais réjouie de notre nouvelle installation ! Heureusement que je n'avais jamais remercié mon oncle pour sa générosité, car j'aurais attiré ses foudres sur ma propre tête ! Dans mon trouble, je n'entendis pas la réponse de maman, mais il me sembla qu'elle parlait de moi, de ma santé et des égards dus à ma condition.

Nullement apaisé, mon oncle Guillaume jugea préférable de remettre la discussion à plus tard. Je l'entendis marmonner entre ses dents : « Sa condition ? Quelle condition ? » et il ajouta, avant de se tourner vers les autres invités :

— Sachez, madame, que je n'admets pas une attitude aussi irrespectueuse à mon égard !

J'étais morte de honte, ce qui ne semblait nullement être le cas de maman. Malgré ses yeux brillants de colère et ses lèvres pincées, elle arborait un air pleinement satisfait. Comparé à ce qu'elle avait osé entreprendre, le bref accès de colère du roi était un petit prix à payer.

Mais elle avait sous-estimé sa fureur... Le dîner d'anniversaire, qui eut lieu le lendemain, réunissait une centaine de personnes — parents, courtisans, dignitaires locaux. Maman était assise à la droite du roi, et moi face à lui. Les places d'honneur ! À la fin du dîner un toast fut porté, selon la coutume, à la santé du roi, et on lui souhaita longue vie.

Au lieu de remercier aimablement l'assemblée, le roi donna libre cours à son courroux, se lançant dans une violente tirade.

— Oui, longue vie ! ricana-t-il. Je prie Dieu de me garder sur terre pendant neuf mois encore, après quoi il ne sera plus besoin de régence si je meurs. J'aurai alors la satisfaction de laisser le pouvoir royal entre les mains de la jeune fille qui me fait face, héritière présomptive de la Couronne, et non entre celles de la personne assise à mes côtés, qui s'entoure de vils conseillers et ne serait pas digne de remplir une telle fonction.

Après un silence, il poursuivit en élevant la voix :

— Je n'hésite pas à affirmer que j'ai été insulté, continuellement et grossièrement, par cette personne, qui a poussé ma patience à bout !

Il frappa du poing sur la table, faisant tinter les cristaux, qui parurent émettre de petits cris de protestation. Que n'aurais-je donné pour rentrer sous terre quand son regard se posa sur moi ?

— Je déplore en particulier, reprit-il, que cette personne ait tenu ma nièce à l'écart de la cour. Ma jeune nièce, mon héritière, a été délibérément éloignée de mes salons où sa présence était requise. Cela ne se reproduira plus ! En tant que roi, je suis décidé à faire respecter mon autorité. Désormais, j'ordonne que la princesse apparaisse à la cour en toutes occasions, comme l'exige son devoir !

La reine avait baissé les yeux d'un air affligé et ses lèvres tremblaient. Maman, le visage livide, regardait droit devant elle. Quant à moi, malgré mes efforts pour rester digne, je sentis des larmes ruisseler sur mes joues. Sans doute attendri par mon chagrin, mon oncle Guillaume reprit d'une voix plus douce :

— Rien de plus naturel, en somme ! La princesse doit apparaître à la cour, car elle me succédera, et elle sera une grande reine. J'apprécie au plus haut point ses qualités, bien que j'aie eu de trop rares occasions de la complimenter. Voilà tout ce que j'avais à dire.

C'était déjà beaucoup trop, mais je n'étais pas au bout de mes peines... Je sentis tous les yeux se tourner vers moi, puis la reine se leva, un peu chancelante, et, à ce signal, ses dames d'honneur la suivirent. Dans le salon, maman s'approcha et me prit par le bras avec une telle violence que je me découvris un bleu le lendemain matin.

— Viens ! Victoria, me dit-elle, suffisamment fort pour être entendue de tout le monde. J'appelle la voiture et nous partons. Nous ne resterons pas une seconde de plus dans cette maison où l'on m'insulte en public, sous je ne sais quel prétexte.

Ma tante Adélaïde semblait au bord des larmes. J'aurais couru vers elle si maman ne m'avait retenue d'une poigne d'acier. Certes, elle avait été insultée, ce qui était regrettable, mais était-ce sans raison ? Avait-elle oublié qu'elle avait infligé de multiples affronts à ma douce tante, si bonne pour moi et si délicate ? La conduite d'oncle Guillaume était certainement discourtoise, mais elle avait tout fait pour la provoquer...

Écartelée entre maman et mon oncle, je me sentais profondément malheureuse, d'autant plus que je redoutais la suite des événements : ma mère, mortifiée, serait plus que jamais désireuse de me tenir à l'écart de la cour. Le roi souhaitait ma présence auprès de lui, mais sa détermination pesait bien peu, face à la volonté tyrannique de maman et de son complice. Une personne bonne et accommodante n'a jamais le dernier mot quand elle affronte des êtres malveillants et égoïstes !

Par chance, plusieurs dames de bon conseil suggérèrent à maman de rester jusqu'au lendemain matin, afin d'éviter un scandale public. Peu après, tandis que nous regagnions nos chambres, elle me reprocha durement d'avoir pris le parti de mon oncle qui l'avait insultée. Je fondis à nouveau en larmes.

Le lendemain, quand notre cabriolet reprit à la première heure la route de Claremont, je me dis que je n'étais pas près de revenir à Windsor...

22 mars 1900

1837, l'année de ma majorité, commença dans un calme trompeur, comme le lourd silence qui souvent précède l'orage.

Blotties frileusement l'une contre l'autre, Lehzen et moi, nous évitions dans la mesure du possible d'attirer l'attention sur nous. Je trouve fort triste d'avoir dû, pendant toute mon enfance, me replier sur moi-même pour me mettre à l'abri des intrigues et des vilenies de mon entourage !

Alors que j'étais d'une nature franche, ouverte et candide, je dus apprendre à cacher mes sentiments et à garder mes secrets. À dix-huit ans, je pouvais rester muette et surveiller mon expression comme un vieux politicien — une faculté fort utile à un monarque, mais qui avait son prix... D'une part, j'ai la certitude, comme je l'ai confié à Lord Melbourne, que mes tourments ont interrompu ma croissance ; d'autre part, mon isolement m'a empêchée de surmonter ma timidité naturelle. Encore aujourd'hui, cette timidité me paralyse quand je rencontre des inconnus. Je n'ai pas la conversation facile ! (Lord M. m'a donné un avis judicieux à ce sujet : plus on réfléchit à ce que l'on va dire, plus il est difficile de parler. Mieux vaut lancer une quelconque ineptie que de se creuser la tête en silence pour trouver une pensée brillante ou spirituelle !)

À mesure que les semaines passaient, tout le monde guettait, et le calendrier, et les bulletins de santé du roi. Les nouvelles filtraient à travers la princesse Sophie jusqu'à maman, puis à travers Lehzen jusqu'à moi. À soixante-douze ans, mon oncle s'affaiblissait et souffrait de plus en plus de son asthme, mais il ne semblait pas en danger immédiat.

En avril, mon frère Charles vint nous rendre visite avec sa femme et ses deux enfants. Après avoir parcouru le continent pendant quelques années, il avait fait une mésalliance — au grand désespoir de la famille — avec une dame d'honneur de grand-maman Cobourg. Son mode de vie dissolu l'entraînait à contracter de nombreuses dettes, et il comptait effrontément sur le secours financier de maman. Ce manque de scrupules et cette tendance à vivre aux crochets des autres le rapprochèrent naturellement de Conroy. Ils passaient leur temps à se faire des confidences et sans doute à échafauder des projets dont le but était de me soumettre à leurs vils intérêts. Charles avait beaucoup à gagner en soutenant la cause de l'intendant : ce dernier tenant les cordons de la bourse, il pouvait puiser plus facilement dans la caisse...

Le 18 mai au soir, nous parvint la nouvelle alarmante que, ce jour-là, le roi ne s'était pas levé une seule fois de sa chaise pour recevoir ses visiteurs. Il était donc plus faible que d'habitude, et peut-être même souffrant... Son médecin, Sir Henry

Halford, annonça qu'il était dans un état « très critique » et présentait des difficultés respiratoires. « Tout espoir est encore permis déclara-t-il, mais n'oublions pas que le roi a soixante-douze ans. »

Cette alerte dut mettre mon oncle en éveil. Le lendemain, Lord Conyngham, le grand chambellan, arriva, porteur d'une missive royale à mon intention.

J'ai maintes fois imaginé la scène... Conroy, au côté de maman selon son habitude, s'avance d'un pas en tendant la main, mais Lord Conyngham ne lâche pas la lettre et annonce qu'elle doit être remise en mains propres à la princesse.

— De quel droit ? s'étonne Conroy d'un ton sec.

— Sur ordre de Sa Majesté.

Tout en parlant, Lord Conyngham montre le nom du destinataire écrit sur l'enveloppe de la main du roi.

Conroy et ma mère échangent un regard déconfit. Plus que quelques jours me séparent maintenant de ma majorité, et ils se demandent quels ennuis imprévus les attendent.

Maman tend la main à son tour :

— Donnez-moi cette lettre, je m'engage à la remettre à ma fille.

Conyngham s'incline légèrement.

— Je regrette, madame, mais les ordres de Sa Majesté sont formels. Je dois remettre cette lettre en mains propres à la princesse, et à nulle autre personne.

— Qu'il en soit donc ainsi, déclare alors Conroy d'un air magnanime, mais tout doit se passer en présence de son auguste mère. La princesse ne saurait se priver de l'aide et des conseils de la duchesse.

On m'envoya chercher, et Lord Conyngham me tendit l'enveloppe d'un air respectueux, en m'assurant verbalement de la sympathie et de l'affection du roi à mon égard. J'ouvris la lettre, les mains tremblantes, car maman et Conroy, debout à mes côtés, se préparaient à me l'arracher à la première occasion. Ils me dévoraient des yeux comme s'ils avaient pu déchiffrer sur mon visage les mots que je lisais.

Ma lecture terminée, je tremblai deux fois plus — de gratitude envers mon oncle, et de crainte à l'égard de mes ennemis. Mon cher oncle Guillaume me donnait une clé en or pour sortir de ma cage...

Dès que je serais en âge de régner, le 24 mai, il demanderait au Parlement de me voter une pension de dix mille livres par an, dont je disposerais à ma guise. Je nommerais un gardien de ma cassette privée, responsable devant moi seule. (Lord Melbourne suggérait de proposer ce poste à Sir Benjamin Stephenson, le favori du roi et de la reine, mais l'ennemi juré de maman.) J'aurais ma propre suite si je le souhaitais et je désignerais mes dames d'honneur.

Quelle merveilleuse perspective ! Une vie indépendante, sans le harcèlement continuel de maman ni la tyrannie de Conroy, loin de Victoire Conroy et de Lady Flora ! Mais voilà, il fallait d'abord commencer par faire lire cette lettre à maman...

Lord Conyngham, sa mission accomplie, ne pouvait rien faire de plus pour me protéger. Dès qu'il eut pris congé, maman parcourut le message qui m'était destiné ; penché familièrement sur son épaule, Conroy n'en perdit pas un seul mot. Voyant leur visage s'allonger à vue d'œil, je me fis un devoir de prendre la parole avant eux.

— Il faut répondre tout de suite, n'est-ce pas, maman ? Si Sir Benjamin ne vous convient pas, je pourrais suggérer au roi de nommer le doyen de Chester gardien de ma cassette privée. Provisoirement... ajoutai-je en lisant de sombres menaces sur le visage de maman.

— Il n'en est pas question ! (Ma mère relut la lettre d'un air horrifié.) Un tel outrage dépasse l'entendement !

— Mon oncle a la bonté de...

Maman m'interrompit d'un ton péremptoire.

— La bonté ? C'est une insulte délibérée à l'égard de ta propre mère, qui a toujours mérité la confiance du pays et sacrifié sa vie pour toi ! Il laisse entendre que je ne sais pas ce qui est bon pour mon enfant, alors que mon devoir a guidé tous mes actes...

Étouffant de colère, elle dut laisser Conroy continuer de s'indigner à sa place.

— Tout le monde sait, duchesse, que vous êtes le symbole même de la maternité. Seul un imbécile — ou un perfide — oserait prétendre que votre esprit n'est pas en parfaite harmonie avec celui de la princesse. Ce vieux Tarry Breeks devient sénile, sans aucun doute ! (Tarry Breeks était le surnom vulgaire attribué dans la marine à mon oncle Guillaume. Le fait que Conroy osât le dénommer ainsi en ma présence donne une idée de son insolence !) C'est une maladie de famille, reprit-il en me jetant un regard mauvais. Il est sénile comme son père à la fin de sa vie. Rappelez-vous qu'il bavait et qu'il parlait tout seul !

— Mais non, s'écria ma mère, il me hait, tout simplement. Et *elle* l'encourage, cette femme que je tolère sous mon toit !

Elle continua sur le même ton, s'en prenant à moi, à mon oncle, et incidemment à la pauvre Lehzen, pourtant totalement étrangère à cette affaire. À mesure qu'elle parlait, je voyais les barreaux de ma cage se resserrer autour de moi.

— Je souhaiterais avoir une conversation privée avec Lord Melbourne, risquai-je timidement. Il pourrait peut-être me conseiller...

— Tu divagues ! fit maman avec brusquerie. Crois-tu qu'un étranger te donnerait de meilleurs conseils que ta propre mère ?

— Vous n'avez pas à tenir compte de ses suggestions, intervint Conroy, imperturbable. Ses caprices et ses inconséquences sont un signe d'immaturité et de légèreté d'esprit... sinon pire. Espérons, et prions que ce ne soit pas ce à quoi je pense... En tout état de cause, cette tête de linotte ne peut pas gouverner le pays sans contrôle. Je vous ai toujours dit, duchesse, qu'elle en était incapable ; chaque mot qu'elle prononce renforce ma certitude. Sans nous, elle ne tiendrait pas plus d'une minute, et le royaume serait dans de beaux draps !

— Que faire ? demandai-je en ravalant mes larmes ? Le roi attend une réponse.

— Je vais rédiger un projet de lettre pour toi, m'annonça maman après avoir échangé un regard avec Conroy. Laisse-moi, maintenant. Cette affaire me bouleverse et je sens venir la migraine.

Je les quittai, si malheureuse et agitée que je ne parus pas à table ce soir-là, bien que les repas fussent en général un réconfort pour moi. Maman eut-elle la migraine ? Je l'ignore. Mais, quant à moi, je souffris de pénibles maux de tête qui m'obligèrent à me coucher de bonne heure.

Le lendemain, force lettres furent échangées entre Lord Melbourne et maman, car elle voulait savoir si le gouvernement était impliqué dans ce projet, ou s'il s'agissait d'une offre personnelle du roi. Quand elle me fit appeler, elle m'enjoignit de recopier un texte écrit de sa main, sans doute sous la dictée de Conroy. Je le lus, effarée : en effet, j'étais censée remercier mon oncle de son offre, tout en regrettant que ma jeunesse et mon inexpérience ne me permettent pas d'accepter. (Moi qui rêvais d'indépendance et qui étais capable de gérer mon argent mille fois mieux que mes deux geôliers !) Je déclarais ensuite que mon plus cher désir était de rester sous la protection de ma mère. S'agissant de mes finances, je souhaitais que le supplément jugé nécessaire lui soit alloué, car elle en ferait usage pour mon bien et dans l'intérêt de mes affaires.

Je dus recopier la lettre sans aucune modification, la signer et l'envoyer. C'était la première fois que je cédais sur un point matériel ; je courus ensuite me réfugier dans ma chambre, où j'avouai à Lehzen ce à quoi j'avais été contrainte.

Cependant, le roi ne fut pas dupe. Lorsqu'il reçut ma réponse, il grogna : « Victoria n'a pas rédigé cette lettre ! » Il était prêt à revenir à la charge, mais Lord Melbourne le persuada de n'en rien faire. (« Si j'avais eu la moindre idée des brimades que vous enduriez à Kensington, me confia plus tard mon très cher Lord M., ma réaction eût été bien différente. »)

À l'époque, les whigs[1] étaient en difficulté, et une nouvelle querelle à mon sujet entre le roi et maman risquait de faire le jeu des tories[1]. D'autre part, expliqua Lord Melbourne, maman s'appuyait sur un argument de poids, car, si je pouvais accéder au trône dès maintenant, je ne pourrais véritablement gouverner qu'à l'âge de vingt et un ans. Si on s'opposait à elle, maman risquait de gagner la sympathie du peuple en présentant l'offre du roi comme une tentative délibérée pour séparer une jeune fille sans défense de sa généreuse et dévouée mère.

Sir Herbert Taylor approuva Lord Melbourne et déclara au roi que des concessions étaient préférables à une nouvelle querelle au sein de la famille royale. Le roi se rangea à contrecœur à leur avis. « La duchesse et le "roi John" ne pensent qu'à l'argent, observa-t-il. Elle a jeté le masque, mais je l'emporterai. »

À nous deux, nous l'avons emporté, mon oncle et moi, sur maman et Conroy... Mon pauvre oncle était en piteux état à l'époque, mais, dans mon intérêt, il s'accrochait à une existence devenue bien éprouvante pour lui. Au milieu des querelles sur le contrôle de mes finances, arriva mon anniversaire, le 24 mai 1837. J'avais maintenant dix-huit ans, il n'était plus question de régence !

Cependant, Conroy n'avait pas perdu tout espoir de me brimer pendant trois années de plus, en me maintenant sous la tutelle de ma mère jusqu'à vingt et un ans, et en m'obligeant à le prendre comme gardien de ma cassette privée et secrétaire particulier. À force de mentir, il avait fini par se persuader que j'étais réellement bête, versatile, et même un peu demeurée...

---

1. Termes d'origine écossaise pour l'un, irlandaise pour l'autre, désignant les deux partis adverses. Les tories conservèrent le pouvoir jusqu'en 1830. Le terme « tory » fit ensuite place à celui de « conservateur », et celui de « whig » à « libéral ».

Après l'affaire de la lettre, j'avais cessé d'adresser la parole à maman, sauf en cas d'absolue nécessité, et j'évitais sa compagnie dans la mesure du possible. La tension était à son paroxysme, et les jours qui suivirent mon anniversaire furent pires encore. La santé du roi s'améliora quelque peu fin mai, mais il tomba à nouveau malade le 2 juin. Conroy ne tenait plus en place, et, avec l'aide de maman et de mon frère Charles, redoublait selon les cas ses brimades, ses flatteries ou ses menaces, pour que je lui accorde, dès mon avènement, les fonctions qu'il souhaitait. Ballottée comme une épave sur une mer démontée, j'eus tout de même la force de refuser en pensant à ce noble vieillard, dans son château de Windsor, qui s'accrochait de toutes ses forces aux derniers fils qui le retenaient à la vie.

Le 14 juin, on annonça que le roi était au plus mal, et, bien que le doyen de Chester continuât à venir chaque matin, mes leçons furent interrompues. Je restais enfermée dans ma chambre, où je prenais mes repas en compagnie de Lehzen ; je ne parlais qu'à elle et au doyen. Derrière ma porte, le vieux palais me semblait aussi frénétique qu'un chien dévoré de puces, Conroy, maman et Charles s'agitant et discutant à perte de vue de ce qu'ils pourraient faire pour avoir gain de cause. Charles m'apprit par la suite que Conroy avait proposé de m'enfermer dans ma chambre en me privant de nourriture jusqu'à ce que j'accepte de le prendre comme secrétaire particulier et de lui confier la cassette privée. Parlant en allemand pour ne pas être compris de ce monstre, il aurait dissuadé énergiquement ma mère. (Enfin, c'est ce qu'il prétendit lorsqu'il voulut rentrer dans mes bonnes grâces. À mon avis, si Conroy abandonna ce projet diabolique, c'est qu'il doutait que maman accepte de le mener à bien...)

Le 17 juin, on m'annonça que mon pauvre oncle avait chuchoté à son médecin personnel, Sir Henry Halford :

— Demain est bien le jour de Waterloo ?

— Oui, Sire, le vingt-deuxième anniversaire de ce jour glorieux, avait répondu Sir Henry.

— J'aimerais vivre jusque-là. Pourriez-vous me donner la force de voir une dernière fois se coucher le soleil de Waterloo ?

Sir Henry fit de son mieux, et, le 18 juin, le Duc rendit visite au roi. Il apporta à son chevet le drapeau tricolore dont il s'était emparé le jour de la bataille.

— Déroulez-le et laissez-moi le toucher, souffla mon oncle qui était devenu presque aveugle.

Tandis qu'il palpait l'étoffe, un pâle sourire éclaira son visage fatigué, et il ajouta :

— Par Dieu, nous les avons battus à plate couture. Quelle belle journée ce fut !

Le héros des guerres napoléoniennes émit un murmure approbateur. Le roi, la tête sur son oreiller, chercha son regard, qu'il distinguait à peine.

— Veillez sur la petite, duc. Qu'elle ait ce qu'elle mérite !

— Je ferai mon devoir envers la Couronne comme envers ma patrie.

— Eh bien, je n'en doute pas, acquiesça le roi, rassuré.

Le 19, dans l'après-midi, Ernest Hohenlohe, le mari de Feo (cousin de la reine Adélaïde, il séjournait alors à Windsor), arriva au palais de Kensington. En présence de maman, il m'apprit que l'état du roi s'aggravait rapidement et qu'il risquait de ne pas passer la nuit. Je fondis en larmes : sa mort me rendrait la liberté, mais j'éprouvais beaucoup d'affection pour ce vieil homme toujours si bon pour moi. Ensuite, Ernest me chuchota à l'oreille que ma tante Adélaïde me transmettait ses amitiés ; ma chère tante pensait donc à m'adresser un affectueux message en de telles circonstances !

— J'ai autre chose à vous dire, ajouta furtivement Ernest, mais votre mère ne doit surtout pas entendre.

Je retins mes larmes pour l'écouter.

— Le roi m'a prié de vous dire que sa fin était imminente. Il vous conseille, dès que vous serez reine, d'appeler Lord Melbourne et de lui annoncer votre intention de le garder ainsi que ses ministres. Vous pouvez leur faire confiance : ils vous protégeront de qui vous savez...

— Oui, murmurai-je, la gorge serrée.

Sur son lit de mort, mon bon oncle avait pensé à moi et à son pays ! C'était un homme digne et courageux ; puisse Dieu me donner, le jour venu, une telle force.

Il mourut dans la nuit même, sans que j'aie pu lui dire adieu ni lui exprimer mon infinie reconnaissance.

26 mars 1900

Je dormis sans doute d'un profond sommeil cette nuit-là, car je n'entendis pas maman se lever à l'aube. Des visiteurs étaient arrivés à cinq heures du matin, mais elle attendit six heures pour revenir dans la chambre et me secouer doucement.

— Lève-toi, Victoria ! L'archevêque de Canterbury souhaiterait te voir.

— L'archevêque ? demandai-je en me frottant les yeux.

— Oui, l'archevêque et Lord Conyngham. Vite, ils patientent depuis longtemps déjà !

Un frisson glacial me traversa : je venais de comprendre ce que cela signifiait. Debout derrière maman, Lehzen ouvrit les rideaux de l'une des fenêtres. Dehors il faisait déjà jour. Un pâle soleil matinal filtrait à travers la fenêtre ; au loin, une grive babillait. Maman souleva la couverture. Je posai mes pieds nus sur le sol, tâtonnant à la recherche de mes mules. Lehzen s'approcha de moi : je ne lus pas le moindre sentiment d'exultation ou de triomphe dans son regard. Elle me tendit mon peignoir de coton, dont je me couvris, puis ses mains glissèrent sur mes cheveux pour les lisser le long de mon dos.

— Viens, mon enfant, me chuchota maman avec un soupçon d'impatience — ou d'anxiété — dans la voix.

Elle me prit par la main pour me conduire jusqu'à la porte.

— Lehzen, dit-elle en se retournant, prenez le flacon de sels. Au cas où...

Non, je n'avais pas le droit de m'évanouir un jour pareil, malgré ma profonde appréhension ! J'allais connaître une expérience que peu de femmes avaient vécue au cours des siècles... Tremblant d'angoisse et d'émotion, j'éprouvais une excitation presque inavouable.

Après avoir traversé l'antichambre, nous empruntâmes un escalier dérobé — cet escalier sombre et étroit que je n'avais jamais descendu sans être accompagnée de quelqu'un. Maman me serrait la main avec force ; la sienne avait la froideur de la pierre. De l'autre main, je relevais légèrement ma chemise de nuit blanche, sans un regard pour les marches, noyées dans une obscurité traîtresse. Je me savais incapable de tomber. Une force incoercible me poussait ; j'avançais comme une aveugle, et mes pieds semblaient à peine toucher le sol...

Je m'immobilisai près de la porte du salon. Elle était grande ouverte, et le soleil levant éclairait la pièce. J'aperçus trois silhouettes masculines : des hommes de grande taille (avec mes cinq pieds de haut, les hommes m'ont toujours paru immenses), vêtus de sombre, aux cheveux grisonnants et au visage pâle et grave. Le troisième doit être Sir Henry Halford, me disje. C'est lui qui a assisté le roi dans ses derniers instants.

Et brusquement, mue par je ne sais quel instinct, je me retournai, saisis le chandelier d'argent que maman tenait d'une main (un geste automatique, car je n'en avais nul besoin) et je déclarai.

— J'entrerai seule.

Ma phrase était brève, mais j'avais haussé triomphalement le ton en la prononçant. Maman comprit alors qu'elle m'avait perdue. Après un regard fugace à Lehzen, je les quittai et j'avançai, seule, dans le salon, car plus personne ne pouvait désormais me retenir.

À ma vue, les trois hommes se mirent à genoux. Trois hommes imposants, agenouillés devant moi !

Lord Conyngham, le lord chambellan, prit le premier la parole.

— Madame, dit-il, j'ai le triste devoir de vous informer que le roi est mort.

Sa voix tremblait à cet instant, et des larmes roulaient sur ses joues.

— Il a rendu son dernier soupir ce matin à deux heures et douze minutes poursuivit-il, et de ce fait vous êtes maintenant reine d'Angleterre.

Ses paroles me transpercèrent le cœur comme une épée de feu, et je tendis le bras devant moi, telle une messagère de Dieu. Lord Conyngham me prit la main et la baisa : au contact de sa peau rasée à la hâte et de ses larmes qui humectaient ma main, je pris pleinement conscience de la réalité : une nouvelle vie commençait pour moi, j'étais reine, et enfin libre. Plus personne ne pourrait désormais m'imposer la moindre contrainte...

27 mars 1900

Le journal écrit de ma main ce jour-là, premier jour de mon règne, précise à chaque phrase que j'ai fait ceci ou cela, vu tel ou tel personnage, « seule ». Ce mot revient dix fois : SEULE... Du moment où j'ai quitté maman devant la porte du salon, à celui où je lui dis bonsoir à dix heures et demie, j'ai à peine posé les yeux sur elle. Je ne me doutais pas, à l'époque, du chagrin que je lui causais en la tenant à l'écart. L'aurais-je deviné, j'aurais probablement jugé la punition bien méritée.

Quant à Conroy, il n'était plus question qu'il m'approche ! Avec une joie sans pareille, je lui avais annoncé qu'il était exclu de la maison royale. Hélas, je n'avais pas les moyens de le chasser aussi de la maison de maman. Le fait qu'elle l'ait gardé à ses côtés, tout en sachant combien je le haïssais, a contribué à retarder notre réconciliation pendant les trois années suivantes.

Que fit la reine d'Angleterre ce jour-là ? Elle alla d'abord dans sa chambre s'habiller. Ma seule tenue de deuil était une vieille robe teinte en noir — plutôt mal à mon avis — à l'occasion du décès de la mère de ma tante Adélaïde. Maman avait été fort contrariée d'avoir à porter le noir à cette occasion, raison pour laquelle, je suppose, elle avait fait teindre nos robes au lieu d'en commander de nouvelles. Bien que nous n'ayons jamais eu de gros moyens financiers, elle n'avait pas l'habitude d'économiser dans ce domaine ! À vrai dire, j'étais trop excitée ce jour-là pour me soucier de ma mise. Une fois prête, j'allai à la salle à manger (j'étais affamée), non sans avoir au préalable donné des instructions pour que mon lit fût retiré de la chambre de maman et transféré, ainsi que ma vaisselle, mes livres et mes poupées, dans une pièce disponible. Que pensa-t-elle en découvrant cette preuve tangible de notre séparation ? La nouvelle reine triomphante ne s'en souciait guère, je l'avoue...

Je pris mon petit déjeuner en compagnie du bon docteur Stockmar, que mon oncle Léopold m'avait envoyé quelques semaines plus tôt pour essayer — sans succès — d'arranger les choses entre maman et moi. Il me donna des conseils judicieux et m'aida à calmer mes nerfs tendus à l'extrême. J'écrivis ensuite deux lettres : l'une à Feo, l'autre à mon oncle Léopold (quelle joie ce fut pour moi de signer cette dernière « votre fidèle et dévouée nièce, Victoria R !). À neuf heures, vint le moment d'accorder ma première audience à mon Premier Ministre, Lord Melbourne.

Je le reçus seule. (Dans mon journal, je m'étais engagée à *toujours* procéder ainsi avec mes ministres.) Il s'inclina très bas, me baisa la main, puis me fixa d'un regard si clair, si direct, si rassurant, que je me sentis conquise sur-le-champ. J'ai l'art de juger les gens au premier coup d'œil ! Il me suffit d'un instant et d'échanger quelques mots pour deviner la valeur d'une personne et ses motivations profondes, et je tombe juste la plupart du temps. L'homme que j'avais devant moi me parut honnête, intelligent et bon ; et de plus fort séduisant. La jeune fille passionnée et frustrée d'affection que j'étais lui donna aussitôt son cœur — et lui de même.

Je lui annonçai mon intention de le garder à la tête du gouvernement et de lui accorder toute ma confiance, ce qui sembla le satisfaire. Il m'informa d'une réunion du Conseil privé à onze heures — « Si Sa Majesté y consent », dit-il —, puis il me détailla les points qui seraient discutés, avant de me soumettre le projet de déclaration que je devrais lire. Nous avons parlé encore un moment. Chacune de ses phrases laissait deviner son approbation, tandis que la simplicité chaleureuse qui émanait de lui m'emplissait d'un délicieux sentiment de sécurité jusque-là inconnu de moi. J'avais enfin trouvé quelqu'un qui me comprenait, qui prendrait mon parti et aurait non seulement la volonté mais le pouvoir de me protéger et de me guider. Avec lui, je pourrais affronter en paix les difficultés et les embûches de ma nouvelle position. Je n'avais aucune expérience du monde, et moins encore des cérémonies et de l'étiquette de la cour, mais sous sa conduite, je ne risquais rien...

Avant d'assister au Conseil privé, je pris le temps de griffonner un petit mot à ma tante Adélaïde, qui avait eu la bonté de me faire transmettre un message alors que le roi était sur son lit de mort. Sur l'enveloppe, j'avais écrit « À Sa Majesté la reine, château de Windsor ». Quand je la remis à Lehzen pour qu'elle l'envoie, elle me murmura à l'oreille que j'aurais dû l'adresser à « la reine douairière ».

— Je sais parfaitement que son statut a changé, lui répondis-je, et elle le sait aussi — mais je ne veux pas être la première personne à lui rappeler ce fait. Envoyez ma lettre telle qu'elle est, je vous prie.

Sur ces mots je descendis au salon Rouge.

Quand je franchis, toute seule, la double porte, je me sentis un instant prise de panique devant une telle assemblée masculine et je rougis, moi qui n'avais jamais été en présence d'un homme sans être accompagnée d'un chaperon. Soudain, mon regard rencontra celui de Lord Melbourne. Il m'adressa un petit signe de tête rassurant, et tout rentra dans l'ordre. Ma féminité me semblait maintenant un atout plutôt qu'une faiblesse, et j'avais plaisir à être la seule femme présente, celle sur qui se concentrait l'attention de tous ces messieurs.

Mes vieux oncles Sussex et Cumberland — deux personnages d'allure assez effrayante — s'avancèrent les premiers vers moi. Ils me prirent par la main et me conduisirent à mon trône, en l'occurrence l'un des sièges de salle à manger de maman. (Lord M. me raconta plus tard que Greville avait eu alors l'étrange impression de voir la « Belle » entre deux « Bêtes ».)

Aussitôt assise, je lus ma déclaration avec une parfaite sérénité, car je savais que ma voix claire et harmonieuse portait assez loin.

Puis vint le moment de prêter serment. Bon nombre de ces messieurs s'agenouillèrent devant moi pour me baiser la main. Certains, comme le Duc et Lord Palmerston, étaient si imposants qu'ils me semblaient sortis d'un livre d'histoire, mais, au moindre doute, je me rassurais en interrogeant Lord Melbourne du regard.

Quand tout fut terminé, je me retirai dans ma chambre, où j'attendis impatiemment sa visite.

— Eh bien, lui demandai-je dès que nous fûmes en tête à tête, ont-ils été satisfaits de moi ?

J'aperçus des traces de larmes sur ses joues : en ce temps-là, un homme pouvait pleurer sans déchoir, et Lord M. était fréquemment ému aux larmes.

— Satisfaits ? s'exclama-t-il d'une voix tremblante. Ils donneraient leur vie pour vous !

— Vraiment ?

— Vous n'aviez pas quitté le salon qu'ils commençaient à faire votre éloge.

— Qu'ont-ils dit ? demandai-je, grisée par tous ces compliments auxquels je n'étais pas habituée.

— Sir Robert Peel a été très impressionné par la dignité et l'assurance de Votre Majesté. Crooker a admiré votre belle voix claire, et Greville votre extraordinaire prestance — étrangement teintée, m'a-t-il dit, d'une gracieuse réserve.

— Oh ! murmurai-je, les joues écarlates, mais ravie. Et quoi d'autre ?

— Le Duc a déclaré que votre présence éclairait toute la pièce.

Se pouvait-il que le duc de Wellington, le héros de Waterloo, un personnage historique, ait dit cela ?

— Vous me flattez !

— Il a d'ailleurs ajouté que, eussiez-vous été sa propre fille, il n'aurait pas osé espérer une telle performance.

Ma coupe était pleine...

— Vous me rapporterez toujours avec la même franchise ce que vous aurez entendu à mon sujet, n'est-ce pas, Lord Melbourne ? Je souhaite m'acquitter de ma tâche le mieux possible, et je compte sur votre sincérité absolue.

Il prit un air grave.

— Je vous donne ma parole ! Votre Majesté peut me demander ce qu'elle voudra, je ferai de mon mieux pour lui donner satisfaction.

— J'en ai la certitude, répondis-je chaleureusement en sachant que je pouvais me fier à lui.

Le reste de ma journée fut merveilleusement occupé. J'appréciais au plus haut point d'avoir un but après tant d'années d'oisiveté, et un tel rôle à jouer. Les jeunes filles de mon âge faisaient de la tapisserie, dessinaient ou jouaient du piano. *Moi*, je donnais des audiences (à l'archevêque de Canterbury, au ministre de l'Intérieur, au grand veneur...), et je signais des nominations (Clark devint mon médecin, Lehzen reçut un poste officieux qui ne devait éveiller aucune jalousie). Enfin, je pris la décision de supprimer le prénom d'Alexandrina de tous les documents officiels : j'étais désormais la reine Victoria !

J'eus encore le temps, avant mon coucher à dix heures et demie, de discuter à nouveau avec Stockmar et d'avoir une dernière conversation fort plaisante avec Lord Melbourne.

Pour la première fois de ma vie, j'avais une chambre à moi ! J'étirai voluptueusement mes jambes entre les draps et sentis avec bonheur l'espace qui m'entourait — non seulement l'espace de ma chambre, mais celui de mon esprit, de mon cœur, de tout mon être. J'avais passé ma vie enfermée, comme un oiseau en cage qui n'a pas la place de déployer ses ailes. Et maintenant, plus rien ne pourrait me retenir...

Cette première journée était l'inverse de ce que j'avais vécu jusque-là — une journée active, entourée de monde, animée de nombreuses conversations ; quant à ma première nuit, elle serait tranquille et solitaire. Quelle félicité !

PRINTEMPS

6

Windsor, 29 mars 1900

Lorsque j'ai entrepris ce récit de ma vie, je le destinais à moi seule et je ne voulais pas qu'il tombe un jour sous les yeux de qui que ce soit. Mais en relisant les derniers épisodes de mon enfance, j'ai l'impression de m'adresser à quelqu'un. Béatrice s'est approchée l'autre jour, simplement pour voir ce que je faisais, et j'ai eu le réflexe de placer ma main sur la feuille ; ce geste m'a en tout cas permis de comprendre pour qui je n'écris pas... La vérité n'est pas toujours bonne à dire : nous nous entourons de demi-vérités qui nous deviennent familières, et nous ne supportons pas qu'un étranger fasse irruption dans notre domaine et change nos meubles de place.

Je me pose donc la question de savoir à qui je m'adresse. Sinon à mon entourage proche, peut-être à quelque génération future qui naîtra lorsque je serai depuis longtemps morte et oubliée ! Pas totalement oubliée, sans doute... En tant que reine d'Angleterre, on parlera de moi dans les livres d'histoire ; mais on se souviendra de la reine, et non point de Victoria. Quand les dernières personnes qui m'ont connue seront passées de vie à trépas, je deviendrai comme ces personnages historiques, hauts en couleur, mais aussi irréels que les statuettes des hommes illustres fabriquées dans le Staffordshire.

Après tout, je ne brûlerai peut-être pas ces pages après les avoir écrites. Je pourrais me contenter de les cacher, en espérant qu'elle seront découvertes un jour futur. Si elles ne tombent pas en de bonnes mains, elles seront probablement jetées au feu, mais sait-on jamais ? On n'a aucune certitude sur terre... en dehors de la mort et des impôts, aurait dit Lord Melbourne.

Une reine vit dans un splendide isolement, et elle apprécie particulièrement les gens capables de franchir le gouffre qui la sépare du monde. Lord M. fut le moins obséquieux des courtisans. En homme sage, il savait que les souverains attirent la flatterie ; il tint sa promesse de me dire toujours la vérité, même si elle n'était pas agréable à entendre. À mon âge avancé, j'apprécie comme tout le monde d'entendre confirmer mes opinions, mais si je garde un semblant de lucidité après soixante ans pendant lesquels on m'a toujours donné raison, c'est grâce à Lord M. Il m'aimait sans aveuglement ; calmait mes excès sans éteindre mon enthousiasme ; son honnêteté renforçait mon amour de la franchise, tout en le tempérant par un peu (trop peu, hélas !) de son tact et de sa tolérance.

— Si vous voulez agir sur quelqu'un, me dit-il un jour, commencez par lui trouver des qualités. On ne peut pas se faire un ami en le réprimandant.

— Mais je ne l'aime pas, m'exclamai-je. (Je crois que nous parlions de l'un de mes courtisans, Lord Lyndhurst.) C'est un homme sans valeur.

Lord M. esquissa un sourire.

— En cela, il appartient à une catégorie qui englobe une bonne part de l'humanité !

— Mais pas vous !

— Votre compliment me touche, madame, observa-t-il avec un profond soupir, mais je suis sans doute trop indolent pour faire le mal. Pécher demande de l'énergie, et vous savez que je m'endors toujours dans les lieux publics.

La veille, je lui avais reproché cette légère faiblesse ; notre conversation se conclut donc par des rires, selon notre habitude.

Le Parlement ne m'accorda pas de secrétaire particulier, de crainte que la personne nommée à ce poste n'ait une trop grande influence sur moi. Traditionnellement, le Premier ministre est le secrétaire particulier du souverain, bien qu'en pratique il n'exerce pas cette fonction ; mais Lord M. s'en acquitta. Toujours à mes côtés, il me conseillait, écrivait mes projets de lettres, séchait au buvard ma signature. Il sut me guider et m'éduquer, tout en m'amusant. La chaleur de son affection permit à la jeune fille étiolée que j'étais de s'épanouir enfin.

Tant et si bien que maman, poussée par la jalousie, crut bon de me mettre en garde. « Méfie-toi, me dit-elle un jour, Lord Melbourne n'est pas le roi ! » Ses craintes étaient injustifiées : j'avais trop souffert de la menace du roi John (Conroy) pour renoncer à la moindre parcelle de mes privilèges. Pourtant, en un sens, Lord M. détenait un pouvoir immense : il était mon

Premier ministre, mon secrétaire particulier et mon homme de confiance... Mais personne, même parmi mes opposants politiques, n'émit jamais la moindre objection concernant sa position privilégiée. C'était un homme au-dessus de tout soupçon et parfaitement incapable d'abuser de son pouvoir.

30 mars 1990

Je constate chez certains de mes ministres une tendance déplorable à blâmer Buller et les autres généraux pour tout ce qui ne va pas en Afrique du Sud. Il est toujours dangereux de faire baisser les officiers dans l'estime de leurs troupes ! J'ai fait à Balfour une observation assez sévère sur ce point, car les propos tenus à la Chambre ou dans les dîners mondains se répandent en un rien de temps, et je trouve injuste et contraire aux intérêts de la patrie de mettre au pilori ce pauvre Sir Redvers. On ne peut porter un jugement sans avoir été sur les lieux. Je le répète, les civils ne connaissent rien aux questions militaires ! De plus, en temps de guerre, il faut aider le peuple à garder bon moral. Bien que Kimberley et Ladysmith aient été libérées et que les Boers semblent en déroute, Mafeking est toujours assiégée, et le bruit court que Botha (quel drôle de nom !), le nouveau chef boer, est beaucoup plus capable que son prédécesseur. Nous ne sommes donc pas au bout de nos peines, bien que la question de l'approvisionnement soit moins aiguë depuis l'arrivée de Roberts à Bloemfontein.

Je me sens assez agitée et j'espère me calmer en écrivant, car l'évocation de ces jours heureux du début de mon règne m'apporte un apaisement inouï... Je me souviens d'un soir après le dîner : j'étais assise sur le canapé du salon et Lord M. avait approché son fauteuil tout près de moi. Islay, mon nouveau terrier des Highlands, se pelotonnait contre ma poitrine, tandis que Dashy reposait paisiblement à nos pieds. Nous feuilletions ensemble un livre de gravures, prétexte à de longues conversations à cœur ouvert. Nous parlions pendant des heures, de tout et de rien, plaisantant, cancanant, discutant de menus détails qui intéressent infailliblement ceux qui éprouvent une affection réciproque. Nous avions une « agréable causerie », selon l'expression consacrée en ce temps-là. L'occasion ne m'avait pas encore été donnée de converser ainsi, et il me semble qu'elle ne s'est jamais représentée ensuite — car mon intimité avec Albert fut d'un tout autre ordre. Parfois, des jeunes filles bavardent entre elles de cette manière, mais je n'ai jamais eu d'amie de mon âge.

À l'autre bout de la pièce, maman jouait au whist avec d'autres de mes hôtes, ce qui me permettait d'apparaître en sa présence sans avoir à lui parler. Il lui arrivait parfois de faire un petit somme au milieu de la soirée — mais, à mon âge, je ne peux plus lui jeter la pierre à ce sujet !

Après avoir tourné une page, j'interrogeai Lord M. sur la gravure suivante :

— Qui est cet homme ? Il a un drôle d'air.

Mon Premier ministre se pencha au-dessus du livre en hochant la tête : ses réponses ne me décevaient jamais, car il connaissait un nombre incalculable d'anecdotes sur tous les grands de ce monde.

— Il s'agit de Cambacérès, le deuxième consul de Boney[1]. Vous souvenez-vous du triumvirat, madame ?

— Bien sûr, répondis-je, car il m'avait raconté peu de temps avant l'histoire de la Révolution française. Parlez-moi de lui !

Il se laissa aller en arrière dans son fauteuil d'un air inspiré. J'adorais cette attitude ! Lui qui s'asseyait habituellement le dos droit et les pieds joints, comme il convient, se laissait parfois entraîner par le feu de son récit... Il étendait alors les jambes et croisait les pieds, de sorte que je pouvais l'imaginer à l'époque où il étudiait à Cambridge, se prélassant sur un sofa et dissertant à perte de vue. Dans sa prime jeunesse, il était, paraît-il, d'une étonnante beauté. Seule une machine à remonter le temps m'aurait permis d'en juger, mais je ne pouvais me figurer qu'il ait été plus séduisant qu'à cette époque, où le charme et la sagesse de la maturité complétaient sa perfection physique. Il avait des traits énergiques, une silhouette élégante, de grands yeux gris-bleu, bordés de longs cils, que plus d'une femme lui aurait enviés.

— Eh bien, Cambacérès avait le sens des réalités. C'était un extraordinaire dilettante, grand amateur d'opéra et de peinture ; mais avant tout un gourmet qui cultivait les arts de la table.

— Comme vous ! J'ai remarqué que vous aviez pris deux côtelettes et une grouse ce matin, au petit déjeuner.

Il s'inclina avec un sourire ironique, ce qui est quelque peu malaisé pour un homme assis, mais il faisait tout avec grâce.

---

1. Surnom donné par les Anglais à Bonaparte. *(N.d.T.)*

— Votre remarque me flatte, me dit-il, mais je ne suis qu'un novice comparé à Cambacérès. Il avait la passion des assaisonnements délicats, des sauces exquises. Ses cuisiniers étaient les mieux payés de France, et il paraît qu'un plat raté pouvait lui arracher des larmes.

— Comment trouvait-il le temps d'être deuxième consul ? m'écriai-je, pensant à moi qui venais de découvrir les exigences du pouvoir. Je suis si occupée que je me mets à table, chaque soir, sans la moindre idée des plats qui me seront servis.

— Rappelez-vous, madame, qu'il n'était là que pour le décor ; le pouvoir était entre les mains de Boney. Ce dernier, évidemment, ne se souciait guère de gastronomie : ses pensées étaient infiniment plus élevées et son horizon autrement plus large ! Il désespérait le malheureux Cambacérès en tenant conseil juste à l'heure du dîner, sans se préoccuper du repas qui attendait le deuxième consul.

— Cambacérès ne s'est jamais plaint à Bonaparte ?

— On ne se plaint pas d'un ragoût trop cuit à un homme qui se prépare à conquérir le monde. Mais un jour, au cours d'une longue réunion portant sur la constitution, le Corse surprit Cambacérès en train de griffonner une note d'un air affolé. Craignant quelque complot contre lui — la hantise de tous les dictateurs — il lui arracha le papier des mains.

— Et alors ? demandai-je, au supplice.

— Ce mot était adressé à son cuisinier. « *Sauvez les rôtis ; les entremets sont perdus*[1] », lui disait-il.

Surpris par nos rires, Dash leva la tête vers Lord M. en agitant la queue. Nous continuâmes à feuilleter notre livre...

— On dirait l'impératrice Joséphine, fis-je remarquer à la page suivante. Était-elle très belle ?

— Plus séduisante que belle ! Elle était si gracieuse qu'elle semblait flotter dans les airs, et elle avait une voix merveilleuse.

Cette remarque me fit plaisir, car je savais que j'avais de la grâce et une belle voix.

— Était-elle grande ?

— Modérément.

— Quand on est reine ou impératrice, une grande taille doit aider, dis-je avec nostalgie. Je crains de ne jamais grandir davantage.

— À quoi bon ? Tout le monde remarque votre dignité et votre port majestueux, alors que si vous aviez quelques pouces

1. En français dans le texte.

de plus on pourrait attribuer votre prestance à votre haute stature.

— Vraiment ?

— Madame, je n'ai pas l'habitude de vous flatter !

— J'ai souvent regretté de ne pas avoir des traits plus réguliers, murmurai-je. Mon nez, par exemple...

— Il rappelle beaucoup le noble nez de votre père.

— Oui, mais il est trop grand pour mon visage.

Il hocha la tête en souriant. Puis, se mettant de profil, il passa un doigt sur son appendice nasal, que je jugeais fort beau malgré sa taille imposante.

— Savez-vous, madame, que les gens aux traits trop fins et au petit nez mutin font rarement de grandes choses dans leur vie ?

— Aimez-vous le prénom de Joséphine, demandai-je, penchée à nouveau sur la gravure. Je le trouve plutôt dur et masculin.

— Il sonne mieux en français.

— Vous préférez donc Victoire ?

— Non, je n'aime pas ce prénom, répondit-il sans tomber dans le piège que je lui tendais.

— Quel est votre prénom préféré ?

— Alice, par exemple.

Sa franchise aurait pu me blesser, mais Victoria n'était pas non plus mon prénom favori ! Quoique nous discutions très librement ensemble, j'évitais d'aborder des sujets trop sensibles. Ainsi, nous ne parlions jamais de sa femme, l'infâme Caroline Lamb, qui avait eu une liaison très choquante avec Lord Byron. Il avait beaucoup souffert de sa conduite ; pour finir, il l'avait fait enfermer, à demi folle, et elle était morte de ses excès d'alcool et de laudanum. Je tenais tout cela de Lord Palmerston, car je n'aurais jamais eu l'indiscrétion d'interroger directement Lord M. Il avait tendrement aimé son épouse malgré ses égarements, paraît-il, et il était revenu d'Irlande toutes affaires cessantes quand il avait appris qu'elle était au plus mal.

Caroline lui avait donné un seul enfant, un garçon simple d'esprit et souffrant de convulsions, qu'il avait perdu l'année précédente, en 1836. Ce pauvre Lord M. était bien seul malgré ses nombreux amis des deux sexes, parmi lesquels certaines des femmes les plus sophistiquées et les plus spirituelles de l'époque. Mais cela ne suffisait pas à un homme qui avait tant d'amour à donner. Il avait besoin de consacrer toute son affection à une seule personne, et je n'attendais que cela !

Nous parlions souvent d'Eton (où il avait connu le Beau Brummel) et de l'éducation des enfants. Il n'était pas favorable à une trop grande sévérité, convaincu qu'on ne change pas le caractère inné d'une personne. « Prenez, disait-il, l'exemple des Paget : dans cette famille, personne ne savait lire ni écrire ; pourtant, ils s'en sont tous très bien tirés. » Il estimait que les familles nombreuses ont de plus grands atouts : « Lorsqu'il y a beaucoup d'enfants, il n'y a pas de problèmes en général ; en revanche, les enfants uniques sont souvent difficiles. »

Nous discutions aussi des médecins : « Les médecins anglais tuent leurs patients, les français se contentent de les laisser mourir. » Et nous enchaînions en parlant des dents : « Une éternelle source de problèmes, mais il faut en prendre grand soin, car de mauvaises dents nuisent à la digestion, ce qui peut avoir de graves conséquences. »

— Bonaparte souffrait des dents, de même que la reine Mary Tudor, et regardez tous les ennuis qu'ils ont provoqués, me déclara-t-il un jour. L'un a tenté de faire de nous tous des Français, et l'autre des papistes. Il me rappela ensuite les quatre commandements de Mrs. Sheridan à ses enfants : « Craignez Dieu, honorez le roi, obéissez à vos parents, brossez-vous les dents. »

— Je les enseignerai à mes enfants, répondis-je en riant ; et si j'ai une fille je l'appellerai Alice.

— Si vous avez une fille, je suppose que vous devrez consulter votre mari sur le choix de son prénom.

— Une reine ne consulte personne, répondis-je noblement.

— Vous épouserez un homme que vous aimerez, donc vous le consulterez spontanément.

— Sans doute. (Un instant nos regards se croisèrent, et une bouffée de sensations troublantes et délicieuses m'envahit.) Mais je ne compte pas me marier avant longtemps, ajoutai-je.

Il m'approuva avec enthousiasme.

Telle fut ma première expérience de l'amour. Je m'en rends compte avec du recul, mais je ne l'aurais jamais admis auparavant. Bien sûr, ce n'était qu'un avant-goût, annonciateur de ce que j'ai éprouvé plus tard. Après mon mariage, j'ai eu honte de certains passages enflammés de mon journal concernant Lord M. J'aimais tant Albert que je ne supportais pas la moindre ombre au tableau : je voulais qu'il fût la seule personne au monde que j'eusse jamais aimée. Par crainte d'éveiller sa jalousie, j'ai toujours nié la passion qui transparaît dans mes écrits d'alors.

Pourtant, Albert était jaloux, d'autant plus qu'il ne pouvait apprécier la personnalité d'un homme comme Lord M. Il le trouvait trop sophistiqué, trop cynique, trop homme du monde. Quand il m'a reproché l'exagération de mes sentiments à l'égard de mon Premier ministre, j'ai admis son point de vue et écrit une note à cet effet dans la marge de mon journal. J'ai même détruit une grande partie de ma correspondance antérieure à mon mariage, par crainte de me ridiculiser...

J'ai donc chassé mon premier amour de ma mémoire comme je l'avais chassé de ma vie. Ce pauvre Lord M. réchauffa mon pauvre cœur glacé et me prépara à la grande passion que je connus ensuite avec Albert. Lord M. s'effaça avec sa noblesse habituelle : c'est lui qui me conseilla de me laisser désormais guider par le prince dont il admirait l'intelligence. Suivant ses conseils, je m'en remis à Albert, et il céda la place.

Lord M. fut mon premier amour, je fus le dernier des siens. Quand je l'eus oublié, il mourut le cœur brisé.

30 mars 1900 — vers minuit

Comme je ne parviens pas à dormir, je poursuis mon récit...

Le 13 juillet 1837, j'ai quitté le vieux palais de Kensington pour m'installer au palais de Buckingham. J'étais le premier monarque régnant à faire ce choix. Acheté pour ma grand-mère, la reine Charlotte, Buckingham fut d'abord un simple manoir de brique rouge ; mais, en 1825, le roi mon oncle chargea Mr. Nash d'en faire un palais de grand style. Ambitieux projet ! L'argent manqua, et la construction n'était pas encore achevée à la mort du roi. Cela fit quelque bruit, car des sommes énormes avaient été englouties.

Lorsqu'il monta sur le trône, le roi Guillaume engagea un architecte pour le terminer, ou au moins le rendre habitable. Son style ne souleva jamais l'enthousiasme des critiques et mon oncle devina qu'il ne serait jamais *gemütlich* — confortable. Il refusa donc de quitter St. James. Quand le palais de Westminster brûla en 1834, il eut l'idée de proposer Buckingham comme nouveau siège permanent pour les deux Chambres. « Il n'y aurait rien d'équivalent au monde », déclara-t-il aux lords dans l'espoir de les convaincre, mais son offre fut rejetée assez brutalement.

Comme l'avait supposé mon oncle, Buckingham se révéla un endroit insalubre et inconfortable. Les cheminées étaient si mal conçues qu'on ne pouvait pas faire de feu dans certaines pièces, et il était impossible de nettoyer les conduits sans faire appel à des ramoneurs. Pis encore, le palais était le lieu idéal pour attraper la typhoïde, avec ses canalisations défectueuses, ses pièces mal aérées et ses odeurs nauséabondes. Les plus misérables taudis de Londres s'étalaient sous ses murs, attirant une foule de mauvais garçons qui venaient rôder dans ses couloirs. Mais, à dix-huit ans, je ne me souciais guère de tout cela ; élevée à Kensington, j'avais de modestes exigences en matière de confort. Le palais fut rapidement redécoré pour moi, et ses pièces imposantes me parurent désormais agréables et gaies. Son parc me plut aussi, et je vis avec plaisir Dashy s'y ébattre en poursuivant canards et papillons de ses aboiements.

Notre installation à Buckingham fut un véritable déracinement pour ma pauvre mère. Alors que Lehzen avait une chambre communiquant avec la mienne, j'attribuai à maman une suite aussi éloignée que possible, qui lui parut beaucoup trop exiguë. J'aurais souhaité la bannir totalement, car elle avait refusé de se séparer de Conroy, mais Lord M. m'en dissuada. Tout en admettant qu'elle était fourbe et hypocrite (ce sont les qualificatifs qu'il employa à ma grande satisfaction), il me mit en garde contre une brouille définitive.

— Les gens s'attendent qu'elle vous chaperonne pendant quelque temps, car vous êtes bien jeune et encore célibataire, me dit-il. Une rupture les scandaliserait...

— Mais rien ne m'oblige à la voir, n'est-ce pas ?

— Rien ne vous y oblige, mais vous devez apparaître en public à ses côtés de temps à autre. Priez-la de vous demander audience quand elle désire vous rencontrer, afin qu'elle cesse de vous importuner à tout propos.

Cette idée me ravit !

— Bien, mais je n'ai aucune intention d'être gentille avec elle, déclarai-je. Elle s'est comportée avec moi d'une manière inadmissible !

Lord M. hocha la tête.

— Dans ce cas, vous aurez d'autant plus de mérite à vous montrer affable et attentive. Je n'aimerais pas que vous soyez taxée de mesquinerie : la reine ne doit jamais s'exposer à la critique ! (Pour me convaincre, il ajouta :) Si vous la rejetiez totalement, on pourrait s'imaginer que vous avez reçu une mauvaise éducation.

Après avoir renoncé à mes objections, je décidai de suivre ses conseils en me montrant — publiquement — d'une charmante délicatesse envers ma pauvre mère, tandis que je la bannissais sans merci de ma vie privée et de mon cœur.

Certes, maman n'était pas irréprochable ! Elle se conduisit fort mal pendant les premières années de mon règne, me harcelant de ses plaintes, faisant des scènes et allant jusqu'à me reprocher mon ingratitude à l'égard de Sir John qui avait été si bon pour moi. Plus réaliste, Conroy ne tarda pas à tirer les conséquences de sa défaite. Dès le premier jour de mon règne (après que je l'eus exclu de la maison royale), il remit au baron Stockmar une lettre à l'intention de Lord Melbourne. Lord M. fut si outragé par ses exigences que cette lettre lui échappa plusieurs fois des mains lorsqu'il la lut. Le titre de pair, la grand-croix de l'ordre du Bain, une pension de trois mille livres par an et un siège au Conseil privé : tel était le prix qu'il demandait pour disparaître et me laisser tranquille. « Une incroyable impudence ! » s'exclama Lord M.

Il songeait à lui opposer un refus indigné, mais Stockmar lui fit comprendre que nous n'aurions pas la paix au palais tant que Conroy serait là. Le 26 juin, il lui proposa donc, avec mon accord, une pension, le titre de baronnet et la promesse d'une pairie irlandaise si l'une d'elles devenait vacante pendant qu'il était Premier ministre. Avec sa duplicité habituelle, l'infâme Conroy accepta, sans démissionner pour autant. Lorsque Stockmar lui demanda des explications, il répondit qu'il ne se sentait pas obligé de tenir ses engagements avant d'avoir obtenu sa pairie. (Une pairie irlandaise finit par être vacante, mais, mon cher Lord M. n'étant plus aux affaires. Sir Robert Peel, alors Premier ministre, jugea bon de la refuser à Conroy. Ce dernier, mortifié, nous reprocha d'user de procédés déloyaux, mais jusqu'à sa mort, bien longtemps après, il ne fut que baronnet — bien plus qu'il ne méritait ! En attendant, il prit l'habitude d'errer dans le palais comme un mauvais esprit, semant le trouble et la discorde partout où il passait.)

Sous la pression de Conroy, maman continua à m'importuner. Je devais donner une pairie à son protégé, l'inviter aux réceptions de la cour, recevoir sa famille, attribuer des fonctions officielles à ses filles.

> « *J'ai une grande considération pour Sir John,* m'écrivit-elle. *Jamais je n'oublierai ce qu'il a fait pour nous — bien qu'il ait eu le malheur de te déplaire les derniers temps. La reine ne peut-elle oublier ce qui a déplu à la princesse ?* »

Ma réponse fut celle-ci :

« Je m'étonne que vous me demandiez de recevoir Sir John, eu égard à la manière dont il s'est conduit avec moi pendant des années, et à son attitude particulièrement méprisable pendant la courte période qui a précédé mon accession au trône. Vous devriez vous satisfaire amplement de la générosité dont j'ai fait preuve en lui allouant une pension de trois mille livres, normalement réservée aux ministres, et le titre de baronnet. »

Maman répliqua aussitôt :

« Sir John a sans doute commis certaines erreurs, mais il a toujours été animé des meilleures intentions. Tu ne connais pas le monde, Victoria, et les commérages provoqués par cette affaire me rendent très malheureuse. Au nom de ton amour pour ta mère, je te prie de reconsidérer ta ligne de conduite vis-à-vis de Sir John et de sa famille. »

Et ainsi de suite... Ses lettres alternaient avec d'horribles scènes chaque fois qu'elle avait accès auprès de moi. Quand elle m'écrivait pour me demander audience, je me contentais de lui envoyer un mot l'informant que j'étais « occupée ». Si ses requêtes avaient un ton particulièrement pressant, Lord Melbourne me proposait de lui répondre lui-même sur un mode officiel. Mais le résultat n'était pas toujours celui attendu : après une lettre de Lord M., maman me fit savoir que c'était à *son* enfant qu'elle en appelait et non à la reine. Ces scènes m'épuisaient. Elle s'exprimait parfois dans un langage inacceptable, et je dus souvent lui rappeler qui j'étais...

Elle se montrait déraisonnable dans d'autres domaines aussi, allant jusqu'à écrire au président des Communes pour exiger le rang et les privilèges de reine mère. (Elle avait réclamé auparavant le titre de princesse douairière de Galles, auquel elle n'avait aucun droit...) Poli mais embarrassé, le président me transmit sa demande, à laquelle je ne donnai pas suite : elle n'avait rien à y gagner, et je ne voulais pas contrarier mes tantes. Très préoccupée par l'ordre des préséances dans les cérémonies officielles, elle contestait systématiquement la place de toutes les personnes qui se tenaient près de moi.

Elle voulut enfin me faire rembourser ses dettes, qui excédaient cinquante-cinq mille livres. D'abord la totalité, puis une partie ; elle se chargerait de la moitié si elle obtenait une augmentation substantielle de ses revenus...

Je n'eus besoin de personne pour reconnaître dans cette

demande la griffe de Conroy, et je l'aurais refusée même sans l'avis indigné du chancelier de l'Échiquier. Lord Melbourne suggéra au Parlement de porter la pension de maman à trente mille livres (au lieu de vingt-huit mille), afin de lui permettre d'éponger ses dettes petit à petit. Le Parlement, m'apprit par la suite Lord M., vota cette augmentation uniquement par respect pour moi.

À peine deux mois plus tard, je recevais d'horribles lettres de maman m'apprenant que ses dettes dépassaient maintenant soixante-dix mille livres. Il était clair que le supplément de pension alloué par le Parlement allait « ailleurs », ce qui me mit hors de moi. Je n'admets pas que d'honnêtes commerçants soient lésés par des personnes avides et dépensières qui devraient avoir honte de leur inconduite. Et j'étais d'autant plus indignée que, du vivant de mon oncle Guillaume, maman et Conroy avaient affirmé que leurs prétendues dettes n'étaient que des calomnies inventées par le roi.

Lord Melbourne trouvait navrant que je sois à ce point importunée par celle qui aurait dû m'apporter son appui et son affection. Ces querelles et les dettes de maman jetèrent une ombre sur le bonheur de ces deux premières années et ne firent rien pour améliorer mon caractère. J'avais toujours eu une nature passionnée et je contrôlais difficilement mes accès de colère. Lord M. m'incitait à faire un effort, mais il m'arrivait de perdre mon sang-froid, avec lui qui était la patience même. J'avoue que certains de mes emportements étaient provoqués par la jalousie : j'avais horreur qu'il passe des soirées loin de moi, et, quand il dînait avec Lady Holland, j'exigeais qu'il me dise laquelle de nous deux il préférait et l'accusais de déloyauté. Sans doute redoutais-je qu'il ne finisse par se lasser de ma compagnie. Mais, quand je l'interrogeais sur ce point, il protestait, les larmes aux yeux...

Maman m'irritait à tel point qu'il m'arrivait de brusquer mes domestiques, ce que je regrettais ensuite, car ils n'étaient pas en mesure de se défendre. Je leur présentais toujours des excuses, et je pense qu'ils ne me gardaient pas rancune. Conroy était pour beaucoup dans mes humeurs : si au moins il avait été honnête financièrement, je lui aurais beaucoup pardonné, mais, dans ce cas, il aurait été un autre homme !

Bien que je n'aie pas prélevé un seul penny de la cassette privée pour le donner à maman ou à Conroy, je tiens à noter ici que j'ai pris en charge les dettes de mon père comme l'aurait fait un fils : c'était une question d'honneur pour moi ! N'ayant jamais eu beaucoup d'argent à ma disposition (je me contentais parfaitement de dix livres par mois avant de devenir reine), je n'eus aucun mal à économiser cinquante mille livres — sur les soixante mille qui me furent allouées la première année — pour couvrir une partie des dettes de papa. Le reste fut remboursé avant octobre 1839, et je reçus alors des remerciements officiels de ses créanciers, à ma très grande satisfaction.

À cette époque, Conroy prétendit justifier les difficultés financières de maman par le remboursement des dettes de papa. Un pur mensonge qu'elle ne fit rien pour réfuter, car elle me croyait plus naïve que je ne l'étais. Dans ces conditions, nul ne s'étonnera qu'elle m'ait alors inspiré une véritable haine.

31 mars 1900

Greville a dit — à tort, selon moi, mais ses termes reflètent probablement le sentiment d'un grand nombre de mes sujets — qu'avant mon accession au trône, le pays avait été successivement gouverné par un idiot, un débauché, puis un bouffon. Bien que je réprouve cette manière de qualifier mon pauvre grand-père, le roi mon oncle, et mon cher oncle Guillaume, elle permet de comprendre pourquoi mon couronnement provoqua une telle liesse. Il eut lieu le jeudi 28 juin 1838. (Il me semble que tous les couronnements ont lieu un jeudi, mais je ne sais pas pourquoi.) Comme me l'avait expliqué mon oncle Léopold, c'était une dure époque pour les rois ! Toutes les monarchies européennes étaient contestées ; de nombreux pays étaient au bord de la révolution, et même le nôtre subissait les bouleversements apportés par l'industrialisation et la guerre. Et voici qu'une jeune fille de dix-neuf ans évitait à l'Angleterre d'être gouvernée par le duc de Cumberland — un homme honni dans tout le royaume. Il aurait fallu que je me conduise bien mal pour perdre l'extraordinaire popularité dont je jouissais cet été-là. « Tout Londres est en folie à cause du couronnement », écrivit alors je ne sais quel journaliste connu.

Puisqu'il fallait redonner du lustre à la Couronne, Lord Melbourne incita le Parlement à ne pas lésiner ; un crédit de deux cent mille livres, quatre fois plus que pour mon oncle Guillaume, fut donc voté. Le traditionnel banquet ayant été aboli par ce dernier, on décida de ne pas le rétablir, mais de le remplacer par un cortège royal. Un tel défilé avait eu lieu pour la dernière fois lors du couronnement de mon grand-père.

En tenue de cérémonie, couronnée et portant le globe et le sceptre, je suivrais un parcours officiel de manière à me montrer au plus grand nombre de gens possible ; il y aurait des fanfares militaires, des illuminations, des feux d'artifice, et une fête de deux jours à Hyde Park, avec des lâchers de ballons, de la musique, du théâtre, des tavernes et toutes les attractions imaginables. Le couronnement était destiné au peuple, et il manifesta son enthousiasme de tout son cœur.

Durant les jours qui précédèrent, Londres fut en effervescence. On entendait résonner jurons et coups de marteau, à mesure que les tribunes s'édifiaient le long du trajet. Des morceaux de bois et de plâtre tombaient sur les pieds des passants ; le Parc était un véritable campement, un flot incessant de voitures déversant une multitude de voyageurs venus des quatre coins du pays s'ajouter à la cohue des Londoniens. Auberges et cabarets bourdonnaient d'excitation, et une foule de badauds se pressait sur les trottoirs. Les routes étaient encombrées de cavaliers et de voitures pleines à craquer, qui souvent restaient des heures immobilisées. Les fenêtres donnant sur le parcours avaient été louées pour des sommes extravagantes. Et quand le bruit courut que des billets pour Westminster étaient en vente à la légation américaine, les locaux furent assiégés. Plusieurs personnes perdirent connaissance dans la bousculade ! Par miracle, il n'y eut pas d'incidents plus graves, bien que la population de Londres eût quintuplé, paraît-il. Mais la bonne humeur et les bonnes manières restèrent de rigueur, malgré les quantités phénoménales de gin et de bière ingurgitées par les classes populaires cette semaine-là.

J'étais moi aussi dans une agitation frisant la panique. « Le moment venu, vous vous sentirez bien », me dit mon cher Lord M. pour me rassurer. Il me distrayait de son mieux en me racontant d'amusantes anecdotes. Quand les tories menaçaient de boycotter le couronnement de mon oncle Guillaume, ce dernier avait, paraît-il, déclaré : « Il y aura donc moins de chaleur et plus d'air à Westminster. » Décontenancés, les tories avaient finalement assisté au couronnement...

Lord M. m'apprit aussi que seuls deux pairs savaient mettre correctement leurs vêtements de cérémonie, et ce, uniquement parce qu'ils les avaient portés comme déguisement lors de représentations théâtrales à la campagne. Ils viendraient tous me rendre hommage en touchant du doigt ma couronne.

« Veillez à ce qu'ils ne vous prennent rien, me dit-il d'un air amusé. Nous empruntons les bijoux chez Rundell et Bridge ; il faut rendre tout sans exception dès vendredi. »

Cela me fit rire, car une terrible querelle au sujet de la nouvelle couronne opposait le conservateur de la Tour de Londres, Mr. Swift, à Mr. Bridge, le fameux joaillier de Ludgate Hill. La grande couronne d'Angleterre, dite couronne de saint Edouard, avait été réalisée à l'origine pour le roi Charles II, qui mesurait plus de six pieds et était d'une force herculéenne. Pesant plus de cinq livres, elle risquait de me briser le cou « aussi facilement qu'une branche de céleri », selon les termes de Lord M. Il y avait aussi la couronne impériale, réalisée pour le roi mon oncle, et portée par mon oncle Guillaume, mais elle ne fut pas jugée satisfaisante non plus. On fit faire une couronne spécialement pour moi, à partir des joyaux de la couronne impériale. Elle ne pesait que deux livres trois quarts, et on l'appela la couronne d'État.

Elle était ornée de magnifiques pierreries, dont le rubis du Prince Noir, porté par Henri V à Azincourt, le saphir de l'anneau d'Édouard le Confesseur [1], et l'énorme saphir des Stuart, emporté par Jacques II lors de sa fuite, et racheté des années plus tard à son petit-fils, Henri Benedict, cardinal à Rome.

La nouvelle couronne éveilla un vif intérêt, et Mr. Swift s'attendit à une période de prospérité. Ne recevant aucun salaire à son poste, il était tributaire des visiteurs de la Tour de Londres à qui il montrait les joyaux de la Couronne pour un shilling par personne. Et ce brave homme avait une nombreuse famille à nourrir. Hélas, Mr. Bridge, de Rundell et Bridge qui avait réalisé la couronne, l'exposa dans son magasin dès la mi-juin, et fut assiégé par une foule si dense qu'il fallut appeler la police en renfort. Une concurrence déloyale, estima ce pauvre Mr. Swift : si tout le monde allait admirer la couronne chez le joaillier, qui aurait envie de payer pour la voir une seconde fois ? Il pria le lord Chambellan d'interdire à Bridge d'exposer la couronne, mais Lord Conyngham, malgré sa sympathie pour Mr. Swift, ne fit rien pour le satisfaire : il était trop content de voir le public manifester son intérêt !

J'ai à peine fermé l'œil cette nuit-là, en partie à cause de ma nervosité, en partie à cause du bruit assourdissant de la rue : des milliers de gens dormaient dehors pour être sûrs d'avoir

1. Édouard le Confesseur ou saint Édouard, roi d'Angleterre (1002-1066). *(N.d.T.)*

une bonne place. À chaque instant, je me réveillais avec l'horrible pressentiment qu'un désastre allait se produire le lendemain. À quatre heures du matin, j'entendis des salves retentir dans le Parc, puis je me remis à sommeiller, mais en tressaillant toutes les cinq minutes à l'idée que j'avais dormi trop longtemps et que personne ne m'avait réveillée. À sept heures, je sautai du lit avec joie et courus à la fenêtre.

Quelle déception ! Le temps était couvert, et le vent soufflait en rafales tandis que tombait une pluie fine et glacée. Cela ne semblait pas avoir découragé les curieux qui se pressaient dans Green Park, achetant des pâtés et des saucisses chaudes pour leur petit déjeuner, ou écoutant les fanfares qui seraient certainement à bout de souffle avant que la cérémonie ne commence pour de bon. La foule s'alignait déjà le long de Constitution Hill et les soldats montaient la garde des deux côtés de la voie qu'ils avaient dégagée. La vue de cette ville en liesse me réchauffa le cœur, et je me sentis revigorée malgré ma nuit sans sommeil, bien qu'incapable d'avaler quoi que ce soit.

— Faites un effort pour vous nourrir quand vous serez habillée, me conseilla fermement Lehzen. La journée sera longue et Votre Majesté risque d'avoir un malaise.

— Aujourd'hui, je ne risque rien ! m'écriai-je en me jetant dans ses bras avec un enthousiasme qui la stupéfia. Oh, ma chère Daisy (c'était le nom amical que je lui donnais depuis quelque temps), comme je suis heureuse !

Ses lèvres minces esquissèrent un léger sourire.

— Vous l'avez bien mérité ! J'espère que chaque minute de cette journée sera un bonheur pour vous, Majesté.

Alors, les femmes de chambre entrèrent, et je revêtis un jupon de satin blanc, brodé d'or, et une jupe de velours rouge. On noua mes cheveux assez bas sur ma nuque en prévision de la couronne, et un diadème d'or constellé de diamants fut posé sur ma tête. À neuf heures et demie, Feo arriva (elle était venue à Londres spécialement pour le couronnement) et nous prîmes le temps de bavarder un moment avant mon départ. Je posai un baiser sur le museau de Dashy, regrettant de ne pouvoir l'emmener avec moi, et lui promettant une promenade à mon retour.

À dix heures pile, le carrosse officiel quitta Buckingham, attelé de six chevaux à la robe crème amenés du Hanovre en raison de leur grande taille, car, d'après Lord M., « tous les autres auraient eu l'air de rats ou de souris ». Quand je montai dans le carrosse, les nuages avaient disparu comme par miracle et un soleil radieux réchauffait les spectateurs transis. (À vrai dire, j'ai eu la chance que le soleil brille dans toutes les occasions importantes de mon règne, de sorte que l'expression « un temps de reine » devint à la mode.)

Le cortège remonta Constitution Hill, longea Piccadilly, descendit par St. James's Street et Pall Mall, puis traversa Trafalgar Square et emprunta White Hall. Sur le parcours, une foule joyeuse se serrait sur les trottoirs et dans les tribunes, passait la tête aux fenêtres ou se perchait dangereusement sur les toits. Chacun brandissait ce qu'il avait pu trouver en guise de drapeau. Ces visages roses et ces vêtements de fête colorés transformaient les rues en longues guirlandes fleuries. Je n'ai jamais rien vu de pareil ! Comme j'étais fière d'être la reine d'un tel peuple et d'entendre ses vivats tandis que je m'inclinais en lui adressant des signes de la main ! Tout cela pour *moi*... Mon cœur débordait d'allégresse.

À l'abbaye de Westminster, Lord Conyngham et mon très cher Lord M. m'accueillirent. Puis je revêtis la tenue d'apparat du Parlement — en velours cramoisi bordé d'hermine — que l'on noua avec des cordons à glands d'or. Mes huit demoiselles d'honneur prirent place autour de moi — des jeunes filles en robe de satin blanc et argent, la tête couronnée de guirlandes d'épis de blés argentés et de boutons de roses. Ces robes à traîne (dessinées par la duchesse de Richmond) me préoccupaient : comment feraient ces demoiselles pour tenir correctement ma traîne tout en étant gênées par la leur ? Quelle horreur si je trébuchais ou si je tombais !

— Ne craignez rien, me dit Lord M., je marcherai lentement devant vous avec l'Épée d'apparat.

— Très lentement ! insistai-je, anxieuse.

— Je n'ai pas le choix, car elle pèse fort lourd.

Son sourire affectueux dissipa mon appréhension ; il ajouta alors en tournant la tête vers mes demoiselles d'honneur :

— L'effet est magnifique ; vous avez l'air de flotter sur un nuage d'argent.

Elles soulevèrent ma traîne (quatre de chaque côté, Lord Conyngham à l'extrémité), puis il fallut pénétrer dans l'abbaye...

D'abord, je restai bouche bée, les mains tremblantes. Les majestueuses colonnes étaient drapées de velours cramoisi et de drap d'or, le sol couvert de splendides tapis turcs ; les évêques portaient des chapes brodées, et l'autel disparaissait presque sous des merveilles d'orfèvrerie. L'assistance — dix mille personnes — était vêtue de velours et de satin aux couleurs chatoyantes. Tout le monde étincelait de pierreries, mais le plus étonnant, me dit-on par la suite, était le prince Estherazy : il portait tant de diamants qu'il fallait détourner les yeux pour ne pas être ébloui quand un rayon de lumière tombait sur lui.

Le soleil pénétrait à travers les vitraux comme une bénédiction divine et je me sentais petite, humble, et pourtant exaltée. Tout cela n'était pas destiné à la jeune Victoria, mais à la reine qui devrait gouverner son peuple pour la plus grande gloire de Dieu ! Je réalisai ce qu'avait voulu me faire comprendre le roi mon oncle, malgré sa vie dissolue. Je prenais conscience de mes devoirs et du fardeau qui allait désormais et pour toujours peser sur mes frêles épaules. Mes ministres, qui aujourd'hui souhaiteraient me voir abdiquer en faveur de mon fils, se doutent-ils qu'on ne renonce pas à être reine sous prétexte qu'on est vieille et fatiguée ? Dieu m'a confié cette sainte mission, et je compte le servir tant qu'il ne m'aura pas rappelée à lui.

À l'instant où je m'immobilisai, l'orchestre attaqua ses premiers accords, et ils me sembla que tous les spectateurs retenaient leur souffle, comme s'ils partageaient mon émotion. Je m'avançai alors d'un pas, et la cérémonie commença...

Bien sûr, on n'organise pas de répétition pour ce genre d'événement ! Le doyen de Westminster qui avait présidé aux deux précédents couronnements était maintenant trop infirme pour assister au mien ; il avait donc délégué ses responsabilités à Lord John Thynne, la seule personne qui sût ce qu'il fallait faire. L'archevêque n'en avait qu'une vague idée, et l'évêque de Durham était toujours là où il n'aurait pas dû. Ce fut une cérémonie longue et compliquée — parfois incompréhensible — et beaucoup de choses ne se passèrent pas comme prévu. Mais j'avais décidé de garder un calme absolu quoi qu'il arrivât, et, finalement, je traversai cette épreuve sereinement.

Il y eut la Reconnaissance, l'Acclamation, les Litanies et le Serment. (Je m'engageai à maintenir la religion réformée protestante telle qu'établie par la loi, ce que je dus rappeler plus tard à Gladstone, quand il voulut m'imposer la séparation de l'Église et de l'État. Comme si un serment était sans valeur !) Puis je me retirai dans la petite et sombre chapelle St. Edouard où je revêtis une robe de lin ornée de dentelles et une tunique — magnifique vêtement d'or et d'argent, doublé de soie écarlate et brodé de roses, de chardons, de trèfles et de palmes. Lord M. déclara qu'elle m'allait à ravir. J'enlevai mon diadème, et, tête nue, je retournai dans l'abbaye, où je m'installai sur le trône de saint Edouard pour l'onction, tandis que quatre chevaliers de l'Ordre de la Jarretière maintenaient un dais au-dessus de ma tête pour marquer la solennité de l'instant. Je frissonnai d'émotion au contact — presque magique — des saintes huiles sur mon front, ma poitrine et mes mains.

Vint alors le couronnement proprement dit. La chasuble dalmatique fut placée sur mes épaules, le sceptre dans ma main, et l'anneau fut glissé à mon doigt. (Hélas, l'archevêque s'étant trompé de doigt, l'anneau passa difficilement et je dus souffrir en silence. Après le service, je mis un certain temps à le retirer en restant la main plongée dans l'eau glacée, et j'eus le doigt bleu pendant deux jours.) Puis Lord John Thynne donna la couronne à l'archevêque qui, debout devant moi, la souleva bien haut avant de la déposer d'un geste solennel sur ma tête.

Au même instant, les paires et pairesses se coiffèrent de leur couronne dont l'or et les pierreries lancèrent des éclairs, les trompettes résonnèrent triomphalement, et j'entendis tonner au loin les canons des parcs et de la Tour annonçant aux Londoniens que leur reine était couronnée. Émue aux larmes, je tournai mon regard vers Lord Melbourne, debout, la tête haute, à mes côtés, et remarquai une lueur émerveillée dans ses yeux aimants.

Une joie indicible éclata alors... De l'abbaye on entendait l'écho des vivats qui s'élevaient dans tout Londres. À l'intérieur, les gens criaient, pleuraient, agitaient écharpes et mouchoirs, tandis que les saints, pétrifiés dans leurs niches, semblaient les contempler avec étonnement.

Je reçus ensuite l'hommage des pairs : ils vinrent tour à tour — mes oncles les premiers — s'agenouiller devant moi ; puis ils me jurèrent fidélité, baisant ma main et touchant ma couronne. Lord Melbourne ajouta une note affectueuse à cet impersonnel hommage par une légère pression de sa main, à laquelle je répondis avec ferveur. Il leva alors les yeux vers moi et m'adressa un sourire. Un inoubliable sourire, qui m'insuffla sa chaleur et redoubla miraculeusement mes forces.

Le malheureux Lord Rolle, infirme et âgé de plus de quatre-vingts ans, éprouva une grande déconvenue à cette occasion. Montant les degrés du trône, il se prit les pieds dans ses vêtements de cérémonie et, échappant aux gentilshommes qui le soutenaient, roula à terre parmi ses velours et ses fourrures. Parvenant tant bien que mal à se relever, il se prépara à une nouvelle tentative au milieu des cris du public ; c'était pour moi un spectacle insupportable. Lord M., à qui je demandai discrètement si je pouvais m'approcher de Lord John, me répondit par l'affirmative. Je descendis donc à la rencontre du vieux Lord et lui tendis ma main à baiser en lui disant qu'il pouvait se dispenser de toucher ma couronne. Ce geste suscita un enthousiasme frénétique ; pour ma part, je n'avais pensé qu'à ses pauvres vieux os, et à son humiliation s'il tombait à nouveau. (J'appris plus tard que des Américaines, invitées par leur ambassadeur, attribuèrent cet incident à une tradition ancestrale attachée au titre de Lord Rolle, et qui voulait qu'il « roule » devant le roi ou la reine.)

Tandis que l'hommage se prolongeait, l'orchestre continuait à jouer, et un spectacle moins solennel égayait les spectateurs : la distribution des médailles d'or et d'argent du couronnement par Lord Albermarle. Il les jetait à la volée, et l'assemblée avait le privilège de voir des pairs, des généraux et des hommes d'État distingués se ruer sur elles comme des enfants, et même se les arracher des mains. Je dois dire que mes demoiselles d'honneur se montrèrent particulièrement actives dans la mêlée et que leurs traînes ne semblèrent pas entraver le moins du monde leur ardeur.

Après avoir reçu le saint sacrement, seule et tête nue, je repris ma couronne, et le service se poursuivit. Je commençais à me sentir un peu lasse, et les autres aussi sans doute, car l'évêque de Durham me tendit soudain le globe en me priant de le garder, alors que ce n'était pas le moment, et Bath et Wells tournèrent deux pages à la fois, manquant ainsi une partie importante du service, ce qui sema une grande confusion. Lord M. suggèra de faire comme si de rien n'était, mais Lord John insista pour revenir en arrière. Je fus du même avis : il fallait que la cérémonie se déroule d'une manière irréprochable !

Enfin, le chœur entonna l'Alléluia, et, à ce signal, nous nous retirâmes dans la chapelle St. Edouard.

Elle présentait une étrange apparence, car l'autel avait été transformé en buffet et recouvert de plats contenant sandwiches et gâteaux. Lord Melbourne me souffla à l'oreille :

— Je pense que vous pouvez retirer votre couronne un instant si vous voulez, Majesté.

Sa suggestion me ravit, car les deux livres trois quarts d'or et de pierreries commençaient à peser très lourd sur ma tête. Je posai la couronne avec précaution, sur un siège à côté de moi, appréciant ce bref répit, loin des yeux du public.

Puis Lord M. me proposa un verre de vin. Je le refusai

— j'avais un début de migraine et mon haleine ne devait pas sentir l'alcool un jour pareil — mais en revanche, je lui offris d'en prendre un. Le pauvre homme me paraissait bien las et son visage était blafard.

— C'est le poids de l'épée, me dit-il avec un sourire désabusé, quand je lui en fis la remarque.

Il la portait depuis le début de la cérémonie, et en position verticale, ce qui exigeait un effort musculaire considérable. Je réalisai alors qu'il avait près de soixante ans, bien qu'il ne parût pas son âge... Il s'inclina devant moi et alla prendre un rafraîchissement, tandis que l'archevêque s'approchait d'un air soucieux.

— D'après Sir John, je dois maintenant remettre le globe à Votre Majesté, mais je crains fort de ne pas le trouver.

— Je l'ai déjà, lui dis-je, en lui montrant le précieux objet posé sur un siège à côté de moi. L'évêque de Durham me l'a donné depuis longtemps.

— Oh ! murmura l'archevêque, le visage blême. Mais, au fait, où est passé Durham ?

Durham avait disparu. Perplexe, l'archevêque s'inclina et s'éloigna. J'avais l'impression que le pauvre homme ne savait plus où il en était.

Vint le moment de me changer à nouveau. Je revêtis la tenue royale de velours poupre doublé d'hermine, je remis ma couronne, pris le globe et le sceptre, puis sortis de Westminster et montai dans mon carrosse pour regagner le palais. Nous prîmes le même chemin qu'à l'aller, au milieu d'acclamations de plus en plus enthousiastes. Ma lassitude s'évanouit comme par magie devant cette manifestation d'amour et de loyauté de mon peuple. À peine arrivée à Buckingham, je me précipitai dans mes appartements privés et donnai un bain à Dash pour me faire pardonner mon absence. Mes maux de tête avaient cessé, et je me sentais fraîche comme le jour. Daisy, qui tenait à me bassiner le front avec de l'eau de lavande, était littéralement abasourdie par mon énergie !

Le soir, je présidai le banquet officiel. Parmi les nombreux compliments que je reçus, j'appréciai surtout ceux du comte Sebastiani, ambassadeur de France, dont l'opinion était sans aucun doute impartiale, car il avait assisté au couronnement de l'empereur Napoléon, lequel avait arraché la couronne des mains du pape pour la poser lui-même sur sa tête. « Ce fut une grandiose cérémonie, me dit-il, mais certainement moins imposante que celle à laquelle je viens d'assister. »

Un peu plus tard, Lord M. s'approcha de moi. Je lui tendis ma main, qu'il serra dans la sienne en souriant, avant de me féliciter pour cette magnifique journée.

— Et moi, ai-je été à la hauteur ? lui demandai-je timidement.

— Beaucoup plus que cela ! Vous avez été merveilleuse en tout point. C'est un don inné dont vous pouvez être fière.

Ravie, j'observai néanmoins qu'il paraissait fatigué. Il admit qu'il s'était fait beaucoup de souci au sujet de la cérémonie, et que le matin même il avait dû absorber du laudanum car il était souffrant. Un frisson me traversa soudain, comme si un courant d'air froid avait effleuré ma nuque. Je l'ignorais alors, mais ce souffle n'était autre que celui de la mort.

— Vous devez être bien lasse vous aussi, madame, me dit-il pour détourner la conversation. Vous n'attendrez pas les feux d'artifice, je suppose.

— Pourquoi pas ? Je me réjouis d'y assister.

— Méfiez-vous, vous êtes plus fatiguée que vous ne croyez.

J'ai veillé tard ce soir-là et j'ai assisté du balcon aux feux d'artifice. Un enchantement ! « On aurait cru voir Sodome et Gomorrhe détruites par le feu », dit plus tard l'une de mes femmes de chambre sans se douter que je l'écoutais.

7

Windsor, 28 avril 1900

Me voici revenue d'Irlande. Ma visite a été un véritable triomphe et les Irlandais se sont montrés merveilleusement loyaux et affectueux. Ponsonby, qui a l'habitude de m'accompagner, a déclaré qu'il n'avait jamais vu de telles manifestations d'enthousiasme. L'accueil que m'a réservé ce peuple au grand cœur compense largement l'inévitable fatigue qu'occasionne un tel voyage. Arrivée à Kingstown le 4 avril, je suis repartie le 26 — un déplacement de trois semaines qui me laisse bien du regret au cœur maintenant qu'il est terminé...

J'ai décidé que soit désormais donné un trèfle en mon nom à tous les soldats irlandais le jour de la Saint-Patrick. En outre, un nouveau régiment de gardes irlandais sera créé pour commémorer ma visite et leur courage en Afrique du Sud.

La saison m'a paru bien avancée ici, et les primevères ont terminé leur floraison, ce qui est bien dommage. J'adore les voir éclore au printemps ; Albert m'offrait toujours les premières de l'année, car il savait où elles se nichent. Tous les ans, j'en envoyais un carton à ce cher Disraeli, qui les préférait à toutes les autres fleurs. Il leur trouvait un parfum suave que je n'ai jamais pu déceler. Cet homme était doué d'un tel raffinement !

J'ai fort bien surmonté la fatigue du voyage, et je me réjouis de reprendre mon récit. Quoique je n'aie nulle envie de parler de Lady Flora Hastings, la franchise m'oblige à mentionner les bons et les mauvais souvenirs. Et cet incident eut une importance cruciale au début de mon règne...

En y repensant aujourd'hui, je me demande quelle folie m'a saisie. Mais une jeune fille de dix-huit ans, arrachée brusquement à sa solitude et à une vie semi-carcérale pour devenir reine d'Angleterre, ne risquait-elle pas de perdre un peu la tête ? Sachant que deux cours hostiles cohabitaient sous un même toit, que je haïssais Conroy, et que ce triste sire n'avait toujours pas dit son dernier mot, comment s'étonner que certains ennuis soient survenus ? Il se passa des choses fort déplaisantes et regrettables dont j'ai longtemps gardé un très mauvais souvenir. Je ne saurais dire à quel point mes actions ultérieures furent affectées par cette affaire qui éveilla tant de haine et de culpabilité en moi.

Je vouais à Lady Flora la même haine qu'à toutes les créatures de Conroy. Elle faisait toujours partie de la suite de maman, ce que je considérais en soi comme un outrage, et elle s'était toujours entendue avec Conroy pour me persécuter. Cette espionne avait comploté pour me séparer de Lehzen, ma fidèle amie ! Intelligente, cultivée, et non dénuée de charme, Lady Flora alliait un esprit malveillant et une langue de vipère à une extrême piété, ce qui m'apparaissait comme une hypocrisie flagrante.

À l'instar de beaucoup d'Anglais, je n'ai jamais apprécié la bigoterie, et Lord M. m'approuvait sur ce point. Il avait coutume de dire : « Peu importe l'Église à laquelle on appartient, mais la religion anglicane est la meilleure car la plus discrète. » Bien que profondément croyante, je ne vois aucune raison d'imposer ma foi à d'autres, et j'ai toujours eu horreur de l'intolérance. Les quakers, les juifs, les catholiques romains, les hindous et les musulmans méritent notre respect, chacun à sa manière. Mais j'estime aussi que notre pratique religieuse n'est pas un gage de vertu : Dieu ne s'intéresse qu'à notre cœur...

L'atmosphère, au palais, ne cessa de se détériorer après le couronnement, dégénérant en une tension continuelle, émaillée de violentes querelles. Mes dames d'honneur ne s'entendaient pas avec celles de maman. Elles disaient à Lehzen que Scotty (c'est ainsi qu'elles surnommaient Lady Flora) leur faisait peur à cause de ses yeux perçants et de sa langue de vipère. Plusieurs membres de la famille royale intervinrent dans le conflit, et deux camps ennemis s'opposèrent. Mon frère Charles passa de mon côté après mon accession au trône (sans doute parce que j'avais plus à offrir que Conroy), tandis que les Cambridge ralliaient celui de maman. Ma cousine Augusta Cambridge, de trois ans ma cadette et avec qui j'avais de bonnes relations, n'avait plus le droit de venir bavarder seule avec moi. Maman me harcelait pour que j'invite George Cambridge à la cour. Supposant qu'elle avait l'intention de nous marier, je me montrais réticente, ce qui éveilla l'hostilité de ma tante Cambridge. Par ailleurs, Lady Flora, qui accompagnait toujours maman quand elle passait la soirée au salon avec moi, rapportait chacune de mes paroles à Conroy, qui les déformait à sa guise et les faisait parvenir aux oreilles de mon oncle Sussex.

Mais j'avais bien d'autres ennuis ! Je recevais des lettres affligées de mon oncle Léopold (auquel je me fiais beaucoup moins depuis que je m'étais rapprochée de Lord M.), qui me reprochait ma déloyauté et mon ingratitude. Stockmar inspirait une hostilité croissante à la cour. Il symbolisait l'« influence étrangère » (un reproche dont Conroy était probablement l'instigateur !) ; je dus le renvoyer à Bruxelles pour avoir la paix, mais mon oncle Léopold ne me pardonna pas ce geste. Enfin, je craignais sans cesse de perdre Lord M., car son gouvernement était instable, et ses allusions à son départ éventuel me bouleversaient.

Cette ambiance tendue finit par me perturber... Mon humeur s'en ressentit : j'avais des accès de colère ou de découragement, et de soudaines crises de larmes. J'étais fatiguée, j'avais mal au dos et d'affreuses migraines. Ces dernières m'angoissaient particulièrement. Ayant appris que la folie de mon grand-père avait commencé ainsi, j'étais hantée par l'idée qu'il m'avait transmis cette tare en même temps que ma ressemblance certaine avec les Hanovre.

Je me préoccupais aussi de ma tendance à prendre du poids : j'avais toujours trouvé un certain réconfort dans la nourriture et plus personne ne m'obligeait maintenant à me restreindre. Je devins irritable avec mon cher Lord M. lui-même. Ma nervosité avait atteint un tel degré que la moindre de ses critiques me semblait une attaque personnelle, à plus forte raison quand il visait mon point le plus sensible.

— J'ai appris à Paris que Votre Majesté avait commandé des robes d'une taille supérieure cette année, me dit-il un jour.

— C'est vrai, me hâtai-je de répliquer. Je n'aime pas les vêtements trop étriqués.

Il parut sceptique.

— Vous me semblez plus forte que l'année dernière, madame. Il est souhaitable qu'une femme soit bien en chair, mais dans l'intérêt de votre chère santé, je...

— Eh bien, j'ai peut-être grossi, mais qu'y faire ?

— Je crains que vous n'ayez trop bon appétit, me répondit-il franchement. Une tendance commune à tous les Hanovre ! (Il pensait me rendre la pilule moins amère grâce à cette remarque.) Mais prenez garde ! Ces migraines et ces accès de nervosité dont vous souffrez depuis quelque temps vous laisseraient en paix si vous suiviez un régime plus strict. D'ailleurs votre teint a tendance à jaunir. Votre goût pour la bière et les liqueurs vous jouera de mauvais tours, madame ! Je vous l'ai déjà dit.

— Mais je n'aime pas le thé !

— Alors, buvez un peu de vin. Un peu de bon vin chaque jour favorise la santé. Le manque de vin a nui à la princesse Charlotte : une Hanovre ne peut prospérer si elle se prive trop. Mais vous, madame, je vous conseille de vous restreindre, sinon vous deviendrez beaucoup trop forte. Il ne faut manger que lorsqu'on a faim.

— Dans ce cas, répliquai-je, je pourrais passer ma vie à manger, car j'ai tout le temps faim.

Il insista encore.

— Si vous mangiez plus lentement, vous n'auriez pas cette sensation quand vous sortez de table. J'ai pu constater que Votre Majesté a une fâcheuse tendance à avaler beaucoup trop vite.

Je rougis car il avait vu juste. Encore aujourd'hui, j'ai tendance à manger trop vite et je n'ai nulle envie de me corriger. Selon l'étiquette, dès que je pose ma fourchette pour signifier que j'ai terminé un plat, les domestiques enlèvent les assiettes, même si mes invités n'en sont pas au même point. Je ris devant leur air ahuri lorsqu'ils voient disparaître les mets après une ou deux bouchées seulement — d'autant plus que l'obligation de converser avec leurs voisins les contraint à ralentir leur rythme. Le plus drôle est que les habitués s'efforcent de parler le moins possible, afin de ne pas perdre une seconde et me surveillent du coin de l'œil pour ne pas se laisser distancer !

— Il faut faire de l'exercice, ajouta Lord Melbourne. Vous marchez si peu que vous allez perdre l'usage de vos jambes.

— J'ai horreur de marcher, répliquai-je, insensible à la plaisanterie.

— Pour éviter de prendre du poids, il n'y a pas d'autre solution.

— Quand je marche, j'ai toujours des cailloux dans mes souliers.

— Portez des chaussures plus étroites !

— Mes pieds enflent !

— Vous avez des problèmes de circulation parce que vous ne marchez pas assez.

— Je n'ai nullement l'intention de marcher.

— Vous avez tort !

— Je m'en moque. D'ailleurs, la reine de Portugal est énorme bien qu'elle fasse beaucoup d'exercice ! Que dites-vous de cela ?

Un moment réduit au silence, mon cher ami préféra changer de sujet, mais de telles discussions n'étaient pas bonnes pour nous, et je me sentais navrée après coup.

L'affaire Lady Flora porta cette tension à son comble. Quand elle reprit son service en janvier 1839, après avoir passé Noël en famille, nous constatâmes, Lehzen et moi, qu'elle avait pris de l'estomac sans que le reste de son corps ait grossi : en fait, elle avait maigri, alors que sa taille s'était singulièrement épaissie. Nous en déduisons aussitôt qu'elle attend un enfant. Pourtant, elle est bien célibataire n'est-ce pas ? Et je me réjouis de voir mon ennemie confondue, elle, qui avait toujours fait étalage de sa piété et de sa vertu. De plus je savais qui l'avait rendue grosse : quelques mois plus tôt, elle était revenue d'Écosse, en chaise de poste, seule avec Conroy pendant tout le voyage. Mes deux ennemis atteints simultanément, que pouvais-je souhaiter de mieux ?

Les ragots allèrent bon train au palais et, dès la fin du mois, la rumeur menaça de franchir les murs. Certaines de mes dames d'honneur, craignant pour leur propre réputation, prièrent Lady Tavistock, ma première dame de la Chambre, d'intervenir. Lady Tavistock s'adressa à Lord Melbourne, et celui-ci à Sir James Clark — mon médecin et celui de maman. Lady Flora l'avait consulté plusieurs fois, expliqua-t-il à Lord M., au sujet de sa santé : elle se plaignait de douleurs au côté, de nausées et de dérangement intestinal. Il lui avait prescrit de la rhubarbe, de l'ipéca et autres remèdes simples, mais il supposait qu'elle était grosse... Il conseilla à Lord Melbourne de prendre patience ; ce dernier l'approuva et me dit que j'avais tout intérêt à ne pas intervenir.

Mais les ragots continuaient à se répandre comme une traînée de poudre ; mes dames d'honneur s'inquiétaient de plus en plus pour leur réputation, et celles de maman accusaient Lehzen d'avoir fait courir ce bruit pour discréditer ma propre mère. Une simple conversation entre maman et moi aurait dû éclaircir la situation, mais nous étions à couteaux tirés et il était impensable que nous abordions un sujet aussi délicat. Quand la rumeur s'amplifia, l'une de mes dames d'honneur, Lady Portman, alla trouver maman, l'informant du scandale — apparemment elle n'était pas encore au courant — et lui déclarant que Lady Flora devait se soumettre à un examen médical ou quitter le palais.

Maman parut horrifiée et Lady Flora, indignée, refusa d'abord pareille humiliation ; mais, de guerre lasse, elle finit par céder. Le 17 février 1839, elle accepta d'être examinée par Sir James Clark, assisté de Sir Charles Clarke, un spécialiste des maladies de la femme. L'examen — sans doute fort éprouvant pour Lady Flora — se déroula en présence de Lady Portman (qui, paraît-il, préféra se cacher le visage pour ne pas voir) et de sa femme de chambre. Après quoi, les deux médecins signèrent un certificat attestant la virginité de la patiente et déclarant que, malgré une distension considérable de l'estomac, il n'y avait pas lieu d'estimer qu'il existât — ou qu'il ait pu exister — une grossesse.

Lorsqu'elle apprit le verdict, maman congédia Sir James, sous prétexte qu'il avait encouragé des rumeurs mensongères ; et, fort attristée, j'adressai mes regrets à Lady Flora en lui proposant de la rencontrer quand elle le voudrait. Elle me fit répondre qu'elle était trop bouleversée pour l'instant, et je ne la vis que la semaine suivante. Je fus alors frappée par son teint jaune et ses tremblements nerveux. Les larmes aux yeux, je pris sa main dans la mienne et la baisai, puis je lui fis part de mes regrets. Elle me remercia et accepta de me pardonner — par égard pour sa maîtresse —, ajoutant toutefois qu'elle ne pourrait oublier ce qui venait de se passer.

Tout aurait dû s'arrêter là, mais, quelques jours plus tard, Sir James Clark, sans doute mécontent d'avoir été congédié par maman, confia à Lord Melbourne qu'il gardait des doutes malgré le certificat qu'il avait signé. Sir Charles et lui avaient constaté un développement de la matrice, donc rien n'excluait une grossesse : Lady Flora était bien vierge, mais des choses étranges se produisent parfois... Lord M. me transmit ce message, et nous revînmes à notre conviction initiale que Lady Flora était coupable. Je me reproche maintenant cette réaction, mais à l'époque j'étais beaucoup plus encline à l'intolérance qu'au pardon.

Cependant, la dame en question avait écrit à son frère aîné pour se plaindre du traitement qu'elle avait subi à la cour. La famille Hastings était farouchement engagée du côté des tories et détestait Lord Melbourne, qui avait souvent dit en public que les Hastings n'avaient pas une once de bon sens. Il ne restait plus qu'à mettre le feu aux poudres...

Conroy rapporta les faits à la presse d'opposition, en la

priant d'en faire le meilleur usage possible, et, sous sa pression, maman incita Lady Flora à demander réparation. Aux attaques succédèrent les contre-attaques et les accusations de la presse tory contre Lord M. et Lehzen, considérés comme les instigateurs de l'affaire. Lord Hastings parcourait Londres comme un dragon crachant du feu, tandis qu'à Bruxelles le frère de Lady Flora ébruitait l'histoire, qui gagna bientôt toutes les cours d'Europe. Plus le temps passait, plus j'éprouvais d'animosité envers Lady Flora et plus je me persuadais qu'elle attendait un enfant. Je dois dire que le seule personne vraiment digne dans toute cette histoire fut maman : elle n'a jamais désavoué sa dame d'honneur et a cru à son innocence du début jusqu'à la fin.

Inquiet des réactions de l'opinion publique, le duc de Wellington essaya de ramener un peu de calme en nous priant d'apparaître toutes les trois ensemble en public. Je finis par accepter, car le Duc m'avait assuré qu'il connaissait le vrai coupable, et qu'il allait persuader Conroy de quitter le service de maman. Cette idée me combla de joie, bien évidemment.

« Il n'arrivera jamais à ses fins ! » objecta tristement Lord M. quand je le mis au courant. Il ajouta que Conroy ne céderait pas, et que la duchesse n'écouterait personne en dehors de lui. Contre toute attente, le Duc obtint satisfaction en passant « beaucoup de pommade » à Conroy, d'après ce qu'il dit alors à Lord M... Bien des années plus tard, maman m'apprit que le Duc était venu la trouver et qu'il lui avait parlé de Conroy « assez rondement », en lui déclarant que le moment était venu de le renvoyer. Impressionnée par la colère du Duc, elle avait versé des larmes, mais n'avait rien promis ; toutefois son manque d'ardeur à le défendre avait dû persuader cet ignoble individu qu'il était temps de faire sa malle.

Le 10 juin 1839, Conroy renvoya donc ses domestiques et prit avec sa famille le chemin de l'Italie. J'avais un poids en moins sur les épaules ! Après un séjour de quelques années à Rome, il revint en Angleterre, où il vécut sur un grand pied à Reading. Il n'avait jamais cessé de correspondre avec maman ni de harceler les Premiers ministres successifs pour obtenir une pairie. Mais, en 1850, sa désastreuse gestion des finances de maman et de la princesse Sophie ne fut plus un secret pour personne, et ses derniers espoirs d'avancement s'évanouirent sans doute. D'importantes sommes avaient « disparu » alors qu'il était intendant — dont un billet à ordre de seize mille livres d'oncle Léopold qui ne fut jamais encaissé par la banque de maman. À sa mort, la princesse Sophie ne possédait plus rien, alors qu'elle aurait dû être à la tête d'une importante fortune. Au total, Conroy aurait volé soixante mille livres à maman et quatre cent mille à la princesse Sophie, sans compter les sommes puisées chaque jour dans leur caisse. Il mourut subitement d'une crise cardiaque en 1854, et je me demande ce qu'il put dire pour sa défense au moment du Jugement dernier. Peu de chose, sans doute !

Mais revenons-en à l'année 1839. Lady Flora était de plus en plus gravement atteinte, ce qui ne nous empêchait pas, Lord M. et moi, de vilipender cette « mauvaise femme » et sa « misérable famille » qui avaient soulevé un tel scandale dans la presse. Le fait que maman soutienne sa cause me paraissait un acte de trahison à mon égard, qui ne faisait que renforcer ma haine. Lord M., à qui je fis part de mes états d'âme, estima que ma mère et Lady Flora faisaient tout pour me « desservir ». Et soudain, quelques jours après le départ de Conroy, j'apprenais par un message cinglant de maman que Lady Flora était mourante et qu'elle ne passerait pas la semaine.

Bien que bouleversée par cette nouvelle, je ne voulais toujours pas admettre que j'avais été injuste envers elle. À la place du cœur, j'avais une pierre que ni la raison ni l'expérience ne pouvaient déloger ; cependant, connaissant mon devoir, je décidai d'annuler le bal qui devait avoir lieu le soir même et je fis dire à Lady Flora que j'irais la voir quand elle voudrait.

Le lendemain, elle me reçut seule dans sa chambre, et je me sentis aussi mal à l'aise que sous une douche d'eau glaciale. Une odeur âcre et écœurante imprégnait l'air, malgré le parfum d'un bouquet de roses, posé à son chevet. Des roses jaunes et blanches, qui commençaient à courber la tête. Allongée sur son lit, elle n'avait plus que la peau sur les os, mais son ventre était arrondi comme celui d'une femme qui attend un enfant. Son visage cadavérique me fit horreur ! Sa peau jaunâtre, tendue sur les os, et ses profondes orbites faisaient penser à une tête de mort. Elle n'avait plus ni cils ni sourcils, et je devinais son crâne chauve sous son bonnet.

Quand je lui adressai quelques paroles anodines, elle me répondit d'une voix presque inchangée. Puis elle me prit la main avec une certaine vigueur. Je dus faire un effort pour ne pas la retirer, car ses doigts osseux comme un tas de branches mortes m'inspiraient un véritable dégoût. Ses yeux me dévisageaient d'une manière presque insoutenable.

— Comment vous sentez-vous, Lady Flora ? murmurai-je. J'espère que vous avez tout ce qu'il vous faut.

— Merci, j'ai tout ce qu'il me faut, répondit-elle, avant d'ajouter, après un silence de plus en plus angoissant : Je vous suis très reconnaissante, Majesté, de m'avoir rendu visite.

— J'espère vous revoir bientôt en meilleure santé !

Je sentis une légère pression de sa main, puis elle se détourna d'un air las, comme pour dire : « C'est la dernière fois que nous nous voyons. »

À bout de forces, je balbutiai un adieu, me dégageai et courus dans mes appartements à l'étage supérieur, tremblant de peur comme un cheval qui sent venir l'orage.

J'avais vu la mort en face, je l'avais sentie. Elle s'était introduite dans mon palais et m'avait contrainte à l'écouter, moi qui avais tant d'autres choses auxquelles penser. « *Je suis toujours présente* m'avait-elle dit *même quand on ne me voit pas. Je te trouverai et je prendrai possession de toi ; personne ne peut se dissimuler, personne ne m'échappe... On peut me masquer avec de précieux tissus ou avec des bouquets de roses, cela ne fait aucune différence. Je suis seule souveraine et ta fin est déjà écrite.* »

Pis encore, j'avais été injuste avec Lady Flora ! À mon angoisse et à mon dégoût s'ajoutait ma honte. Or, mon seul recours était de les braver en niant ma faute. Peu de temps après, Lehzen m'éveilla un matin en m'annonçant que Lady Flora s'était éteinte pendant la nuit. « La pauvre petite a levé la main, et elle a rendu son dernier soupir », me dit-elle.

Cette nouvelle me laissa de marbre. Maintes fois, les jours suivants, je répétai que je n'y étais pour rien et que je n'éprouvais aucun remords. Et alors même que la défunte avait eu une conduite inqualifiable lorsque j'étais en son pouvoir, j'étais gracieusement allée la voir sur son lit de mort. À voir sa silhouette, on aurait pu jurer qu'elle était grosse ! N'ayant pas été moi-même à l'origine de la rumeur et n'ayant pas alerté la presse, je n'avais rien à me reprocher. Tels étaient mes arguments... À l'extérieur, j'étais froide et obstinée. Intérieurement, je bouillais de rage contre maman, Lady Flora, les Hastings, et tous ceux qui avaient pris leur parti. Tout au fond de moi-même l'angoisse et la culpabilité me tenaillaient. D'affreux cauchemars hantaient mes nuits...

Deux jours avant sa mort, Lady Flora avait prié sa famille de faire procéder à un examen *post mortem* qui prouverait son innocence. Cette tâche fut confiée à Sir Benjamin Brodie et quatre de ses collègues, qui déclarèrent à l'unanimité qu'elle était morte d'une tumeur au foie, lequel avait pris de telles proportions qu'il avait déplacé d'autres organes, donnant ainsi l'illusion d'une grossesse. L'examen anatomique de l'appareil génital permettait de conclure à la virginité du sujet.

Par chance, la coutume interdisait aux *ladies* d'assister aux funérailles. J'envoyai une voiture ; maman et la reine Adélaïde firent de même. La presse m'avait été si hostile depuis la mort de Lady Flora que Lord M. craignit que la mienne ne fût lapidée. Des forces de police furent déployées sur tout le parcours jusqu'au quai St. Katharine (la défunte devait être enterrée en Écosse) pour faire face à d'éventuels troubles, mais il n'y en eut guère. Tout se passa dans un silence maussade, à peine entrecoupé de quelques murmures. La presse — en premier lieu le *Morning Post*, qui ne songeait qu'à renverser le gouvernement whig — entretint une certaine agitation sous l'influence de la famille Hastings. (J'avais envoyé cinquante livres à la femme de chambre de Lady Flora, mais la vieille Lady H. me les avait renvoyées.)

Lord M. déplora que Lady Flora ait succombé en juillet, au moment où les journaux sont à cours de nouvelles en raison des vacances parlementaires. Il m'assura que l'affaire serait oubliée en septembre, et me conseilla d'afficher un parfait détachement face aux calomnies. Mais j'étais démoralisée et tout me semblait sans intérêt. Je n'avais même plus envie de monter à cheval. Il s'en étonna, bien qu'il eût mauvaise conscience lui aussi.

— J'aurais dû dire à Lord Hastings que c'était moi qui avais répandu la rumeur, et que j'étais responsable de tout ! me déclara-t-il un jour.

Comme je protestais vivement, il ajouta, les yeux emplis de larmes :

— Je ne pense pas vous avoir été de très bon conseil dans cette affaire.

Sur le point de fondre en larmes à mon tour, je lui dis que je le considérais comme « le plus dévoué des amis », puis l'émotion me réduisit au silence. Il me prit la main avec effusion et nous passâmes un long moment sans mot dire, comme deux naufragés sur leur rocher, alors que nous étions dans l'une des plus grandes métropoles du monde...

2 mai 1900

Le refroidissement de mes relations avec mon oncle Léopold tenait en partie au fait que, depuis mon accession au trône, j'avais pratiquement écarté l'idée de me marier...

Longtemps avant, j'avais cru comprendre à demi-mot que mon oncle et grand-maman Cobourg projetaient depuis notre naissance de nous unir, mon cousin Albert et moi. Je l'avais vu pour la première fois en 1836, quand nous avions tous deux dix-sept ans. Il était venu nous rendre visite à Kensington avec son père, le duc de Cobourg, et son frère aîné, Ernest. Nous nous étions plu, dans l'ensemble, mais j'étais alors si avide de compagnie et de distractions qu'il en fallait peu pour éveiller mon intérêt. Néanmoins, nous n'étions nullement tombés amoureux !

Beaucoup plus petit que son frère et un peu gros à l'époque, Albert avait souffert d'un terrible mal de mer pendant la traversée ; il n'était donc pas dans la meilleure des formes. De robuste constitution, je ne supportais pas la moindre faiblesse physique. J'adorais les banquets, les soirées, les bals, et j'aurais continué à danser jusqu'à l'aube si l'orchestre ne s'était tu ! Albert avait quelque difficulté à rester éveillé après neuf heures du soir et à digérer les nourritures trop riches ; il préférait la lecture tranquille aux soirées bruyantes.

Mais je dus admettre qu'il pouvait se montrer spirituel — à une heure pas trop avancée de la journée. Il avait une voix fort agréable et de réels talents d'imitateur, qui me divertirent fort. Quand il repartit, j'étais prête à le considérer comme mon futur mari dans un avenir lointain — mais le plus lointain possible.

La difficulté survint, après mon avènement, lorsque mon oncle Léopold insista pour que je fixe une date. Je venais d'échapper à ma prison et je vouais donc une reconnaissance éperdue à l'homme qui avait contribué à ma libération. Mais les bals et les soirées se succédaient, de beaux jeunes gens rivalisaient de galanterie pour avoir l'honneur de danser avec moi et, grâce à l'affectueuse protection et aux constantes attentions de Lord Melbourne, j'avais découvert les délices du flirt. Rien ne me tentait moins qu'une union avec ce cousin replet et un peu terne, ce couche-tôt qui ne tolérerait sans doute aucune fantaisie et serait jaloux de mes admirateurs. Volant de mes propres ailes depuis si peu de temps, je n'avais aucune envie de renoncer à mon indépendance. Je répondis donc à mon oncle que j'étais trop jeune pour me marier. Quant à Albert, il devait acquérir une plus grande expérience du monde et améliorer sa maîtrise de l'anglais...

Oncle Léopold dut être troublé de voir son cher projet lui filer entre les doigts. Sans que je le sache, il avait fait donner à Albert l'éducation convenant à un prince consort, et bien que je ne me sois jamais promise à mon cousin, il s'en était chargé à ma place. Lorsqu'il l'informa, avec ménagement, de mes réserves, Albert exprima clairement les siennes : il n'avait pas l'intention d'attendre trop longtemps ma réponse, de peur de gâcher sa vie au cas où je ne me déciderais pas en sa faveur. Si ce mariage ne se réalisait pas, il voulait avoir la possibilité de prendre d'autres dispositions et de trouver une autre épouse sans attendre que toutes les princesses de haut rang aient fait leur choix.

L'affaire en était là en ce triste été 1839 où mourut Lady Flora. Nous eûmes une conversation à ce sujet, Lord Melbourne et moi, un jour où j'étais plongée dans de tristes pensées.

— Je me sens bien différente de l'année dernière, soupirai-je. Tout était bonheur pour moi, alors que cette année la vie me paraît bien sombre.

— Vous reprendrez goût à la vie quand s'ouvrira la saison. En juillet, tout est morne.

— Maman aussi me pose un problème. Je ne supporte plus de l'avoir sous mon toit. Elle a longtemps gardé auprès d'elle Conroy, mon pire ennemi, et voyez comment elle s'est conduite à propos de Lady Flora. (À la simple mention de ce nom, je me mis à frissonner.) On me conseille de me réconcilier avec ma mère, mais je ne peux pas oublier ses torts !

— Je comprends, murmura Lord M., compatissant.

— D'ailleurs elle ne m'a jamais aimée. L'idée de cohabiter avec elle pendant des années encore m'est intolérable. Jamais je ne me sentirai en paix tant qu'elle restera auprès de moi.

— Qu'y faire ? maugréa Lord M.

— Je suis prête à tout pour qu'elle parte.

— Rappelez-vous que vous ne pouvez vivre seule ici sans choquer le monde entier.

— C'est pourquoi maman a juré de ne pas me quitter tant que je ne serais pas mariée.

— Dans ce cas, je vois peut-être une solution, déclara Lord M. en haussant les sourcils.

Aussitôt, je devins écarlate.

— Une solution dont je ne veux pas entendre parler ! répliquai-je en me dirigeant vers la fenêtre pour rafraîchir mes joues.

À la pensée du mariage, tout mon être se révoltait ! J'aurais voulu rester éternellement sous l'aile protectrice de Lord M. et ne jamais avoir à grandir. Se marier signifiait devenir mère, et cette éventualité m'horrifiait. J'ignorais encore ce qu'on devait faire pour avoir des enfants, mais j'imaginais le pire — sinon pourquoi tant de mystère autour de la procréation ? J'étais face à une affreuse alternative : me marier ou continuer à vivre avec maman... De plus, je ne pouvais pas songer sérieusement au célibat : la reine d'Angleterre se doit d'avoir un héritier.

Hésitant à aborder un sujet aussi délicat pour une jeune fille pudique, je me réfugiai dans un profond silence. Puis j'eus la conviction que rien ne m'interdisait de me confier à mon très cher ami. Après tout, nous avions l'habitude de nous parler à cœur ouvert !

Je me tournai donc vers Lord M., qui s'était levé en même temps que moi, et lui fis signe de se rasseoir : je me sentais plus à l'aise s'il restait sur son siège tandis que je me déplaçais autour de lui.

— Savez-vous, balbutiai-je, que le plus cher désir de mon oncle — je veux dire le roi Léopold...

Lord M. hocha la tête en signe d'encouragement.

— Mon oncle a toujours souhaité, repris-je, que j'épouse mon cousin Albert, mais je ne suis pas sûre de moi. Je ne l'ai vu qu'une seule fois, et il ne m'a pas paru très beau. Et puis, il a une fâcheuse tendance à s'endormir.

— Rien de très séduisant en tout cela...

— Je suis hostile à l'idée d'un mariage arrangé ! m'écriai-je. J'aime mon pays et je suis prête à me sacrifier dans son intérêt ; mais en ce qui concerne le choix d'un mari, je me crois autorisée à suivre mon inclination avant tout.

— Vous avez raison, approuva posément Lord M. Personne ne peut se permettre de contrarier vos sentiments. D'ailleurs les mariages sans amour mènent souvent à l'échec...

— Certainement !

— Cependant, de sages conseils sont toujours bons à suivre. Quelle sorte de personne est votre cousin ?

— On me dit beaucoup de bien de lui de tous côtés, mais je le connais à peine et je ne saurais me décider sans l'avoir revu.

— Et la duchesse ? (Il essayait de jauger mes sentiments en me posant toutes sortes de questions, mais j'étais incapable d'avoir des idées claires.) Si vous l'épousez et qu'il prenne son parti contre le vôtre, n'est-ce pas un gros risque que vous courez là ?

— Je n'imagine pas que quelqu'un de ma génération puisse prendre le parti de maman.

— Très bien... répliqua Lord M. sans conviction. Mais je me demande s'il est souhaitable que vous épousiez un Cobourg. On ne les aime pas beaucoup ici depuis que votre oncle s'est fait allouer cette importante pension. De plus, ils sont impopulaires à l'étranger ; surtout auprès des Russes.

— Je ne vois pas pourquoi, observai-je, quelque peu agacée par ces critiques concernant ma famille.

— Vous ne voyez pas ? Pourtant, il me semble que votre mère est une Cobourg. Un parfait spécimen, je dirais même !

Je vins m'asseoir en riant, face à Lord M.

— Chez les Cobourg, les hommes valent mieux que les femmes.

Il esquissa un sourire.

— Je l'espère, mais je vous rappelle que les Allemands ont tendance à fumer beaucoup trop et à ne pas se débarbouiller souvent.

— J'ai pourtant rencontré plusieurs de mes cousins, qui m'ont paru charmants.

— Des cousins ! reprit-il d'un ton grave. Je dois vous avertir qu'il n'est guère souhaitable d'épouser un cousin germain. La religion ne s'y oppose pas, mais certaines conséquences sont à déplorer... Je pense que vous me comprenez... Les enfants issus de telles unions présentent parfois des problèmes.

— Alors qui ? demandai-je en piquant un fard.

Après avoir passé en revue les éventuels prétendants, je conclus tristement qu'aucun ne pouvait convenir.

— Et un étranger serait impopulaire en Angleterre, insista Lord M.

— Je ne peux pas non plus épouser l'un quelconque de mes sujets ! Ce serait devenir quasiment son égale et m'exposer à toutes sortes d'exigences de la part de sa famille. Le plus éloigné de ses parents trouverait normal d'être anobli et cela éveillerait les pires jalousies...

— La cour serait envahie de rustres ! s'exclama Lord M. avec un frisson d'horreur qui me fit sourire. Néanmoins, un étranger serait impopulaire dans ce pays.

— Voilà pourquoi je n'envisage pas de me marier ! D'ailleurs, seul mon oncle s'impatiente à ce sujet.

— Le mariage est une affaire grave, murmura Lord M., songeur.

Je compris sa remarque, car il semblait plongé dans de douloureux souvenirs.

— Rien ne m'oblige à me décider dans l'immédiat. J'ai trois ou quatre années devant moi... (Brusquement je revins au problème brûlant de mes relations avec maman.) Mais je ne supporte plus la présence de ma mère.

— Une sainte elle-même se lasserait de vos éternelles querelles !

— Et pourtant l'idée de me marier m'est pénible. J'ai pris l'habitude d'agir à ma guise, voyez-vous.

— Une reine peut toujours agir à sa guise.

— Oui, mais comme il y a peu de chance que je sois toujours d'accord avec mon futur mari, je devrai m'affronter à lui pour avoir le dernier mot. Quelle vie orageuse en perspective !

— Votre cousin ne viendra-t-il pas vous rendre visite cette année ? demanda Lord M. après un silence.

— Oncle Léopold souhaite qu'Ernest et Albert viennent à Windsor cet automne.

Lord M. hocha la tête.

— Il est bon que vous les voyiez. Quoi de plus naturel que la visite de vos cousins ? Quant au mariage, il ne s'impose pas.

Les efforts de Lord M. pour me rassurer finissaient par m'irriter, d'autant plus que mon problème n'était toujours pas résolu : si je ne me mariais pas, je devrais continuer à vivre avec maman...

— Je me moque qu'ils viennent ou non ! m'exclamai-je. Et toute cette discussion m'exaspère ! Je ferais mieux de ne jamais me marier.

— Permettez-moi d'avoir des doutes à ce sujet, objecta Lord M. d'un air si bizarre que mon irritation s'évanouit. Néanmoins, tant que votre mariage n'est pas un sujet d'inquiétude dans ce pays, vous n'avez nulle raison de vous hâter.

Je faillis me jeter à son cou de gratitude. Il m'avait fourni une excellente excuse pour éluder les questions insistantes de mon oncle : j'étais reine d'Angleterre et personne ne pouvait m'obliger à épouser mon cousin contre mon gré. Ainsi, pendant les mois qui suivirent, je m'efforçai de chasser cette question de mon esprit.

La journée du 10 octobre restera inoubliable pour moi. Elle commença bizarrement car, au cours de la nuit, un fou vint jeter des pierres contre mes vitres et en brisa plusieurs — ce qui me contraria au plus haut point. On ne sut jamais qui était le coupable ni ce qui l'avait poussé à ce geste. En outre, ayant mangé du porc la veille, nous nous sentions un peu lourds Lord M. et moi. Pour nous éclaircir les idées, nous décidâmes de faire une longue promenade. Nous revenions par la terrasse (nous nous trouvions alors à Windsor) lorsqu'un page accourut avec une lettre.

Après l'avoir parcourue, je jetai un regard anxieux à Lord M.

— Un message de mon oncle Léopold, dis-je. Il m'annonce l'arrivée de mes cousins ce soir même.

Lord M. hocha la tête d'un air préoccupé. Je compris tout de suite pourquoi : il craignait certainement que cette visite ne sonne le glas de notre tranquillité, et je partageais son appréhension. Les événements allaient s'enchaîner très vite... Albert serait à Windsor d'ici à quelques heures, et une décision s'imposerait bientôt. Je redoutais qu'il ne m'inspire aucun sentiment, ni positif ni négatif. Que ferais-je s'il me laissait indifférente ?

— On m'a dit qu'il était devenu très bel homme, murmurai-je nerveusement.

Lord M. croisa mon regard en souriant.

— Mais reste-t-il éveillé après le dîner ?

— Nous ne tarderons pas à le savoir...

À sept heures trente, on nous annonça l'arrivée de la voiture. J'allai aussitôt accueillir mes cousins en haut de l'escalier d'honneur. La traversée avait été mauvaise et leurs bagages s'étaient égarés. M'attendant à leur trouver le visage pâle et fatigué, je me promis de ne pas me fier aux apparences.

Lorsque les deux silhouettes commencèrent à gravir les marches, j'étais si tendue que j'osai à peine les regarder. Ernest marchait le premier, il n'avait pas changé ; mais je n'en crus pas mes yeux en voyant son frère. Albert, cet homme grand et mince ? Dire qu'il avait « embelli » était loin de la vérité. Il me parut magnifique !

Debout devant moi, il me regarda dans les yeux en prenant la main que je lui avais tendue sans m'en apercevoir. Je lui rendis son regard et ce fut un véritable *coup de foudre*[1]...

Le lendemain soir, nous improvisâmes une soirée dansante, qui, n'ayant rien d'officiel, me permit d'oublier l'étiquette qui

1. En français dans le texte.

m'interdisait certaines danses. Ce fut un enchantement pour moi de voir Albert danser la valse, le quadrille et le galop. Il évoluait avec grâce et sa silhouette me parut sans défaut : il avait un corps élancé, de larges épaules et la taille bien prise. La veille, tandis qu'il montait à cheval, j'avais remarqué la musculature de ses jambes, et surtout de ses cuisses, moulées dans d'étroits pantalons. La virilité de ce jeune homme m'émerveillait, mais j'étais non moins sensible à une certaine spiritualité qui émanait de lui. Son visage semblait dessiné de main de maître et colorié avec délicatesse : ses yeux bleus avaient un éclat qui aurait fait pâlir d'envie un ciel d'été, son nez était fin et droit, et sa bouche délicieusement expressive. Ses cheveux châtain clair, avec quelques reflets dorés ici et là, rappelaient les miens. Un fine moustache et de délicats favoris ombraient son visage.

Il était, disait-on, le portrait de sa mère, qui avait été fort belle. J'avoue qu'il ne ressemblait guère à son frère, un homme très brun, aux yeux noirs, et dépourvu de toute délicatesse. Par chance, il avait aussi une personnalité bien différente de celle d'Ernest, qui marchait sur les traces de son père, un débauché, dépensier et immoral ! Il souffrait déjà, à l'époque de cette visite, de la syphilis qui finit par l'emporter. Bien sûr, je n'étais pas au courant. Les fréquents accès de fièvre qui le clouaient au lit passaient alors pour de simples problèmes hépatiques...

Moi qui aurais tant souhaité être belle, je savais apprécier chez autrui la beauté qui m'avait été refusée. Le dimanche, à la chapelle St. George, je pus observer combien Albert était ému par la musique ; alors qu'il l'écoutait, on aurait dit que son âme affleurait sous les traits de son visage... La musique comptait dans ma vie, et je fus ravie de partager ce goût avec cet homme irrésistible. En outre, il jouait du piano divinement et chantait d'une belle voix de ténor. Nous avions eu l'occasion d'exécuter ensemble quelques duos, et il avait estimé — jamais je ne l'oublierai — que nos deux voix s'harmonisaient à merveille.

De plus, Albert était homme d'esprit. Il sut nous distraire pendant le déjeuner avec des anecdotes au sujet de ses études à Bonn et de savoureuses imitations de certains éminents professeurs. Il avait emmené à Windsor sa chienne, une magnifique levrette appelée Éos. (Il m'apprit qu'« Éos » signifiait « Aurore », car elle était noire comme la nuit, avec une traînée argentée comme les premières lueurs du jour.) On dit que les humains ont une certaine ressemblance avec leurs chiens, eh bien Éos était exactement le genre d'animal que j'aurais choisi pour Albert : mince et élégant, doux et aimable, avec une telle mélancolie dans le regard... Rien à voir avec mes chiens enjoués et bruyants ! Elle était si bien dressée qu'elle fit le tour de la table et tendit la patte à chacun de nous. Elle pouvait sauter à une hauteur incroyable et était si délicate qu'elle prenait de la nourriture sur une fourchette sans en répandre une miette. Évidemment, Éos adorait son maître, et cela me parut on ne peut plus naturel !

Le lendemain, je fis chercher Lord Melbourne pendant qu'Ernest et Albert étaient à la chasse et lui annonçai que mon point de vue sur le mariage avait changé du tout au tout.

— Cela ne me surprend pas, observa-t-il d'un air entendu. Le prince Albert est fort bel homme !

— Alors, vous aviez deviné ma réaction ?

— J'ai tout de suite compris qu'il vous intéressait. Hier, quand vous étiez assise avec lui sur le sofa en train de feuilleter un album, vos regards étaient plus souvent posés sur lui que sur les gravures.

— Quelle clairvoyance ! murmurai-je. Vous avez donc compris que j'ai l'intention d'épouser Albert.

Y eut-il un silence ? Parut-il se tasser un instant sous mon regard ? À l'époque j'étais trop axée sur mes propres sentiments pour m'en apercevoir, mais, avec du recul, j'imagine le coup que je dus lui porter. La jeunesse est terriblement insouciante... À l'âge que j'ai aujourd'hui, j'apprécie mieux la dignité de son attitude.

— J'en suis ravi ! s'exclama-t-il avec enthousiasme. Vous vous sentirez beaucoup plus à l'aise. Une femme ne peut rester longtemps seule, quelle que soit sa situation, et la vôtre est des plus délicates.

— En effet, j'ai besoin d'un soutien. Il est si beau, si aimable, si posé... Que puis-je souhaiter de mieux, moi qui ai si mauvais caractère ?

— Ce jeune homme vous conviendra parfaitement. Mais avez-vous songé à la date de votre mariage ?

— Peut-être l'année prochaine.

Lord Melbourne hocha la tête.

— Plus rapidement, si possible ! Il faut réunir le Parlement pour qu'il prenne certaines dispositions — concernant la pension de votre époux, entre autres. Après quoi, il est préférable de ne pas trop attendre, pour ne pas laisser les gens jaser. Éviter les bavardages permet aussi de prévenir les objections —

quoique je ne croie pas qu'il y en ait beaucoup. À mon avis, la nouvelle de votre mariage sera accueillie avec joie.

Après avoir discuté un moment, le mois de février nous parut une date convenable.

— Il sera nommé maréchal, selon la coutume, reprit Lord M.

— Oui, et on devra l'appeler « Altesse Royale » — et non plus « Altesse sérénissime » qui sonne si mal !

— Nous ne voulons pas de pacotille pour le prince, mais de l'or massif ! approuva Lord M. en riant.

— Quant au titre de duc...

Lord M. m'interrompit.

— Non, cela me paraît imprudent ! Les gens risquent de l'accuser de se mêler de politique s'il a un siège à la Chambre des lords.

— J'allais justement vous dire que ce titre me semble insuffisant. Je préférerais celui de roi consort ! (Voyant la mâchoire de Lord M. s'affaisser brusquement, j'ajoutai :) Peut-être pas tout de suite, mais dans un an ou deux, quand tout le monde aura pris conscience de sa valeur.

— Mon Dieu, madame, murmura-t-il d'une voix blanche, ôtez-vous cette idée de la tête ! Il ne doit devenir roi à aucun prix !

— La princesse Charlotte avait pourtant promis que mon oncle Léopold deviendrait roi lorsqu'elle monterait sur le trône. Albert ne mérite-t-il pas cette faveur ? Et à quoi bon être reine si je ne peux donner à mon mari le rang qu'il mérite ?

— Vous n'avez pas ce pouvoir ! Il faudrait pour cela que le Parlement vote une loi. Comme à l'époque de Guillaume III et de la reine Marie.

— Je n'ai qu'à suivre leur exemple.

— Surtout pas ! Si le Parlement prend l'habitude de *faire* des rois, il risque de s'habituer aussi à les *défaire*. Je vous en prie, n'encouragez pas de telles prétentions !

Voyant ma mine renfrognée, il poursuivit doucement :

— Vous pourrez, sans aucune difficulté, lui accorder la première place dans l'ordre des préséances.

— Il précédera dans la hiérarchie mes parents anglais ?

— Naturellement ! Il aura dans la société la place qu'il occupe dans votre cœur.

Attendrie, je tendis la main à Lord Melbourne.

— Oh, merci d'avoir été si bon et si paternel envers moi ! J'avais pourtant craint de vous déplaire...

— Ce qui contribue au bonheur de Votre Majesté ne saurait me déplaire.

Cher Lord M. ! Il se doutait que l'époque de notre heureuse intimité prenait fin, mais il évita de prononcer le moindre mot, de faire le moindre geste qui aurait jeté une ombre sur mes projets d'avenir.

— Vous devriez informer le prince de vos sentiments dès que possible, me suggéra-t-il d'une voix à peine hésitante.

— Mon Dieu, c'est le monde à l'envers ! Je me sentirais affreusement gênée.

— En l'occurrence, vous devez vous conduire comme un homme. Votre qualité de reine vous prive du privilège d'être demandée en mariage.

Je ris de bon cœur.

— Cela n'a rien d'un privilège ! J'aime autant prendre l'initiative et ne pas attendre une demande sans avoir les moyens de la hâter.

— Les femmes ont habituellement l'art de laisser deviner leurs sentiments...

Avant de me quitter, il me baisa la main en me demandant quand j'avais l'intention de me déclarer à Albert.

— Demain, répondis-je.

— Le 15 octobre restera donc une date mémorable !

Sur ces mots, il s'en alla, grand et majestueux, toujours beau... mais un vieil homme rentrant dans l'ombre et laissant la scène vide pour le nouvel acteur qui jouerait désormais le premier rôle.

8

Windsor, 4 mai 1900

Revenons-en à ce mardi 15 octobre, si profondément gravé dans ma mémoire. Ce matin-là, tandis qu'Albert et Ernest étaient à la chasse, je m'occupai de mes boîtes de dépêches avant de me réfugier dans le salon Bleu, mon salon privé, où je tournai en rond comme un oiseau en cage. Je l'aimais, sans aucun doute, mais lui, qu'éprouvait-il ? J'ignorais ses sentiments...

Certains signes étaient évidemment favorables. Il m'avait paru très empressé — mais une reine ne mérite-t-elle pas quelques attentions ? Il s'était montré plaisant et aimable — mais qui n'avait pas été sensible à son charme ? (Lady Cowper, la sœur de Lord M., lui avait trouvé d'exquises manières !) La veille, lorsqu'il m'avait dit bonsoir après le bal, il m'avait serré la main affectueusement — mais était-ce suffisant pour que je joue mon va-tout ?

Sur la pointe des pieds, j'observai dans le miroir au-dessus de la cheminée mon visage rond au teint de pêche, encadré de cheveux châtain clair. J'avais coupé mes boucles et portais un chignon, avec un macaron sur chaque oreille, à la Plantagenet, comme la reine Philippa. (D'après Lehzen, cette coiffure me donnait un air digne.) Que penser de ce reflet familier ? me demandai-je. J'ai d'assez grands yeux, bleu pâle, mais un peu protubérants ; un nez comme il n'est pas permis ! À cause de mon menton fuyant, ma lèvre inférieure laisse apparaître mes dents — de jolies dents, petites et régulières, mais on ne tombe pas amoureux d'une denture ! J'ai une voix argentine et une démarche gracieuse — mes seuls atouts.

J'en oubliais un autre : j'étais reine d'Angleterre, le meilleur parti de toute l'Europe. Albert n'ignorait pas la raison de sa visite à Windsor et il ne refuserait pas ma demande. Mais il était si beau et je l'aimais tant ! Qu'allais-je devenir s'il acceptait de m'épouser sans amour ?

Je priai Lehzen de lui annoncer que je l'attendais dès son retour de la chasse. Vers midi et demi, j'aperçus des cavaliers remontant la colline au galop. J'aurais déjà pu le reconnaître parmi cent autres ! Ernest et lui chevauchaient côte à côte, essayant parfois de se distancer. J'imaginais leurs rires et leurs exclamations, bien que je fusse trop loin pour les entendre. « Heureux le cheval qui porte le poids de Marc Antoine ! » me dis-je. Ils disparurent de ma vue et je suivis Albert par la pensée tandis qu'il mettait pied à terre et que son valet lui tendait mon message. Il allait certainement prendre le temps de se changer et de se laver les mains. Serait-il aussi tendu que moi à l'idée de ce qui allait se passer, ou indifférent et sûr de sa supériorité ?

Quand il frappa à la porte, je sursautai et je lui dis d'entrer. Mon bel ange était devant moi, les yeux brillants et les joues encore roses après sa chevauchée.

— Vous désirez me voir ?

— Oui, cousin !

Il ferma la porte et m'interrogea du regard. Il ne semblait pas conscient de la gravité du moment : je l'avais peut-être fait appeler pour lui demander d'être mon partenaire au trictrac après dîner... Follement nerveuse, je me tordais les mains pour les empêcher de trembler. Enfin je me lançai d'une voix un peu plus aiguë que d'habitude :

— Je vous ai vu galoper sur la colline. Votre promenade fut-elle agréable ?

— Fort agréable, merci.

— Vous a-t-on donné un bon cheval ?

— Excellent !

— Il fait un peu chaud, cependant, pour une promenade à cheval.

— Maintenant, certes, mais il faisait plus frais quand nous nous sommes mis en route.

Je me creusai la tête pour trouver autre chose, moi qui n'avais jamais eu l'art de la conversation. Et soudain, en repensant aux conseils de Lord Melbourne, je me sentis très calme. Pourquoi me réfugier dans des banalités, alors que nous étions sur le point de décider de notre avenir ?

Les joues écarlates, je levai les yeux vers lui et pris courageusement la parole :

— Je dois vous dire la raison pour laquelle j'ai demandé à vous parler ce matin...

Il rougit à son tour et son trouble me donna des forces. Mon cœur s'épancha en des mots simples et ardents — des mots justes, que je n'aurais pas trouvés si j'avais longtemps réfléchi.

— Très cher Albert, lui dis-je, je vous aime et je serais la plus heureuse des femmes si vous acceptiez de m'épouser.

Il pâlit tout à coup, puis s'approcha de moi et se mit à m'embrasser sur la joue, le front, les lèvres... Il murmura : « *Liebe Kleine*... chère petite... Je vous aime tant moi aussi ! » Étourdie de bonheur, je me blottis dans ses bras ; j'avais peine à croire qu'un tel ange puisse partager mes sentiments. Albert m'aimait. Comment était-ce possible ?

Au bout d'un moment, il m'entraîna par la main vers un sofa où nous nous assîmes. Les yeux dans les yeux, nous nous sentions heureux et rassérénés. Je lui demandai, incrédule, s'il souhaitait vraiment m'épouser.

— Passer ma vie à vos côtés sera la plus grande félicité que je puisse imaginer sur terre, me répondit-il.

— Je ne mérite pas un homme comme vous, cher Albert, mais j'essaierai de tout mon cœur de vous rendre heureux !

Devant mon humilité, il protesta qu'il se ferait un devoir et un plaisir de me rendre heureuse, moi aussi.

Je portai sa main à mes lèvres, la baisai, puis la plaquai contre ma joue en murmurant :

— C'est un grand sacrifice que vous faites-là, mais je m'efforcerai de vous rendre la tâche légère.

— Croyez-moi, ce n'est pas un sacrifice, répliqua-t-il gravement.

— Vous renoncez à tant de choses pour moi !

— Victoria !

En l'entendant pour la première fois prononcer mon prénom sans mon titre, je restai sans voix. Profitant de ma surprise, il saisit mon visage entre ses mains et plongea son regard dans le mien.

— Je vous aime tant, chère petite, répéta-t-il à plusieurs reprises en m'embrassant sur les lèvres.

Je me sentais à la fois apaisée et infiniment troublée au contact de sa bouche. On eût dit que son essence profonde passait dans mon propre corps ! Mon cœur battait à tout rompre dans ma poitrine, comme un oiseau captif qui aurait cherché à prendre son envol vers lui. Quand sa bouche se détacha de la mienne, il me serra dans ses bras et nous restâmes joue contre joue. J'entendais sa respiration rapide comme s'il venait de courir. Que m'arrivait-il ? Quelle était cette étrange excitation ?

Je murmurai passionnément :

— Est-ce cela, l'amour ?

— Bien sûr, me répondit-il avec une certaine brusquerie, comme si lui-même était surpris.

— M'aimerez-vous toujours, Albert ?

— Oui, toujours.

Nous desserrâmes quelque peu notre étreinte, et, la main dans la main et les yeux dans les yeux, nous parlâmes des dispositions à prendre. Je suggérai que notre mariage ait lieu en février et je lui rapportai les paroles de Lord Melbourne à propos du Parlement.

— Il sait donc ? s'étonna-t-il d'un air contrarié.

Je lui rappelai que Lord M. était mon Premier ministre et que je me devais de l'informer.

— Qui d'autre doit être mis au courant ?

— Personne ! Et je tiens comme vous à ce que notre secret soit gardé aussi longtemps que possible.

— Songez-vous à informer votre mère ?

— Nullement !

Il soupira, si j'ai bonne mémoire. Il n'était pas sans savoir que j'étais en froid avec maman...

— Et oncle Léopold ?

— Lui, bien sûr ! Il sera si heureux ! Dans sa grande sagesse, il avait tout prévu.

— Écrivons-lui chacun de notre côté ! s'exclama Albert en me baisant la main.

— Et montrons-nous nos lettres.

— Si vous voulez. Je n'aurai jamais rien à vous cacher, très chère Victoria.

— Ni moi, très cher Albert. Nous lui écrirons après le déjeuner. Mais prions-le de n'en toucher mot à personne, car je tiens à vous garder pour moi seule pendant quelque temps encore. Quel dommage de devoir descendre déjeuner ! Je pourrais rester assise ici avec vous jusqu'à la fin de mes jours...

— Nous avons encore un moment de répit, murmura-t-il en me prenant dans ses bras pour m'embrasser passionnément.

Ce jour-là, nous n'eûmes pas d'autres occasions de nous retrouver en tête à tête, mais j'étais si heureuse que j'avais l'impression de marcher sur des nuages. Je ne fis de confidences à personne. Mes yeux durent pourtant me trahir au moins mille fois ! Pour le dîner, il était vêtu de l'uniforme bleu sombre, à revers et parements rouges, des Windsor. Je crois avoir noté dans mon journal que cet uniforme allait fort bien à Lord Melbourne ; quand je le vis porté par Albert je fus émue aux larmes ! Nos regards se rencontrèrent et un courant d'amour passa entre nous. Nous partagions le plus beau des secrets...

Comme j'allais me retirer dans mes appartements, ma femme de chambre me remit un message apporté par le valet d'Albert :

> *« Très chère et bien-aimée Victoria, comment ai-je mérité tant d'amour et de sollicitude ? J'ai peine à croire à la réalité de tout ce que je vois et entends. Le ciel m'aurait-il envoyé un ange rayonnant pour illuminer ma vie ? Je suis abasourdi par ce soudain changement : moi qui étais seul en tout, me voici l'objet de votre amour si joyeux, si épanoui. En me donnant votre main et votre cœur, vous comblez mes plus chers désirs. Comment vous exprimer ma reconnaissance, sinon en vous promettant mon absolue dévotion tant que je vivrai ? Bonne nuit, et que Dieu vous bénisse. Votre esclave à jamais dévoué corps et âme, Albert. »*

Albert, mon cher amour, il ne me reste plus que tes lettres ! Je tiens celle-ci dans ma main — la première que tu m'as envoyée — et j'embrasse ton nom en me souvenant que ta main chaude et vivante, ta main énergique de jeune homme a tenu la plume qui écrivait ces lignes. Ta langue a humecté le pain à cacheter qui l'a scellée ! Tu étais là, bien vivant à mes côtés, et je ne me doutais pas qu'un jour je resterais sans toi. Pourquoi m'as-tu abandonnée ? Encore aujourd'hui, après tant d'années, ton absence me paraît bien cruelle. Quand je repense à la première fois où tu m'as prise dans tes bras, je donnerais tout ce que je possède pour goûter à nouveau cet instant de bonheur.

Mais c'est impossible, bien sûr. Et que pourrais-je donner d'assez précieux en échange ? Le temps est sans merci, car il détient toutes les cartes.

Plus tard

J'ai dû m'interrompre un moment, en larmes. Après tant d'années, je m'étonne d'éprouver encore un tel chagrin...

Heureusement, je peux me souvenir aussi de ces jours enivrants où il me faisait la cour. Quel ineffable bonheur ! Lorsque nous nous séparions quelques heures, nos retrouvailles n'étaient que plus douces, et je brûlais d'impatience dans l'attente de ses baisers. Nous vivions l'un pour l'autre, et nous nous caressions du regard lorsque nous devions garder nos distances. Si nous dansions, nos mains se serraient tendrement, et même s'il dansait avec une autre, je croyais sentir sur ma main le contact de ses doigts effilés.

Nos tête-à-tête devinrent de plus en plus fréquents, car le pauvre Ernest, souffrant, était généralement cloué au lit. Attirés comme des aimants, nous nous jetions dans les bras l'un de l'autre et nous nous embrassions à en perdre le souffle. Quand je réglais mes affaires dans le salon Bleu, il venait auprès de moi pour me tendre le buvard ou corriger mes fautes d'orthographe. Il rit beaucoup un jour en me voyant écrire « chocant » au lieu de « choquant ». « *Was für ein'vierkliches Alpenblümchen bist du !* ! »[1] s'écria-t-il en allemand. Quand il s'asseyait à ma place pour effectuer des corrections, je me penchais sur ses épaules pour couvrir de baisers le haut de son crâne.

— J'aime vos cheveux, lui murmurai-je un jour.

— Même mes cheveux ?

— Je vous aime de la tête aux pieds.

— *Liebes Kleinshen ! Du bist so Zuss !*[2]

— En anglais ! protestai-je.

— Il n'y a pas de mots pour le dire en anglais.

Sa « petite » ! C'est ainsi qu'il m'appelait souvent, comme si ma petite taille avait du charme en soi. Un jour que j'écrivais, il se pencha soudain vers moi, le buvard à la main, et m'arracha ma plume pour baiser tendrement mes doigts.

— Ils sont si fins, fit-il d'un air émerveillé. Regardez comme votre main paraît petite dans la mienne !

Voyant que je n'avais plus guère envie d'écrire, il m'entraîna sur le sofa et me prit dans ses bras.

— Je vous aime tant que je ne trouve pas de mots pour le dire ! me souffla-t-il.

Une autre fois, je voulus savoir à quel moment il s'était douté de mon amour. Le jour où je l'avais fait appeler dans mon salon Bleu, savait-il déjà ce que j'allais lui dire ?

— J'ai eu la surprise de ma vie, me répondit-il. J'avais entendu dire que vous souhaitiez me faire attendre trois années de plus, et j'étais venu avec la ferme intention de vous annon-

1. « Ma petite fleur des Alpes ! » *(N.d.T.)*
2. Chère petite, tu es si adorable ! *(N.d.T.)*

cer mon refus. Comment ai-je pu avoir d'aussi mauvaises pensées ?

— Quant à moi, je regrette d'avoir songé à vous imposer une telle attente. Mais on me harcelait pour que je prenne une décision, et je ne supporte pas la contrainte. Maintenant que je vous ai vu, cher amour, mon seul désir est de vous appartenir.

Ses yeux s'emplirent de larmes et il me serra contre son cœur en s'écriant :

— *Ich habe dich so unausfrechlich lieb !*[1]

(C'est une véritable torture de me souvenir de ces délicieux instants où il me couvrait de baisers. Tous ceux qui ont aimé ont connu de telles joies, et je me réjouis que de jeunes amoureux puissent éprouver aujourd'hui les mêmes sensations. Rien ne meurt définitivement, tout est un éternel recommencement. Mais profitez de chaque minute de bonheur, jeunes amants, car le spectacle de ceux qui vous succéderont sera un maigre réconfort !)

Pendant ces longues promenades automnales à Windsor, Albert me raconta son enfance au château du Rosenau — à quatre miles de Cobourg —, une demeure, plus agréable que grandiose, de style gothique, avec une bizarre tour crénelée, de nombreux ornements sculptés et un vaste pignon ouvragé. Rosenau s'élevait au pied des montagnes de Thuringe ; l'Itz coulait à travers des prairies constellées de fleurs, et, quand on se trouvait sur la terrasse, on entendait un bruit de cascade provenant d'une grotte située non loin. Ce paradis était au cœur d'une forêt verdoyante. La nuit, la nature sauvage reprenait ses droits : Albert, enfant, entendait les cris des lapins, le bruissement sinistre des ailes des chouettes, et les loups hurlant à la mort. Mais, en été, le doux roucoulement des pigeons ramiers, perchés sur le rebord des toits, le réveillait à l'aube. Et, par les fenêtres ouvertes, parvenaient jusqu'à lui le clapotis d'une fontaine et le croassement des choucas volant parmi les cheminées.

Il me décrivit sa petite chambre au papier vert orné de liserons et le coffre de cèdre qui donnait à ses vêtements l'arôme des forêts. Il se souvenait de ses promenades à cheval avec Ernest dans les grands bois aux senteurs épicées, et du doux bruissement des sabots, assourdi par plusieurs épaisseurs d'aiguilles de pin. Ernest et lui avaient planté un petit jardin dont ils s'occupaient eux-mêmes. Ils avaient appris à nager dans le

1. Je t'aime si respectueusement ! *(N.d.T.)*

lac au bord duquel on leur avait construit une cabine de bain. Enfin, il me parla de leurs collections de minéraux, de fleurs séchées, d'oiseaux empaillés et d'insectes, ainsi que du petit chalet suisse en miniature dans lequel ils conservaient leurs trésors !

De sa mère, il ne me dit que peu de chose. (J'appris le reste plus tard, sur l'oreiller, au moment où s'échangent tendres confidences et tristes secrets.) À seize ans, cette jeune fille romantique avait épousé un homme de quatorze ans son aîné, fort débauché, qui l'avait délaissée honteusement pour courir les jupons. La princesse Louise était une charmante créature, aussi belle que spirituelle et généreuse. Son mari l'avait brusquement répudiée, alors qu'Albert était âgé de quatre ans. Lui, qui adorait sa mère, n'avait même pas eu l'autorisation de lui dire adieu.

— Comme nous avions la coqueluche, Ernest et moi, me raconta-t-il, nous étions relégués à la nursery. En entendant les sabots des chevaux dans la cour, j'ai dû avoir un pressentiment. Mais j'ai eu beau hurler et l'appeler, elle n'est pas venue. (Après un silence, il ajouta :) Je ne l'ai jamais revue...

Le fait est que la princesse, délaissée par son époux infidèle, avait trouvé consolation auprès d'un gentilhomme de la cour, le baron von Meyern. Lorsqu'il découvrit l'affaire, le duc Ernest la répudia. Deux années plus tard, le divorce était prononcé, mais elle mourut à trente et un ans d'une longue et pénible maladie. Jamais Albert ne l'oublia. Le jour de son départ, il me fit cadeau d'une épingle ornée d'une turquoise qui lui avait appartenu — un trésor qu'il chérissait !

Privés de leur mère, Albert et Ernest furent enlevés aussi à leur nourrice et confiés à un précepteur, Herr Florschütz. Seuls des hommes se chargèrent désormais de leur éducation. Voilà sans doute pourquoi Albert se montrait toujours timide et réservé avec les femmes ! Quand il fut présenté à mes dames d'honneur, il trouva fort ennuyeux et difficile de se souvenir du nom de chacune d'elles. Évidemment, il savait se montrer poli et aimable, mais il ne recherchait pas la compagnie féminine — à l'exception de la mienne — et ces dames s'en rendaient compte instinctivement.

En raison de la conduite de son père et de son frère, il avait horreur de l'infidélité et des aventures extraconjugales, qu'il condamnait catégoriquement. Je ne pouvais évidemment que m'en réjouir ! Pour ce qui était des autres, je ne m'étais jamais montrée bien sévère sur ce point (les mœurs étaient si relâchées à l'époque que toute critique de ma part eût été mal venue), mais, en ce qui concernait mon propre époux, je n'aurais pas toléré le moindre écart ! Je n'eus jamais de souci à me faire : Albert m'aimait et j'étais ravie qu'il ne s'intéressât à personne d'autre qu'à moi.

Il m'avoua qu'il m'avait trouvée extrêmement sûre de moi lors de notre première rencontre, car je paraissais beaucoup plus à l'aise que lui dans le monde. Je le détrompai aussitôt en lui expliquant que seule ma position m'obligeait à dissimuler ma grande timidité naturelle. Surpris d'apprendre que j'avais eu une enfance malheureuse et solitaire, il me plaignit beaucoup. En effet, il aimait son père qui, malgré ses faiblesses, l'avait somme toute traité avec gentillesse. Mais surtout, il avait toujours eu la compagnie de son frère Ernest, avec qui il s'entendait très bien.

— Comme cette solitude a dû vous peser, ma chère Victoria ! murmura-t-il. Vous ne vous sentirez plus jamais abandonnée, car je serai tout pour vous — votre père, votre mère, vos frère, vos sœurs...

— Et mon amoureux.

— Et votre amoureux, naturellement ! s'exclama-t-il en riant.

Quand nous eûmes échangé des mèches de cheveux, il s'étonna de leur couleur presque identique. Nous chantions des duos ensemble, et nos voix s'harmonisaient à merveille. Un jour, il m'apprit à danser la valse. Nous nous déplacions comme si nous ne formions plus qu'un seul corps ! Je trouvais délicieux de sentir un bras masculin autour de ma taille, et de virevolter comme dans un rêve. C'était si enivrant que je comprends pourquoi la valse a été longtemps bannie par la bonne société. La veille de son départ, nous avons valsé en public pour la première fois, afin que chacun vît quel beau couple nous formions !

— Je me réjouis à l'idée que vous ne valserez avec aucun autre homme que moi, me souffla Albert à l'oreille.

— Je me réjouis à l'idée que cette danse sera la dernière de ma vie de jeune fille, lui répondis-je en rougissant.

Sur les instances d'Albert, je finis par révéler à ma mère le secret que plus personne n'ignorait. Le 10 novembre, je la convoquai donc pour lui présenter mon futur mari. Interloquée, elle me regarda un moment, puis fondit en larmes en me prenant dans ses bras.

— Oh, Vickelschen, s'exclama-t-elle, je suis contente, si contente !

Émue par sa réaction, je ne fis rien pour la repousser et je lui tapotai affectueusement le dos. Elle se tamponna les yeux avec son mouchoir de dentelle ; puis la tête penchée sur le côté comme un oiseau, elle chuchota :

— Mon enfant, bien que tu ne m'aies pas demandé mon autorisation, je bénis de tout cœur cette union. Elle répond à mes plus chers désirs, depuis cette époque où la même sage-femme vous a mis au monde, Albert et toi.

Ce discours aimable ne me rassura pas totalement. Je fis alors entrer Albert, qui attendait dans la pièce voisine. Maman le prit dans ses bras et se répandit en effusions. Elle lui dit, en allemand, qu'elle était ravie et qu'elle bénissait le jour où elle pourrait l'appeler « son fils ». Elle ne souhaitait que son bonheur et le mien (sur ce point j'avais quelques doutes), et le priait de l'appeler désormais « maman ».

Albert répondit par des paroles tout aussi aimables ; j'étais fière de lui. Mais maman ne tarda pas à dévoiler son jeu : le lendemain, elle m'adressa une lettre dans laquelle elle s'indignait d'avoir été la dernière personne à être informée de mes fiançailles. Même le valet de chambre d'Albert était déjà au courant ! (Cette affirmation était inexacte : n'étant pas simple d'esprit, il avait tout simplement deviné, comme tout le monde... sauf elle.) Puis elle submergea Albert de lettres exigeant qu'il prenne son ami, Lord Dunfermline, comme conseiller personnel et l'informant qu'elle souhaitait continuer à vivre avec nous après notre mariage — ce qui l'horrifia tout autant que moi. Je refusai énergiquement. Elle prétendit en larmoyant qu'on voulait la chasser de chez elle, alors qu'elle n'avait pas les moyens de s'installer ailleurs, ajoutant que l'idée d'abandonner à eux-mêmes de si jeunes gens lui brisait le cœur... Albert comprit alors combien elle avait dû me faire souffrir, mais il fit preuve de tant de tact et de bonté qu'il jeta les bases d'une future réconcialiation entre ma mère et moi — même si elle ne devait avoir lieu que des années plus tard.

Les autres membres de la famille royale furent informés par lettre de nos fiançailles, et la cordialité de leurs vœux me procura une joie immense. Certains vinrent me voir pour me féliciter sur place, en particulier mon cousin George Cambridge, dont la réserve glaciale s'était dissipée depuis qu'il n'était plus question de mariage entre nous. Nous nous serrâmes chaleureusement la main et devînmes d'excellents amis.

Le départ d'Albert, le jeudi 14 novembre, fut une dure épreuve pour moi. Me sachant bien triste, il avait envoyé Éos me dire adieu pendant que je m'habillais : elle me tendit la patte, puis me lécha affectueusement tandis que je caressais sa tête soyeuse. Nous nous séparâmes, Albert et moi, dans le salon Bleu où nous avions passé de si doux moments ensemble. C'est alors qu'il me donna l'épingle de sa mère en me promettant de m'écrire chaque jour.

— Dans à peine trois mois je serai de retour, murmura-t-il.

— Et vous ne viendrez pas simplement en tant que cousin !

Comme nous étions seuls, il me serra contre lui, et pressant ma joue contre la sienne, j'ajoutai :

— Je me demande comment j'aurai la patience d'attendre jusque-là.

— Vous serez si occupée que ces trois mois passeront comme un éclair ! (Il se détacha légèrement de moi pour me regarder gravement.) J'admire une dernière fois ces beaux yeux limpides comme l'eau d'une source. J'aime votre spontanéité, Victoria, ne laissez personne vous l'enlever.

— Je vous aime, Albert, lui soufflai-je.

— Je vous aime, moi aussi.

Ce furent ses dernières paroles avant son départ, puis il alla rejoindre maman et Ernest qui l'attendaient dans le vestibule. Je les accompagnai jusqu'à l'escalier d'honneur. Albert m'embrassa une dernière fois et je courus me réfugier en larmes dans ma chambre quand la voiture se fut éloignée. J'étais déchirée de le quitter, mais heureuse de le retrouver bientôt pour nous unir à jamais.

Ce jour-là, j'ai passé tout l'après-midi à parler de lui avec mon cher Lord M.

7 mai 1900

J'ai relu les lettres qu'il m'envoya de Cobourg pendant cette période. Ces lettres, qui parlaient de joie et d'amour, m'apportèrent un grand réconfort. Aujourd'hui encore elles m'émeuvent.

« J'ai votre chère lettre sous les yeux et je me réjouis des effusions de votre tendre cœur. C'est pour moi le plus grand des bonheurs que

de contempler ces mots par lesquels vous me déclarez votre amour. Comme je souhaiterais avoir votre nature passionnée ! Je crains que mes lettres ne vous paraissent bien froides et bien guindées à côté des vôtres, car, en dépit de mon profond amour, je ne trouve pas de mots à la hauteur de mes sentiments. Ma bien-aimée, j'espère que vous croirez à mon entière dévotion. Sachez aussi que le seul fait de compter pour vous donne un sens à ma vie... »

Et celle-ci :

« J'ai devant moi votre chère photo, dont je ne puis détacher mes yeux. Je vous imagine dans ce petit salon Bleu où nous nous sentions si heureux, assis ensemble sur le sofa. Comme je souhaiterais m'y transporter par magie afin de partager votre solitude ! »

Et cette autre :

« Je n'ai qu'un désir : passer toute ma vie — avec ses joies et ses orages — à vos côtés. L'amour est source de bonheur, et mon cœur déborde d'amour pour vous. »

Je relisais les lettres d'Albert jusqu'à ce que chaque mot se grave dans ma mémoire. Être aimée de cet ange de beauté, de bonté et d'intelligence était une véritable bénédiction. D'ici à quelques semaines, il serait mien pour toujours, et je souhaitais du fond du cœur me rendre digne de lui...

J'avoue que l'ensemble du pays ne voyait pas mon bien-aimé du même œil. Lord M. m'avait prévenue, mais je n'avais pas compris à quel point les étrangers étaient alors impopulaires. Le chartisme[1] se développait ; la misère et l'agitation régnaient. Les riches accusaient les étrangers de fomenter la révolution, tandis que les classes laborieuses les soupçonnaient d'importer des notions d'absolutisme et de répression.

Les plus impopulaires étaient les Allemands. Le Cobourg allait une fois encore s'allier « au-dessus de sa condition ». Quelle aubaine pour une principauté minuscule, à peine plus peuplée que Bristol et disposant de revenus moitié moins grands ! Albert était bel homme, certes, mais sans le sou. De quel droit demandait-on à l'Angleterre de venir en aide à ces gens de rien ?

Lord M. avait supposé que le Parlement accorderait sans difficulté à Albert une pension de cinquante mille livres, comme c'était la coutume depuis que la reine Anne avait

---

1. Mouvement réformateur qui agita la vie politique anglaise au début du XIXe siècle, alors que les transformations industrielles engendraient une terrible misère. *(N.d.T.)*

épousé George de Danemark en 1683. Cependant, lorsque Lord John Russell présenta cette proposition aux Communes, les radicaux et les tories s'y opposèrent, arguant du fait que le pays était dans un piètre état, et que beaucoup de gens mouraient de faim. La Chambre avait-elle oublié qu'une allocation de cinquante mille livres avait paru trop importante lorsqu'il était question de l'attribuer au prince Léopold ? En ces temps difficiles, il ne fallait donc pas y songer ! De plus, n'est-il pas dangereux de jeter un jeune homme en plein Londres avec une telle somme en poche ? Le colonel Sibthorpe, un tory enragé, proposa trente mille livres, et la motion fut votée à une écrasante majorité des Représentants (dont Sir Robert Peel, ce que je ne lui ai jamais pardonné...) Ainsi, mon cher ange méritait vingt mille livres de moins par an que cet insignifiant George de Danemark ! Furieuse, je m'en pris violemment aux tories. Lord M. tenta de m'apaiser en alléguant les difficultés économiques du pays, mais je savais à quoi m'en tenir.

« Jamais je n'oublierai comment ces abominables coquins, ces infâmes tories ont traité mon pauvre Albert. Ces monstres seront punis. Vengeance ! Vengeance ! » écrivai-je dans mon journal.

Je fus ensuite en conflit avec le Parlement sur la question du rang d'Albert. À contrecœur, j'avais renoncé (au moins pour un certain temps) à lui conférer le titre de « roi consort », mais Lord M. pensait que je n'aurais aucun mal à lui donner la préséance sur tout le monde — après moi, s'entend. Lorsque cette proposition figura dans l'une des clauses de la loi de naturalisation d'Albert, une opposition se manifesta à nouveau. Le Duc déplora que ce point controversé soit introduit « clandestinement » dans une loi de naturalisation ; Lord Brougham estima qu'il revenait au Parlement et non à la Couronne de se prononcer. Mon oncle Cumberland, maintenant roi de Hanovre, déclara qu'il ne céderait pas la place à « une altesse de papier » et incita mes oncles Sussex et Cambridge (prêts à tout pour obtenir une augmentation de leur pension) à prendre son parti.

Finalement la loi fut votée sans que soit tranchée la question du rang, et le Duc vint s'ajouter au nombre des « misérables scélérats » dont je désirais me venger. Lorsque Lord M. me présenta la liste des personnes invitées à mon mariage, mon premier geste fut d'en rayer le Duc d'un trait de plume, sous prétexte que je ne voulais pas de ce méchant vieillard à la chapelle royale.

— Je vous prie de bien réfléchir, objecta Lord M. En raison de son âge et de sa position, ne pas l'inviter serait une gravissime insulte.

Ma réplique fusa aussitôt.

— Ce n'est que justice : il a insulté mon très cher Albert !

— Il a agi, selon sa conscience.

— Non, il nous hait. Le jour de mon mariage, je souhaite n'être entourée que de gens qui ont de la sympathie pour nous. Pourquoi donc inviterais-je mes ennemis !

— Croyez-moi, madame, le Duc n'est pas votre ennemi. Son désintéressement et son dévouement à la Couronne lui valent le respect de tous. Ses partisans s'attendent légitimement qu'il soit présent à votre mariage.

Sachant qu'il disait juste, je me fis de plus en plus désagréable.

— Je ne dois rien à ces tories que je hais !

— Tout le pays sera choqué, reprit Lord M., impassible. Le Duc est un héros national, l'homme qui a sauvé l'Angleterre au cours des dernières guerres. En l'excluant, vous risquez de provoquer un scandale fort dommageable à la Couronne. Je dois vous mettre en garde ! (Il sourit devant mon air buté.) Le jour de votre mariage est un bien grand jour pour vous en tant que femme, mais une reine d'Angleterre doit toujours penser en priorité à son devoir.

— Très bien, fis-je d'un ton brusque. Qu'il assiste à la cérémonie, puisqu'il le faut, mais je ne l'invite pas au banquet qui suivra.

Puis, voyant son visage las, j'eus soudain conscience de l'avoir indûment négligé pendant le séjour d'Albert à Londres.

— Dites-moi la vérité, vous me trouvez de plus en plus obstinée, n'est-ce pas ? lui demandai-je d'une voix radoucie.

— En effet, grommela-t-il avec un sourire espiègle, et nous rîmes de bon cœur.

La difficulté suivante concernait le choix des demoiselles d'honneur. Il nous fallait, certes, des jeunes femmes de bonne réputation, mais Albert m'avait priée, dans l'une de ses lettres, d'exclure toutes celles dont la mère aurait eu une vie « dissolue ». Cette exigence m'avait surprise car, par le passé — disons du temps de la jeunesse de Lord M. —, d'autres critères s'appliquaient aux dames de l'aristocratie, et il me semblait injuste de les juger rétrospectivement. En outre, s'il fallait imputer aux individus les péchés de leur mère, mon Albert risquait de se retrouver en première ligne.

Désireuse de le satisfaire, je fis part à Lord M. de cet impératif.

— C'est impensable ! me déclara-t-il, interloqué. On peut demander des références quand on embauche un cuisinier ou un valet de pied, mais se renseigner sur la conduite d'une duchesse serait de la dernière inconvenance.

— Peut-il y avoir une règle pour les petites gens et une autre pour la haute société ? Le prince estime que je dois m'entourer de personnes moralement irréprochables.

— Ce serait un exploit d'y parvenir. Lequel d'entre nous peut se flatter d'être irréprochable ? Permettez-moi de vous dire, madame, que, selon Lady William Russell, les conceptions du prince sont à l'image des universités allemandes, mais feraient sourire dans les nôtres.

— Eh bien, je m'indigne que la morale soit ridiculisée dans nos universités !

— On ne doit pas tourner en ridicule ce qui est juste, admit-il, mais un monarque ne s'abaisse pas à persécuter les gens pour des peccadilles.

Au lieu de m'irriter, cette remarque éveilla en moi l'envie de taquiner Lord M.

— Il me semble, observai-je, que vous auriez plus d'estime pour le prince s'il était moins strict.

— Pas du tout ! protesta-t-il. Mais juger les gens trop sévèrement peut conduire à de graves erreurs. Songez à la triste histoire de Lady Flora Hastings.

Je me sentis rougir jusqu'à la racine des cheveux.

— N'en parlons plus, je vous en prie !

— Loin de moi l'idée de vous peiner, madame ! Je voudrais cependant vous mettre en garde contre les jugements moraux. Dans ce pays, nous nous référons à la loi et à la jurisprudence. Si l'on vous demande de vous prononcer contre une personne privée, en raison de telles ou telles accusations, faites savoir que c'est à la justice qu'il appartient de rendre un verdict, pas à vous.

Lord M. me prodigua là un précieux conseil, dont je tins compte dans la mesure du possible par la suite. Albert, élevé différemment et marqué par l'exemple de ses parents, resta très attaché à l'image d'une réputation sans tache. Pour ma part, je m'efforçai de ne pas m'interroger sur le passé des gens dans la mesure où j'étais satisfaite de leurs services.

Tandis que nous nous débattions au milieu de ces difficultés, maman prenait un malin plaisir à compliquer un peu plus les choses, exigeant notamment la préséance sur mes tantes, le jour du mariage.

— La mère de la mariée a une importance particulière, me déclara-t-elle un jour. Je te suis indifférente, ma fille, mais les gens ne l'entendent pas ainsi, et je ne voudrais pas qu'ils t'accusent d'ingratitude envers moi...

Elle insistait pour ne pas être « renvoyée » et « exilée » après les noces. Nous ne parvînmes pas à la convaincre, ni Lord M. ni moi, que sa place n'était plus sous mon toit lorsque je serais mariée. Faudrait-il l'emmener de force tandis qu'elle s'accrocherait au chambranle des portes en hurlant que nous voulions sa mort ?

Contrariée par tous ces soucis, je finis, comme de juste, par me quereller avec mon cher Albert. Il m'écrivit pour m'informer qu'il souhaitait inclure dans sa Maison privée un certain nombre de ses compatriotes. Je dus faire preuve de fermeté :

> « *Cher Albert,* lui répondis-je, *ce n'est pas possible ! Mais comptez sur moi pour vous entourer de personnes de grande qualité et de haut niveau, ni trop oisives, ni trop jeunes. Lord Melbourne m'en a déjà signalé plusieurs qui devraient parfaitement vous convenir.* »

À vrai dire, Lord M. avait suggéré que son propre secrétaire, George Anson, devienne le secrétaire privé d'Albert — un choix que j'approuvais, car Anson était non seulement un homme courtois, intelligent et bon, mais aussi un grand travailleur.

Dans sa lettre suivante, Albert me fit part de sa déconvenue :

> « *Je suis désolé,* m'écrivait-il, *que vous n'ayez pu donner satisfaction à ma demande, car j'ai la certitude qu'elle était justifiée. En ce qui concerne Mr. Anson, vous êtes-vous demandé, chère Victoria, si le choix du secrétaire du Premier ministre ne risquait pas d'être considéré comme une prise de position politique ? S'agissant de sa personnalité, tout ce que je sais de lui c'est qu'il passe pour un homme ayant beaucoup de goût pour la danse. Permettez-moi, je vous prie, de choisir pour ma Maison privée des hommes de cœur et d'esprit, sans engagement politique, à l'instar de notre cher docteur Stockmar.* »

Lord M. blêmit à cette idée.

— Vous risqueriez d'attirer l'attention sur l'origine étrangère du prince, ce qui est la dernière des choses à faire ! s'exclama-t-il. Les gens n'hésiteraient pas à dire que vous êtes sous son influence, et lui-même sous la coupe des Allemands.

Me souvenant des médisances dont Lehzen avait été l'objet, j'écrivis ceci à mon bien-aimé :

« Je souhaite avant tout vous être agréable, très cher Albert, mais je ne puis me ranger à votre point de vue au sujet de Mr. Anson. Il appartient à la reine et à son Premier ministre — un homme honnête et impartial — de fixer la composition de votre Maison privée. Nous savons mieux que quiconque ce qui peut vous convenir ainsi qu'au reste du pays. Vos suggestions ne sont pas de mise et je vous serais reconnaissante de bien vouloir y renoncer. »

Contrairement à ce que j'avais supposé, il ne céda pas. Je reçus ensuite une lettre très pénible, en appelant à mon bon cœur et mettant l'accent sur son isolement futur :

« Pensez à ma situation, chère Victoria ! Je quitte ma patrie, mes proches et mes amis pour un pays où tout me sera nouveau et inconnu — les hommes, les coutumes, le mode de vie. À part vous, je ne pourrai compter sur quiconque. Et il ne me sera même pas permis de charger de mes affaires privées deux ou trois personnes qui jouissent depuis longtemps de mon entière confiance ! »

À mon grand déplaisir, je reçus aussi une missive de mon oncle Léopold, appuyant la demande de son neveu et m'enjoignant de prendre pleinement conscience de mes devoirs d'épouse, afin que nous puissions vivre en paix Albert et moi.

Je réagis par une lettre énergique à Albert :

« Mon cher oncle a tendance à s'imaginer qu'il peut imposer son point de vue partout où il est, mais il s'illusionne. Ce que je vous dis là risque de vous déplaire, mon bien-aimé Albert, mais j'ai la certitude d'agir pour votre bien. Je choisirai les personnes qui vous entoureront, et je vous adjure de me faire confiance dans ce domaine. »

J'eus ainsi le dernier mot, mais cette querelle me laissa un goût amer.

— Ce mariage, dis-je à Lord M., représente un grand risque. Quel malheur ce serait si le prince s'opposait en toute occasion à ma volonté !

Il me rassura aussitôt.

— Vous êtes nerveuse à l'approche de votre mariage. Rien de plus naturel !

Finalement, Albert s'entendit parfaitement bien avec George Anson, comme je l'avais supposé. Ils devinrent d'excellents amis, et Anson resta son secrétaire jusqu'à sa fin tragique. Albert avait une absolue confiance en lui et l'aimait comme un frère ; cette première réticence à son égard devint un sujet de plaisanterie entre eux. Albert apprit à se fier à mon jugement, mais il lui fallut un certain temps !

Accablée de soucis, j'attrapai un effroyable rhume exactement une semaine avant le jour de mes noces. Clark sema la panique en diagnostiquant, à tort, une rougeole. Après deux jours passés au lit à me lamenter sur mon sort, j'apparus au dîner, en bien meilleure forme. Les cadeaux de mariage affluaient : une paire de bracelets sertis de diamants, une parure de perles et de turquoises de la part de tante Adélaïde, un fox-terrier appelé Laddie, et une superbe broche — un énorme saphir entouré de diamants — de la part d'Albert.

Dès le vendredi 7 février, j'eus la joie de voir arriver Éos, accompagnée du valet d'Albert. Lehzen partit à Windsor pour tout préparer en vue de notre lune de miel qui devait durer trois jours. (Albert souhaitait que nous nous retirions du monde pendant deux semaines, mais je lui avais déclaré fièrement qu'une souveraine ne doit renoncer à ses responsabilités sous aucun prétexte : je ne pouvais m'accorder que quelques jours. Folle que j'étais !)

Une lettre de mon bien-aimé m'annonçant qu'il était arrivé sain et sauf à Douvres ne parvint pas à m'apaiser. La traversée avait été fort rude et il était encore « d'une pâleur de cire », mais il avait reçu, disait-il, un accueil chaleureux. Malgré la pluie et le vent, des milliers de gens l'avaient acclamé à l'arrivée du bateau, ce qui me donna à penser que la nation n'était pas si hostile après tout...

Ce soir-là, nous eûmes Lord M. et moi notre dernier *tête-à-tête*[1] : ce genre d'agréable causerie dont j'avais presque perdu l'habitude pendant ces derniers mois trop tourmentés. Dash et Laddie étaient pelotonnés entre le feu et nous, tandis qu'Islay trônait aux pieds de Lord M. en le regardant fixement. (Telle une pie, ce chien avait une prédilection pour les objets scintillants. Depuis que Lord M. l'avait laissé par hasard jouer avec ses lunettes, il attendait chaque soir le moment où apparaîtrait l'objet tant désiré.)

Selon mon habitude, je buvais les paroles de Lord M. tandis que nous bavardions à bâtons rompus de mes sentiments, du mariage, et du genre de fréquentations pouvant convenir à Albert : « Tout sauf des bâtisseurs de ponts et des ingénieurs ; ces gens-là sont toujours des radicaux ! » Lord M. ajouta quelques commentaires sur les chiens, les bals masqués qui incitent à l'immoralité (« Les salles de bal sont comme les églises : on est souvent pire en sortant qu'en entrant »), et l'intérêt d'em-

1. En français dans le texte.

ployer des dissidents religieux comme jardiniers (« On peut compter sur eux, ils ne vont pas aux courses, ne chassent pas et ne gaspillent pas leur argent en coûteuses frivolités.)

Il me divertit en me parlant du costume de cérémonie qu'il s'était commandé pour mes noces.

— Armer un cuirassé n'est rien en comparaison, plaisanta-t-il. Mon tailleur a dû faire appel à un employé du service de l'intendance pour s'occuper de tous les boutons. Je pense que mon costume sera le point de mire dans la chapelle royale et j'espère ne pas porter ombrage à Votre Majesté...

Puis il revint en souriant à la question de mon mariage :

— Vous avez parfaitement raison de vous marier. Rien n'est plus naturel ! Le prince est un homme droit et honnête, et je puis vous assurer que vous avez fait le bon choix.

— Ne pensez-vous pas que notre caractère obstiné risque de nous jouer des tours ? Je crains fort que nous ne passions notre temps à nous quereller.

— Il y aura des tempêtes, bien sûr, mais vous saurez les maîtriser. On ne peut prédire l'avenir ni deviner quelle influence aura une situation nouvelle sur de jeunes esprits encore malléables, mais je m'attends au meilleur. Je suis persuadé que vous serez capable de concilier l'autorité d'une souveraine avec les devoirs d'une épouse — ce qui n'est pas une tâche facile...

Réconfortée, je lui dis combien je lui étais reconnaissante de m'avoir tant appris.

— Le peu de patience et de tact que j'ai acquis, c'est à vous que je les dois, murmurai-je.

Les yeux rougis de larmes, il serra tendrement ma main dans les siennes.

— Tout ira bien !

Le lendemain, à quatre heures et demie, le jour tombait déjà et les premières lueurs du crépuscule décoloraient le ciel. Derrière les arbres dénudés rougeoyait un soleil hivernal, tandis que sur les plus hautes branches pépiaient des groupes d'étourneaux transis par le froid. Depuis une heure, je courais d'une fenêtre à l'autre comme une gamine, dans l'espoir de voir apparaître la voiture d'Albert... Mais dès qu'elle pénétra dans la cour, une terreur me saisit à l'idée que quelque chose avait changé entre nous, qu'il m'aimait moins, ou que j'allais découvrir que mon cœur m'avait abusée. Nos querelles épistolaires m'inquiétaient : j'étais si jeune que le moindre désaccord me semblait incompatible avec notre amour. Que n'aurais-je donné pour que la voiture fasse demi-tour ! C'était insensé d'épouser un étranger venu de si loin, et dont j'ignorais encore presque tout...

Nous étions tous — moi, maman et ma suite — rassemblés en haut de l'escalier, mais, lorsque les portes s'ouvrirent, je ne pus supporter d'attendre plus longtemps. Je dévalai l'escalier et courus vers la porte, que j'atteignis en même temps qu'Albert.

Nous nous arrêtâmes face à face, et mon cœur se figea. Pâle comme une statue d'albâtre, il brillait d'une étrange lueur dans le crépuscule blafard. Je remarquai ses yeux cernés et me rappelai combien le voyage puis la traversée avaient été épuisants. J'entrouvris les lèvres pour lui souhaiter la bienvenue, mais je restai muette. Dès mon premier regard, toutes mes craintes s'étaient envolées. Il m'était si familier que j'avais l'impression de le connaître mieux que moi-même ! Il faisait partie de ma vie, sans pourtant m'appartenir — comme un animal sauvage qui aurait choisi librement de s'approcher de moi et de rester à mes côtés. J'eus alors la certitude que je n'avais pas commis d'erreur et que je l'aimais du fond du cœur. Comme l'avait dit Lord M., tout irait bien...

Il me sourit en silence, un silence aussi éloquent que le mien. Je pris sa main et l'entraînai à l'intérieur.

9

Windsor, le 9 mai 1900

Georgie, May et les enfants arrivent aujourd'hui en huit, dans la soirée, pour le baptême de leur dernier bébé, qu'ils ont appelé Henry. Arthur et Louischen viennent aussi, avec le jeune Arthur, Margaret et Patsy. Comme je me réjouis de les revoir ! Quand Louischen est allée rejoindre Arthur aux Indes, elle me les a laissés, et j'ai été ravie de les avoir auprès de moi. Margaret était très turbulente, mais si drôle que j'hésitais à sévir. La voici devenue une jeune fille qui nous fait honneur à tous. Louischen s'est révélée une excellente mère, ce qui n'était pas évident si l'on considère la brute qu'elle a eue pour père.

J'aime les baptêmes — plus encore que les mariages qui correspondent toujours à un départ, et j'ai horreur que les gens s'en aillent. Évidemment, ce ne fut pas le cas pour mon propre mariage, puisque Albert me rejoignait ! Je m'en souviens dans les moindres détails — beaucoup mieux, en fait, que de certains événements qui ont eu lieu la semaine dernière.

Mon mariage fut célébré le 10 février 1840, à une heure de l'après-midi, en la chapelle royale du palais St. James...

À huit heures et demie, je me réveillai avec joie en songeant que plus jamais je ne dormirais seule. J'allais désormais partager le lit d'un homme... Je me demandai si Albert était déjà éveillé, puis je réalisai que je n'aurais plus jamais à me poser cette question. Cette idée étrange me ravit. Maman et Lord M. m'avaient conseillé de ne pas le laisser dormir sous mon toit la nuit précédant notre mariage. « C'est contraire à la tradition », m'avait dit Lord M. Maman, quant à elle, pensait que ça portait malheur. Insensible à leurs objections, j'avais dit à Lord M. que je me moquais de ces coutumes absurdes, et j'avais déclaré à maman que notre union serait de toute façon heureuse.

Je m'étirai un moment sous les couvertures ; je me sentais

bien, forte, détendue. Mon rhume avait disparu en même temps que mon anxiété. La veille, nous avions, Albert et moi, fait une répétition de la cérémonie religieuse, et j'avais essayé mon alliance. Il m'avait semblé un peu éteint, n'étant pas tout à fait remis des fatigues du voyage. Il s'était montré si attentionné et si tendre que je m'étais aussitôt rassurée.

Je repensais à ses baisers lorsque Lehzen entra pour ouvrir les rideaux.

— Vous avez le sourire qui convient un jour comme celui-ci, Majesté ! s'exclama-t-elle.

Aussitôt assise, je lui demandai quel temps il faisait.

— Un temps humide et venteux, hélas ! me dit-elle en regardant par la fenêtre.

Tandis qu'elle me parlait, une trombe d'eau martela les vitres comme une main impatiente frappant à une porte. Lehzen continua à se lamenter, mais rien n'aurait pu entamer mon optimisme : la pluie ne pouvait pas durer toute la journée et, en tout cas, elle ne devait pas troubler mon bonheur !

La femme de chambre arriva avec un broc d'eau chaude et des serviettes. Sans m'en préoccuper, j'envoyai Lehzen me chercher une plume et du papier, puis assise dans mon lit, les cheveux déployés sur mes épaules, j'écrivis un dernier billet à Albert :

> *« Très cher Albert, avez-vous bien dormi ? Je me suis bien reposée et je me sens parfaitement détendue. Ce temps est détestable, mais je suis certaine que la pluie va cesser. Faites-moi parvenir un mot dès que vous serez prêt, cher fiancé si tendrement aimé. Votre fidèle, Victoria R. »*

Le message fut aussitôt porté à son destinataire. Je me levai et, après avoir fait ma toilette, je pris un copieux petit déjeuner (car je devais tenir jusqu'à deux ou trois heures de l'après-midi), puis je m'habillai. Ma robe était magnifique : en satin blanc, elle était découverte sur les épaules selon la mode de l'époque, avec de petites manches ballon, et ornée de volants confectionnés dans une dentelle à motif traditionnel. J'en avais acheté une bonne longueur un an plus tôt — pour venir en aide aux dentellières sans emploi du Devonshire — alors que je ne songeais pas encore à me marier. De quoi rehausser somptueusement ma robe et me faire un voile !

Une fois revêtue de ma robe, je mis mon collier de diamants de Turquie ainsi que les pendentifs assortis et la splendide broche offerte par Albert. Ma chère Lehzen revint alors pour me coiffer et m'offrit une adorable petite bague en gage de son affection pour moi. Sur mes cheveux tirés en chignon, elle posa une guirlande de fleurs d'oranger et mon voile de dentelle. De crainte de fondre en larmes, cette pauvre Lehzen n'arrêtait pas de jacasser, tandis que je nageais dans la béatitude.

— Malgré le temps, m'assura-t-elle, il y a encore plus de monde que pour le couronnement. La foule la plus dense depuis le séjour à Londres des souverains alliés en 1814 ! Mais comment peut-on l'évaluer précisément ? Des centaines de gamins sont perchés dans les arbres de Constitution Hill pour ne pas perdre une miette du spectacle. Quand les branches cèdent sous leur poids, ils dégringolent comme de petites pommes de juin qui n'ont pas eu le temps de mûrir, mais personne ne s'en formalise. Et, malgré le temps, tout le monde est de bonne humeur.

Quand je fus prête, elle me fit pivoter sur moi-même pour que je m'admire dans la grande psyché. C'est à peine si je me reconnaissais ! Mes yeux brillaient d'un tel bonheur que je me trouvais presque belle. Pour qu'Albert soit le premier à me voir ainsi, je priai Lehzen de l'envoyer chercher.

Il arriva seul, superbe et élégant dans son uniforme écarlate de maréchal britannique, dont le pantalon blanc moulait ses cuisses musclées : Il portait des bas de soie et des chaussures à boucles, mais n'avait encore ni sa ceinture, ni son épée, ni le ruban de la Jarretière que je lui avais remis la veille. Je mourais d'envie de passer ma main dans ses cheveux soyeux, qu'il n'avait pas encore pommadés, mais je me contentai d'ouvrir grand les bras comme une petite fille coquette, en m'exclamant :

— Je voulais que vous m'admiriez !

Très pâle, il me regarda en clignant les yeux comme s'il était ébloui par une lumière trop vive.

— Que vous êtes belle ! murmura-t-il, et pour une fois je ne protestai pas.

— Pour vous, Albert, pour vous seul !

Il hocha la tête, incapable de parler.

— Avez-vous bien dormi ? lui demandai-je.

— Pas très bien.

— Êtes-vous heureux ?

Il me sourit et son visage s'illumina comme un jardin sous un rayon de soleil. Ses yeux me semblaient plus bleus, ses cheveux plus blonds, et ses joues prenaient un ton délicatement rosé.

— Oh oui, vous n'imaginez pas à quel point ! Mais il faut que nous finissions de nous préparer. Êtes-vous anxieuse ?

— Pas le moins du monde.

— Vous tremblez de tout votre corps, ma chère petite !

Effectivement, je tremblais d'émotion...

Il devait quitter le palais de Buckingham à midi. Je me mis en route à midi et demi dans le même carrosse que maman et la duchesse de Sutherland (la maîtresse de la garde-robe). Il continuait de pleuvoir à torrents et des rafales de vent cinglantes perturbaient les chevaux, mais ce temps sinistre ne semblait guère refroidir l'enthousiasme de la foule qui m'acclamait. Le long du Mall, des milliers de gens agitaient leur chapeau trempé au-dessus de leur tête ruisselante.

Lord M. me retrouva devant le palais St. James. Il portait l'épée d'apparat, avec laquelle il me précéderait en remontant la nef. J'admirai son splendide costume de cérémonie, dont les boutons brillaient comme des lumières dans la nuit, et nous échangeâmes un sourire complice en repensant à nos plaisanteries à ce sujet. Ce fut mon oncle Sussex qui me conduisit à l'autel. Tandis que nous avancions, il m'adressa un sourire aimable qui me surprit et tapota ma main, posée sur son bras. Mais il n'avait pas renoncé, en un si grand jour, à sa confortable calotte noire !

Mes douze demoiselles d'honneur, d'une beauté sereine, m'attendaient dans le vestibule, vêtues de gaze et de satin blancs. Elles portaient des roses blanches à la taille, sur la poitrine et dans leurs cheveux. Le cortège se forma dans la salle du trône, les portes s'ouvrirent, les trompettes retentirent et une musique d'orgue s'éleva lorsque nous pénétrâmes dans la chapelle. L'église était bondée et tous les regards se tournaient vers moi. J'aperçus les membres de ma famille, rassemblés au premier rang : mon oncle Cambridge, le visage rouge, hochant la tête comme un perroquet et se parlant à lui-même ; maman, dans un nuage de plumes et de châles, se tamponnant déjà le nez avec son mouchoir ; ma tante Adélaïde, en velours violet, agitant les doigts comme pour m'adresser un signe affectueux ; divers cousins se tenant la tête haute et jouant des coudes pour déloger leurs voisins. Parmi les invités n'appartenant pas à la famille royale, j'aperçus le Duc, droit et raide selon son habitude, ce qui permettait d'oublier qu'il était de petite taille ; ce cher Lord Liverpool qui m'avait donné son amitié lorsque j'étais enfant ; enfin Lord Ashley, mari de Minney Cowper, la nièce de Lord M. (ces trois derniers étaient les seuls tories que j'avais invités, et je me moquais bien des critiques que ma décision avait suscitées. Après tout, mon mariage était une affaire privée — à la différence de mon couronnement.)

Je n'avais d'yeux que pour mon futur mari, qui m'attendait à l'endroit où nous allions être unis devant Dieu et les hommes. Il se retourna vers moi ; les diamants de l'Étoile qui étincelaient sur sa poitrine n'avaient pas plus d'éclat que son regard. La cérémonie fut imposante et belle dans sa simplicité. Il n'y avait pas eu de mariage de reine régnante depuis trois cents ans, et celui de Marie Tudor, célébré selon le rite catholique, ne pouvait servir d'exemple. On s'était donc inspiré du mariage de mes grands-parents, George III et la reine Charlotte.

Mais la simplicité était de mise malgré mon haut rang. Quand l'archevêque me demanda : « Victoria, souhaitez-vous prendre cet homme pour époux ? », je me sentis aussi humble devant Dieu que le dernier de mes sujets. Il me paraissait impossible de ne pas tenir une promesse faite avec une telle solennité ! Albert répondit d'une voix forte et limpide, comme s'il voulait être entendu non seulement de Dieu mais du monde entier. Puis il passa l'anneau à mon doigt, d'un air triomphal que je n'oublierai jamais.

Un moment presque comique survint lorsque Albert me fit don de tous ses biens terrestres. La princesse Charlotte avait éclaté de rire, paraît-il, à son mariage, en entendant mon oncle Léopold, qui n'avait pas un sou, prendre cet engagement. Albert et moi esquissâmes un sourire au souvenir de cette anecdote...

Il fallut ensuite signer le registre. (Le duc de Norfolk, en sa qualité de chef du protocole, insista pour passer le premier, obligeant tout le monde à attendre car il ne trouvait pas ses lunettes.) Puis nous descendîmes la nef tandis que la musique retentissait de plus belle. Au lieu de reposer calmement sur la manche d'oncle Sussex, ma main tremblait maintenant, tel un oiseau tombé du nid, sur le bras de mon *mari*. Enfin, après les échanges de baisers, les sourires et les félicitations, nous montâmes, seuls, dans notre carrosse. Par miracle, la pluie avait cessé, et un timide rayon de soleil se reflétait dans des millions de flaques et de gouttes d'eau en suspens. Des acclamations enthousiastes s'élevaient sur notre passage : c'était la première fois qu'un mariage royal avait lieu en plein jour et que le peuple pouvait voir sa reine en robe de mariée ! Mais ces vivats s'adressaient aussi à Albert, qui saluait la foule de son côté avec une satisfaction manifeste.

De retour au palais de Buckingham, nous passâmes une précieuse demi-heure en tête à tête. Nous bavardâmes, assis sur le sofa de mon boudoir, et j'en profitai pour lui offrir *son* alliance, qu'il passa aussitôt à son doigt. Puis il prit ma main et tourna la mienne autour de mon annulaire — un petit geste distrait qui lui devint ensuite familier. « Maintenant que nous sommes mariés, me déclara-t-il d'un ton solennel, plus rien ne doit nous séparer. Promettez-moi que vous n'aurez aucun secret pour moi ! »

Rétrospectivement, je me demande pourquoi il choisit ce moment de grande euphorie pour exprimer un tel souhait. S'inquiétait-il au sujet de son rôle à venir ? À l'époque sa requête me sembla tout à fait naturelle, et je n'eus aucun mal à faire alors cette promesse, ni plus tard à la tenir. De toute ma vie, je ne lui ai jamais rien caché, et il pouvait lire dans mon cœur à livre ouvert...

Nous rejoignîmes nos invités pour le banquet. Le gâteau était énorme — de neuf pieds de diamètre, il ne pesait pas moins de trois cents livres — et sa décoration originale représentait Britannia bénissant le couple royal, au milieu d'une multitude d'angelots, dont l'un tenait un livre sur lequel était inscrite cette date bénie : 10 février 1840.

Puis je remontai me changer : je revêtis une robe de soie blanche, ornée de duvet de cygne, et j'abandonnai mon voile de dentelle pour une capeline sur laquelle était épinglé un brin de fleur d'oranger. Lorsque je fus prête, Lord M. vint s'entretenir avec moi seul à seule.

Après avoir réglé une ou deux affaires importantes, nous parlâmes de la cérémonie et du gâteau.

— Il se devait d'être énorme, plaisanta-t-il. Savez-vous que des parts vont être envoyées jusqu'aux points les plus éloignés du globe ? L'ambassade américaine a insisté, paraît-il, pour que plusieurs lui soient réservées. De jeunes Américaines de Boston et du Connecticut vont avoir des indigestions et rêver de dentelles blanches grâce à vous ! »

Je déplorai que le duc de Cambridge n'eût cessé de parler à haute voix pendant toute la cérémonie.

— Ses remarques étaient fort bien intentionnées, répliqua Lord M., et son comportement ne devrait pas vous surprendre : votre oncle, le roi Guillaume, faisait volontiers des commentaires à haute voix pendant les services religieux.

Après avoir ri de cette remarque, je m'étonnai que mon oncle Sussex n'eût cessé de sangloter.

— Il était profondément ému, répondit Lord M. J'ai moi-même trempé de larmes un deuxième mouchoir lorsque Votre Majesté a répondu à l'archevêque de sa voix si claire et tellement chargée d'émotion.

— Tout s'est donc bien passé ?

— À la perfection ! Rien ne laissait à désirer et la foule m'a semblé réellement enthousiaste.

— Par chance, la pluie a cessé ! Sinon, ces malheureux se seraient fait tremper jusqu'aux os...

— Heureuse est l'épouse sur laquelle le soleil brille.

Je lui pris la main.

— Divinement heureuse... Cette première journée est un avant-goût du bonheur qui m'attend.

Ses longues mains sèches se refermèrent sur les miennes, et je les sentis trembler un instant.

— Oh, ma chère... fit-il d'une voix brisée, avant de se reprendre. Madame, je prie Dieu que le mariage soit un grand réconfort pour vous.

L'horloge sonna au moment où quelqu'un frappait à la porte.

— Je dois partir ! déclara Lord Melbourne.

Il hocha la tête en gardant ma main un moment dans les siennes.

— Dieu vous bénisse, dit-il avant de se lever.

La porte s'ouvrit et Albert apparut.

— Le carrosse est avancé, Victoria.

Lord M. fit un pas de côté. Je passai ma main sous le bras d'Albert, et nous nous avançâmes jusqu'à l'escalier.

— Ce chapeau a un si grand bord, me souffla-t-il à l'oreille, que j'aperçois à peine votre cher petit visage. Comment ferai-je pour vous embrasser ?

— M'embrasser ?

— J'en ai bien l'intention, dès que nous serons en voiture.

Je protestai sagement :

— Il n'est pas correct d'embrasser une dame en voiture !

— Vous n'êtes plus « une dame », mais ma femme !

Je ris de bon cœur, puis nous descendîmes dire adieu à maman. À quatre heures, nous nous mîmes en route ; les nuages s'amoncelaient à nouveau et le ciel était d'un gris menaçant. Notre trajet fut mouvementé, car une foule immense nous attendait devant le palais, formant une haie presque continue sur les bas-côtés de la route jusqu'à Windsor. Tous ces braves gens ne voulaient pas perdre une seule miette du spectacle ! Un modeste spectacle, car, à la différence de la plupart des jeunes mariés de notre rang, nous ne roulions pas dans une somptueuse voiture, mais dans un vieux carrosse dont les postillons ne portaient pas de livrée d'apparat, et notre escorte était modeste.

Bientôt, nous fûmes rejoints par de nombreux admirateurs de tout âge, à cheval ou en voiture, qui nous acclamaient, agitaient leur chapeau, nous disputaient le passage, au risque de finir leur journée dans un fossé. Ils ne restaient en arrière que lorsque leurs chevaux s'effondraient, mais aussitôt, des cavaliers à la monture plus vaillante leur succédaient.

Albert s'offusquait, car ils cherchaient à nous apercevoir à travers les vitres et nous appelaient par nos prénoms ; quant à moi, je préférais de loin cette escorte improvisée à un escadron en grande tenue. Il faisait nuit quand nous traversâmes Eton, où des jeunes gens, alignés sur le bas-côté de la route avec des flambeaux nous réservèrent un accueil touchant. Enfin, nous arrivâmes à sept heures au château de Windsor.

Nous visitâmes d'abord les appartements préparés pour nous, en admirant les petites touches personnelles apportées par Lehzen : des fleurs, des livres, nos partitions favorites posées sur le piano. Albert découvrait avec autant d'enthousiasme que moi la première demeure que nous allions partager. Nous courions d'une pièce à l'autre comme des enfants, au milieu des chiens qui nous faisaient fête. Puis nous nous séparâmes pour changer de vêtements, et, une fois prête, je retrouvai Albert au salon : il jouait du piano d'un air pensif. Son beau visage paraissait si éthéré lorsqu'il se penchait sur les touches que j'en eus le souffle coupé pendant un moment : avais-je vraiment droit à une telle félicité ? Soudain, Dash fit irruption et se précipita vers lui en aboyant. Albert leva les yeux et me sourit.

Il recula le siège pour se lever, et je le suppliai de ne pas bouger, mais il protesta qu'il avait mieux à faire que de jouer du piano. Debout au milieu de la pièce, il me serra alors dans ses bras :

— Enfin seuls ! soupira-t-il. Rien n'est plus difficile pour un homme que d'avoir un moment d'intimité avec sa femme le jour de son mariage !

— Maintenant que je suis là, que voulez-vous faire de moi ?

— Vous allez voir !

Il m'embrassa à n'en plus finir, sans que je me lasse de ses baisers. Puis il prit mon visage entre ses mains. (J'ai toujours aimé ce geste, car ses longs doigts vigoureux étaient d'une infinie douceur.)

— Mon tendre cœur ! murmura-t-il en me regardant au fond des yeux. Quelle chance de vous retrouver loin des courtisans, des serviteurs et de nos amis ! Ma *kleines Fraunchen* — ma petite femme — vous sentez-vous bien avec moi ?

Quelle question ! Pendant toute mon enfance, j'avais rêvé de me soustraire aux regards indiscrets. Auprès de lui, je pourrai m'exprimer librement, sans surveiller mes mots et ma conduite ; je serai en confiance, mais nullement solitaire. Le plus doux des rêves...

Il m'embrassa à nouveau ; brusquement je chancelai, mes pensées se troublèrent et je craignis de m'évanouir. Il avait deviné mon malaise, car il releva la tête et murmura :

— Que se passe-t-il ? Vous avez pâli.

— Un simple vertige !

Il m'entoura de ses bras et m'entraîna sur le sofa, me portant presque. De sa main énergique, il me fit asseoir, et je retrouvai mes esprits.

Quand il m'entendit balbutier des excuses, il me rassura d'un sourire.

— Vous avez eu une journée très fatigante. De plus, je vous rappelle, *kleines blümschen* — petite fleur —, que je suis beaucoup plus grand que vous ! Vous êtes restée debout dix bonnes minutes, la tête en arrière comme si vous visitiez la chapelle Sixtine. Il ne faut pas s'étonner que vous ayez failli avoir un malaise ; désormais nous nous assiérons pour nous câliner.

— Désormais nous pourrons nous câliner librement, sans choquer personne. N'est-ce pas merveilleux ?

Il prit ma main et fit tourner mon alliance autour de mon doigt d'un air pensif, comme si ce geste l'aidait à se concentrer. Était-il devenu muet ? Au bout d'un moment, je le questionnai :

— Dites-moi, mon bien-aimé, si quelque chose vous préoccupe. Il ne faut rien me cacher...

— Tout va bien ! répondit-il, mais ses joues avaient légèrement rosi et je devinai où il voulait en venir. Je souhaiterais vous parler de ce soir...

— De ce qui va bientôt se passer ?

Il hocha la tête.

— Ce sera tout à fait nouveau pour vous, et peut-être un peu... surprenant. Avez-vous peur ?

— Oh non ! Comment aurais-je peur de vous ?

— Pour rien au monde je ne voudrais vous faire du mal, chuchota-t-il tendrement.

J'imaginais son anxiété : il craignait de blesser ma sensibilité virginale et que je lui en veuille. Si j'étais rebutée par ce que j'allais découvrir, que deviendrait notre parfait amour ? Pour ma part, je n'avais pas d'inquiétude à ce sujet, mais je ne savais comment exprimer ma pensée.

— Je vous fais entièrement confiance, dis-je enfin. Ce que vous ferez sera bien... (Le voyant toujours soucieux, j'ajoutai :) Sachez, mon cher amour, qu'à cet instant vous ne serez pas seul. Ce que nous ferons, nous le ferons ensemble, car nous nous aimons.

— Oui, murmura-t-il, d'un air plus paisible. Mais je crains que ça ne soit pas très plaisant pour vous, en tout cas la première fois...

Une idée me traversa l'esprit.

— Savez-vous comment vous y prendre ?

— Bien sûr ! répondit-il aussitôt, d'un ton presque indigné.

— Cher amour, je connais votre science dans bien des domaines, mais avez-vous déjà...

— Non, dit-il, les joues en feu et le regard grave. Je n'aurais pas pu, sachant que je vous étais promis.

Réduite au silence, je baisai sa main avec ferveur, transportée d'amour et de gratitude. C'était le moment ou jamais de lui poser cette question, et sa réponse me comblait. J'étais ravie qu'aucun doute, aucun souvenir, ne puisse jamais ternir notre amour. J'avais grandi dans un monde où les femmes étaient censées fermer les yeux sur les petits péchés de leur mari, mais, moi-même, je n'aurais jamais pu agir ainsi !

Cette longue journée m'avait littéralement épuisée. Le dîner nous fut servi au salon, mais j'eus à nouveau des vertiges en me relevant, et, une fois à table, mes maux de tête me coupèrent l'appétit. Je dus passer ma soirée sur le sofa. Malade ou non, j'étais aux anges : Albert s'assit à côté de moi sur un repose-pied, et ses élans de tendresse me donnèrent un sentiment de bonheur céleste auquel je n'avais jamais songé. J'admirais son charmant visage, tandis qu'il me murmurait des mots d'amour en me serrant dans ses bras. L'idée que nous allions passer la nuit ensemble ne rendait ma joie que plus grande...

J'ouvris les yeux aux premières lueurs de l'aube. Après un moment de surprise, je m'aperçus qu'Albert était levé. Il avait ouvert les rideaux et venait de déposer un baiser sur ma joue. Je ne me lassais pas d'admirer son beau visage. Il murmura :

— Chère petite femme, me reconnaissez-vous ?

En souriant, je répondis :

— Bien-aimé mari, revenez vous coucher !

Nous nous blottîmes sous les couvertures, et il m'attira dans ses bras. Je me pelotonnai tout contre lui, nos jambes entremêlées, ma tête reposant sur son épaule, et sa joue sur mes cheveux.

— Comme c'est bon ! murmura-t-il.

Dans la douce chaleur de nos corps entrelacés et la semi-obscurité rassurante de notre chambre, comment ne pas lui donner raison ? Portée par une vague de béatitude, je humai sa peau : elle avait la délicieuse odeur des forêts ensoleillées.

— Ma chérie, ma délicieuse petite femme, je vous aime tant, dit-il comme dans un rêve.

Ce qui s'était passé cette nuit-là me surprit vivement, je l'avoue, et si je n'avais pas eu Albert comme partenaire, j'aurais pu croire à une erreur de sa part. Comment Dieu avait-il pu manquer à ce point de poésie ? Pourtant, au cœur même de ma surprise à demi indignée, j'éprouvais le même sentiment d'évidence que devant un calcul mathématique qui tombe juste. Il me sembla aussi que, malgré l'indubitable science acquise par Albert dans ses livres, quelque chose lui manquait, que seule la pratique aurait pu lui donner... Ma seconde expérience, au petit matin, me parut plus satisfaisante, car j'entrevis la possibilité d'être une partenaire réellement active. La passivité ne m'a jamais convenu ! Et mon bien-aimé n'eut guère à se plaindre de ma participation, car il m'embrassa ensuite avec ferveur en me serrant longtemps dans ses bras.

Les gens ont une curieuse tendance à s'imaginer que les reines ou les rois sont sourds, aveugles et muets, et ne savent rien d'autre que ce qu'ils déclarent dans des communiqués officiels. Nous nous conformons parfois à ce portrait, préférant ignorer certaines choses, ou faire mine de les ignorer parce que cela nous arrange. Il en est ainsi du point de vue — soutenu par certaines personnes, dont la duchesse de Bedford — selon lequel Albert ne m'aimait pas réellement. La passion que j'éprouvais aurait été à sens unique. Je n'ai jamais accordé le moindre intérêt à cette opinion, inspirée par la médisance et la jalousie, mais je voudrais prendre le temps, pour une fois, de la réfuter.

Albert était d'une nature encore plus réservée que la mienne : alors que je pouvais exprimer mon affection aux personnes très proches, en qui j'avais une absolue confiance, il ne montrait ses sentiments qu'à moi-même et aux enfants, et encore, jamais en public. Sa timidité et son orgueil le faisaient paraître froid et guindé en présence d'étrangers, bien qu'il fût en famille le plus chaleureux et le plus enjoué des hommes. Les observateurs trop mesquins pour voir plus loin que le bout de leur nez, comme ceux qui s'imaginaient que le charme d'une femme se mesure à la longueur de ses cils, doutaient que je puisse lui inspirer des sentiments aussi brûlants que ceux que j'éprouvais à son égard.

Peu m'importe leur jugement, car je suis seule à connaître la vérité, toute la vérité ! Jusqu'à ce que sa maladie l'emporte, nous nous sommes retrouvés chaque soir dans notre lit, Albert et moi, comme sur un vaisseau nous entraînant loin de nos soucis. Blottis l'un contre l'autre, nous partions à la dérive, grisés par nos paroles et nos caresses. Mon Albert, le capitaine de ce vaisseau fantôme, était tout à moi, et, encore aujourd'hui, mon cœur bondit de joie à cette pensée. Je lui procurais la paix, le réconfort et le plaisir qui donnaient un sens à sa vie. Sans moi l'univers lui paraissait froid et menaçant, comme à un animal aux abois dans un monde hostile. Dans la chaleur de mes bras, il retirait sa cuirasse protectrice et devenait aussi tendre et vulnérable qu'un enfant.

J'avais un meilleur contact que lui avec les gens, car je savais instinctivement, au bout de quelques minutes, si je pouvais me fier à eux, s'ils étaient de mon côté ou non. Mon enfance malheureuse m'avait donné une certaine souplesse et une assurance à toute épreuve. Abandonnée par mon père, trahie par ma mère, brimée et tourmentée par mon entourage, j'avais profondément besoin d'amour. Mais, au fond de moi-même, une force secrète me donnait le sentiment d'être invulnérable et l'assurance d'avoir toujours gain de cause.

Albert, au contraire, avait été fragilisé par ses chagrins d'enfance. Il avait de la peine à comprendre ses semblables et à leur faire confiance ; ceux-ci lui rendaient la pareille. Ses jugements, par trop logiques, ne tenaient pas assez compte des passions humaines. Il était souvent blessé et, Dieu me pardonne, je l'ai moi-même meurtri un bon nombre de fois ! Mais je n'y pouvais rien...

Malgré nos querelles — fréquentes et violentes ! — je n'étais affectée qu'en surface, et notre amour ne me semblait nullement en péril. Au milieu de la tempête, mon navire avait une quille assez profonde pour s'équilibrer dans les eaux toujours calmes des profondeurs... Mais mon bien-aimé Albert était trop rationnel pour ne pas souffrir, et seule la chaleur de nos étreintes lui rendait la sérénité dont le privait son intellect.

Dès cette première nuit où la raison me fut d'un faible secours, je compris instinctivement ce que signifiait cet acte par lequel il s'épuisait tout en renaissant à lui-même. Je compris aussi pourquoi, m'étant promis, il n'avait tenté aucune expérience avant de me connaître. C'était un acte périlleux — même avec moi — et qui le laissait sans défense, mais ne lui avais-je pas déclaré sans hésitation mon amour dès le premier jour ? Loin d'être sacrifié sur l'autel du mariage, il avait trouvé avec moi la seule femme au monde à qui il pourrait accorder une absolue confiance.

Sachant que nous étions faits pour nous entendre, Dieu nous avait réunis pour sa plus grande gloire. (Mon oncle Léopold se considérait, certes, comme l'instigateur de ce mariage, mais je ne suis pas assez niaise pour confondre l'outil avec le charpentier !)

11 mai 1900

Je garde un souvenir idyllique de ces trois jours de lune de miel avec Albert : des moments de parfaite intimité, mêlés à la bonne humeur et aux rires joyeux de nos dîners en plus grand comité. Le mercredi, je fis quérir à Londres l'un des Paget (dans cette famille nombreuse, une personne au moins était toujours disponible quelle que fût l'occasion), qui organisa à ma demande un grand bal le soir même. Il s'acquitta merveilleusement de sa tâche et la soirée fut une réussite, bien que ce pauvre Albert, un peu las, se fût éclipsé dès onze heures dans nos appartements. Quand je le rejoignis, peu après minuit, je le trouvai endormi sur le sofa de notre chambre, beau comme un ange et innocent comme un nouveau-né. Je l'éveillai d'un baiser, et nous allâmes de fort bonne humeur au lit — où il se comporta, pour notre plus grand plaisir, ni comme un ange, ni comme un nouveau-né...

Il y eut un autre bal — de moindre importance — le jeudi soir. Albert exécuta un galop avec moi, ce qui me ravit. Le lendemain, hélas ! il fallut regagner Londres.

— Comme tout cela a passé vite ! murmurai-je dans la voiture bringuebalante.

— Que dites-vous ? s'étonna Albert, plongé dans une profonde rêverie.

— Je regrette que notre lune de miel ait passé si vite.

Il prit ma main, qu'il posa en souriant sur ses genoux.

— Vous vous trompez, *liebe kleine*[1], fit-il doucement, elle n'est pas près de finir.

Les premiers mois de notre mariage furent si heureux ! De retour au palais de Buckingham, rénové en l'honneur de mon mariage (nouvelles tentures, peinture fraîche, nombreuses dorures...), nous nous installâmes dans une délicieuse routine. Après notre petit déjeuner en tête à tête, nous allions promener les chiens dans le parc, et mon bien-aimé m'initia petit à petit aux choses de la nature dont j'étais totalement ignorante. Avant mon mariage, j'étais à peine capable de distinguer un arbre d'un autre ; grâce à lui je découvrais les caractéristiques des différentes plantes et les mœurs des abeilles ou des papillons. Les explications d'Albert étaient d'une grande clarté, et j'ai toujours adoré apprendre : le professeur et l'élève prenaient un égal plaisir à ces leçons !

La matinée était consacrée au travail, et tandis que je lisais dépêches et dossiers, Albert passait le buvard sur ma signature ou écrivait des lettres personnelles à son bureau, installé à côté du mien. J'étais, les premiers temps, très jalouse de mes prérogatives et incapable d'imaginer l'aide précieuse qu'il pourrait m'apporter. Tout en sachant qu'il avait horreur de l'oisiveté, je ne remarquais pas son regard triste et résigné lorsque j'accomplissais, seule, une tâche que nous aurions beaucoup plus facilement assumée à deux.

Nous déjeunions le plus souvent en petit comité (au maximum une dizaine d'amis intimes) et, l'après-midi, si je n'avais pas d'engagements officiels, nous nous promenions à nouveau, à pied ou à cheval, dessinions ou jouions des duos au piano. Nous passions nos soirées au théâtre ou à l'opéra (nous adorions l'un et l'autre l'opéra !) ou nous recevions à dîner. J'ai-

1. Chère petite.

mais la gaieté des grands dîners, mais la détestable habitude masculine de s'attarder à table après le départ des dames m'a toujours irritée. Les propos échangés au moment du porto et du cognac volaient assez bas — d'après ce que voulut bien m'en dire Albert... Réprouvant cette coutume, il venait me retrouver au salon au bout de cinq minutes, prenait un siège à mes côtés, et nous pouvions rire et converser agréablement ensemble. Quand les autres invités nous rejoignaient, nous faisions de la musique et chantions des duos. Parfois, il jouait aux échecs avec Anson pendant que je discutais avec Lord M.

De temps à autre, nous improvisions des bals après ces dîners. Albert était un merveilleux danseur, et j'adorais tourbillonner dans ses bras au rythme envoûtant d'une valse. Mais quand le temps se réchauffa, j'eus autant de plaisir à me glisser avec lui sur la terrasse pour écouter le chant des rossignols, ma tête sur son épaule et son bras autour de ma taille. Chacune de nos activités communes était un bonheur !

Il m'arrivait, en ces premiers temps de notre mariage, de me réveiller, la gorge serrée, en craignant que tout cela ne fût qu'un rêve. Mais dès que j'ouvrais les yeux, j'apercevais le tendre visage d'Albert penché vers moi.

— J'attendais ton réveil, me dit-il un jour.

— Tu avais promis de toujours me réveiller avec un baiser !

— Oui, répliqua-t-il, mais je préférerais que tu te réveilles juste avant que je t'embrasse. Le plaisir n'en serait que plus délectable.

— Pour toi ou pour moi ?

— Pour nous deux, comme tu vois ! me dit-il en m'embrassant.

Son imagination fertile lui permit d'inventer mille occasions de me faire plaisir. Un matin, il décida qu'il ne voulait pas me quitter pendant que nous nous habillions et qu'il me tiendrait lieu de femme de chambre. Il m'aida même à enfiler mes bas, en me faisant rire aux éclats par ses mimiques affectées. Il avait de tels talents de clown ! Il imagina aussi deux personnages comiques — Herr Pamplemus et Herr Zigeuner — dont il dessina une série de caricatures dans d'absurdes situations. Il endossait parfois le rôle de l'un d'eux, au milieu d'une conversation, et il me jouait la comédie jusqu'à ce que je sois morte de rire.

Mon mari était avant tout mon ami, la personne dont je recherchais sans cesse la compagnie, avec qui je ne me lassais jamais de parler et de rire, et dont la présence donnait au monde sa couleur... Chaque fois qu'il posait ses yeux sur moi, son visage s'éclairait d'un sourire qui me réchauffait le cœur. S'il s'absentait, il venait me saluer dans mon boudoir à son départ et dès son retour ; il ne passait jamais près de moi sans m'effleurer ou chercher mon regard. Albert était le compagnon idéal auprès de qui je trouvais la joie de vivre et un sentiment de parfaite sécurité. J'appréciais les délices de l'intimité conjugale quand je le regardais se faire la barbe le matin. Une maîtresse partage le lit de son amant, mais seule une épouse peut assister à ce rituel quotidien !

La seule ombre à ce tableau était maman, qui nous posa un problème délicat, en refusant catégoriquement de nous quitter. Albert se montrait patient et attentionné, m'évitant, grâce à sa conduite pleine de tact, les scènes insupportables dont elle était coutumière. Mais il souhaitait comme moi son départ. Toute la difficulté était là ! Lord M. suggéra que le roi de Hanovre se vît attribuer le palais de Kensington, en échange de quoi, il céderait à maman sa suite du palais St. James, qu'il n'occupait jamais. Cette idée me parut excellente, mais les deux parties concernées opposèrent un refus indigné.

Lord M. en tira la triste conclusion que je devrais prendre sur mes deniers pour louer une résidence meublée à ma mère. Ce projet me révolta, car ses revenus avaient déjà été largement accrus afin qu'elle puisse rembourser ses dettes et vivre normalement sans avoir à emprunter. Elle n'en avait rien fait, et continuait à me réclamer sans cesse de l'argent. Maintenant j'allais devoir payer pour avoir le privilège de me libérer d'elle ! De fort mauvais gré, je lui accordai un maximum de mille cinq cents livres par mois, pour une durée de quatre ans seulement, après quoi elle devrait se débrouiller par ses propres moyens. On lui trouva une agréable demeure — Ingestre House, sur Belgrave Square — et, le 15 avril 1840, « un jour de sinistre mémoire » selon ses termes, elle quitta le palais de Buckingham pour s'y installer.

Peu après, elle se plaignit de l'exiguïté des lieux — « à peine plus vastes qu'une niche à chien » — et de leur situation excentrée. La propre mère de la reine, qui aurait pu être « reine douairière » si les événements avaient suivi un cours légèrement différent, devait-elle vivre sur le même pied qu'une simple bourgeoise ? Elle m'adressa ce reproche à intervalles réguliers jusqu'au mois de septembre. À cette date, la mort de la princesse Augusta libéra deux résidences : Frogmore House à Windsor et Clarence House à St. James, où avaient vécu autrefois oncle Guillaume et tante Adélaïde. J'attribuai les deux à maman, qui se calma enfin et s'installa à Clarence House le 21 avril 1841, après avoir fait remettre les lieux en état.

La gestion des finances de maman représentait une autre source d'ennuis. Conroy, après avoir donné sa démission, était parti en Italie, et le choix d'une personne de toute confiance s'imposait... Lord M. lui suggéra de prendre le colonel George Couper comme intendant. Ce dernier ayant donné entière satisfaction à Lord Durham au Canada, je vis cette solution d'un très bon œil. Maman, toujours nostalgique de Conroy, avec qui elle n'avait cessé de correspondre, souhaitait que l'un de ses fils lui succède. Lord Dunfermline, son seul ami fidèle, essaya patiemment de la convaincre que le seul nom de Conroy soulèverait un tollé général. Devant ses réticences, il dut la menacer de porter l'affaire devant le Duc...

Elle céda donc, à contrecœur. Mais, sur le conseil de Rea, l'une des créatures de Conroy, elle exigea que Couper ne se mêle pas de ses affaires antérieures à la date officielle de sa nomination — le 1er janvier 1840 — et elle enferma tous ses papiers dans deux grandes commodes dont elle seule détenait la clef. Le colonel Couper, ayant trouvé les affaires de maman dans un désordre indescriptible, se félicita d'abord de ne pas avoir à se mêler des secrets de la gestion de Conroy. À mesure que ses relations avec maman s'amélioraient, il fut amené à s'inquiéter de plus en plus du contenu de ces commodes. Au bout de dix ans, elle finit par lui confier les fameuses clefs, et ce qu'il découvrit lui parut aussi choquant que s'il avait ouvert le cabinet de Barbe Bleue.

Mais j'anticipe... En avril 1840, j'étais simplement ravie d'être enfin libérée de la présence de ma mère et d'avoir confié la gestion de ses finances à un honnête homme. Je découvrais par ailleurs qu'il n'y a pas de roses sans épine : d'une part Albert commençait à se montrer jaloux de Lehzen ; d'autre part, j'étais enceinte...

10

Windsor, 14 mai 1900

J'ai toujours trouvé intolérable que tout l'aspect déplaisant, voire dangereux, de la procréation soit dévolue aux femmes, alors que les hommes n'en ont que l'agrément. Lorsque je découvris, un mois après mon mariage, que j'étais enceinte, ma déception fut amère. Pourquoi Dieu ne m'avait-il pas accordé ne serait-ce qu'une année entière de bonheur avec mon cher Albert ? Tôt ou tard, j'aurais eu des enfants, mais j'étais furieuse de m'être laissé *prendre* si vite...

Longtemps après, j'écrivis ceci à Vicky, qui venait de se marier :

> *« Les deux premières années de mon mariage ont été entièrement gâchées par mes grossesses. J'ai enduré toutes sortes de maux et de souffrances ! Tous les plaisirs, y compris celui des voyages, m'étaient refusés, et je devais prendre de constantes précautions. Telle est la servitude qui s'impose à une femme mariée ! Sinon, la vie conjugale est une délicieuse félicité, à condition d'aimer son mari. J'ai dû supporter neuf fois ce pénible état (en plus de mes autres devoirs) et cela m'a vivement affectée. On se sent si mal, si diminuée ! J'espère que tu auras un an de répit, comme je l'aurais tant souhaité moi-même... »*

Ma pauvre Vicky tomba enceinte presque immédiatement, et son premier enfant naquit un an après son mariage ! Aucun de mes accouchements ne fut aussi éprouvant que le sien : le travail dura deux jours pendant lesquels elle souffrit le martyre, malgré de fortes doses de chloroforme. J'avais demandé à Martin, l'un de mes médecins, de se tenir prêt à intervenir, mais le stupide médecin allemand de Vicky ne le fit pas chercher tout de suite, et lui annonça à son arrivée que la princesse et son enfant se mouraient. Martin prit aussitôt la direction des opérations et parvint à les sauver, après douze heures de lutte épuisante. Le bébé, qui se présentait par le siège (une dure épreuve pour la maman), était en vie, mais avec l'épaule démise et un bras bleu et inerte. Je n'appris cette nouvelle que plus tard, de même que les souffrances de ma chère enfant. Sur le moment, rien ne vint ternir ma joie. Arthur — qui avait huit ans à l'époque — se mit à arpenter les couloirs de Windsor en hurlant : « Je suis oncle ! Je suis oncle ! », comme s'il s'agissait du plus grand titre de gloire.

L'arrivée du premier-né de la nouvelle génération nous combla de joie. Vicky et Fritz nommèrent leur fils Frederick William Albert Victor, mais nous l'avons toujours appelé Willy dans la famille. Les médecins prescrivirent pour son bras des traitements inefficaces — massages et fomentations. J'ai parfois l'impression que les soucis que nous a donnés Willy en grandissant ne sont pas sans rapport avec son bras atrophié, car il ne supportait pas la moindre remarque à ce sujet. Après cet épisode, Vicky, ayant désormais comme moi une piètre opinion des médecins allemands, fit appel à des praticiens anglais pour ses autres — et bien trop nombreux — accouchements.

J'avais toujours redouté la maternité, d'autant plus que je gardais en mémoire l'exemple de ma cousine, la princesse Charlotte, morte en couches après de terribles souffrances. Un véritable lien spirituel m'unissait à elle, car, sans sa mort, je n'aurais peut-être jamais vu le jour. Si nos destins étaient liés sur ce point, pourquoi ne le seraient-ils pas sur d'autres ?

Quelques jours après avoir eu la confirmation de mon état, le 21 mars, je me sentis vraiment mal. Allongée sur mon sofa, je fondis en larmes à l'idée que mes tourments ne faisaient que débuter et allaient durer encore huit longs mois. Le pauvre Albert ne savait que dire pour me réconforter. Ce qui était fait était fait, et il ne pouvait même pas m'exprimer des regrets. La nature l'eût-elle permis, il aurait accepté de bon cœur d'endurer tout cela à ma place ; mais je crois que, si le lot des hommes avait été de porter les enfants en leur sein, l'humanité serait éteinte depuis fort longtemps...

Après avoir maudit le destin, je m'exclamai :

— Je vais devoir renoncer à tous les plaisirs ! Ni cheval, ni danse, ni *rien* ! Moi qui me réjouissais tant de passer l'été avec vous !

— Certains plaisirs demeureront, fit Albert d'une voix caressante.

— Pour vous peut-être ! Moi je serai ronde comme un ballon l'été prochain, et bonne à rien.

— Cela ne durera pas éternellement, mon amour !

— Huit mois me semblent une éternité. Et tout le monde aura les yeux rivés sur mon ventre.

— Mais non ! Et pensez au bonheur d'avoir un bébé — un fils, notre fils ! Ce sera merveilleux, ma chérie.

— Je n'aime pas les bébés — ces horribles petites choses au crâne chauve, à la bouche toujours béante, et qui ressemblent à de vilaines grenouilles !

— Pensez au miracle de la vie, murmura Albert rêveusement, à ce don de Dieu...

Cette sentimentalité masculine m'exaspéra.

— Ce n'est pas vous qui allez souffrir et risquer de mourir en mettant un enfant au monde. Avez-vous pensé à cela ?

Me voyant à nouveau en larmes, il me serra tendrement dans ses bras pour m'apaiser et il humecta mes tempes avec de l'eau de lavande.

— Vous n'allez pas mourir, ma chérie. Je sais que vous pensez à la princesse Charlotte... Mais votre vieil ami, Lord Melbourne, vous a toujours dit qu'elle était affaiblie par un régime draconien et de multiples saignées. Vous êtes si fraîche et saine qu'il ne peut rien vous arriver de tel, je vous assure !

Mes larmes se tarirent un moment.

— Vous ne les laisserez pas me saigner ! implorai-je d'une voix tremblante. C'est ainsi qu'ils ont tué mon père, d'après mon oncle Léopold.

— Comptez sur moi, ma chérie ! Vous aurez une heureuse grossesse et tout ira bien. D'ailleurs, vous n'êtes jamais malade.

— C'est vrai, admis-je, apaisée et fière de ma robuste santé.

Albert se fit encore plus tendre.

— Dieu ne nous séparerait pas, si peu de temps après nous avoir réunis ! Vous dites vous-même que nous avons une tâche à accomplir ensemble. Croyez-vous qu'il oublierait cela ?

Je me blottis dans ses bras, la tête contre son épaule, et il me caressa les cheveux en me couvrant de baisers. Quelques instants plus tard, je finis par murmurer d'une voix mieux assurée :

— C'est bien rapide. J'aurais tant souhaité être encore tranquille quelque temps avec vous !

— Nous sommes de trop bons amants pour cela, ma petite fleur, chuchota-t-il.

Cette première grossesse n'affecta pas trop ma santé, et, entre mes accès de mélancolie et de nombreuses crises de larmes, je connus de grands moments de bonheur. N'avais-je pas un mari que j'adorais et qui se consacrait totalement à moi, me distrayant, chantant avec moi, me faisant la lecture et déployant des trésors d'imagination pour m'amuser ? Je suis d'un naturel passionné et j'ai tendance à croire que mes moments de dépression seront éternels, de même que j'oublie totalement que j'ai pu être un jour malheureuse quand je suis en période d'optimisme. Mes journaux intimes sont emplis de « toujours » et de « jamais » ! Telle est ma nature, mais de pareils excès durent bien souvent mettre à l'épreuve la patience de mon pauvre Albert, qui croyait si fort à la raison et à la modération.

Il m'arrivait parfois, je l'avoue, de me réjouir à l'idée de donner un enfant à mon bien-aimé, mais je pensais surtout à l'époque où cet enfant aurait deux ou trois ans ; la période qui précédait me paraissait déplaisante, voire dégradante. Le seul avantage que j'accordai jamais à la grossesse fut de me libérer quelques mois de mes corsets. Pendant toute ma vie les femmes ont été si étroitement corsetées qu'il m'est arrivé d'envier les périodes où la mode les autorisait à se passer de ces véritables instruments de torture. (Quoique celles-ci aient été, semble-t-il, des périodes de relâchement des mœurs : prenez l'exemple du règne de Charles II !) Cette habitude de comprimer le haut du corps explique sans doute les évanouissements si fréquents chez les femmes de la haute société, car ce phénomène est beaucoup plus rare dans les classes inférieures. On l'attribue volontiers à la sensibilité — censée faire défaut aux pauvres — mais je ne serais pas étonnée que les corsets en soient tout bonnement responsables.

Ma grossesse ne me dispensa pas de mes obligations publiques, ce qui fut très pénible ; quand on a les chevilles enflées ou mal au dos, on n'a nulle envie de passer des heures debout en public ni de sourire à des diplomates étrangers. De même, elle ne me rendit ni aveugle ni insensible à la tension qui régnait entre les deux personnes les plus proches de moi. Quand j'y repense, je réalise les difficultés que dut rencontrer Albert, si loin de son pays natal, pour trouver sa place et le ressentiment qu'il éprouva alors vis-à-vis de Lehzen, confortablement installée depuis si longtemps. J'avais pris soin de ne donner à cette dernière aucune position officielle susceptible d'éveiller les jalousies, mais, depuis mon accession au trône, elle était responsable de ma correspondance privée, du contrôle de mes dépenses, et c'est elle qui contresignait toutes les factures à régler sur ma cassette privée. Elle disposait donc d'une sphère d'influence et d'un pouvoir certains ; en outre, mon affection et ma gratitude lui permettaient d'entretenir avec moi des rapports privilégiés. Mais Lehzen n'aurait pour rien au monde abusé de ses pouvoirs et je n'ai *jamais* discuté avec elle des affaires publiques, quoi qu'aient pu dire les mauvaises langues.

Cependant, Albert, influencé par oncle Léopold et conscient de ses propres mérites, aurait souhaité gouverner avec moi. Voyant que je ne lui donnais accès à aucun document officiel et que sa seule prérogative était de passer le buvard sur ma signature, il devint évidemment jaloux de Lehzen qu'il rendait responsable de son oisiveté forcée. Il s'imaginait à tort qu'elle m'avait conseillé de le tenir à l'écart des affaires d'État.

En réalité, j'avais pris cette décision seule ! En effet, je n'avais pas oublié que la petite orpheline solitaire du palais de Kensington avait eu pour unique consolation l'idée qu'elle serait un jour reine d'Angleterre, donc au-dessus de tous et à l'abri des pressions. À cela s'ajoutait un sens aigu des responsabilités que je devais à Lehzen et à mon oncle Léopold. Il m'était donc impossible de partager mon pouvoir avec qui que ce soit, car toute ma personnalité reposait sur le sentiment d'un devoir envers Dieu — un devoir auquel je ne me suis jamais soustraite... Si Dieu n'avait pas souhaité que moi, Victoria, je devienne reine d'Angleterre, il ne se serait pas donné tant de mal pour arriver à ses fins.

En toute sincérité, je dois avouer que je fais preuve d'une incontestable obstination, longtemps nourrie par la crainte qu'une « certaine personne » n'usurpe mes pouvoirs. Après un tel combat, je n'étais pas disposée à abandonner la moindre parcelle de mon autorité. Mes raisons me semblaient suffisamment valables pour que personne — pas même mon mari — ne les mît en doute. Je ne lui donnai donc aucune explication : il n'avait qu'à se plier à ma volonté...

Albert ne l'entendait pas ainsi. En tant qu'homme et en tant qu'Allemand, il n'était guère enclin à la soumission. Il trouvait aussi naturel de diriger, de décider et de protéger que de respirer ! L'homme était le maître, et il appartenait à l'épouse d'obéir. C'était l'ordre normal des choses tel que voulu par Dieu, ce qui coïncidait parfaitement avec sa vision personnelle du monde. Or, loin de son bien-aimé Cobourg, il souffrait que la réalité différât tant de ce qu'elle aurait été chez lui. Il devait penser que je le traitais comme un petit animal apprivoisé — ce qui heurtait son orgueil masculin et l'irritait au plus haut point. Mais, en tant que reine, je considérais mes désirs comme des ordres et il n'y pouvait rien. Ce pauvre cher Albert était d'ailleurs assez lucide pour comprendre que toute insistance de sa part n'aurait pour effet que d'accroître mon obstination...

Au début, il se montra très patient ; cependant, à l'occasion de mon anniversaire, en mai, il m'offrit un grand encrier de bronze, puis attendit la fin des festivités pour me demander quand il pourrait en avoir un, lui aussi, et être autorisé à s'en servir.

— Vous ne me faites aucune confiance, même pour résoudre les plus petits problèmes d'intendance, me déclara-t-il, et, en ce qui concerne les questions politiques — pour lesquelles je pourrais vous être utile —, vous ne vous adressez même pas à moi.

— Je vous aime trop, répliquai-je dans l'espoir de calmer sa mauvaise humeur, pour perdre mon temps en discussions politiques avec vous. Je préfère mille fois vos baisers et vos mots d'amour !

— Vous ne me traitez pas comme je le mérite, répliqua-t-il d'un air grave. Oubliez-vous que j'ai aussi un esprit ?

— Je vous considère comme le plus intelligent des hommes.

— Alors, pourquoi me condamnez-vous à l'oisiveté ? « *Ein unnütz Leben ist ein früher Tod* », s'indigna-t-il, citant Goethe : « Une vie inutile est une mort précoce. »

Effrayée par cette allusion à la mort — qui me semblait fausser le sens de notre discussion —, j'avoue que je pris la mouche. Ensuite, il me parut sage d'interroger Lord M.

— Que faire ? lui demandai-je. J'ai tenu Albert à l'écart des affaires publiques dans son intérêt autant que dans le mien : les gens le considèrent encore comme un étranger et risquent de lui en vouloir s'il donne l'impression de m'aider ou de m'influencer.

Lord M. hocha la tête d'un air entendu.

— Il pourrait vous soulager, madame, d'une partie du poids que vous portez. Mettez-le au courant progressivement. Laissez aux gens le temps de s'habituer à cette idée ! On s'habitue à tout, je vous assure. Il fut un temps où je n'aimais pas le homard...

— Soyez sérieux ! protestai-je en riant de cette dernière remarque. Je pense en effet que Dieu m'a envoyé Albert pour m'aider à remplir mes devoirs en société. Mais, sur le plan politique, il doit se comporter comme le ferait l'épouse du roi.

— Vous n'êtes pas tout à fait dans la situation d'un roi. Un plus lourd fardeau pèse sur vos épaules, car vous devez être à la fois roi et reine, observa-t-il affectueusement. Personne ne peut s'acquitter à votre place de vos devoirs de femme, il est donc raisonnable que vous receviez dans certains domaines une aide susceptible d'alléger votre charge.

— Vous pensez donc que je dois discuter des affaires d'État avec le prince ?

— Vous ne devriez pas vous priver de ses précieuses lumières. Le prince est un homme éclairé et raisonnable, dont l'esprit impressionne tous ceux qui ont l'honneur de converser avec lui. Holland me disait l'autre jour qu'il est maintenant de bon ton de faire son éloge.

— Je suis ravie de l'apprendre, mais un autre problème se pose. Admettons que je lui demande son avis et qu'il ne soit pas d'accord avec moi, je ne pourrais pas céder, car, en tant que reine, je suis seule responsable. Mais, dans ce cas, il m'en voudra d'agir à ma guise ! La situation sera encore pire que si je ne lui avais rien demandé, et nous nous disputerons.

— Dans l'éventualité d'une divergence d'opinions, Votre Majesté peut prendre conseil auprès de ses ministres, et le prince le sait fort bien. Tout ne se passera pas uniquement entre vous et lui, et, si vos ministres vous approuvent, il s'inclinera.

— Il en veut à Lehzen déclarai-je à brûle-pourpoint. Il s'imagine que je lui fais part de tous mes secrets et qu'elle m'incite à me méfier de lui.

— C'est ce que j'ai cru comprendre.

— Vous savez bien que c'est un pur mensonge ! Elle a toujours été de notre côté et vous n'avez jamais eu la moindre difficulté avec elle.

Il sourit d'un air énigmatique.

— Je ne suis pas l'époux de Votre Majesté, mais j'ai ouï dire que certaines personnes vous croient influencée par la baronne, peut-être à votre insu... Maintenant que vous êtes mariée, votre intimité avec elle devrait décroître à mesure que vous vous rapprochez du prince.

Ce conseil aussi judicieux que nuancé embrasa malgré tout ma colère, car j'y vis une attaque indirecte contre ma chère Lehzen.

— Je sais qui fait courir ce bruit, m'écriai-je avec véhémence, c'est Stockmar ! Il me prend toujours pour une fillette naïve et incapable de comprendre ce qui se passe autour d'elle.

Comment Lehzen pourrait-elle m'influencer à mon insu ? C'est encore un complot pour m'obliger à me séparer d'elle, et je ne céderai pas !

Vu mon entêtement, la situation d'Albert ne s'améliora guère. Il resta oisif et condamné à une vie frivole qui lui avait toujours fait horreur.

15 mai 1900

En juin 1840 survint un événement des plus terrifiants. J'étais dans mon quatrième mois de grossesse et en assez bonne forme, car les maux du début avaient disparu tandis que la délivrance était encore lointaine. Le 10, à six heures du soir, nous partîmes rendre visite à maman à Belgrave Square. Albert m'exhortait à me montrer parfaitement correcte et à la traiter avec les égards qu'elle croyait mériter. En outre, depuis qu'elle vivait loin de moi, je supportais mieux sa compagnie, surtout lorsque mon mari était là pour la charmer et calmer ses récriminations continuelles. (Gendre et belle-mère s'entendaient fort bien, car ils partageaient le plaisir de parler de leur cher Cobourg !)

Par cette belle journée d'été, nous avions pris un phaéton tiré par mes chevaux gris favoris. Comme nous remontions Constitution Hill, la chaleur commençait à faiblir, et, dans la douceur du soir, le soleil projetait les hautes ombres noires des arbres sur les grilles dorées du Parc. Les martinets passaient en trombe avec des cris perçants, l'air tiède caressait nos joues et je baignais dans la félicité.

Nous discutions de chevaux, Albert et moi, et j'avais tourné la tête pour observer un cheval qui passait :

— Que pensez-vous de cet alezan ? lui demandai-je. Ces balzanes blanches aux pieds sont un peu voyantes à mon avis.

Comme je lui parlais, une violente détonation déchira mes tympans. Une détonation si proche que les chevaux s'immobilisèrent, la tête dressée. Albert me saisit les mains en s'écriant :

— Mon Dieu, ma chérie, comme vous avez dû avoir peur !

Ne voyant aucune raison de m'alarmer, je me mis à rire.

— Ce n'est rien, mon amour. Quelqu'un a tiré sur un oiseau, je suppose. Il n'aurait pas dû s'avancer si près de la route !

Au même instant, j'aperçus sur le marchepied, de l'autre côté de la voiture, un étrange petit bonhomme au teint basané, les bras croisés sur la poitrine d'un air théâtral, avec un pistolet dans chaque main. Il décroisa lentement les bras et tendit la main droite pour me viser. Cet homme qui pointait son arme vers moi voulait ma mort ! Mon cœur se serra à l'idée qu'il allait d'une seconde à l'autre me loger une balle dans la tête : se sentir l'objet de tant de haine est une sensation pour le moins étrange...

Tout se passa très vite. Je me baissai, tandis qu'Albert me poussait au fond de la voiture en me couvrant de son corps. L'homme tira un second coup ; j'entendis la balle siffler au-dessus de ma tête. Les passants, que l'horreur avait figés sur place à la première détonation, se jetèrent sur ce fou — un individu malingre qui fut facilement maîtrisé par d'intrépides Londoniens. « Assassin ! À mort ! », criaient-ils. Dès que je me fus relevée, je remis de l'ordre dans mes vêtements et regardai Albert qui me demanda, le visage blême.

— Vous n'êtes pas blessée ?

— Non. Rassurez-vous.

— Certes, mais dans votre état...

Il avait baissé la voix, car ma grossesse était officiellement tenue secrète, quoique, je suppose, plus personne à Londres ne l'ignorât.

— Rentrons afin que vous preniez du repos, suggéra Albert d'une voix blanche.

Je hochai la tête, plus étourdie par les deux détonations que choquée par l'agression elle-même.

— Poursuivons notre chemin et allons rassurer maman. Si elle apprend l'attentat et ne nous voit pas arriver, elle va penser que nous sommes morts ! Dites au postillon d'avancer.

— Comme vous êtes courageuse et raisonnable ! murmura Albert qui avait retrouvé des couleurs.

Une immense acclamation nous salua quand la voiture se remit en marche. J'y répondis par un petit signe de tête et un sourire.

— Ces braves gens vont se charger de livrer mon agresseur à la police, murmurai-je. Quelle idée de tirer sur moi ! C'est un fou, je suppose.

— Ce traître mérite d'être pendu ! déclara froidement Albert.

Après avoir passé un moment avec ma mère, nous remontâmes en voiture et j'insistai pour faire un long détour avant de rentrer — en partie pour prendre l'air, mais aussi pour me montrer à mes sujets. Les rumeurs se répandant comme une traînée de poudre, je ne voulais pas que la moitié de Londres s'imagine que j'avais péri sous les balles ! Comme nous traversions le Parc, tous les cavaliers et toutes les voitures formèrent une escorte enthousiaste qui nous accompagna au palais. Chacun semblait rassuré de me voir indemne et les applaudissements me réchauffèrent le cœur. L'assassin en puissance devait avoir perdu la raison, car je n'étais certainement pas impopulaire.

— Je crois comprendre que mon état n'est plus un secret pour tous ces gens, murmurai-je à Albert en m'inclinant devant la foule, et ils s'en réjouissent, car personne ne voudrait de mon oncle Ernest sur le trône. L'impopularité de l'héritier présomptif est mon meilleur atout !

— Comment pouvez-vous plaisanter ? s'étonna mon époux en serrant ma main dans la sienne.

— Tout va bien maintenant, répondis-je.

Albert paraissait plus troublé que moi ! Si je tremble rétrospectivement, sur le moment, le danger me laisse en général insensible. C'est d'ailleurs une bonne chose, car je fus exposée à d'autres attentats !

Le plus bouleversant pour moi eut lieu en 1850, à l'entrée de Cambridge House, quand un individu surgi de la foule me frappa au visage avec sa canne. Le bord de mon chapeau amortit le coup qui aurait pu me fracturer le crâne. Je perdis connaissance et j'eus de grosses contusions à l'œil et au front. Ma cicatrice mit dix bonnes années à disparaître ! Une fille de soldat ne doit pas craindre d'affronter le feu : des coups de pistolet, tirés par un fou, sont le prix à payer quand on occupe des fonctions élevées. mais frapper une femme est un acte brutal et vil — une lâcheté qui m'affligea profondément.

Cet attentat de 1840 entraîna une conséquence imprévisible. Quelques jours après, Albert me montra les pistolets qui avaient failli mettre fin à mes jours. Je les pris entre mes doigts tremblants et les regardai, tels des serpents morts en me disant que notre vie tient vraiment à peu de chose ; aux caprices d'un illuminé, en l'occurrence. Mais que faire ? Albert préparait sans doute le terrain, car, ce jour-là, au cours de l'audience, Lord Melbourne s'adressa à moi d'un ton un peu hésitant :

— Je voudrais aborder un sujet de première importance et particulièrement urgent, dont vous avez peut-être une idée, me dit-il.

— Pas le moins du monde, répondis-je d'un air surpris. De quoi s'agit-il ?

— D'un décret concernant la régence.

Mon sang se glaça dans mes veines, car il n'est jamais plaisant d'entendre ce genre d'allusion à sa propre mort. Oui, j'avais failli tomber sous les balles d'un fou, mais, je craignais beaucoup plus de mourir en enfantant que sous le feu d'un assassin. La femme était plus vulnérable que la reine, et pourtant seule comptait cette dernière.

— Fort juste ! m'exclamai-je. Parlons-en !

— Il ne suffit pas d'en parler, madame. Il faut aussi agir, et vite ! Avant que la Chambre ne se sépare...

— Certes, mais qu'en pensera l'opposition ?

Depuis mon mariage, Lord M. m'encourageait à m'entendre avec les tories. Son ministère étant en mauvaise posture, je suppose qu'il me préparait à l'éventualité de sa chute. J'avais suivi ses conseils, mais avec de secrètes réserves, car je n'oubliais pas que Peel avait voté pour la réduction de la pension d'Albert...

— Je pense qu'elle vous suivra, madame, répliqua-t-il. Il s'agit d'une urgence nationale, et le choix du prince — tuteur légal de votre futur enfant — comme régent s'impose.

Je souris.

— En effet. Mais, en tant qu'héritier présomptif, le roi de Hanovre pourrait s'y opposer.

— Personne ne voudrait de lui ! Il en était déjà ainsi lorsque se posait la question d'une régence pour vous, et rien n'a changé depuis. De même, je suppose que personne non plus ne serait favorable à vos oncles Sussex et Cambridge, vu leur âge.

— Ne vont-ils pas reprocher au prince sa jeunesse et son inexpérience ? (Ils risquaient par ailleurs de lui reprocher son origine étrangère, mais je n'en dis rien, car Lord M. me comprenait toujours à demi-mot.) Et même s'ils sont d'accord, les tories vont exiger un conseil de régence.

— Nous verrons, madame, conclut Lord M. avec un sourire rassurant. Mais, après l'accident du Parc, nous aurons la presse de notre côté, ce qui n'est pas négligeable.

La suite des événements lui donna raison. Les tories se montrèrent très généreux... Sir Robert Peel dit qu'il ne voyait pas l'utilité d'un conseil, le Duc estima que la régence devait incontestablement être confiée au prince. Oncle Sussex cria au scandale, mais il fut le seul ! En juillet, les deux Chambres votèrent à l'unanimité le projet de loi nommant Albert régent, et tous les journaux — y compris le *Chronicle* — approuvèrent cette décision. Albert sembla ravi ; quant à moi, je rayonnais de bonheur devant ce témoignage de respect donné à mon bien-aimé.

— Trois mois plus tôt, ça ne se serait pas passé ainsi ! observa Lord M.

En août, Albert reçut un autre témoignage du même ordre. J'allais proroger le Parlement, et la question se posa de sa place dans le cortège ainsi qu'à la cérémonie.

— Nous devons voir ce qui se passait du temps de cet infernal George de Danemark, grommela Lord M.

Tous les problèmes de préséance nous ramenaient à la reine Anne, dernière reine régnante, et nous commencions à nous lasser de cette comparaison ! Après vérification, Lord M. m'apprit qu'Albert était en droit d'aller en voiture avec moi au Parlement et de s'asseoir près du trône pendant la cérémonie. Ainsi fut fait. Sa présence rassurante me combla de joie, car je me sentais toujours tendue en de telles occasions ; mais je me réjouis plus encore des acclamations qui le saluèrent ce jour-là, comme s'il avait conquis le cœur du pays.

À la fin de ma grossesse, il devrait assurer l'intérim pendant au moins une semaine ou deux — et beaucoup plus longtemps si je venais à mourir. Le décret de régence stipulait que, si je mourais après avoir accouché d'un enfant vivant, il serait roi pendant dix-huit ans — en fait, sinon en titre. Mais, malgré mon appréhension devant l'épreuve imminente, je ne croyais pas mes jours menacés. Un monde avec Albert mais sans moi était-il concevable ? Tout en discutant de plus en plus des affaires courantes avec lui à mesure qu'approchait le terme, je tenais toutefois à m'occuper seule de mes « boîtes » et à lire moi-même les documents officiels. J'étais reine et j'estimais qu'il devait se satisfaire d'être mon « consort ».

Quoique j'aime tendrement mes enfants et petits-enfants, je n'ai jamais été attirée par les nouveau-nés. Je trouve absurde cette passion pour les bébés qui fait fureur dans notre pays depuis une cinquantaine d'années ! Lorsque les enfants deviennent plus raisonnables et capables de s'exprimer, ils peuvent me charmer et m'amuser, mais ces petits êtres goulus et baveurs auxquels nous donnons naissance me semblent fort déplaisants... En outre, je n'ai jamais compris les femmes qui considèrent l'enfantement comme un des grands bonheurs de leur vie. J'estime qu'il s'agit d'une épreuve non seulement douloureuse mais absolument dégradante, que Dieu a été bien cruel d'imposer aux femmes !

Le fait de donner le sein à son enfant ne me semble, par ailleurs, ni « beau » ni « naturel ». Se transformer ainsi en vache ou en brebis est indigne de créatures que Dieu a dotées de nobles qualités. J'ai été choquée d'apprendre que mes propres filles, Vicky et Alice, avaient allaité leurs bébés. Vicky a même nourri un des enfants de sa sœur, celle-ci étant malade. Cette idée m'inspire un véritable dégoût...

Vers la fin du mois de novembre 1840, j'eus la certitude que l'heure fatale arrivait, que je le veuille ou non. Ce sentiment d'imminence est fort pénible : à certains moments je souhaitais que les événements se précipitent pour en finir au plus vite, à d'autres j'espérais avoir encore un peu de répit. Après un examen préliminaire (bien embarrassant !), mon accoucheur le Dr Locock m'avait annoncé que je n'aurais pas de difficultés, ce qui me rassura un peu. Mais quel homme peut comprendre réellement l'angoisse d'une femme ? Albert fit de son mieux pour m'occuper l'esprit et en chasser toute crainte morbide. En septembre, alors que la princesse Augusta vivait ses derniers jours, il m'emmena à Claremont pour me tenir à l'écart du funeste événement. Des bruits bizarres et d'une incroyable absurdité circulèrent alors : ayant eu la prémonition que je mourrais en couches comme la princesse Charlotte, j'étais partie à Claremont pour reconstituer à l'identique la salle où elle avait accouché, avant d'aller la rejoindre dans sa tombe.

Le 21 novembre, aux premières lueurs de l'aube, une impression étrange et déplaisante m'éveilla. Bien qu'il y eût encore deux semaines jusqu'à la date fixée par Clark, je n'eus aucun doute sur ce qui m'arrivait ! Albert envoya aussitôt chercher Clark, qui jugea opportun d'alerter Locock. En attendant, j'essayai de me rendormir, sur les conseils d'Albert, mais je me sentais mal et ne parvins à m'assoupir que quelques instants. Locock arriva à quatre heures du matin et il lui suffit de poser les mains sur moi pour m'annoncer que le bébé allait naître et que tout paraissait normal. Après cela, il n'était plus question de sommeil : un horrible attirail fut installé autour de moi et on alla chercher aux quatre coins de Londres toutes les personnes dont la présence était requise.

J'étais outrée par le manque d'intimité que la tradition impose à une reine lorsqu'elle enfante. Depuis Jacques II, et le complot de la bassinoire, le pays vivait dans la crainte d'un imposteur. (Je ne crois pas un mot de cette histoire selon laquelle la reine aurait donné naissance à une fille aussitôt remplacée par un garçon amené clandestinement dans une bassinoire. Il faut être simple d'esprit pour ajouter foi à de telles sornettes !) Pour éviter toute contestation, la pièce où naît l'enfant fourmille de personnages officiels — auxquels, en des temps plus reculés, s'ajoutaient des hordes de courtisans.

J'avais déclaré sans détour à Lord M. que je refusais ce cérémonial, et nous avions trouvé un compromis, car la loi exigeait malgré tout la présence d'un certain nombre de témoins. Les personnages officiels attendaient donc dans la pièce voisine de la chambre où je me trouvais, la porte de séparation restait ouverte afin que le lit soit bien en vue ; le nouveau-né devait leur être amené dès que le cordon ombilical serait coupé. Parmi eux figuraient les membres du Cabinet, l'archevêque et l'évêque de Londres, Lord Erroll et Lord Steward. Il ne manquait que des colporteurs vendant des petits pains et des châtaignes grillées !

À mon chevet, étaient présents Locock, la sage-femme Mrs. Lilly, et bien sûr Albert. Mon cher époux ne me quitta pas un instant, me tenant la main pendant le travail, épongeant mon front et me murmurant des encouragements.

Une fois que le processus fut amorcé, je retrouvai mon calme : c'était une épreuve plus épuisante que douloureuse, et je ne reculai pas un instant devant l'effort. Albert semblait plus nerveux que moi ! À deux heures de l'après-midi le bébé vint enfin au monde. J'entendis un hurlement particulièrement viril, puis Locock s'exclama d'une voix pleine de commisération :

— Ah, madame, c'est une princesse !

Albert serra ma main dans la sienne pour me réconforter, mais sa déception se lisait sur son visage. En plaignant cette pauvre petite, qui ne méritait pas d'être si mal accueillie, je répondis :

— Ça ne fait rien, mon prochain enfant sera un prince.

Le pays allait sans doute regretter que je n'aie pas donné un héritier mâle à la Couronne, mais pour l'instant je m'en souciais bien peu. Mon premier réflexe fut de questionner Locock sur l'état du bébé.

— Il est en parfaite santé, madame, me répondit-il. Vous n'avez aucune raison de vous inquiéter.

— Eh bien, faites votre devoir ! dis-je.

Il emmena l'enfant tout nu dans la pièce voisine pour le soumettre à l'examen des témoins. Je songeai en moi-même que, si cette naissance en public m'avait paru dégradante, ma fille venait de subir à son tour une humiliation. Mais une humiliation dont elle ne garderait aucun souvenir...

Albert semblait aussi épuisé que s'il avait fourni les mêmes efforts que moi. En m'embrassant, il murmura :

— Comment vous sentez-vous, petite chérie ?

Un instant, je restai à l'écoute de mes sensations. Je ne souffrais plus, et je me sentais affaiblie mais paisible. Enfin, presque, car j'avais une faim de loup.

16 mai 1900

Après une nouvelle visite à Netley ce matin, nous sommes rentrés pour déjeuner. Il me semble que j'aurai juste le temps de terminer cet épisode de mon récit avant l'arrivée des enfants.

Donc, Albert, après un rapide repas, partit précipitamment à la réunion du Conseil privé où il devait me représenter — une tâche nouvelle pour lui et une étape dans sa carrière, bien que je n'en eusse guère conscience alors. A son retour, il m'apprit que tout le monde avait manifesté son enthousiasme au sujet du bébé. Lord Palmerston avait noté qu'il s'agissait d'un événement historique ; en effet, c'était la première fois qu'une reine d'Angleterre régnante donnait naissance à un héritier. Lord M. avait affirmé, pour sa part, que personne ne regretterait qu'il s'agisse d'une fille, puisqu'elle venait de toute façon s'interposer entre le trône et le roi de Hanovre.

Du fait de l'erreur de calcul de Clark, la nourrice que nous avions engagée n'était pas encore sur les lieux. Il fallut envoyer un page la chercher à Cowes, où elle habitait. (Un nom prédestiné [1], fis-je observer à Albert.) Elle arriva le lendemain à deux heures du matin, et le bébé sembla trouver son lait excellent. À mon réveil, quelques heures après, me sentant parfaitement bien, je pris mon petit déjeuner avec plaisir. La mère et l'enfant étaient donc comblées l'une comme l'autre !

Albert fut un ange de douceur et de tendresse jusqu'à mes

1. Il s'agit ici d'un jeu de mots, *Cowes* se prononçant comme *Cows*, qui en anglais signifie « vaches ».

relevailles. C'était lui qui m'aidait à m'allonger sur le sofa et le roulait d'une pièce à l'autre, lui qui plaçait le garde-feu devant la cheminée, disposait les candélabres, veillait en permanence à mon confort. Pour rester à mon entière disposition, il renonça à toutes les sorties, même au théâtre, et dîna en tête à tête avec moi presque chaque soir. Il était heureux de passer des heures en ma compagnie, à lire, écrire des lettres, ou simplement me tenir la main. Nous bavardions de l'avenir du bébé... Enchanté d'être père, il ne semblait pas regretter le moins du monde d'avoir une fille — si ce n'était pour des raisons dynastiques. Lorsqu'il réfléchissait à l'avenir de l'enfant (son éducation, ses divertissements, ses amis, son futur mari) il manifestait une telle émotion que, s'il ne m'avait pas exprimé si clairement son amour, j'aurais pu en concevoir une certaine jalousie.

Un étrange événement se produisit à cette époque. Début décembre, à une heure du matin, Mrs. Lilly fut éveillée par un grincement de porte. « Qui est là ? » s'écria-t-elle. J'ouvris un œil, et mes cheveux se dressèrent sur ma tête quand je vis la porte de mon boudoir se refermer doucement de l'intérieur. « Qui est là ? » répéta Mrs. Lilly d'une voix horrifiée. Avec une grande présence d'esprit, elle traversa la pièce en courant pour verrouiller la porte, puis elle se rua dans le corridor pour appeler un page. Kinnaird, de garde cette nuit-là, arriva à demi endormi, et ne sembla rien comprendre à ses explications.

Heureusement, ma chère Lehzen, alarmée par ce vacarme, fit alors son apparition. Après avoir interrogé Mrs. Lilly, elle réagit promptement.

— Qu'attendez-vous, mon garçon ? demanda-t-elle à Kinnaird dont elle avait empoigné l'épaule. Il y a quelqu'un dans le boudoir de Sa Majesté. Allez l'arrêter !

Elle poussa Kinnaird, hésitant, vers la porte, et prit le temps de me rassurer.

— Ne vous inquiétez pas, Majesté, nous attraperons cet intrus, mort ou vif, dit-elle avec un sourire.

J'étais en train de me demander pourquoi elle avait décidé qu'il s'agissait d'un homme plutôt que d'une femme, quand, une fois la porte déverrouillée, Kinnaird entra dans le boudoir, Lehzen sur ses talons.

— Il n'y a personne ici, madame, déclara-t-il.

Après un silence, la voix de Lehzen me parvint :

— Vous n'avez pas regardé sous le sofa. Vous voyez bien qu'il y a quelqu'un ! Que vous êtes donc lâche ! Poussez-vous, je vais voir par moi-même.

Il y eut un bruit de bagarre, des exclamations de surprise, et tout le monde réapparut dans l'embrasure de la porte. Kinnaird semblait honteux de sa couardise, et la courageuse Lehzen, qui n'avait peur de rien lorsque ma vie était en danger, tenait par le collet l'intrus : un sale gamin !

Malgré son issue heureuse, cet événement m'alarma au plus haut point. Si peu de temps après la tentative d'assassinat du Parc, ce garçon s'était caché sous le sofa sur lequel je reposais trois heures plus tôt ! Il y était peut-être déjà alors... Et s'il était entré dans ma chambre, quelle peur j'aurais eue ! Comment avait-il pu parvenir si près de moi sans rencontrer aucun obstacle ? Cet aspect du problème inquiéta particulièrement Albert. Bien que l'intrus n'ait porté aucune arme et n'ait rien volé, une enquête approfondie fut ordonnée...

Le dénommé Jones avait dix-sept ans, mais paraissait beaucoup plus jeune à cause d'un retard de croissance. Il venait souvent au palais en escaladant le mur du côté de Constitution Hill, puis en enjambant une fenêtre. Il s'était déjà assis sur le trône ; il avait entendu pleurer la petite princesse, dormi dans le lit de l'un des domestiques, et volé de la nourriture au cours de la nuit. Quand on l'interrogea sur le motif de ses incursions, il prétendit s'intéresser à la vie des grands de ce monde et vouloir écrire un livre à leur sujet.

Ce simple d'esprit fut condamné à trois mois de détention dans une maison de correction, mais le palais le fascinait : il revint plusieurs fois, et, après plusieurs condamnations, on l'envoya en mer pour le tenir à distance. Au fil des ans, le palais éveilla l'intérêt de nombreux curieux qui y pénétrèrent par effraction — heureusement, ces individus se révélèrent toujours inoffensifs...

Malgré sa conduite héroïque, Lehzen ne gagna pas une once de sympathie auprès d'Albert. Notre grande intimité pendant la période qui avait précédé et suivi mes couches aurait pourtant dû apaiser sa jalousie ; or, dès qu'il me quittait, il la soupçonnait d'accourir pour distiller son venin à son sujet. Je lui en voulais de me croire à ce point influençable et de s'imaginer que de simples bavardages pouvaient nuire à notre amour, mais je refusais d'aborder le problème tant avec lui qu'avec Lehzen. Comme je me plaignais de cette tension croissante, Lord M. me suggéra de donner plus de responsabilités à mon mari : si je lui faisais confiance pour les affaires d'État, il serait certainement moins susceptible au sujet des questions domestiques.

— Le prince a géré vos affaires à la perfection pendant vos couches, me dit-il. Il a une grande capacité de travail !

— J'ai trouvé ses rapports particulièrement clairs et intéressants, en effet, approuvai-je.

Lord M. fixa son regard sur moi et en vint tout de suite à l'essentiel, car il me connaissait alors mieux que quiconque.

— Comme vous savez, dit-il d'un air détaché, Anson tient le prince en grande estime. Selon lui, le pays devrait se féliciter que Votre Majesté ait pris pour époux un prince sans ambition personnelle, désireux de fondre sa propre existence avec celle de sa femme, à seule fin de l'aider et de la conseiller.

Mais je n'étais pas prête à cette confusion d'identités, car je soupçonnais que la mienne risquerait alors de s'effacer !

Je me remis si vite que la cour put s'installer à Windsor pour Noël. Ce fut une heureuse période de cadeaux, autour de l'arbre de Noël étincelant de mille feux. (La reine Charlotte avait été la première à introduire en Angleterre cette coutume allemande, mais Albert et moi la rendîmes populaire). Il y eut de véritables festins, et l'on organisa toutes sortes de jeux où les enfants pouvaient gagner des friandises. Notre bébé, Vicky — ou Pussy comme nous l'appelions au tout début — débordait de vitalité, et Albert avait l'art de l'apaiser quand elle pleurait. Le jour de Noël, il lui fit admirer l'arbre, et découvrit avec orgueil que ses charmants yeux bleus brillaient comme des étoiles. Inutile d'ajouter que maman s'était déjà entichée de notre petite Pussy, que j'avais grand plaisir à « croquer » sur mes carnets de dessin.

La saison fut attristée par la mort de mon épagneul Dash, le compagnon de mon enfance. Je fondis en larmes lorsqu'il fut mis en terre. Sur sa tombe nous fîmes élever son effigie en marbre et graver cette épitaphe :

> CI-GÎT DASH, L'ÉPAGNEUL FAVORI DE SA MAJESTÉ LA REINE VICTORIA, MORT DANS SA DIXIÈME ANNÉE. SON ATTACHEMENT FUT SANS ÉGOÏSME, SA GAIETÉ SANS MALICE, SA FIDÉLITÉ SANS FAILLE. TOI QUI LIS CES MOTS, SI TU VEUX ÊTRE AIMÉ ET REGRETTÉ APRÈS TA MORT, SUIS L'EXEMPLE DE DASH.

Le temps qui passait semblait me détacher de mon ancienne vie, couper mes anciens liens, et m'entraîner dans un nouveau courant, ce qui me troublait quelque peu. J'adorais Albert et j'étais prête à aller au bout du monde avec lui, mais j'éprouvais encore un sentiment d'insécurité. L'année suivante allait être particulièrement éprouvante...

ÉTÉ

11

Balmoral, 26 mai 1900

Je n'ai pas eu le loisir de prendre ma plume depuis fort longtemps, car le baptême d'Henry a eu lieu le 18, et nous avons reçu, le 19, l'excellente nouvelle de la levée du siège de Mafeking. Une colonne volante, sous le commandement du colonel Mahon, avait rejoint le détachement de Plummer, puis repoussé deux mille Boers et pénétré dans Mafeking le 16, levant un siège qui durait depuis deux cent dix-sept jours !

Dire que la nouvelle a été bien reçue me semble un euphémisme ! Les gens étaient fous de joie, tous les journaux racontaient l'événement en détail, et le héros du jour était le général Baden-Powell — un de ces hommes tenaces, ingénieux et braves qui font la richesse de notre empire.

Je suis allée visiter Wellington College le 19. (Drino y entame son premier trimestre — le pauvre Liko aurait été si fier !) Sur le chemin du retour à Windsor, j'ai été saluée par la foule en liesse. Tous les garçons d'Eton étaient sortis — certains d'entre eux dans un état apparemment répréhensible ! La ferveur patriotique a donné lieu à des débordements indescriptibles à Londres et ailleurs aussi, semble-t-il.

Nous sommes arrivés à Balmoral à temps pour mon quatre-vingt et unième anniversaire, le 24 mai. Quel âge vénérable ! Plus de quatre mille télégrammes m'étaient adressés. Certains touchants, d'autres franchement amusants. L'un d'eux, anonyme, était rédigé ainsi : « Sincères félicitations. Poème suit. » J'attends fébrilement de recevoir ces vers...

Je me sens bien et de bonne humeur malgré un hiver et un printemps difficiles ; mais j'appréhende les vacances de Bébé la semaine prochaine : elle part aux îles Scilly, et je supporte mal son absence. Heureusement, Thora sera ici. J'apprécie sa gentillesse et elle a l'art de me distraire. Hier soir, elle est venue me faire la lecture d'un roman de Scott. Le livre avait appartenu à Albert, et j'ai apprécié qu'elle le manie avec une infinie délicatesse. J'ai connu un chapelain qui léchait ses doigts avant de tourner les pages — une habitude dégoûtante, comme je me suis empressée de le lui faire remarquer. Une personne qui ne respecte pas les livres n'est pas digne de confiance ; je l'ai maintes fois répété à mes enfants... Nous trahissons notre personnalité profonde par toutes sortes de manifestations superficielles que les sages déchiffrent au premier coup d'œil.

J'aime bavarder avec Thora, car elle me parle des goûts et des occupations des jeunes gens d'aujourd'hui. Leur vie est beaucoup plus riche et variée qu'à l'époque où j'avais leur âge. Parties de tennis, patin à roulettes, thés dansants, promenades à bicyclette ou en automobile... Que de distractions ! (Je viens d'interdire les automobiles à Hyde Park, au grand regret de Bertie, mais elles effraient les chevaux et j'estime qu'il y a des limites à ne pas dépasser.) Thora a pris plaisir à me rappeler les nouvelles inventions dont je fais moi-même usage : le téléphone, le télégraphe, l'éclairage électrique, et cet « élévateur » — comme disent les Américains — installé à Osborne pour monter et descendre mon fauteuil, quoique je préfère en général me faire porter.

Nous avons évoqué ensuite la dernière visite d'Alicky et Nicky ici, à Balmoral, en 1896. Ils avaient amené leur première fille, Olga, pour me la présenter. Le bébé le plus joufflu et le plus dodu qu'il m'ait été donné de voir, avec un sourire qui découvrait une rangée de dents semblables à de minuscules perles ! (Ils ont maintenant deux autres filles, et pas encore de fils, ce qui est regrettable vu l'état de la Russie ; mais ils sont encore jeunes et en bonne santé.) Alicky m'a paru bien différente de l'enfant exubérante qui passait de longues vacances avec moi — presque une étrangère. Les Russes ont d'étranges habitudes... Ils avaient avec eux une suite imposante, comprenant tant de détectives et de policiers que j'en étais presque offensée. Se sentaient-ils en danger ici, chez moi ? Pour se montrer aimable, Bertie s'était fait un devoir d'emmener Nicky à la chasse chaque jour, notre tsar s'est plaint de ne pas avoir tué un seul cerf (qu'y pouvait Bertie ?), ajoutant qu'il aurait préféré rester en compagnie de sa femme, ce qui n'était guère délicat de sa part. Il a prétendu aussi que Balmoral était plus glacial que la Sibérie ! Mais, en partant, il a laissé un « pourboire » de mille livres à partager entre les domestiques !

Le dernier jour de leur visite, nous sommes allés sur la terrasse pour prendre des photos selon ce nouveau procédé qui permet d'animer les images en les juxtaposant sur un rouleau. Un peu plus tard, en novembre, nous les avons vues à Windsor. Quelle surprise quand nous nous sommes reconnus en train de marcher, au milieu des enfants qui gambadaient, exactement comme dans la vie ! Nous trouvons ce nouveau procédé merveilleux, Thora et moi. Si seulement il avait été inventé plus tôt ! La photographie a déjà beaucoup changé notre vision de la guerre, mais imaginez la charge de la brigade légère, montrée grâce à ce système !

J'ai un petit cottage ici, où je venais autrefois jardiner et où j'aime me reposer au calme. Comme il fait beau aujourd'hui, j'ai apporté mon « magnum opus » pour reprendre mon récit là où je l'avais laissé — c'est-à-dire à Noël 1840. Au début de l'année 1841, il apparaissait clairement que mon gouvernement était en mauvaise posture, bien que l'année précédente se fût terminée en triomphe grâce à la résolution de la crise du Moyen-Orient. On a coutume de dire que le peuple ne s'intéresse pas aux affaires étrangères et juge toujours un gouvernement en fonction de ses résultats en matière de politique intérieure. Cela me paraît tout à fait exact, sauf en temps de guerre où règne un état d'esprit fort différent : une multitude de difficultés domestiques peut alors être compensée par une glorieuse victoire de nos soldats.

La situation intérieure posait des problèmes au gouvernement. Les récoltes de 1840 avaient été mauvaises, provoquant l'agitation des classes laborieuses. Le thé et le sucre atteignaient des prix si élevés que les classes moyennes s'en plaignaient. Le commerce avec l'Amérique et l'Europe fléchissait, et, pour comble, les dépenses du gouvernement excédaient de un million et demi de livres ses recettes. Je ne comprenais pas qu'un gouvernement pût dépenser de l'argent dont il ne disposait pas, et l'exemple des membres de ma famille m'avait fait prendre les dettes en horreur. Elles sont synonymes de misère ; il faut les rembourser au plus vite !

Bizarrement, Lord Melbourne imputait le déficit du budget à la « Penny Post », c'est-à-dire au service postal.

— Vous m'aviez dit que cette innovation serait rentable, protestai-je, indignée.

— Certes, madame, elle finira par rapporter gros, m'expliqua-t-il. Mais, comme de juste, son démarrage nous coûte cher.

Aux difficultés financières s'ajoutaient les problèmes posés par les chartistes, les Irlandais (comme toujours) et l'opposition aux lois sur les céréales qui faisait rage dans les régions industrielles. De plus, trois élections partielles en février et une autre en mai nous avaient été défavorables. Lord M. paraissait de plus en plus tendu et terriblement vieilli par les soucis. « J'ai bientôt soixante et un ans, me dit-il un jour, et beaucoup d'hommes ne dépassent pas soixante-trois ans. Les gens comme moi qui font jeunes pour leur âge prennent souvent un coup de vieux du jour au lendemain ! » Cette remarque me glaça d'horreur, car l'idée de le perdre me terrifiait. Lorsque le gouvernement fut battu au printemps sur la question irlandaise, Lord M. me rassura en disant que ce n'était pas un motif de démission pour son gouvernement ; mais il ajouta qu'il agirait différemment s'il était battu sur le budget — ce qui raviva mes inquiétudes.

À peu près au même moment, George Anson engagea, à la demande d'Albert, des discussions secrètes avec Lord M. et Sir Robert Peel, sur l'éventualité d'un gouvernement tory et sur les modalités d'un tel changement. Si j'avais été au courant de ces négociations j'aurais été furieuse ; c'est d'ailleurs en partie pour cette raison que le secret fut gardé.

Mon gouvernement avait déjà été en situation délicate deux ans plus tôt, en mai 1839, à l'époque du scandale concernant Lady Flora Hastings. Lorsqu'on m'annonça que les whigs devraient céder la place aux tories, je sortis mes griffes à l'idée que mon cher Lord M. risquait d'être remplacé par Sir Robert Peel, ce sinistre baronnet ! Confronté à mon refus de remplacer mes dames de la Chambre par des candidates proposées par lui, Peel me présenta un ultimatum : il lui serait impossible de former le gouvernement sans cette marque de confiance de ma part. Je tins bon, car je n'avais réellement *aucune* confiance en lui. Il reconnut sa défaite au bout d'une semaine, et Lord M. resta à son poste.

Je m'étais sentie dans mon bon droit : mes dames étaient whigs, mais nullement engagées sur le plan politique, et je ne discutais jamais avec elle des affaires d'État. Cependant mon refus de fait d'un nouveau gouvernement était contraire aux institutions. Si mon Premier ministre n'avait pas eu la popularité de Lord M., j'aurais provoqué un effroyable scandale et cette affaire aurait pu avoir de graves conséquences. Par chance, il n'en fut rien...

Tout cela s'était produit, bien sûr, avant l'arrivée d'Albert en Angleterre, mais il en eut vent par Anson et Stockmar et il désapprouva absolument ma conduite. Selon lui, le souverain devait être au-dessus des partis politiques ; il déplorait mon attitude favorable aux whigs, qui me rabaissait au rang d'un simple chef de parti. Il m'avait toujours incitée à donner à la maison Royale une composition équilibrée sur le plan politique, afin que la cour n'ait pas une allure partisane et ne soit pas tributaire des partis représentés au Parlement.

J'ai fini par me rallier à ces excellentes idées, susceptibles de renforcer — et non point d'affaiblir — la Couronne. En outre, lorsque je fus habituée au style particulier de Robert Peel, il me sembla un homme exceptionnel, doué de grandes qualités — et il fut en un sens mon meilleur Premier ministre. (Ce cher Disraeli m'a confié qu'il n'avait jamais compris comment Peel en était venu à être le leader des tories, car il avait l'âme d'un whig — ce qui m'a sans doute aidée à me réconcilier avec lui.) Malgré tout, je n'ai jamais partagé l'immense affection d'Albert pour Peel, et j'eus du mal à lui faire confiance pendant un certain temps. Marquée par le souvenir de Conroy, j'étais toujours à l'affût des ruses et des complots, et je soupçonnais de duplicité tout homme dont la franchise et la droiture n'apparaissaient pas au premier abord.

Lorsque la chute du gouvernement whig parut inévitable, Albert voulut écarter une nouvelle « crise de la Chambre de la reine », qui aurait fait grand tort à la Couronne. Il prit donc ce prétexte pour organiser derrière mon dos cette rencontre entre Anson, Lord M. et Peel. Rétrospectivement, je me rends compte qu'il souhaitait se débarrasser de Lord M. ! Il estimait Peel (dont le caractère réservé rappelait fort le sien) et il était sensible à son intelligence et son intégrité. En revanche, il n'a jamais apprécié Lord M. à sa juste valeur : son charme, sa légèreté, son humour cynique, son apparente indolence lui étaient incompréhensibles et il y voyait de réels signes de dégénérescence.

Surtout, il souhaitait en finir avec Lord M. car, me voulant pour lui seul, il était jaloux !

Je me rends compte aujourd'hui que sur le moment je ne compris pas grand-chose à ces événements. La jeunesse est trop attachée à son corps. Elle voit le monde extérieur à travers lui comme un rayon lumineux réfracté par la surface de l'eau ; la réalité va et vient au gré de ses humeurs, telle une anémone de mer portée par les flots... Avec l'âge, le corps prend moins d'importance, quoiqu'il nous fasse parfois tant souffrir, et devient plus transparent. Je réalise maintenant bien des choses à propos d'Albert et moi, dont je n'avais pas vraiment conscience à l'époque. Hélas ! nous ne pouvons pas remonter le cours du temps, armés de cette sagesse désincarnée, et corriger les fautes commises lorsque nous étions... distraits par notre corps, si j'ose m'exprimer ainsi.

« Distraite », certes je l'étais cette année-là, ce qui explique aussi qu'Albert et Anson aient tenu à assurer la transition en douceur. Il fallait m'épargner les scènes d'hystérie et les trop grandes émotions, car j'étais à nouveau enceinte. Peel, qui avait croisé une fois le fer avec moi et perdu la partie, était prêt à un compromis. Il fit savoir à Lord M. que, si j'acceptais la démission « spontanée » de mes trois dames les plus marquées sur le plan politique — les duchesses de Sutherland et de Bedford, ainsi que Lady Normanby —, il n'en demanderait pas plus.

Un beau jour, au cours d'une audience, Lord M. m'annonça que je devais me préparer à un changement de gouvernement : son budget lui vaudrait sans doute un vote défavorable ; il ne fallait donc pas hésiter à faire appel à Peel, le moment venu.

Effrayée à cette idée, je parvins tant bien que mal à garder mon calme, tout en lui disant que, personnellement, j'aurais préféré le Duc.

— J'ai fini par l'apprécier sincèrement et je le considère comme un ami, expliquai-je. (Au baptême de Pussy, en février, le Duc s'était laissé aller à sourire et à admirer le bébé, ce qui me l'avait rendu plus sympathique.) De plus il est foncièrement honnête...

— Sir Robert est tout aussi honnête, et vous savez bien que le Duc refusera, objecta Lord M. Il vous donnera la même réponse qu'en 1839 — à savoir qu'il est trop vieux et bien trop sourd... Une certaine surdité peut représenter un grand avantage pour un Premier ministre — je suis bien placé pour le savoir — mais point trop n'en faut.

Serrant les poings, je ne souris même pas à sa plaisanterie.

— Je n'aime pas Sir Robert. S'il me prive de toutes mes dames, je me sentirai complètement abandonnée !

— Sur ce point, je pense qu'il n'y aura aucun problème, observa Lord M. avec le plus grand calme. À vrai dire, j'en ai la certitude. Sir Robert a déclaré qu'il se contenterait de trois nouvelles nominations — donc un changement acceptable pour vous.

— Vous l'avez donc questionné à ce sujet ? m'étonnai-je.

Lord M. hésita un court instant.

— Anson lui a parlé hier

— C'est vous qui lui avez envoyé Anson ?
— Non, madame. Le prince, soucieux de votre bien-être, a prié Anson de sonder Sir Robert à ce propos. Anson s'est fait l'avocat du prince avec tant d'éloquence que Sir Robert avait, paraît-il, les larmes aux yeux.
— Vraiment ? remarquai-je, intriguée. Je lui trouve pourtant un visage maussade et fermé. Tous les tories que je rencontre sont ainsi ; et je ne veux pas de ces visages revêches autour de moi.
— Vous êtes trop sévère, madame. Ces tories étaient probablement intimidés par votre présence. Des visages inconnus peuvent paraître maussades, mais ils deviennent plus avenants dès qu'ils se détendent — et cela ne saurait tarder. D'ailleurs, prenez l'exemple du Duc, vous le jugiez antipathique il y a peu de temps encore...
— J'appréhende votre départ, soupirai-je, à demi convaincue. Et je suis sûre que cette idée ne vous enchante pas non plus.
Il soupira à son tour.
— Personne n'a plaisir à partir, mais je suis fatigué et j'ai besoin de repos.
Navrée, je compris qu'il ne s'agissait pas d'une petite crise sans lendemain.
— Il n'y a pas d'autre solution ? m'inquiétai-je.
— Je vous assure que je ne partirais pas si je n'en voyais la nécessité. Peel est un excellent homme, qui mérite toute votre confiance.
— Je ne pourrai jamais me confier à lui comme à vous. Vous étiez un ami !
Les yeux embués de larmes, il se pencha vers moi affectueusement.
— Pourquoi cesserais-je de vous voir ou de correspondre avec vous, si tel est le souhait de Votre Majesté ?
— Si je peux vous voir, vous écrire, connaître vos opinions, je me sentirai moins seule ! m'écriai-je, un peu rassurée.
Lord M. hocha la tête.
— J'en ai touché un mot à Sir Robert. Il m'a déclaré très courtoisement qu'il n'avait aucune raison de s'opposer à la poursuite de nos relations amicales. À vrai dire, il est favorable à tout ce qui pourra apporter un réconfort à Votre Majesté. Vous voyez comme il est bien disposé à votre égard ! Nous devrons toutefois éviter les discussions politiques.
— Évidemment ! répliquai-je, avec un sourire complice en

voyant briller dans ses yeux la certitude que personne ne pourrait nous imposer nos sujets de conversation. Le changement sera plus supportable si je ne perds pas mon ami en même temps que mon Premier ministre.

Malgré tout, je n'étais pas encore persuadée qu'il faudrait en arriver là...

Mon gouvernement fut effectivement renversé en juin lors du vote du budget, par une coalition d'intérêts en principe conflictuels. Une alliance inattendue se constitua entre les marchands de sucre des Indes occidentales, hostiles à de nouveaux droits sur le sucre, et les marchands antiesclavagistes qui estimaient que le sucre produit par les esclaves était maintenant importé plus librement que celui produit par des ouvriers. Les chartistes, qui n'avaient pas plus intérêt à voter pour les tories que pour l'Antéchrist, votèrent pour le changement sous prétexte que personne ne leur donnerait satisfaction de toute façon. La modification des lois sur les céréales (les « Corn Laws ») mécontenta tout le monde — les agriculteurs qui voulaient une meilleure protection, les industriels qui n'en voulaient aucune.

Ces lois sur les céréales furent une cause de dissension majeure au début du XIXe siècle. Voici les arguments pour ou contre la protection des prix du blé, tels que me les exposa Lord M. La libre importation des céréales limiterait la production nationale, créant ainsi une dépendance dangereuse en temps de guerre, et nous rendant vulnérables à d'éventuelles pressions venues de l'étranger. À l'inverse, certains pensaient que la concurrence ferait baisser les prix, rendant ainsi le pain moins cher pour les classes inférieures dont c'était l'aliment de base.

Lord M. jugeait ce dernier argument absurde et démagogique : si le pain était moins cher, disait-il, les employeurs se croiraient autorisés à réduire les salaires, et les pauvres ne s'en porteraient guère mieux. En outre, quand la récolte était bonne chez nous, les importations restaient très limitées ; quand elle était mauvaise, elle l'était généralement à l'extérieur aussi, et les céréales étrangères étaient alors si rares et si chères que les droits de douane faisaient peu de différence. Il voulait éviter de changer la loi, de peur de dresser les classes les unes contre les autres et de provoquer des remous inutiles. Lord M. se méfiait toujours du changement, sauf dans les cas où il permettait un progrès évident.

(Les « Corn Laws » furent finalement abrogées par les tories sous le gouvernement de Sir Robert Peel en 1846, et, en toute équité, je dois dire que cela ne changea pas grand-chose. Cette abrogation rendit d'autre part ce pauvre Peel si impopulaire qu'il dut démissionner tout de suite après. Ces lois eurent donc raison de Lord M. en 1841, et de Peel cinq ans plus tard !)

Après la défaite de son gouvernement en juin 1841, Lord M., misant sur de nouvelles élections, résolut de ne pas démissionner : il espérait obtenir du pays une majorité élargie... Sa décision, qui me donnait un moment de répit, m'enchanta, et j'avais une telle prédilection pour les whigs que je ne crus pas un instant à une victoire des tories. Pourtant, les élections déçurent les espoirs des whigs et, en août, le gouvernement fut mis en minorité par les deux Chambres. La crise que je craignais tant depuis mon accession au trône était bien là.

Sur un papier à lettres bordé de noir (la cour était en deuil de la reine de Hanovre) qui me sembla de circonstance, j'écrivis à Lord M. : « Le triste événement que je redoutais depuis des mois a eu lieu. La réalité est par trop pénible à vivre ! »

Il me répondit qu'il souffrait lui aussi d'avoir à renoncer à un service qui, depuis quatre ans, était pour lui « une source de joie autant que de fierté ».

Je me croyais livrée à l'ennemi et, malgré les encouragements d'Albert, je ne pouvais me figurer que j'aurais un jour autant d'estime pour Peel. Avant son départ, Lord M. fit son possible pour me rapprocher de son successeur et pour m'inciter à considérer Albert et Peel comme mes nouveaux mentors. J'avais beau aimer Albert de tout mon cœur, je n'étais pas encore prête à m'appuyer sur lui pour gouverner ; quant à Peel, il ne m'inspirait ni sympathie ni confiance.

Le 30 août, j'accordai ma dernière audience à Lord M. en tant que Premier ministre. Après le dîner, je sortis avec lui sur la terrasse pour évoquer le bon vieux temps. Au bout d'un moment, il nous fallut changer de sujet, car nous étions au bord des larmes.

— Qu'allez-vous faire maintenant ? lui demandai-je.

— Toutes sortes de choses, répondit-il d'un ton badin. Je vais jouer les gentlemen-farmers et acheter des chevaux.

Nous parlâmes des promenades à cheval que nous avions faites autrefois ensemble.

— J'espère profiter des joies du printemps et de l'été dont je suis privé depuis des années, reprit-il. Vous voyez que je trouverai d'agréables compensations à mon inactivité.

— Actif ou inactif, je vous considérerai toujours comme mon plus cher ami, murmurai-je d'une voix tremblante.

Nous nous arrêtâmes, mus par le même instinct, face à face dans la nuit étoilée. Son cher visage disparaissait presque dans l'obscurité, mais je n'avais pas besoin de lumière pour deviner chacun de ses traits.

— Pendant quatre ans, je vous ai vu presque chaque jour, repris-je à voix basse, et votre départ m'inquiète. Je ne fais pas autant d'embarras que la dernière fois, mais je suis encore plus bouleversée.

— J'ai observé votre courage et admiré vos efforts pour vous contrôler.

Il s'interrompit soudain et je lui tendis les mains. Ses grandes mains sèches se refermèrent doucement sur les miennes, comme toutes les fois où je m'étais sentie seule ou en danger. Ni tout à fait un père ni tout à fait un amoureux, — un peu des deux sans doute —, il avait été le premier amour de ma vie solitaire, et il m'était encore infiniment cher...

La tête baissée, il me parla alors à mi-voix :

— J'ai passé à votre service la période la plus heureuse de ma vie, celle dont je suis le plus fier. Chaque jour je vous ai appréciée davantage, comme si...

Il s'interrompit.

— Ne dites plus rien, murmurai-je, mon cœur se brise.

Il émit un son étrange, semblable à un sanglot, et je vis des larmes rouler sur ses joues, à la lumière du clair de lune. Puis il releva un peu la tête pour éviter que des larmes ne gouttent sur mes mains, et cet égard m'aurait fait sourire si je ne m'étais mise à pleurer à mon tour.

— Je ne serai pas loin, dit-il enfin. Nous nous verrons encore.

— Mais ça sera différent ! m'écriai-je, désespérée.

Il ne me démentit pas, car il pensait de même.

— Vous devez maintenant compter sur le prince, fit-il. Appuyez-vous sur lui, demandez-lui son avis. Il doit être tout pour vous. Et ayez confiance en Peel, c'est un honnête homme.

— Oui.

J'avais accepté à contrecœur... En mon for intérieur, je ne voulais pas de Peel. J'aurais aimé que rien ne change, car Lord M. avait été le seul ami sur lequel je pouvais véritablement compter ! Albert, qui, sur bien des points, était encore un inconnu pour moi, s'était entiché de Peel, avec lequel il s'était trouvé de nombreuses affinités. Et maintenant, on m'imposait Peel comme Premier ministre. Qu'allais-je devenir si Albert et lui se liguaient pour m'évincer, pour me priver petit à petit de tous mes pouvoirs, jusqu'à ce que je ne sois plus qu'une marionnette acclamée de temps à autre par le public ? Ayant grandi au milieu des complots, j'étais encline à soupçonner mes proches — et singulièrement celui que j'aimais entre tous — de conspirer contre moi...

En tant que femme, j'avais un point faible dont mon mari et mon Premier ministre pourraient profiter s'ils le souhaitaient : mes couches successives, pendant lesquelles il leur serait très facile de me tenir à l'écart.

— Non, ne partez pas ! sanglotai-je enfin.

— Je n'ai pas le choix, répliqua Lord M. avec une infinie tristesse.

28 mai 1940

Deux jours plus tard, nous nous rendîmes Albert et moi à Claremont, où j'accordai ma première audience au nouveau cabinet. De peur de fondre en larmes, je fus peu loquace, mais je sus me dominer et garder ma dignité.

Mes ministres, sans doute touchés par mon état (j'étais alors enceinte de sept mois), se montrèrent affables et parfaitement respectueux. Sir Robert lui-même me sembla ému. D'une voix légèrement tremblante, il m'assura, à ma grande surprise, qu'il se ferait un devoir de tenir compte dans tous les domaines de mon bonheur et de mon bien-être ; il ne me proposerait aucune personne susceptible de m'être « en quelque façon que ce soit désagréable ». Sur le point de le prendre au mot et de le prier de me rendre Lord Melbourne, je parvins à me montrer aimable, et il se déclara ensuite très satisfait de mon attitude. Quant aux ministres, la sincérité de ma bienveillance à leur égard ne leur inspira pas le moindre doute.

J'étais pourtant loin d'être sereine et, à mesure que ma grossesse avançait, je me sentais de plus en plus nerveuse et solitaire. Lord M. était parti ; Albert s'était rangé du côté de l'ennemi ; il ne me restait plus que Lehzen...

Cette grossesse troublée prit fin le 9 novembre 1841, lorsque je mis au monde, dans la douleur, un beau et grand garçon. Albert ne me quitta pas un seul instant pendant l'accouchement et sa présence me procura un grand réconfort. J'avais donc tenu ma promesse et donné un héritier au trône, mais je n'étais pas au bout de mes peines ! L'homme qui m'aimait — et qui aurait dû me comprendre mieux que personne au monde — voulut bientôt me priver de ma confidente de toujours. Après avoir contribué au départ de Lord M., Albert allait s'en prendre à une rivale qu'il haïssait plus encore. Il régnait sur mon cœur, mais nous savions l'un et l'autre qu'il devrait livrer une dernière bataille pour que sa conquête fût totale...

Le dimanche 16 janvier 1842 est une date mémorable ! Nous revenions de Claremont où nous avions passé quelques jours, car j'avais grand besoin de repos et de distractions. Mon deuxième enfant était né moins d'un an après Pussy. Après une grossesse agitée et un accouchement difficile, j'étais épuisée et déprimée. Depuis la naissance de mon fils, tout m'irritait, et je me donnais tant de mal pour me dominer que mes explosions n'en étaient que plus violentes.

Lorsque nous arrivâmes au palais, nous montâmes tout de suite à la nursery voir les enfants. Pussy nous inquiétait ces derniers temps. Vigoureuse pendant ses neuf premiers mois, elle s'affaiblissait et perdait du poids depuis l'automne. Apparemment elle digérait mal. Souvent malade, elle pleurait beaucoup. Pourtant elle était nourrie, sur les conseils de Clark, au lait d'ânesse — le plus riche qui soit. On lui donnait aussi du potage au poulet, de l'excellent *arrow-root* et toutes sortes d'aliments très nourrissants ! Pour éviter de surcharger son petit estomac, on mesurait soigneusement ses rations et ses repas étaient très espacés. Cependant, elle était loin de prospérer !

Il faisait une chaleur étouffante dans la nursery, car on estimait à cette époque que l'air frais était fatal aux bébés, ce que je ne mettais nullement en doute ! Le nouveau-né semblait apprécier cette température : couché dans son berceau, il ouvrait de grands yeux bleus émerveillés et bavait en agitant lentement ses membres comme une créature sous-marine. (Encore maintenant, ce pauvre Bertie me fait parfois penser à ces gros poissons à l'œil vitreux, qui se meurent avec une extrême lenteur.)

Il n'en était pas de même pour Pussy ! Dès que nous entrâmes, je l'entendis geindre. En me penchant sur son berceau, je devinai à son odeur aigre qu'elle n'avait pas digéré son repas. Je me tournai vers le nurse, assise au coin du feu. Elle se leva précipitamment, et je lui demandai comment allait la princesse Victoria.

— Toujours pareil, me répondit Mrs. Roberts en me faisant la révérence. Il me semble qu'elle a vomi son dernier repas.

Albert se pencha à son tour sur le berceau et caressa du doigt la joue creuse de sa fille.

— Pauvre Pussy, comme elle est pâle ! dit-il d'une voix anxieuse. (Le bébé grogna et tourna vers lui des yeux implorants.) Ce bébé a faim ! me lança-t-il, l'air accusateur. Ce régime ne lui convient pas du tout.

Je savais — car il n'en faisait pas mystère — qu'il contestait le régime prescrit par Clark. Mais comment pouvait-il insinuer que lui seul se souciait réellement de Pussy, alors que moi, qui l'avais portée dans mon sein et mise au monde au péril de ma vie, j'étais indifférente à son état ?

Je questionnai immédiatement Mrs. Roberts.

— Quand prend-elle son prochain repas ?

— Dans deux heures, pas avant, madame.

— Dans si longtemps ? s'étonna Albert. Mais elle a faim ! Un bébé si maigre a besoin d'être alimenté.

— Nous suivons les instructions du Dr Clark, sir ! répondit Mrs. Roberts d'un air offusqué.

Albert ne supportait pas l'insolence des domestiques, et je vis ses narines frémir.

— Vous la faites attendre alors qu'elle a faim. Elle pleure car c'est son seul moyen de se faire comprendre, mais vous ignorez sa détresse.

— Sa nourriture est assez riche et elle ne manque de rien ! Je crains fort, ajouta Mrs. Roberts en me jetant un regard complice, que les messieurs ne comprennent rien aux bébés. Ça ne leur fait aucun mal de pleurer un peu !

Albert lui tourna le dos et me chuchota à l'oreille :

— Avez-vous entendu cette remarque malveillante ? Je sais par qui elle est inspirée...

Il n'en fallut pas plus pour que je sorte de mes gonds. D'un ton indigné, je demandai à Albert :

— Et vous, que feriez-vous ? Vous la nourririez chaque fois qu'elle pleure ? Elle serait morte en moins d'une semaine. C'est ce que vous souhaitez ?

— Je vous en prie, Victoria, calmez-vous, murmura-t-il à mi-voix.

— Si, parlons-en, au contraire. Vous croyez tout savoir sur les bébés ! Vous ne demandez qu'à me chasser de la nursery pour pouvoir tuer ma fille en paix. (Albert blêmit et j'éprouvai la sensation bizarre que les mots s'échappaient de ma bouche malgré moi.) Oui, je sais bien que vous ne l'avez jamais aimée parce que vous vouliez un fils ! Maintenant que vous avez un héritier, vous seriez bien heureux de vous débarrasser d'elle.

Un frisson me traversa tandis que je prononçais ces paroles monstrueuses. J'avais dépassé les bornes, je l'avais frappé en plein cœur, et maintenant j'attendais sa réaction. Mais, au dernier moment, il se domina : Mrs. Roberts ne perdait pas un mot de notre querelle, et le scandale serait ébruité dans tout le palais le soir même si nous continuions.

— Mon Dieu, marmonna-t-il, du calme !

Sur ces mots, il tourna les talons et s'éloigna en refermant la porte derrière lui — sans même la claquer.

La rage m'étouffait. Les yeux fixés sur la porte fermée, je sentis ma gorge se serrer, et mon estomac se souleva comme si j'avais un haut-le-cœur. Ce n'était pas notre première dispute car j'étais particulièrement irritable depuis ma deuxième grossesse. Lorsqu'il manquait d'arguments, Albert avait l'art d'éluder la discussion, au besoin en s'en allant purement et simplement. Une fois de plus il avait quitté la pièce au milieu d'une altercation, et je tremblais de colère malgré mes efforts pour me contrôler. Après avoir donné quelques instructions à Mrs. Roberts d'un ton le plus neutre possible, je partis à sa recherche.

Il faisait les cent pas dans son salon d'un air furibond. On aurait dit un lion en cage ! Ses yeux jetaient des éclairs, ses pommettes dessinaient deux taches rouges dans son visage blafard, et il pinçait les lèvres. À sa vue, je n'éprouvai nulle haine, mais une colère mêlée d'excitation.

— Ah, vous voilà ! me dit-il. Je savais que nous n'en resterions pas là.

— En effet, je me soucie de la santé de mon enfant, moi !

— Comment osez-vous parler ainsi ? s'exclama-t-il, hors de lui. Ne voyez-vous pas que cette petite meurt de faim ? Clark lui prescrit une nourriture trop lourde qu'elle ne peut pas assimiler. Je vous l'ai déjà dit, mais vous ne m'écoutez pas. Et le calomel convient à de gros mangeurs qui se sont gavés dans des banquets ; cette poudre est dangereuse pour un si petit bébé à l'estomac vide !

— Vous en savez plus que le médecin, je suppose. Puisque vous êtes si savant, qu'attendez-vous pour donner des consultations à sa place au palais ? Clark exerce la médecine depuis treize ans, mais peu vous importe !

— Pussy va mal et son état s'aggrave de jour en jour. Vous devez avoir une pierre à la place du cœur pour que ses larmes vous laissent indifférente... En fait, vous refuserez l'évidence tant que votre chère Lehzen sera là pour vous aveugler.

— Lehzen n'a rien à voir avec cette histoire !

— Lehzen est omniprésente dans cette maison. Vous vous êtes entichée de cette femme qui régente tout, y compris la nursery !

— Mrs. Southey est la nurse principale, comme vous le savez. Lehzen a la bonté de s'intéresser à nos enfants, ce qui est tout à fait louable.

— Elle passe son temps à la nursery. Chaque fois que j'y vais, je la trouve en train de cancaner avec Southey au coin du feu — un feu beaucoup trop vif pour des petits enfants ! Et je sais qu'elle est au mieux avec Clark ! Elle prend toujours son parti, c'est pourquoi vous ne voulez pas comprendre qu'il fait du mal à Pussy. Je n'admets plus que Lehzen règne sur cette maison !

— En vérité, vous êtes follement jaloux d'elle. Vous ne supportez pas que je lui demande son avis et vous n'avez aucune considération pour moi...

— Au contraire, rugit Albert, je sais parfaitement qui vous êtes et j'apprécie vos qualités. C'est vous qui les oubliez. Sous prétexte que Lehzen a été votre gouvernante, vous la considérez comme un oracle. Vous croyez tout lui devoir.

— Je n'oublie pas ce qu'elle a fait pour moi. Sans son courage et son dévouement, je n'aurais pas survécu à l'épreuve de Kensington ! Mais vous vous moquez éperdument de mes souffrances et du soutien qu'elle m'a apporté. Elle ne m'a jamais rien demandé en échange. Vous vous sentez brimé parce que je ne la renvoie pas comme un chien, maintenant que je peux me passer d'elle.

Albert roula des yeux noirs de colère.

— Cette femme vous fait perdre la raison. Elle n'est qu'une stupide intrigante, affamée de pouvoir, et vous traitez en criminel quiconque ne la prend pas pour le bon Dieu !

— Son seul but est de me servir.

— Ne voyez-vous pas, Victoria, qu'elle ne pense qu'à elle-même ? Elle a craint de perdre son influence quand vous vous êtes mariée. Voilà pourquoi elle garde un œil sur la nursery, et elle vous monte la tête contre moi.

— C'est faux ! (Je manquai m'étrangler en entendant cette attaque totalement injuste.) Elle ne médit jamais de vous et elle vous est loyale, malgré vos infâmes calomnies.

— J'ai toutes les raisons de...

— Vous la haïssez ! Vous brûlez de jalousie, bien que je ne la voie plus jamais.

Albert bondit.

— Plus jamais ! À peine suis-je sorti qu'elle s'introduit dans votre chambre...

— Absolument pas !

— Quand nous ne sommes pas d'accord, vous courez vous plaindre à elle — et elle se fait un plaisir de monter en épingle la moindre dissension entre nous.

— Au moins, elle m'aime vraiment, elle ! Je n'en dirais pas autant de vous, et elle pourrait vous apprendre certaines choses en matière de loyauté.

Surpris par ma violence, Albert se figea.

— Que voulez-vous dire ?

— Je veux dire que vous êtes cruel et injuste. Je n'ai jamais vu un homme d'un égoïsme aussi révoltant ! Votre ambition passe avant tout le reste, et vous vous sentez sous-estimé à la cour. Tout le problème est là !

— Vous plaisantez, Victoria ?

Maintenant que j'étais déchaînée, plus rien n'aurait pu m'arrêter.

— Pas le moins du monde ! Votre ingratitude me révolte et je regrette de vous avoir épousé. Vous ne m'avez apporté que du malheur avec votre jalousie, votre déloyauté et votre ambition. Si seulement je ne vous avais jamais rencontré !

— Dans ce cas le remède est simple, déclara Albert d'un ton sec en sortant dignement de la pièce.

Je célébrai ma victoire en éclatant en sanglots, et je courus dans ma chambre, pleurer toutes les larmes de mon corps, effondrée sur mon sofa.

Je n'avais jamais vu Albert dans une telle fureur : il refusait habituellement de se laisser entraîner au-delà des limites que nous venions de franchir par ma faute. Comment avais-je pu prononcer ces paroles injustes et offensantes ?

Je lui en voulais tout de même de ne pas me faire confiance : sa jalousie à l'égard de Lehzen était absurde et il se montrait beaucoup trop exclusif. Pourquoi voulait-il l'évincer à tout prix ? Jamais je n'aurais osé, quant à moi, le priver de quelqu'un qu'il aimait ou qu'il estimait... Malgré tout, ma culpabilité l'emportait, et maintenant que le feu de ma colère s'était éteint, je me sentais seule et glacée sans lui. J'aurais voulu qu'il me prenne dans ses bras, qu'il m'embrasse et que nous nous pardonnions mutuellement nos torts.

Mais cette querelle n'avait rien à voir avec les précédentes ! Elle l'avait profondément touché, et, tandis que je pensais à lui, profondément abattue, il me fit porter un billet aussi amer que glacial :

> *« Le Dr Clark est incompétent et il empoisonne l'enfant au calomel. Quant à vous, vous l'affamez. Désormais, je ne me mêlerai plus de cette affaire. Emmenez la petite et agissez à votre guise. Si elle vient à mourir, vous aurez sa mort sur la conscience. »*

Quelle cruauté ! Quand je m'enflamme, il m'arrive de dire des choses que je ne pense pas, mais une froide colère n'est pas dans ma nature. Les paroles les plus blessantes se dissipent comme des bulles de savon, alors que les écrits restent gravés dans l'esprit et le cœur. Il ne m'avait donc pas accordé son pardon ! Il me privait non seulement de sa présence mais de son amour, et, sans amour, je n'avais plus qu'à me laisser mourir comme une plante privée de soleil...

12

Balmoral, 1er juin 1900

Jamais je n'oublierai cette terrible querelle avec Albert ! En lisant son billet, je compris que j'étais à nouveau seule au monde, et entourée d'ennemis, comme à l'époque de Kensington. Pis encore, je ne pouvais même plus me tourner vers Lehzen et espérer son soutien, car elle était à l'origine du drame. Selon mon habitude, je fis appel à la médiation de Stockmar. Je lui envoyai un message, lui demandant d'avertir Lehzen que j'avais été contrariée et ne souhaitais pas la voir pendant quelques jours. En réalité, je ne voulais surtout pas la mettre au courant de ma dispute avec Albert, car je reste loyale, voyez-vous, même quand on m'a blessée...

Je savais ma vieille amie en mauvaise posture ! Les hommes qui me guidaient — Albert, Anson, Stockmar — lui étaient hostiles. Maman, si je m'étais alors confiée à elle, n'aurait fait que réitérer ses mises en garde contre la personne qui m'avait poussée à la haïr. Lord M., qui m'avait toujours comprise, n'était plus là ; et Peel, dont je me méfiais, aurait certainement pris le parti d'Albert. Plus personne, à part moi, n'aimait cette pauvre Lehzen, et tout le monde s'efforçait de me détourner d'elle, alors que mon affection aurait dû la mettre à l'abri des médisances.

Le lendemain, je m'éveillai aussi angoissée qu'après un mauvais rêve. À force de pleurer, j'avais des maux de tête et je me sentais vraiment malade. Albert, toujours furieux, me punissait en se montrant d'une politesse glaciale. Il ne me parlait qu'en cas d'absolue nécessité et son regard me transperçait comme une épée. Je souhaitais me réconcilier au plus vite avec lui, mais, à mon grand regret, il avait passé la nuit dans son salon, nous privant d'une intimité qui résout bien des problèmes conjugaux !

Voyant que je ne parviendrais pas à l'attendrir par les sentiments, je décidai d'en appeler à sa raison. Il allait ouvrir la séance de la Bourse ce matin-là, je courus donc à mon bureau aussitôt après son départ. J'adressai un message à Stockmar, le priant de m'aider à faire la paix avec mon mari :

> *« Il paraît encore bien fâché, alors que je ne le suis plus. Si vous voulez bien le convaincre de me parler franchement, qu'il sache que je suis toujours prête à améliorer ce qui ne va pas. Mais il doit m'écouter et ne pas prêter l'oreille à des ragots qui montent en épingle des choses sans importance. Quant à son billet offensant d'hier, je le lui pardonne, car il était dicté par le chagrin et le dépit. »*

Stockmar se fit un devoir de me répondre. Le prince, expliquait-il, lui ayant écrit (ce dont je ne doutais pas, car les Cobourg prennent toujours leur plume en cas de problème, et Stockmar était le mentor d'Albert), il n'ignorait rien de notre querelle, mais il ne s'était pas manifesté plus tôt afin de laisser le temps apaiser les esprits. Cette affaire l'avait terriblement affecté et il ne pourrait nous aider que si nous gardions désormais la maîtrise de nos émotions. Si de telles scènes devaient se reproduire, il n'envisageait pas de rester à la cour...

Cette mise en garde sévère s'accompagnait de deux missives reçues d'Albert, qu'il me donnait à lire. Ces lettres me bouleversèrent ! La première était une déclaration de haine contre Lehzen, l'intrigante jalouse et intéressée.

> *« Tous mes désagréments,* déclarait Albert, *viennent d'une seule personne — précisément celle que Victoria a élue comme amie et confidente. Elle lui dit tout, discute du moindre détail avec elle et considère ses opinions comme paroles d'Évangile. Je me suis montré patient jusqu'à maintenant, et je continuerai par amour pour Victoria, si elle le désire ; mais notre situation ne pourra s'améliorer tant qu'elle n'ouvrira pas les yeux sur Lehzen. Je vous déclare, à vous qui êtes mon ami comme celui de Victoria, que j'accepte de lui sacrifier en silence mon bonheur, dût-elle persévérer dans son erreur. Mais le bien-être de mes enfants et sa qualité de reine me sont trop chers pour que je ne me batte pas une dernière fois afin de la soustraire à cette malédiction. N'est-ce pas un grand malheur que la vérité sur Lehzen saute aux yeux de tous, et que seule Victoria voie en elle un ange victime des soupçons et des calomnies du monde ? »*

Tout cela était faux ! Faux comme un visage familier qui se reflète dans un miroir déformant ! Pourquoi vouait-il une telle haine à Lehzen ? Qu'avait-elle bien pu lui faire ? Et pourquoi me faisait-il si peu confiance ? Il me parut arrogant, ce qui renforça ma colère. Mais quand je lus la seconde lettre, j'eus l'impression de voir mon propre reflet dans une glace.

« Vous me demandez, mon cher Stockmar, pourquoi j'ai laissé la situation se dégrader à ce point, mais Victoria est trop emportée et passionnée pour que je l'informe de mes problèmes. Elle refuse de m'écouter jusqu'au bout et m'accable de ses reproches. Elle m'accuse de la soupçonner, d'être ambitieux, envieux, etc. Il ne me reste plus que deux solutions : garder le silence et m'éloigner prudemment (comme un gamin que sa mère vient de sermonner), ou répondre à la violence par la violence, ce qui entraîne des scènes dont j'ai horreur, car je suis peiné de voir Victoria si malheureuse et je tiens à la paix de mon ménage. »

Mon mauvais caractère me jouait des tours ! Sur ce point, je me savais en faute, mais j'avais des excuses, car l'année précédente j'avais été mise à rude épreuve : en découvrant que j'étais à nouveau enceinte, je m'étais sentie au bord du désespoir. À vingt et un ans, une année après mon mariage, j'attendais mon deuxième enfant ; ma vie allait donc être une succession épuisante de grossesses... Après la naissance de notre fille, j'avais dit adieu avec joie à Mrs. Lilly et retrouvé avec bonheur l'intimité conjugale — mais pour si peu de temps ! Albert ne m'avait guère aidée en s'entichant si fort de Pussy et en se réjouissant à l'idée d'une seconde paternité. Doué d'une âme de patriarche, il trouvait naturel que sa femme mette au monde des enfants en grand nombre. Il avait beau faire un effort pour me comprendre, j'avais la conviction qu'il était ravi que je sois à nouveau enceinte et je lui faisais naturellement grief de mon état.

Quelle année pénible ! Je m'étais sentie mal dès le début de ma grossesse — lasse, d'une humeur instable, sujette à d'alarmants accès de dépression. Albert me semblait inaccessible, indifférent et même hostile. Bien qu'il n'en dît rien, je savais qu'il craignait pour ma raison. Mon grand-père George III était mort fou, n'est-ce pas ! J'étais si coléreuse et incontrôlable qu'il pouvait se demander si j'avais hérité de cette tare. Il me surveillait donc comme un chat à l'affût d'une souris, tout en faisant son possible pour éviter les affrontements. Je me rends compte maintenant qu'il n'avait pas le choix, mais ce n'était pas la bonne conduite à tenir. Sans être d'une intelligence hors du commun, j'ai une profonde intuition... Le sentant sur la défensive, j'interprétais sa réserve comme de l'indifférence. J'avais l'impression qu'il ne m'aimait pas assez pour se quereller avec moi !

Alors que j'étais terriblement malheureuse, il paraissait si calme et si distant que je voulais l'obliger à descendre de son piédestal et à partager ma souffrance. J'aurais trouvé satisfaction dans de violentes disputes conclues par des larmes et des baisers — l'orage et les éclairs, suivis d'une pluie fraîche et apaisante. C'était un moyen pour moi de me rapprocher de lui... Mais il avait un caractère fort différent du mien : quand je me mettais en rage, il se repliait sur lui-même ; quand je m'échauffais, il m'opposait sa froideur ; quand je l'accablais d'injures, il quittait tranquillement la pièce. J'attendais qu'il me prenne dans ses bras et qu'il m'impose silence par des baisers passionnés, mais il se contentait de m'adresser de petits billets dénués de toute émotion, me démontrant que j'étais fautive.

Lequel de nous deux était le plus cruel, je ne sais !

Mais j'avais conscience de mes torts... Mon Albert n'avait pas ma nature ardente ! En lisant ce second billet, je me vis à travers ses yeux, interrompant ses phrases mesurées par mes accès de rage, me répandant en invectives brutales contre lui. Je compris alors son sentiment d'impuissance : il avait peur de me provoquer, tout en étant trop fier pour me laisser triompher injustement. Notre orgueil nous jouait de mauvais tours, mais j'allais lui donner la preuve de ma grandeur et de ma générosité. J'écrivis à Stockmar une lettre dans laquelle j'exposai humblement mon point de vue, en faisant abstraction, par amour pour Albert, de ma dignité de reine :

« Albert doit me dire ce qui le chagrine et je chercherai à y remédier ; mais il doit aussi me promettre de m'écouter et croire à ma sincérité. Depuis mon mariage, Lehzen a cessé d'être ma confidente. Personne ne peut nier les services qu'elle m'a jadis rendus, et mon seul désir est qu'elle vive en paix chez moi, en ayant la possibilité de me rencontrer de temps à autre. Albert y voit-il un inconvénient ? Je vous donne ma parole d'honneur que je ne lui parle qu'en de rares occasions et seulement quelques minutes. Albert s'imagine à tort que je la vois beaucoup plus souvent ! Je me contente de lui poser des questions au sujet de mes papiers et de ma toilette pour laquelle elle m'est fort utile — c'est tout. Nous ne parlons jamais de la nursery et, contrairement à ce que s'imagine Albert, je ne me plains jamais de lui. Jamais !

En ce qui concerne mon tempérament si emporté, je ne suis pas encore parvenue à m'en corriger : j'espère qu'il s'améliorera avec le temps. La colère me pousse parfois à prononcer des paroles méchantes et odieuses qui font de la peine à Albert (comme dimanche dernier), mais qu'il ne devrait pas croire car je ne les crois pas moi-même. Je savais avant notre mariage que cela poserait un problème ; je ferai mon possible pour me dominer !

Il est vrai que notre situation est très différente de celle des autres couples : Albert habite dans ma maison et non moi dans la sienne, mais je suis prête à accéder à ses vœux, tant je l'aime tendrement. Dieu sait combien sa position est délicate, et nous devons faire de notre mieux pour la rendre moins pénible. »

J'attendis un coup frappé à ma porte, un visage souriant, des mains tendues, le pardon et des baisers — mais en vain. Il continuait à m'ignorer, et Stockmar me transmit un ultimatum de sa part : Lehzen devait partir. Albert ne m'accorderait son pardon que si Lehzen quittait, et mon service, et le palais...

Mon cher Albert, qui avait si peu l'habitude de se mettre en colère, était donc incapable de surmonter sa rage. Je m'étais humiliée, je lui avais tendu un rameau d'olivier, mais il me repoussait. Son orgueil l'empêchait de faire la moindre concession : toutes les fautes lui semblaient de mon côté, et il ne se jugeait aucunement responsable de nos désaccords.

À cette idée, je fondis en larmes, submergée par le désespoir. L'homme à qui j'avais offert tout mon amour, à qui j'avais donné deux enfants, me posait des conditions ! Il voulait ma capitulation totale, et j'eus le sentiment que Lehzen n'était pas seule en cause. Si j'étais à lui en tant que femme, Albert n'avait aucune prise sur la reine, et son orgueil se rebellait. Si je voulais qu'il reste avec moi, qu'il me soutienne, qu'il me rassure en me prenant dans ses bras lorsque je traverserais des heures sombres, je devais m'abaisser devant lui. Je devais partager mes prérogatives, lui demander son avis et en tenir compte, lui donner les clés de mes « boîtes », de ma maison, de toute ma vie... Sinon, il se retirerait dans sa tour d'ivoire, et je finirais par mourir de solitude.

Quand mes sanglots s'apaisèrent, son billet toujours à la main et mon visage inondé de larmes reposant sur mon bras plié, je m'efforçai de réfléchir à mon dilemme. J'étais, certes, d'un caractère orgueilleux, mais, surtout, j'avais été sacrée reine d'Angleterre et rien ne m'autorisait à rompre mon serment solennel. Ce qu'il me demandait était extrêmement important et dépassait ma seule volonté.

Pourtant, j'aimais Albert de tout mon cœur, et je ne supportais pas l'idée de le perdre. Vivre à ses côtés et ne plus jamais voir son tendre sourire, ne plus jamais sentir son regard se poser amoureusement sur moi, ne plus jamais partager cette délicieuse intimité — tout cela était au-dessus de mes forces !

Mais comment lui donner satisfaction sans briser quelque

chose d'essentiel en moi ? N'allait-il pas exiger d'autres sacrifices qui m'ôteraient toute personnalité ? Et si je n'étais pas fidèle à moi-même, pourrais-je continuer à l'aimer ?

En outre, il n'avait pas le droit d'avoir de telles exigences. Je ne pouvais pas lui donner ce qui n'était pas en mon pouvoir... Mais il refusait de l'admettre, et je savais que tout serait bientôt fini entre nous.

Perdue dans mes sombres pensées, je me levai tristement ; je me rinçai le visage, me recoiffai, défroissai ma robe, avant de me regarder un instant dans le miroir. J'avais les yeux cernés, et un visage blanc comme la mort. C'est la fin de tout ! me dis-je. Je longeai lentement le couloir comme si j'allais monter sur l'échafaud, m'arrêtai à la porte de son salon et frappai. Mes coups sonnèrent creux, telle une poignée de terre tombant sur un cercueil !

— Qui est là ? demanda-t-il.

— La reine.

Sur ces mots, j'entrai. Il était à son bureau, sa lampe à abat-jour vert projetant une auréole de lumière sur une feuille de papier, devant lui. Il tenait une plume à la main, mais sa feuille était blanche, et quelque chose, dans la manière dont il était assis, me dit qu'il avait passé un long moment à chercher son inspiration. Je remarquai une certaine lassitude dans ses épaules. Ses cheveux, fins et brillants, étaient légèrement clairsemés sur le haut du crâne ; ses tempes commençaient — oui, déjà — à se dégarnir. Je regardai son profil : ce nez droit que j'admirais tant, sa bouche à l'expression triste, sa joue lisse et ses favoris cuivrés, les délicates circonvolutions de son oreille. Mais je découvris surtout, derrière son apparence extérieure, quelque chose de si important que j'eus envie de crier : il était possible d'aimer un homme follement, absolument, tout en étant en désaccord avec lui sur un point fondamental... J'aimais Albert, et je l'aimerais toujours, même si nous devions passer notre temps à nous quereller jusqu'à notre mort, et quand bien même je réprouverais chacun de ses actes, chacune de ses paroles...

Cette révélation m'emplit de joie. Je murmurai.

— Albert !

Il leva les yeux. Alors que je m'attendais à un regard furieux, je lus une certaine angoisse sur son visage fermé. Après s'être montré implacable, il attendait maintenant ma réaction avec inquiétude. Ne savait-il pas qu'il était toujours mon cher, mon bien-aimé Albert ? Comment pouvait-il douter de sa Victoria ?

Je réalisai soudain ma folie. Il voulait que je cède, eh bien, je céderais, puisque lui-même était allé trop loin pour reculer ! Je devais surmonter mon orgueil parce que j'en avais les moyens : j'aurais beau reconnaître en lui mon souverain et maître, ma dignité resterait sauve. Je pouvais tout me permettre, pas lui ! Il obtiendrait ce qu'il désirait ; quant à mon serment devant Dieu, je trouverais moyen de le respecter sans me priver de l'amour de mon mari. Tout m'étais permis, car j'étais forte — assez forte pour perdre et gagner tout à la fois.

— Qui est là ? demanda-t-il à nouveau.

— Votre femme.

Son visage se détendit légèrement, mais il paraissait encore soucieux. Alors j'ajoutai :

— Je suis venue vous annoncer le départ de Lehzen.

— Vous la renvoyez ?

— Puisque vous le souhaitez...

J'attendis qu'il daigne me sourire, qu'il m'ouvre ses bras, mais il continua à me regarder en silence. Que voulait-il de plus ? Ne comprenait-il pas qu'il avait gagné ? Brusquement, je lui tendis la main et chuchotai les mots qui annonçaient ma capitulation :

— Je suis désolé, Albert. Pardonnez-moi.

— Oh, mon amour ! s'écria-t-il.

Ses paroles jaillirent comme un torrent rompant une digue. Il se leva, repoussant sa chaise à la hâte. Après avoir franchi les quelques pas qui nous séparaient, il me prit dans ses bras. Quel bonheur d'avoir retrouvé ma place !

— Victoria, murmura-t-il, dites-moi que vous m'aimez !

— Je vous aime, Albert, et je vous aimerai jusqu'à la fin de mes jours.

— Ma bien-aimée ! me souffla-t-il en frissonnant.

Il me serra passionnément contre son cœur. Je lui offris mon visage et nous nous embrassâmes comme si nous avions l'éternité devant nous.

Le soir de notre réconciliation, nous ne fûmes guère bavards : après avoir échangé de nombreux baisers et versé quelques larmes, nous rejoignîmes d'un commun accord notre chambre, où nos rapports conjugaux reprirent leur cours enchanteur. Quel bonheur de se retrouver dans les bras l'un de l'autre après les affres de notre discorde ! Ces retrouvailles tant désirées m'étaient mille fois plus précieuses que mes quelques concessions, et je le sentais si vulnérable, contre mon sein, que je craignais de le blesser au moindre souffle ! Je n'étais que tendresse pour lui. Je le berçais dans mes bras comme un enfant et je débordais d'allégresse, car, si je ne pouvais vivre sans Albert, il pouvait encore moins vivre sans moi...

Le lendemain, nous eûmes une conversation sérieuse. Contrairement à mon attente, il ne fut pas question de Lehzen : après avoir gagné la partie, Albert ne voyait sans doute pas la nécessité d'insister. Il souhaitait surtout parler de sa position personnelle.

— Depuis le début, vous me tenez à l'écart des affaires — privées et publiques — ce qui est un supplice pour moi, Victoria ! me dit-il en se tordant les mains. Vous ne pouvez pas me réduire à néant !

— Dites-moi ce que vous voulez, je vous l'accorde, répliquai-je avec calme.

J'imaginais qu'il allait énumérer des tâches ou des responsabilités particulières, mais une étrange lueur brillait dans ses yeux : il s'était fixé un horizon plus large...

— Je voudrais apporter à ce pays les lumières dont nous jouissons en Allemagne. Je veux faire entrer l'Angleterre dans le XIXe siècle.

— Ne sommes-nous pas au XIXe siècle ?

— Pas le moins du monde ! Nous sommes pris dans les toiles d'araignée du siècle précédent ; la cour et le gouvernement donnent le pire exemple de ce qu'il ne faut plus faire. Autour de moi, tout est corruption, malhonnêteté, privilèges... Les grands hommes aux postes de commande délèguent leurs pouvoirs à des inférieurs qui font de même, et ainsi de suite — jusqu'à ce qu'un immonde subalterne exécute le travail sans soin et sans goût. Voilà pourquoi rien n'est fait correctement, tandis que chacun s'enrichit à son niveau en profitant de certains avantages.

— Il y a du vrai dans ce que vous dites là, avouai-je sans me faire prier. Mais que faire ?

— En finir avec les pots-de-vin et la corruption. Donner aux hommes de valeur la place qu'ils méritent. En Angleterre, tout fonctionne par relations : les gens recommandent leurs amis, et ceux qui n'en ont pas n'arrivent à rien !

— Mais s'ils n'ont pas d'amis, ce n'est pas par hasard. Ils ne méritent pas de réussir.

— Quelle naïveté, Victoria ! Croyez-vous qu'un homme n'ait de valeur que s'il est sympathique ?

— Oui ! m'écriai-je. Les gens que je n'aime pas se révèlent toujours mauvais et indignes de ma confiance.

— Si un homme vous paraît charmant et spirituel, pouvez-vous en déduire qu'il est compétent ?

Je pinçai les lèvres, craignant qu'une allusion à Lord M. ne ravive notre querelle, mais Albert poursuivit sereinement :

— Je veux un système qui donne leur chance aux hommes de raison — et non aux plus doués pour la chasse à courre ou à ceux qui nouent leur cravate avec le plus d'élégance. J'entre en rage quand je vois les affaires du pays gérées par les membres des clubs de St. James, qui boivent, fument et entretiennent des maîtresses. Ces gens-là sont certainement plus spirituels que vertueux...

— Vous n'y comprenez rien ! m'écriai-je. Nos hauts dignitaires affichent une certaine nonchalance, mais ils prennent malgré tout leurs responsabilités à cœur. Nous ne sommes pas un peuple exubérant, et nous pouvons sembler flegmatiques au moment précis où nous travaillons avec acharnement. Un Anglais parle avec esprit et sans emphase de ce dont il se soucie le plus.

Albert hocha la tête.

— Je trouve anormal de traiter les sujets sérieux à la légère, de plaisanter de ce qui est bien, et de prétendre approuver le mal.

Lord M. avait coutume de dire que les pécheurs sont de plus agréable compagnie que les saints, mais ce n'était pas le moment d'évoquer ce souvenir...

— Les Anglais sont ainsi, observai-je à regret.

— Alors, changeons-les ! Nous allons les initier aux manières allemandes ! À Cobourg, la légèreté est mal vue. La ponctualité, l'assiduité, l'austérité, l'humilité sont les vertus que nous exigeons des grands hommes — et par-dessus tout la gravité ! *Il faut être sérieux*[1], mon amour ! Les hommes qui occupent les fonctions les plus hautes doivent se distinguer par leur intelligence, leur pondération et leur sens moral. C'est la condition du progrès !

— Il me semble que nous avons de telles personnes au gouvernement, observai-je, bien que, dans certains cas...

Il m'interrompit, les yeux brillants d'exaltation.

— Je voudrais insister sur un autre point ! Le gouvernement anglais est trop pragmatique : il improvise au gré des événe-

1. En français dans le texte. *(N.d.T.)*

ments. Ce n'est pas ainsi qu'on dirige un pays ! Il faut agir dans le cadre de principes moraux définis à l'avance. Vos ministres, eux, décident d'abord des orientations et des buts, laissant les philosophes inventer le système qui les justifiera.

— Notre système a plutôt donné satisfaction jusqu'à maintenant, balbutiai-je.

— Le *laissez-faire*[1] n'est pas un système digne de ce nom ! Si nous ne croyons pas à une possibilité de progrès, à quoi bon voir le jour ? Nous devons nous efforcer d'améliorer la nature humaine et ne jamais nous complaire dans nos imperfections. Les grands de ce monde, Victoria, doivent avoir conscience de leurs responsabilités. La monarchie doit être la gardienne de la moralité, l'incarnation de la justice, de la vertu et de l'honneur !

Je dus m'avouer à moi-même qu'il n'en avait pas toujours été ainsi dans le passé. Depuis un moment, Albert s'exprimait en allemand, entraîné par son inspiration. Sa vision du monde était réellement stimulante ! Je l'imaginais, revêtu d'une armure, une épée étincelante à la main, se battant seul contre les forces du mal. Mon bien-aimé Albert, comme il était beau ! Mais en même temps, ses projets me paraissaient bien austères, et mon bon sens me mettait en garde contre une telle rigueur.

— Vous avez raison, murmurai-je, mais le rire sera-t-il proscrit de votre monde idéal ? N'y aura-t-il ni amusement, ni plaisir ?

Le visage d'Albert se détendit, et il me sourit avec une tendresse qui m'enchanta.

— Ne vous inquiétez pas, petite étourdie ! Les rires innocents, les saines distractions et les plaisirs vertueux seront à l'honneur. Nous nous entourerons de gens éminents — penseurs, poètes, artistes, musiciens... Nous aurons des conversations intelligentes et édifiantes à notre table, au lieu de stupides ragots.

(Cette partie du programme d'Albert m'inquiéta un peu, car, sans apprécier les médisances, j'adore bavarder. Je m'intéresse volontiers au moindre détail concernant les gens qui m'entourent : maison, enfants, joies et soucis de la vie quotidienne... Albert se moquait éperdument de tout cela, et je l'avais vu maintes fois étouffer un bâillement au cours de ces bavardages sans prétention intellectuelle.)

Il continua sur sa lancée :

---

1. En français dans le texte. *(N.d.T.)*

— Nous encouragerons les artistes, les savants, les explorateurs ; nous réunirons autour de nous des trésors venus du monde entier. L'Angleterre montrera au monde le chemin du progrès et de la sagesse, et vous montrerez à l'Angleterre son chemin...

Gagnée par son enthousiasme, je m'écriai en battant des mains :

— Oh oui, mais je compte sur vous pour mener à bien cette tâche ! Le monde entier chantera vos louanges et l'on vous dressera des statues dans chaque ville.

— Peu m'importent les statues ! Je ne veux que votre amour et votre confiance.

— Je vous aime, Albert !

— Me faites-vous confiance ? Accepterez-vous de tout partager avec moi ?

— Tout ! répliquai-je sans hésiter. Ne vous l'ai-je pas dit hier soir ?

— Pas assez clairement ! (Comme je continuais à l'observer avec calme, il ajouta :) Mais si, vous me l'avez dit, et je dois me montrer aussi généreux que vous l'avez été. Vous valez mieux que moi, Victoria. Vous êtes ouverte, chaleureuse et aimante, alors que je suis toujours enclin aux soupçons.

— Mais vous ne vous méfiez pas de moi ?

— Non, j'aurai toujours confiance en vous.

Sur ces mots, il porta mes deux mains à ses lèvres et il les embrassa avec ferveur en chuchotant :

— *Hertzliebste* ! [1]

2 juin 1900

Peu après notre grande réconciliation et ma décision de me soumettre, eut lieu le baptême de notre fils. Profondément éprise d'Albert, j'espérais que mon enfant lui ressemblerait à tout point de vue. Il me sembla tout naturel de l'appeler Albert — et Édouard, en souvenir de mon propre père. Albert ne fit aucune objection, mais Lord M., à qui j'avais demandé son avis, me suggéra la solution inverse : Albert n'étant pas un prénom anglais, je risquais de choquer l'opinion...

1. Très cher cœur !

« Le roi Albert » sonne merveilleusement bien, me dis-je, et si le Parlement ne m'autorise pas à faire roi mon mari, un Albert montera au moins sur le trône après ma mort. Gardant ce point de vue pour moi, je préférai répondre avec fermeté :

— C'est un ancien prénom saxon.

Lord M. me sourit gentiment.

— Oui, mais il est tombé en désuétude chez nous, alors qu'Édouard est un authentique prénom anglais, très populaire en raison du passé qu'il évoque.

— Mon fils s'appellera Albert Édouard, répliquai-je, imperturbable, et il aura toutes les qualités morales et physiques de son père. En outre, j'insiste pour que tous mes descendants de sexe masculin reçoivent ce prénom, en mémoire de la nouvelle dynastie fondée en 1840 lors de mon union avec mon bien-aimé Albert.

(Ainsi quand le premier fils de Georgie et May naquit, je demandai qu'il soit appelé Albert — car il serait un jour roi d'Angleterre — mais ils préférèrent le baptiser Édouard. Quelle déception pour moi ! Pis encore, ils essayèrent de me duper en prétendant qu'ils lui donnaient ce nom en l'honneur du frère de Georgie, ce pauvre Eddy auquel ils me savaient très attachée. J'ai fait alors remarquer qu'il s'appelait Albert Victor. (Eddy n'étant qu'un surnom). J'espérais avoir gagné la partie, mais ils l'ont tout de même appelé Édouard — ce qui prouve qu'ils étaient de mauvaise foi. Une telle mesquinerie me déplaît fort... J'y vois l'influence de May, dont j'apprécie pourtant les qualités, mais qui manque parfois d'égards et de finesse, en raison de l'éducation qu'elle a reçue. En fin de compte, ils appellent couramment leur fils David ; j'estime donc qu'ils auraient pu m'éviter toutes ces contrariétés...)

Lord M. m'opposa un dernier argument :

— Deux Albert dans la même famille risquent de créer des malentendus !

— On appellera mon fils Bertie, répondis-je simplement.

Les enfants de la famille royale avaient toujours été baptisés en privé, mais étant donné les incertitudes concernant la succession depuis bien des années, nous prîmes la décision de célébrer le baptême en public, à la chapelle St. George de Windsor. Une grandiose cérémonie ! L'organiste composa en cette occasion une antienne qu'il soumit à notre approbation. Albert la jugea assommante.

— Nous ne pouvons pas nous adresser à quelqu'un d'autre sans infliger un véritable affront à cet organiste, observai-je.

— Alors, passons-nous d'antienne ! décida Albert. Personne ne les aime, et elles tombent dans l'oubli en moins d'une semaine.

— Oui, approuvai-je en riant, mais par quoi la remplacer ?

— Nous chanterons tous ensemble un air sacré auquel tout le monde peut se joindre. Je sais ! conclut-il après avoir réfléchi un moment, les sourcils froncés. Nous chanterons en chœur l'*Alléluia* de Haendel !

Je faillis protester, car je n'avais jamais aimé la musique de Haendel, et ce terrible *Alléluia* m'avait poursuivie dans toutes les circonstances importantes de ma vie. Mais, devenue une épouse docile, je sus me taire. En l'occurrence, Albert avait vu juste. Tout se passa très bien et cette innovation eut l'heur de plaire. Pour ma part, je n'eus pas à trop à souffrir car l'air fut joué au moment où nous sortions ! Le bébé se comporta à la perfection et le doyen de Windsor, étrangement inspiré, me félicita d'avoir évité au pays « l'effroyable malédiction d'une succession féminine ». Mon regard croisa à cet instant celui d'Albert, et je dus me mordre les lèvres pour ne pas éclater de rire !

Plus de six mille personnes vinrent de Londres en cette occasion. La Great Western Railway programma des trains toutes les demi-heures et dut faire aménager deux nouvelles salles d'attente dans la gare de Slough pour les hôtes de marque, avec un tapis rouge, des cheminées de marbre et de grands miroirs à cadre doré.

À cette époque, je n'étais jamais montée en train ! Je m'y aventurai au mois de juin suivant, avec une grande appréhension, mais ce mode de transport me parut ensuite nettement préférable à la route. Au cours de nos voyages en chaise de poste, nous devions rouler à toute allure, Albert et moi, pour ne pas être importunés par des conducteurs de cabriolet ou des cavaliers curieux ; j'étais souvent couverte de bleus à cause des terribles cahots. En outre, la poussière nous incommodait, et, à chaque arrêt, la foule nous assiégeait. Beaucoup de gens essayaient même de passer leur tête à l'intérieur de la voiture.

Le train, si rapide, si régulier, me comblait d'aise. J'avais l'incroyable sensation d'être transportée dans mon propre salon ! Grisée par la vitesse, je serais volontiers allée « à plein régime », comme on disait alors. Mais Albert s'inquiétait de voir la campagne défiler si vite. « Du calme, monsieur le conducteur ! » murmura-t-il un jour, m'obligeant à donner l'ordre de ralentir. Par la suite, le train royal ne dut jamais dépasser les quarante miles à l'heure. Quatre fois plus, malgré tout, qu'une voiture sur la route ! J'estime que les chemins de fer et la photographie sont les deux inventions les plus merveilleuses de ce siècle...

Le Duc, je dois dire, avait horreur des trains, depuis qu'il avait assisté à un terrible accident en 1830 : William Huskisson[1] avait alors été renversé et écrasé par une locomotive à l'inauguration de la ligne Liverpool-Manchester. Le Duc refusait donc de prendre le train, jusqu'au jour où il dut à contrecœur m'accompagner en voyage, au mois d'août 1843. Il comprit aussitôt les avantages de ce moyen de locomotion, et en devint un fervent adepte.

Mais revenons-en au baptême. Le *Times* déplora le lendemain que tous les invités fussent allemands — une allusion au fait qu'Albert avait choisi le roi de Prusse comme parrain. (Considérant la Prusse comme l'alliée naturelle de l'Angleterre, il rêvait d'une Allemagne unie sous le leadership de la Prusse, avec Pussy sur le trône. Le roi de Prusse n'avait pas d'enfant, et son frère, le prince héritier, avait un fils de dix ans seulement plus âgé que Pussy ; donc l'idée d'Albert n'avait rien d'utopique.)

Après le baptême, il fallut réorganiser la nursery. Mrs. Southey ne donnait pas satisfaction : elle ne semblait guère s'intéresser à son travail et manquait d'autorité sur les domestiques. En outre, elle s'absentait souvent, si bien que les enfants restaient pendant de longues périodes sous la garde de gens de rang peu élevé. Je pris l'avis de Lord M., qui me conseilla de choisir une personne de la haute société et ayant le sens des responsabilités.

> *« Il vous faut à tout prix une aristocrate,* m'écrivit-il. *Les femmes de la classe moyenne manquent souvent d'éducation et de sagesse. Elles sont victimes de préjugés et risquent de se laisser tourner la tête par leur position. Elles s'entourent toujours d'une nuée de relations qui souhaitent se faire bien voir à la cour et attirer votre attention, vous contraignant ainsi à les mettre dehors sans ménagement. »*

Albert approuva — pour une fois — le point de vue de Lord M., et le poste fut offert à Lady Lyttleton, l'une de mes dames de la Chambre depuis 1838. Cette grande dame whig, née Spencer, était tolérante, libérale, cultivée, et aimait les enfants ; elle avait d'ailleurs élevé les siens toute seule après la mort de

1. Homme politique anglais (1770-1830). *(N.d.T.)*

son mari en 1837. Elle fut la gouvernante de mes enfants jusqu'à sa retraite, en 1851. Ceux-ci lui étaient très attachés et l'appelaient « Laddle ». Elle déclara dès le début qu'elle ne voyait pas l'intérêt de punir les tout petits (car on ne sait jamais s'ils ont compris le motif de leur punition), mais elle parvint à se faire respecter de ma fille aînée. Après quoi, elle n'eut aucun problème avec mes autres enfants. Sous son influence, un peu plus de bon sens régna à la nursery, et Pussy se remit à prospérer, devenant, selon l'expression de Laddle : « Un beau bébé blond et potelé, à l'allure royale — le portrait de sa mère ».

Ce que je fais, j'aime le faire à fond. Puisque Albert souhaitait avoir une parfaite petite *Hausfrau*[1], douce et soumise à la manière allemande, je pris la décision de lui donner satisfaction — dût-il le regretter ! J'avoue que, ne partageant pas ses conceptions sur ce point, je mis un soupçon de malice dans mon attitude. Je décidai de me montrer faible et fragile, dénuée de toute opinion personnelle, incapable de choisir ne serait-ce qu'un chapeau sans son approbation. En d'autres termes, je voulais l'accabler sous le poids de ma dépendance !

Malgré tout, je n'étais nullement mécontente de mon sort. N'ayant pas eu de père, je m'étais volontiers soumise à l'influence de Lord Melbourne ; or, depuis son départ, je cherchais de nouveau un bras sur lequel m'appuyer. En cédant à contrecœur à Albert, je ne m'attendais pas à trouver en lui la personne dont j'avais tant besoin !

Bien sûr, ma reddition ne se fit pas en une seule fois. Il y eut encore des disputes et des malentendus. Comment aurais-je pu me corriger du jour au lendemain ? Si certains de mes défauts ne s'atténuèrent jamais, je devins cependant plus souple, plus rationnelle, plus ouverte, et surtout plus heureuse. Laisser un autre prendre les responsabilités et décider à ma place me libéra considérablement l'esprit et m'allégea d'un trop lourd fardeau. Dès qu'il put jouer le rôle auquel il aspirait, Albert me témoigna une tendresse et une dévotion incomparables. Sa protection m'apportait une telle sérénité que j'avais peine à me souvenir de mes premières réticences à son égard.

Le plus grand changement dans ma vie intervint quand Albert devint mon secrétaire privé — en fait, sinon en titre — après avoir reçu les clefs de mes boîtes de dépêches. Je n'eus

1. Maîtresse de maison. *(N.d.T.)*

jamais à me repentir de cette décision, et ma crainte secrète qu'il n'usurpe mes pouvoirs se révéla une totale absurdité. Aucun secrétaire n'aurait pu s'acquitter de sa tâche aussi bien que lui ! Il lisait les documents officiels à ma place, rédigeait des résumés, annotait mes lectures, me préparait des projets de lettres et de discours, faisait des rapports sur les conversations importantes, enquêtait sur les gens et sur les problèmes afin de me conseiller, et rangeait tous mes papiers avec un soin méticuleux. C'était un énorme travail, qui s'amplifia d'année en année, à mesure que les différents ministères le considéraient de plus en plus comme mon bras droit.

J'en vins à compter sur mon mari pour les problèmes gouvernementaux autant que pour mes affaires privées, et, accablée comme je l'étais par mes maternités successives, je ne vois pas comment j'aurais pu me passer de lui. Sans sa présence à mes côtés, le pouvoir aurait risqué de tomber entre des mains étrangères qui en auraient fait mauvais usage. Loin d'usurper mes prérogatives, Albert fit en sorte de les préserver. Ses actions n'eurent jamais pour but de satisfaire sa vanité ; il ne pensait qu'à moi et à l'intérêt du pays. Anson avait vu juste : de tous les princes européens que j'aurais pu épouser, lui seul était capable d'une telle force de travail et d'un pareil altruisme. Combien de fois me suis-je mise en rage en constatant que le pays qu'il servait avec une telle dévotion ne l'appréciait pas toujours comme il le méritait ? Et qui oserait me reprocher d'avoir fait élever tant de monuments en son honneur depuis qu'il nous a quittés ?

Lehzen, à l'origine de notre querelle, ne quitta pas mon service avant septembre. Albert fixa avec elle la date de son départ, sans me consulter (par souci sans doute de m'éviter une épreuve douloureuse), et l'on me mit en juillet devant le *fait accompli*[1]. Ma chère Lehzen se comporta avec sa délicatesse habituelle, confiant petit à petit ses responsabilités aux personnes qui lui succédaient, et s'éclipsant discrètement à l'aube du 30 septembre, afin de m'épargner des adieux officiels. Elle se retira auprès de sa sœur, dans le Hanovre ; je lui offris une nouvelle voiture et une confortable pension annuelle de huit cents livres. Hélas, sa sœur mourut peu après, et elle resta seule jusqu'à sa mort. Je lui écrivais une fois par mois, mais ne la revis qu'à deux occasions, bien qu'elle ait vécu jusqu'à près de quatre-vingt-six ans. Elle mourut en 1870, moins d'un mois

1. En français dans le texte *(N.d.T.)*

avant son anniversaire, et on me rapporta qu'elle avait prononcé mon nom avant de s'éteindre. Maintenant que je suis une vieille femme, entourée de ses enfants et petits-enfants, j'imagine sa solitude avec une grande compassion et non sans un certain remords...

Le lendemain de son départ, je m'éveillai après avoir rêvé qu'elle était revenue me dire au revoir, et j'eus du mal à supporter la triste vérité. Heureusement, Albert était à mes côtés pour me prendre dans ses bras et me rassurer par ses baisers. Nous étions à l'aube d'une ère nouvelle...

Les tempêtes s'étaient apaisées, je voguais en eaux calmes, et, dorénavant, je n'écouterais plus qu'une seule personne : mon bien-aimé mari, mon seul véritable ami. Mais une telle dépendance — pour un enfant, une femme ou même un animal — n'est pas sans risque. Je devins incapable de me passer d'Albert, et c'est alors qu'il m'abandonna cruellement dans un désert où je dus me débattre, seule, pendant des années.

Comme de juste, aucun de nous d'eux ne s'en doutait alors ! Nous n'avions que vingt-trois ans, et à cet âge, on se croit immortel.

13

Balmoral, 5 juin 1900

J'ai dû télégraphier à Salisbury pour qu'il ne retire pas trop vite nos troupes d'Afrique du Sud. Sur la foi de nos récents succès, les classes populaires ont tendance à croire la guerre terminée ! Or, je sais par expérience qu'un trop grand enthousiasme, en de telles circonstances, risque de nous faire baisser la garde, ce qui crée de nouveaux troubles et oblige à envoyer des troupes en renfort. Je garde un cuisant souvenir de la guerre de Crimée !

Mais Salisbury est un homme sérieux, et il m'écoutera. Salisbury, le seul de mes Premiers ministres à être plus jeune que moi... Je me souviens qu'il était page à mon couronnement, mais à son arrivée au gouvernement, en 1885, je fus si heureuse à l'idée de me débarrasser de Gladstone que j'en aurais sauté de joie ! Il est maintenant en exercice depuis quinze ans et nous nous entendons si bien sur presque tous les points que cette période aura été la plus paisible de ma vie — sur le plan politique...

Il fait un temps détestable depuis le 2 juin. Je déteste être privée de mes promenades en voiture, et Bébé me manque beaucoup. Georgie s'est vu dans l'obligation de partir samedi, pour des raisons qui ne m'ont pas semblé valables. Je n'aime guère que les gens s'en aillent ! Cependant May et les enfants sont restés ici. Le bébé a l'air de prospérer, mais le petit David est agité. Nous avons fini, hier, par comprendre pourquoi. À la naissance d'Henry, Georgie aurait dit à David que son petit frère était entré par une fenêtre et qu'on lui avait coupé les ailes pour qu'il ne puisse pas repartir. Depuis, l'enfant vit dans l'angoisse d'apercevoir ces horribles ailes ensanglantées, et il fait des cauchemars à l'idée de les retrouver sous son lit ou sur son oreiller. Vraiment, je n'admets pas qu'on raconte de telles balivernes aux enfants. Georgie ne pensait pas à mal, mais je ne lui ai pas caché mon point de vue : on ne doit pas alimenter l'imagination féconde d'un enfant avec de telles horreurs !

J'ai toujours eu beaucoup d'imagination moi aussi. En évoquant, depuis quelques mois, les premières années de ma vie, je me suis retrouvée dans l'état d'esprit de cette lointaine époque où j'étais jeune et ignorante. Maintenant, je vais parler de mes enfants, et mon ton sera bien différent. À vrai dire, on change si souvent au cours de son existence, que parler de ce que j'ai pu ressentir en tant que mère à un moment ou à un autre ne donnera pas une image exacte de la réalité. D'ailleurs, peut-on donner une image exacte de la maternité ? Curieusement, pour les mères, les enfants ne grandissent pas vraiment. Les miens, tels qu'ils sont aujourd'hui, me semblent sans aucun rapport avec les bébés braillards que j'ai connus jadis, et pourtant, ces deux stades coexistent dans ma mémoire. C'est comme si un nouvel enfant naissait à chaque étape de sa croissance, de telle sorte que je n'ai pas neuf enfants mais, disons, soixante-trois...

Les enfants sont, paraît-il, une bénédiction. Je ne dirai pas le contraire, mais j'estime aussi qu'ils nous prennent une partie de nous-mêmes. De petites parcelles de la glaise dont nous sommes faits sont prélevées à chaque naissance, modelées en des formes nouvelles, et, malgré les diverses ressemblances, la nouveauté l'emporte toujours sur la similarité. Nous réalisons soudain qu'un adulte a pris place à côté de nous, et que nous avons vieilli. Les enfants puisent dans nos forces et notre jeunesse, et quand ils prennent leur indépendance, nous nous sentons diminués et affaiblis : notre belle jeunesse s'est envolée.

Les hommes ont sans doute une autre vision de la réalité. Albert répétait volontiers que les enfants perpétuaient notre amour. Il voyait en eux le symbole de notre merveilleuse union, la preuve pour les générations futures que nous nous étions chéris. Il a toujours eu un horizon plus vaste que moi ! Son esprit semblait installé sur des hauteurs d'où il pouvait apercevoir de lointains paysages. J'étais toujours en train de grimper tant bien que mal derrière lui, chargée du panier de piquenique et trébuchant sur le chemin...

J'eus neuf enfants en dix-sept ans — dont sept pendant les dix premières années de mon mariage. Bien que je les aie toujours aimés et qu'ils m'aient souvent donné de grandes joies, ils m'ont éloignée d'Albert, et il m'a semblé parfois qu'ils me privaient de son amour. Je pense que j'aurais réagi différemment si Albert avait vécu, si nous avions partagé de longues années d'intimité, alors que les enfants étaient déjà adultes. S'il pouvait maintenant jouer avec ses petits et arrière-petits enfants, j'éprouverais un réel bonheur et je le verrais leur prodiguer son attention, ses caresses et ses baisers sans la moindre jalousie. Mais Bébé n'avait que quatre ans à sa mort. Toute notre vie commune — si courte, en fait ! — a été consacrée à nos enfants. À aucun moment, sauf pendant un mois en 1840, je n'ai été épouse sans être mère.

Avais-je le choix ? Certes, il nous fallait une descendance étant donné ma position ; et, même sans cette nécessité, je n'aurais pas souhaité priver Albert des joies de la paternité qui ont tant compté pour lui. Mais peut-être eût-il mieux valu nous arrêter à quatre : Vicky, Bertie, Alice et Affie — les Quatre Grands, comme nous les appelions, car ils étaient presque toujours ensemble — auraient assuré la relève, sans m'épuiser et me priver de mon mari bien-aimé.

Je ferais mieux de rayer ce que j'ai écrit là ! On pourrait en déduire que je n'aime pas mes plus jeunes enfants, ce qui serait absurde ! Et Bébé, comment aurais-je pu supporter mon triste veuvage sans elle ? Elle est ma compagne diligente et attentionnée ; je ne sais ce que je serais devenue sans son aide ! Tout est bien ainsi, et je ne pourrais me passer d'aucun de mes enfants... Mais je ne rayerai pas ces dernières lignes : je me suis promis d'être absolument sincère, et il suffira que mon récit ne tombe jamais sous les yeux d'une personne que la vérité pourrait blesser.

Les Quatre Grands sont venus au monde à intervalles très rapprochés. L'année 1842 m'apporta un certain répit, dont j'avais grand besoin après les deux premières naissances et les orages matrimoniaux que j'avais affrontés. Grâce à ma réconciliation avec Albert et à son aide précieuse, j'appris avec calme, à l'automne 1842, que j'étais une fois de plus enceinte. Ma grossesse et mon accouchement se passèrent sans problème, et notre seconde fille naquit le 25 avril 1843.

Je la nommai Alice — un charmant prénom anglais fort ancien, dis-je à Albert, qui approuva. Mais je n'avais pas oublié que c'était le prénom préféré de Lord Melbourne, celui qu'il aurait donné à sa fille s'il en avait eu une. Une sorte de cadeau d'adieu à mon vieil ami, bien que je ne m'en sois pas rendu compte à l'époque ! Après la naissance d'Alice, nos relations s'espacèrent encore : je ne le voyais presque plus, et si je lui écrivais, c'était surtout par égard pour lui. Il n'y avait plus qu'Albert dans ma vie...

À sa naissance, il nous sembla qu'Alice serait la beauté de la famille. Elle ne tint pas réellement cette promesse, car son visage très allongé et ses yeux un rien trop rapprochés lui donnaient une apparence un peu chevaline. Mais elle ressemblait beaucoup à Albert, ce qui était pour moi un gage de beauté. En grandissant, elle acquit une grâce et un charme exceptionnels, et sa voix avait un timbre argentin comme la mienne. J'ai un ravissant portrait d'elle à l'époque de son mariage : elle est vêtue de mousseline blanche, avec un châle de dentelle noire et une guirlande de roses sur la tête. Son expression douce et mélancolique me fait tant penser à Albert ! Elle avait ses yeux, ses sourcils et son teint de porcelaine. Comme lui, elle excellait en musique et en peinture, et son altruisme sans égal en fit une enfant exquise, puis une épouse et une mère exceptionnelles. (Laddle l'appelait l'« ange du foyer ».) Elle adorait son père et redoutait de le quitter quand vint le moment d'épouser Louis de Hesse que, pourtant, elle aimait tendrement. Hélas, ce fut son père qui la quitta : son mariage eut lieu quelques mois après la mort d'Albert. Sans cesse à son chevet durant sa dernière maladie, elle chercha toute sa vie à se conformer aux principes qu'il lui avait inculqués. Elle se mit au service de son nouveau peuple, visitant les hôpitaux, les asiles, les orphelinats de Hesse et œuvrant pour l'amélioration du logement et de l'éducation des plus défavorisés — comme l'aurait fait Albert !

Ma douce et tendre Alice fut le premier de mes enfants à mourir ; elle fut emportée par cette maudite diphtérie. Sa vocation d'infirmière s'était révélée lorsqu'elle soignait son père mourant. Pendant la guerre franco-prussienne, ayant transformé sa maison en hôpital, elle tint à panser les blessés et à vider les seaux de ses propres mains. Quand ses enfants attrapèrent la diphtérie, elle voulut donc les soigner elle-même. Malgré ses soins, May, la plus jeune, mourut. Son seul fils, Ernest, était si malade qu'elle n'osa pas l'informer de la mort de sa sœur préférée, si bien que, lorsqu'il la pria de donner l'un de ses livres à la petite May, Alice, émue aux larmes, couvrit son visage de baisers ; et c'est ainsi qu'elle fut à son tour contaminée.

Je me souviendrai toujours de cette horrible matinée où l'on me tendit, au petit déjeuner, le télégramme incohérent de Louis : « Pauvre maman, pauvre de moi, grand malheur, chère Alice ! » Bertie qui s'était toujours très bien entendu avec sa sœur éclata en sanglots et murmura : « Les meilleurs partent toujours les premiers. » Ma chère enfant, qui aimait son père plus que quiconque, est morte comme lui le 14 décembre, le jour du dix-septième anniversaire de sa mort. Quel insondable mystère !

Perdre un enfant est un terrible chagrin, car il est contre nature de survivre à ses enfants. Mais je revois toujours Alice bébé et je pense que cette image ne s'effacera jamais de mon esprit. Bébé, nous l'appelions « la grosse Alice » car elle avait l'allure d'une minuscule barrique. Sur certains croquis que j'ai faits d'elle à dix-huit mois, on dirait un oreiller bien rembourré, avec de petits membres pointant à chaque coin. Espiègle et rieuse, elle entraînait parfois Vicky à faire des bêtises ! Un jour, ayant trouvé une servante en train de frotter une grille de cheminée à la mine de plomb, à l'autre bout du palais, elles barbouillèrent de noir le visage de la malheureuse. Quand j'appris cela, je fis descendre Vicky et Alice aux cuisines afin qu'elles présentent leurs excuses : je n'ai jamais admis que mes domestiques soient victimes de mauvais traitements ! Leur plus dure punition fut la désapprobation de leur père, qui se déclara fort déçu par leur conduite.

Après Alice, j'eus sept mois de répit avant d'être à nouveau enceinte, et Alfred naquit le 6 août 1844. Il nous fallait un second fils, car Albert prévoyait depuis longtemps que son dépravé de frère n'aurait pas d'héritier (en tout cas pas d'héritier légitime). Dans ce cas, le duché de Cobourg reviendrait à Bertie. Ce dernier ne pouvant évidemment s'y installer, notre second fils hériterait du duché. Affie fut un enfant beau et brillant, si passionné par la musique qu'il apprit en secret à jouer du violon. Il me surprit, un jour où nous fêtions mon anniversaire, en me jouant une de ses compositions fort plaisante, et dont il était très fier, car il a toujours eu une haute idée de lui-même.

Depuis se tendre enfance, Affie était attiré par la mer. Il avait tout juste quatorze ans quand Albert l'incita à s'engager dans la marine. Je fus très mécontente à l'époque, car Affie était bien trop jeune pour quitter la famille, et j'eus le sentiment de le perdre définitivement. Je ne le voyais que pendant ses congés, et, plus tard, il prit l'habitude de les passer le plus souvent possible chez Alice, qui vivait à Darmstadt depuis son mariage. Alice et lui s'étaient toujours bien entendus, mais je crois surtout qu'il avait pris goût à l'indépendance, et il se doutait que je n'approuverais pas ses mauvaises habitudes — de buveur, fumeur et coureur de jupons — prises au contact des autres marins. Il eut en 1862 une liaison scandaleuse avec une jeune femme de Malte ; mais je préfère ne pas insister sur ce fait.

Il finit par se marier en 1874, et, comme par hasard, avec une princesse russe, la fille unique du tsar. Il avait rencontré la grande-duchesse Marie chez Alice, car sa mère était une princesse de Hesse. On aurait dit qu'il voulait me contrarier, car je n'ai jamais fait confiance à la Russie ! Comme il semblait amoureux, je me suis contentée de grogner, mais je n'ai pas mis mon veto à cette union. Le tsar, pour sa part, sembla considérer comme une disgrâce le fait qu'une grande-duchesse épousât le fils de la reine d'Angleterre ! Marie a toujours laissé entendre qu'elle avait fait un grand honneur à Affie en convolant avec lui, mais je dois dire qu'elle est une bonne épouse et une belle-fille dont je n'ai pas à me plaindre, bien qu'elle ait blessé certaines personnes par sa suffisance. Elle a dû avoir beaucoup de peine, l'année dernière, lorsqu'elle a perdu son fils unique dans de bien pénibles circonstances. (Il s'était tiré une balle après une violente dispute avec elle, se blessant gravement. Contre l'avis du médecin, qui jugeait dangereux de le déplacer, elle l'avait envoyé en convalescence au Tyrol, où il est mort quelques jours plus tard. J'estime qu'elle a payé bien cher son orgueil !)

12 juin 1900

Comme j'ai plaisir à me souvenir de mes petits quand ils étaient *vraiment* petits et encore à l'abri de tous leurs problèmes futurs ! Albert avait un faible pour Vicky et Alice : il s'est toujours mieux entendu avec ses filles qu'avec ses fils ! Vicky, surtout, était sa favorite. Elle nous sembla tout de suite intelligente, mais elle nous surprit en devenant chaque jour plus vive et plus charmante, comme si nous avions atteint la perfection dès notre premier enfant ! Albert disait qu'il n'aurait pas trouvé mieux s'il l'avait choisie dans les rayons d'un magasin... Vicky avait mon don des langues et ma voix. À trois ans, elle parlait couramment français et allemand ! Un jour, debout en haut d'une colline, elle cita un vers d'un poème français : « *Voilà le tableau qui se déroule à mes pieds !* »[1], ce qui me parut

1. En français dans le texte.

remarquable pour un si jeune enfant. Sa syntaxe était parfois hésitante, mais elle parlait le français aussi spontanément qu'une langue maternelle. Je l'entends encore hurlant, folle de rage, à la pauvre lady Littleton : « *N'approchez pas de moi, moi ne veux pas vous !* »[1]

Comme vous le voyez, elle a hérité aussi de mon caractère. À vrai dire, mes trois premiers enfants étaient très enclins à piquer des colères — ce qui mettait dans l'embarras la pauvre Laddle, car elle avait pour principe de ne jamais les battre. Pussy, convaincue de sa supériorité puisqu'elle était l'aînée, s'imagina pendant plusieurs années qu'elle hériterait de la couronne. Elle le répétait souvent à Bertie, qui, en admiration devant sa sœur, se faisait un plaisir de la croire. Il ne découvrit la vérité qu'à douze ans, et nous eûmes beaucoup de mal à le convaincre. Très déçu, il pleura longuement, ce qui chagrina son père...

Se prenant pour l'héritière, Vicky avait une conscience aiguë de son importance. Elle ne tolérait pas la moindre familiarité à son égard, tout en se montrant parfois très arrogante avec son entourage. Elle disait « ces filles » en parlant de mes plus jeunes dames d'honneur et s'attendait toujours que les plus anciennes soient à sa dévotion. Plus d'une fois, je dus intervenir ! Comme elle avait pris l'habitude d'appeler « Brown » le Dr Brown, médecin de la nursery, je la repris à plusieurs reprises, jusqu'au jour où je finis par lui dire que je l'enverrais au lit si elle recommençait. Le lendemain, elle entra dans la pièce où je m'entretenais avec lui, et le salua hardiment d'un « Bonjour, Brown ! ». Voyant mon œil courroucé, la vilaine gamine fit la révérence, ajoutant avant de se retirer : « Et bonsoir, Brown, car je vais au lit. » Malgré mon mécontentement, je faillis éclater de rire devant la mine ébahie de Brown !

Mais c'était seulement par désir d'affirmer sa personnalité, car il n'y avait pas une once de méchanceté chez Vicky. Dès qu'elle avait l'esprit occupé, tous ses petits travers disparaissaient, malgré son tempérament très raisonneur. Elle adorait apprendre, et se plongeait dans des ouvrages de mathématiques, de philosophie, de chimie ou d'histoire, comme d'autres enfants dans des contes de fées. Elle dépensait tout son argent de poche en livres, et, à dix ans, cette petite était plus cultivée que bon nombre de ses aînés. « Une tête d'adulte et un cœur d'enfant », disait volontiers Albert. Tous nos invités au palais

1. En français dans le texte.

la traitaient d'abord comme une fillette, puis tombaient littéralement sous son charme. C'est sans doute ce qui se produisit avec Fritz, fils du prince héritier de Prusse, en qui Albert vit dès le début son futur gendre. J'en fus ravie, car je ne lui aurais jamais imposé un mariage sans amour, après avoir connu moi-même une telle félicité conjugale. Il m'a toujours semblé souhaitable que les parents donnent à leurs enfants l'occasion de rencontrer les personnes convenant à leur rang, puis les laissent libres d'effectuer le choix définitif...

Donc, lorsque nous invitâmes le prince héritier et sa famille à Londres en 1851 — à l'occasion de l'exposition universelle — ce cher Fritz tomba follement amoureux de Vicky, alors qu'il avait vingt ans et elle dix. « Elle était si délicieuse, me dit-il, bien des années plus tard. Une simplicité enfantine, alliée à l'intelligence d'une femme ! Elle m'a semblé presque trop parfaite. » Ils visitèrent ensemble le Palais de Cristal ; elle lui donna toutes sortes d'explications, tint des propos pleins d'esprit, lui décocha des sourires étincelants, et le jeune homme fut subjugué... Il repartit, prêt à attendre la main de Vicky aussi longtemps qu'il le faudrait, et se lança dans l'étude de la vie politique et des institutions britanniques afin de se rendre digne d'elle.

Après leur mariage, il lui avoua qu'il n'était pas tombé seulement amoureux d'elle : l'Angleterre lui avait semblé le pays le plus éclairé du monde, Albert le meilleur et le plus sage des hommes, et il avait été agréablement surpris par l'heureuse famille que nous formions. Alors que la cour de Prusse n'était qu'aigreur, acrimonie et intrigues, nous lui étions apparus Albert et moi comme de jeunes mariés, et il n'avait jamais vu d'enfants ayant des relations aussi affectueuses avec leurs parents. (Le pauvre Fritz eut le chagrin de voir son propre fils Willy détourné de lui par une cabale. Ses grands-parents et Bismarck l'incitèrent à mépriser ses père et mère et à adopter des idées politiques belliqueuses, tout à fait opposées aux leurs.)

13 juin 1900

Le temps s'est grandement amélioré et l'humeur de tous par la même occasion ! Je poursuis mon récit hors du château, dans mon petit pavillon, portes et fenêtres ouvertes pour profiter de la douceur de l'air. La rose blanche, devant la fenêtre, s'est épanouïe et elle embaume divinement. J'en pleurerais presque, car la beauté n'a jamais cessé de m'émouvoir. Si seulement mon bien-aimé était là pour partager ces instants avec moi ! « Ils passent vite, les jours de vin et de roses »... Trêve de nostalgie, je dois me réjouir par un jour pareil.

Je reprends donc ma plume...

Nous avons toujours souhaité, Albert et moi, donner à nos enfants une enfance heureuse.

— La vôtre, *Liebling*[1], fut bien triste, me dit-il une fois en me tenant la main au cours de l'une de nos conversations nocturnes. Quant à moi, j'ai été abandonné par ma mère et je n'ai pas eu avec mon père la tendre intimité dont je rêvais. Je voudrais que nos enfants grandissent sans contrainte, en se sentant libres de nous parler franchement et en nous considérant comme des amis et non des geôliers. Je souhaite les guider et former leur esprit, mais aussi jouer avec eux et les entendre rire.

— Vous allez scandaliser tout le monde, répliquai-je. Dans ce pays, les enfants sont séparés de leurs parents et installés dans la nursery au dernier étage de la maison. Ils ne voient leurs père et mère qu'en de rares occasions, et les garçons sont envoyés très jeunes en pension.

Albert prit un air indigné.

— Dans ce cas, les enfants subissent l'influence de domestiques et de précepteurs, plutôt que celle de leurs parents. Autant ne pas avoir d'enfants du tout si c'est pour confier leur éducation à des inférieurs !

— Je ne pense pas, en effet, qu'un être s'améliore lorsqu'il est tenu à l'écart et réduit au silence. Le bonheur est le meilleur des maîtres, et je veux que mes petits puissent rire et jouer comme je n'ai jamais pu le faire.

— Si vous riez et jouez avec eux, vous aurez les frères et sœurs qui vous ont manqué, plaisanta Albert.

— Au moins, ils n'auront pas l'impression que leur mère complote derrière leur dos. Mais il y a tout de même une chose dont je suis reconnaissante à maman, c'est de m'avoir fait mener une vie simple et même austère quand j'étais petite fille. Nos enfants seront bien assez exposés à la flatterie lorsqu'ils découvriront le monde. Je tiens à les élever dans l'humilité !

— Je n'y vois pas d'inconvénient, mais ces précautions

1. Ma chérie. *(N.d.T.)*

risquent d'être vaines. Nos enfants sauront nécessairement qu'ils sont les fils et les filles de la reine d'Angleterre. S'ils apprennent à être au-dessus des flagorneries et des honneurs, ce sera grâce à ce que nous aurons insufflé dans leur esprit et dans leur cœur, et non à cause de leurs vêtements ou de ce qui est servi à leur table.

Mais je tins bon, et ma nursery fut sans doute l'une des plus austères de toute l'Angleterre. Les vêtements étaient stricts et sans fioritures, et, devenus trop petits, ils étaient portés par mes plus jeunes enfants, ou conservés dans la naphtaline pour mes petits-enfants. L'alimentation était à base de bœuf et de mouton bouilli, de gâteaux de riz et de semoule. Affie se vanta même d'être mieux nourri à bord de son bateau que chez nous. Et, plus récemment, Ena, la fille de Bébé, a remarqué que les enfants en visite avaient droit à des meringues et des éclairs, alors que les enfants de la famille devaient se contenter de biscuits. (Un jour, comme c'était son tour de dire les grâces, elle murmura, les mains jointes : « Merci, mon Dieu, pour mon mauvais dîner ! » Elle fut privée de repas et renvoyée dans sa chambre.)

Je voulais éviter que mes enfants aient le goût du luxe, qui risquait de les entraîner à faire des dettes plus tard. Quelles que soient leurs conditions d'existence, ils devaient avoir la capacité de s'adapter ! Peut-être avais-je oublié alors mon aversion pour le régime auquel j'avais été soumise pendant mon enfance ; ou, si je m'en souvenais, me semblait-il bon pour eux comme je supposais qu'il l'avait été pour moi.

Arrivée à la fin de ma vie, je n'ai plus la même certitude... En ce qui me concerne, j'aime les repas copieux, et surtout les crèmes, les gâteaux, la glace au chocolat, la tarte aux abricots, les macarons, le sabayon — et j'ai ce penchant depuis que j'ai échappé à la tyrannie du mouton bouilli, en 1837. Reid pense que je surcharge mon estomac avec une nourriture trop riche, et il m'a récemment conseillé d'essayer la formule Benger — une sorte de bouillie qui facilite la digestion. J'ai accepté avec réticence, et il se trouve que j'aime ça. J'en prends donc un grand bol avant mes repas, alors que je devrais, paraît-il, la substituer à ceux-ci ! Lenchen et Louise m'en ont touché un mot, mais je fais ce qui me plaît. À quoi bon être la reine d'Angleterre si je ne peux même pas me nourrir comme je veux !

Je crains parfois d'avoir été un peu injuste envers Bertie. Il me semble que j'avais une fâcheuse tendance à vouloir qu'il soit la copie conforme d'Albert. Or, celui-ci étant parfait et unique en son genre, Bertie ne soutenait pas la comparaison avec son père. Et de loin ! Ce pauvre enfant se mit bientôt à me ressembler de plus en plus : son teint de porcelaine disparut. et je vis apparaître les yeux globuleux, le nez busqué, la lèvre pendante et le menton fuyant que je déplorais chaque jour devant mon miroir. Quand je le regardais, je voyais le sang des Hanovre remonter à la surface, comme si mes maudits oncles avaient pris l'apparence d'un enfant...

En outre, loin d'être doux, obéissant, studieux et noble de caractère comme son père, il se montrait violent, obstiné et paresseux. Il avait pourtant de grandes qualités : un cœur tendre, une profonde honnêteté, et une nature loyale. Il aimait les animaux, s'entendait bien avec ses petits frères et sœurs, et, dès qu'il était loin de nous, personne ne résistait à son charme — une qualité bien utile pour un futur monarque. Hélas, je n'étais guère sensible à ces qualités qu'il tenait plutôt de moi, alors qu'il n'avait pas eu le bon goût de prendre son père pour modèle ! Il était ma caricature, pour son malheur...

S'il avait été le troisième ou le quatrième de nos fils, et non le premier, nous aurions pu nous montrer plus indulgents. Mais tant de choses allaient reposer sur ses épaules ! Un jour, il serait roi d'Angleterre, et si Albert réalisait son rêve, il deviendrait le phare du monde civilisé sur le plan politique, philosophique et moral. Une tâche si lourde qu'aucun détail ne devait être négligé dans son éducation ! Chaque instant de sa précieuse enfance était donc rigoureusement planifié. Aucun écart n'était permis...

Que pouvait faire ce pauvre petit, sinon se rebeller ? À vouloir le couler de force dans un moule qui n'était pas à sa mesure, nous risquions de le briser ; et s'il n'avait pas eu ma nature, j'ignore s'il aurait résisté à ce traitement. Mais nous ne nous en rendions pas compte à l'époque, et Albert n'a pas vécu assez longtemps pour en prendre conscience. Avec l'âge, je suis devenue plus tolérante et j'admets que nous avons agi en dépit du bon sens avec Bertie. (J'ai beau l'aimer et reconnaître qu'il a de grandes qualités, je ne parviens toujours pas à admirer ce pauvre garçon !)

Une partie du mal venait de la mauvaise réputation de mes oncles, auxquels il ressemblait si étrangement. J'avais hérité d'un trône chancelant et d'une monarchie à son plus bas niveau de respectabilité, en raison de la conduite de ma famille, dont le sang — je ne le savais que trop — coulait dans mes veines. Ce sang coulait aussi dans les veines de Bertie, et Stockmar se faisait un devoir de nous le rappeler sans cesse. Toutes les occasions étaient bonnes pour souligner que l'avenir de la Couronne d'Angleterre se fondait sur une base morale : le moindre manquement nous plongerait dans la révolution et ferait de ce pays une république.

Albert en était convaincu, et il me déclara dès le début qu'il souhaitait faire de Bertie un être aussi différent que possible de ses grands-oncles ; ce en quoi je l'approuvais de tout mon cœur. (Rétrospectivement, je m'étonne que nous ne nous soyons pas préoccupés de l'hérédité des Cobourg, étant donné le caractère libertin du père et du frère d'Albert. Albert était le premier Cobourg vertueux depuis plusieurs générations, et la conduite de son père et l'affreux destin de son frère expliquaient sa sainte horreur de la débauche. Pourquoi jugions-nous que les qualités personnelles d'Albert étaient un rempart suffisant contre l'hérédité, alors que ma propre vertu ne pouvait pas protéger Bertie des tares de mes grands-oncles ? Je ne trouve pas de réponse à cette question. Il semble que Cobourg était alors synonyme de bon, et Hanovre de mauvais. Il ne me serait pas venu à l'esprit d'en douter...)

Stockmar affirma à Albert que la faiblesse du roi mon oncle s'expliquait par sa mauvaise éducation ; il était donc souhaitable que le prince de Galles fût élevé selon la morale la plus stricte. Sachant que les jeunes garçons sont de petits animaux dépravés qui se corrompent mutuellement en se racontant d'horribles choses, Albert décida (avec mon approbation) que Bertie ne serait pas autorisé à fréquenter des jeunes de son âge. Pendant toute son enfance, il n'eut le droit de jouer qu'avec ses frères et sœurs.

Et pourtant, j'avais abhorré les méthodes de Conroy à Kensington ! Moi qui avais tant souffert de l'ennui et de la solitude, avais-je oublié tout cela ou pensais-je que les avantages de l'isolement dépassaient largement ses inconvénients ? Toutefois, une chose est sûre : nous avons totalement ignoré le principe de la vaccination, que Lord M. m'avait pourtant exposé naguère. Un enfant, disait-il, qui n'a jamais eu à se défendre contre la moindre tentation risque d'être contaminé par le mal à la première occasion. (C'est ce qui se produisit en Irlande, en 1861, dans d'effroyables circonstances.)

En matière d'instruction, Bertie eut la malchance d'être devancé par notre brillante Vicky. Le programme d'étude établi pour son frère éveillait sa curiosité, alors que Bertie, d'une intelligence moyenne, était d'un niveau insuffisant. Quand il ne progressait pas et semblait se désintéresser de ses leçons, nous lui reprochions sa mauvaise volonté et avions tendance à allonger ses heures d'étude et à en élever le niveau. Quand il devenait pâle et languissant de fatigue, nous mettions sa lassitude sur le compte d'une paresse naturelle qu'il fallait éradiquer. Le pauvre Bertie était surveillé et réprimandé à chaque heure du jour, et quand la malheureuse créature, écumante de rage, piquait d'affreuses colères, nous pensions que le diable prenait le dessus et que nous n'avions pas été assez sévères...

« Pourquoi voulez-vous que je sois toujours parfait ? nous demanda-t-il un jour. Les autres enfants ne le sont pas ! » Nous avons entendu son insolence, sans comprendre sa détresse. J'estime aujourd'hui qu'il est absurde de vouloir former tous les individus sur le même modèle, au lieu de développer les qualités particulières de chacun. Un charpentier travaille dans le sens du bois et ne cherche pas à le contrarier ! En ce temps-là, on croyait tous les enfants perfectibles, et j'aurais mieux fait de me souvenir des paroles de Lord Melbourne, comme toujours en avance sur sa génération.

« N'attendez pas trop de l'éducation, m'avait-il dit. Elle ne donne pas les résultats qu'on en attend ; elle peut façonner une personnalité en surface, mais elle ne la modifie pas en profondeur. » Nous voulions faire de Bertie un intellectuel et un esthète comme son père, alors qu'il était d'une nature profondément sensuelle. Tout jeune homme, Albert ne se souciait guère du confort et n'était jamais aussi heureux que lorsqu'il étudiait sous la lampe de travail à abat-jour vert, réfléchissant, dans la solitude, à quelque grand problème. Au même âge, Bertie appréciait les sièges confortables, les vêtements élégants, les conversations plaisantes, les dîners bien arrosés et les sorties au théâtre avec des amis. On a beau faire, les poules n'auront jamais de dents...

14 juin 1900

C'est Sir Robert Peel qui attira le premier notre attention sur Osborne House. Quand je pense combien j'ai détesté cet homme au début, il semble curieux que ce soit à lui que j'ai confié mon envie d'une maison pour Albert et moi...

Lord M. avait vu juste : quand j'eus pris l'habitude des

manières étranges de Sir Robert et de son langage trop ampoulé à mon gré, il me parut absolument digne de ma confiance. Je m'aperçus qu'il avait une belle voix et des opinions sensées. Quand il perdit sa timidité — car il était réellement timide, malgré les apparences — il sut m'informer des débats à la Chambre d'une manière vivante et pittoresque qui me donnait l'impression d'y avoir assisté en personne. (Ce cher Disraeli avait le même talent, auquel s'ajoutaient des dons de romancier : en l'écoutant, j'avais l'impression d'assister à une séance de stroboscope ! Je n'ai jamais eu une notion aussi précise des événements qu'à l'époque où il était mon Premier ministre.)

Seul l'orgueil de Peel était un problème : fils d'un simple filateur de coton, il avait eu affaire à de nombreux snobs qui l'avaient humilié au cours de son ascension sociale. (Je déteste ce genre d'attitude, car un homme compte pour moi en tant que tel, et peu m'importe ce que fut son père !) J'appréciais que Sir Robert, comme Lord M., ne demande aucun privilège en échange de ses services ; mais, surtout, je lui savais gré d'éprouver une grande sympathie pour Albert et de me chanter ses louanges.

Mais revenons à Osborne House. Un jour d'octobre 1843, après une audience, je proposai à Sir Robert et à Albert d'aller faire quelques pas dans le parc du palais de Buckingham. Selon mon habitude, j'avais passé mon bras sous celui de mon mari, et les chiens folâtraient dans les buissons, tandis que nous regardions les lauriers et les troènes sur lesquels tombait de la suie. Il fut bientôt question des résidences royales.

— Je trouve curieux, déclarai-je, que la reine d'Angleterre soit la seule personne de ce pays qui n'ait pas le droit de vivre dans un endroit agréable. Le palais de Buckingham est une calamité ! Des fenêtres qui n'ouvrent pas, des portes impossibles à fermer, des corridors malodorants...

— L'installation sanitaire est déplorable, ajouta Albert, qui s'intéressait particulièrement aux canalisations. Savez-vous qu'un tuyau d'évacuation des eaux usées se décharge dans un conduit, sous les fenêtres du boudoir de la reine ?

— C'est fort regrettable en effet ! approuva Sir Robert.

— Mais surtout, insistai-je, nous manquons d'intimité ici. Nous nous promenons dans le parc, mais, comme vous savez, les gens n'ont aucun mal à escalader le mur ! De plus, le prince ne peut se contenter de tourner en rond dans un jardin londonien couvert de suie : il lui faut la paix et le bon air de la campagne. À Windsor, les curieux peuvent pratiquement arriver jusqu'à notre porte. Nous n'y trouvons pas non plus l'intimité à laquelle une reine aspire comme tout le monde...

— Cette aspiration me paraît légitime, répondit Peel avec circonspection.

— Il nous faut un endroit calme et retiré où nous pourrions profiter des joies de la famille ! m'écriai-je.

— De préférence au bord de la mer, précisa Albert. L'air marin est excellent pour les poumons, après les brouillards londoniens !

— Une résidence balnéaire ? s'étonna Sir Robert.

— Cet été, nous avons beaucoup apprécié, Albert et moi, nos promenades en bateau le long de la côte sud. Malheureusement, le pavillon royal ne nous convient pas du tout !

Nous nous étions installés à Brighton avec les enfants, Albert et moi, et avions fait des excursions de durée variable sur le *Victoria and Albert*. Ayant découvert, au cours d'un précédent voyage, qu'il fallait trois jours et demi pour gagner l'Écosse en bateau à voile, mais moitié moins pour en revenir à bord d'un bateau à vapeur, j'avais prié Sir Robert de nous faire attribuer un tel navire par le Parlement avec l'accord de l'Amirauté. Le *Victoria and Albert*, vapeur à aubes de 1049 tonneaux, fut donc mis en chantier, puis lancé en avril 1843 ; il était sous le commandement de Lord Adolphus Fitzclarence, l'un des *bâtards*[1] de mon oncle, le roi Guillaume. (Je n'ai jamais oublié ce que je devais à mon bon oncle et j'ai aidé ses enfants chaque fois que j'en ai eu l'occasion.) Nous avions passé d'excellentes vacances, mais le Pavillon nous avait déplu à l'un et à l'autre. Il était surchargé de décorations dans le style oriental, réalisées avec le plus grand art, mais par trop décadentes au goût d'Albert ! Pour ma part, je trouvais cette demeure étrange et amusante, quoique peu adaptée à la vie de famille et guère confortable.

L'environnement du Pavillon nous posait aussi de graves problèmes. En 1787, lorsque le roi mon oncle l'avait fait construire à Brighton, légèrement à l'écart dans ce petit village de pêcheurs, le Pavillon jouissait d'une très belle vue sur la mer. Mais la station devenant populaire avec la vogue des bains de mer, des maisons s'étaient construites tout autour, presque jusqu'à nos portes. De nos fenêtres, on apercevait à peine la mer, et dès que nous sortions, nous étions assaillis par la foule. Elle

1. En français dans le texte. *(N.d.T.)*

nous suivait partout ! Un jour où nous étions allés nous promener sur la plage, des curieux osèrent venir me regarder sous le nez pour voir à quoi je ressemblais. On nous traitait exactement comme la fanfare locale lors d'une parade. Lord M. avait coutume de dire que les habitants du Kent sont les pires de nos concitoyens ; j'aurais tendance à donner la palme à ceux du Sussex — loyaux, certes, mais d'une telle impertinence !

— Il ne doit pas être difficile de trouver une autre demeure sur la côte, suggéra Sir Robert, mais je doute qu'elle soit assez vaste et imposante pour une résidence royale...

Ma réponse fusa aussitôt :

— Je ne veux pas d'une résidence vaste et imposante ! Si mon devoir ne m'obligeait pas à me montrer en public et à donner de grandes réceptions, je me ferais une joie de mener une vie paisible à la campagne, avec mon mari et mes enfants. Je vous assure, Sir Robert, que la vie mondaine et la saison londonienne ne nous manqueraient guère ! (Albert approuva mes paroles d'une légère pression de la main.) Nous voulons une maison confortable et douillette, qui soit bien à nous !

— *Gemütlichkeit*[1], murmura Albert en hochant la tête.

— Dans ce cas, observa Sir Robert, je sais ce qu'il vous faut — mais je crains que le Parlement ne refuse de sanctionner de nouvelles dépenses. Les temps sont durs...

Albert ne put dissimuler son indignation.

— Tôt ou tard, il faudra au moins s'occuper du palais Buckingham. C'est une honte que la famille royale soit si mal logée ! Nos enfants sont installés dans un grenier destiné aux domestiques ; ce sont des pièces sombres et basses de plafond, mal aérées et déjà trop exiguës. Si notre famille vient à s'agrandir...

Sur le point d'aborder un sujet aussi délicat, Albert se mit à toussoter avec tact, ainsi que Sir Robert.

— Les appartements ne se prêtent pas aux réceptions que nous devons donner, reprit-il. Il n'y a même pas de salle de bal, et rien de mangeable ne sort de nos cuisines. Je m'étonne que nous n'ayons pas encore empoisonné quelque chef d'État en visite officielle !

— Souvenez-vous que l'Angleterre traverse une grave dépression et que le chancelier de l'Échiquier vous refusera son aide, insista Sir Robert avec un visage de marbre.

Je crus bon d'intervenir...

1. Le confort. *(N.d.T.)*

— Il ne s'agit pas de Buckingham, mais d'une nouvelle résidence au bord de la mer pour ma famille. Un endroit à nous, paisible et isolé ! Je n'ai pas l'intention, Sir Robert, de demander l'autorisation du Parlement. Si je l'achète de mes propres deniers, en prenant sur la cassette privée, a-t-il son mot à dire ?

— Certes, non, madame ! répliqua Sir Robert, dont le visage inexpressif parut s'émouvoir. À condition que votre cassette privée suffise à un tel achat...

— Vous n'avez pas idée des économies réalisées par le prince, Sir Robert ! Il a réorganisé la maison royale, et nous ne nous en portons que mieux ! Nous voulons un endroit à nous, hors du champ d'action du service des Bois et Forêts, et de tous ces organismes qui sont un vrai cauchemar.

Les travaux concernant l'intérieur et les abords des résidences royales passaient par divers services — celui du lord-chambellan, du lord-intendant, du conducteur des travaux, ou du maître des chevaux. Tous étaient d'une lenteur accablante, mais les Bois et Forêts battaient les records... Le manque de coordination atteignait un tel niveau qu'il était follement difficile d'obtenir le moindre résultat. Ainsi, les feux étaient préparés par le service du lord-intendant, mais allumés par celui du lord-chambellan, de sorte que nous grelottions tandis que les deux services s'accusaient mutuellement. Le nettoyage de l'intérieur des fenêtres était sous la responsabilité du lord-chambellan et l'extérieur dépendait des Bois et Forêts, qui ne passait jamais le bon jour ; nous vivions donc dans un brouillard permanent et devions ouvrir la fenêtre pour voir le temps qu'il faisait.

— Que dirait Votre Majesté de l'île de Wight ? demanda Sir Robert d'un air pensif. J'ai appris que Lady Isabella Blatchford vend sa propriété d'Osborne.

Ravie, je me tournai vers Albert.

— Je connais bien Osborne ! Nous avons séjourné plusieurs fois à Norris Castle quand j'étais enfant, et j'ai beaucoup regretté de ne pas l'acheter en 1839 quand il a été mis en vente. Osborne est tout à côté. Je ne suis jamais entrée dans la maison, mais j'ai galopé bien des fois sur mon poney dans le domaine.

— L'île de Wight est fort belle, approuva Albert. Quand nous avons longé sa côte cet été, je vous ai vanté son charme.

— Un endroit paisible et champêtre, ajouta Sir Robert. Le climat est excellent et le chemin de fer permet de s'y rendre commodément de Londres.

— Et ce serait une bonne base de départ pour naviguer, renchérit Albert. Quelle est la superficie du domaine ?

— Environ une centaine d'hectares. Un parc, des bois, une ou deux fermes...

— Qu'en pensez-vous, ma chérie ? me demanda Albert en allemand. L'île de Wight ne risque-t-elle pas de vous rappeler une « certaine personne » ?

Je ne sais plus si c'est moi qui en avais parlé à Albert, mais le fait est que Conroy avait habité Osborne — du moins une des dépendances — à l'époque où nous séjournions maman et moi à Norris Castle. Mais je chassai vite ce souvenir de ma mémoire. J'avais passé des vacances heureuses à l'île de Wight ; mon plus cher désir était d'acheter cette maison, et au plus vite !

— Non, ça ne me pose pas de problème, lui répondis-je. Allez tout de suite visiter les lieux, et dites-moi ce que vous en pensez.

Albert me calma d'un geste tendre, accompagné d'un sourire.

— Nous devons procéder avec méthode, ma chérie. Je vais prendre des renseignements avant de me déplacer !

— Je suis sûre que c'est parfait.

— Laissez-moi faire, je vous en prie, déclara sereinement Albert.

Puis il se tourna vers Sir Robert, qui, faute de parler allemand, n'avait pu suivre notre conversation.

— Aurez-vous l'amabilité, Sir Robert, de poser certaines questions de ma part à Lady Blatchford ?

Cette « maladresse » consistant à faire suivre le titre de Lady ou de Lord du nom de famille et non du prénom, comme le veut l'usage, me mettait souvent dans l'embarras lors de certaines réceptions ; cependant, je reste persuadée que, pour Albert, il s'agissait d'une marque de mépris, typiquement allemande, à l'égard de l'aristocratie anglaise.

— Je serai volontiers votre intermédiaire auprès de Lady Isabella, rectifia Peel avec tact. Vous voudrez sans doute connaître le prix de la propriété, en premier lieu.

— Le prix, mais aussi l'alimentation en eau et le drainage, l'accès à la mer, l'éventualité d'une servitude de passage... Un chemin public serait fatal à notre intimité ! Une carte d'état-major me permettrait de situer l'emplacement des bois et des fermes et d'apprécier l'étendue exacte du domaine. Je vous ferai parvenir d'ici à quelques jours un questionnaire détaillé.

L'affaire traîna en longueur à cause de la minutie d'Albert et des exigences de Lady Isabella — laquelle demandait trente mille livres pour sa propriété, un prix que Peel jugeait excessif. Une fois l'enquête préliminaire achevée, Albert décida d'aller se rendre compte sur place, le 18 mars 1844. Grâce au chemin de fer et à la navigation à vapeur, il fit l'aller et retour en une journée, tout en ayant largement le temps de visiter les lieux. Rien à voir avec les longs voyages de mon enfance ! Levé à l'aube, il revint le soir même, avec un avis favorable.

— Le domaine est merveilleux et nous aurons l'intimité que nous souhaitons, m'annonça-t-il. Mais certaines transformations s'imposent dans la maison pour la rendre tout à fait confortable.

— Lesquelles ? demandai-je en appréhendant tout ce qui pourrait retarder nos projets.

— Il faut quelques chambres supplémentaires. Nous pourrons construire les nouvelles cuisines dans la cour, près de l'actuel office, et un dortoir pour les domestiques. Pas de précipitation, ma chérie ! Évaluons les dépenses nécessaires, et voyons si elles sont envisageables. Rappelez-vous que la cassette privée n'est pas un puits sans fond !

Une profonde déception m'envahit : à nouveau enceinte, je rêvais d'une maison où je pourrais bâtir mon nid...

— Alors, Osborne ne vous convient pas vraiment ?

— Mais si ! Les terres, quoique laissées à l'abandon, sont excellentes et ne demandent qu'à être exploitées. Nous pourrions proposer à Lady Blatchford de nous louer d'abord sa propriété pour un an, avec une option d'achat à la fin de cette période. Le loyer serait ensuite déduit du prix d'achat.

— Moi qui espérais passer l'été prochain à Osborne !

— Prenons notre temps, répondit Albert d'un air évasif.

Ma première visite à Osborne n'eut lieu qu'au mois d'octobre, et en tant que locataire. J'en garderai toujours un souvenir ému ! La pluie ne cessa de tomber jusqu'à Gosport, et même la traversée fut marquée par de violentes averses. Arrivés à East Cowes, nous prîmes une voiture. Par chance, alors que nous approchions de la maison, le soleil se montra soudain, éclairant la façade d'un sourire de bienvenue. Quelle charmante demeure ! Une bâtisse de pierre, du XVIIIe siècle, exemple parfait de néo-palladianisme, avec deux étages, une magnifique imposte au-dessus de la porte et un fronton classique.

Toutes les maisons ont un visage, mais celle-ci avait un air particulièrement aimable et avenant. Le domaine était planté de grands arbres, et une vaste pelouse se prolongeait par un parc, puis par des champs descendant en pente douce jusqu'à la mer. Albert me prit par la main pour me faire visiter les lieux ; cela me rappela notre nuit de noces, lorsque nous courions de pièce en pièce dans notre nouvelle suite de Windsor. Pour l'heure, nous nous contentions de marcher, mais nous étions enthousiastes et admiratifs, d'autant plus que cette résidence allait nous appartenir — à nous et non à l'État !

J'étais aux anges ! Plus petites qu'à Windsor ou Buckingham, les pièces avaient des proportions parfaitement harmonieuses. Tout semblait clair et gai, et il régnait une douce chaleur dans cette maison, bien décorée malgré son côté un peu vétuste par endroits. Il y avait une bibliothèque, un salon, deux vestibules et deux antichambres au rez-de-chaussée ; seize chambres à coucher avec cabinet de toilette à l'étage supérieur. Un endroit bien installé et douillet, auquel rien ne manquait, du cellier à vin à la nursery, de la glacière à la porcherie, pour en faire la résidence d'un gentleman et de sa famille.

— Voilà exactement ce qu'il nous faut, murmura Albert. *Gemütlichkeit*[1] !

Dehors, nous traversâmes la pelouse pour admirer la vue. Les nuages se dispersaient et, au pied des pentes boisées, un soleil radieux dardait ses rayons sur le détroit du Solent — bleu comme une fleur de chicorée et parsemé de taches blanches et noires : les voiliers et les bateaux à vapeur. Nous apercevions les mâts dénudés des navires de guerre ancrés à Spithead et, dans les lointains brumeux, les douces courbes des Downs. Un air frais, où la bonne odeur de marée se mêlait à la senteur automnale du terreau, nous prit à la gorge. J'ai toujours adoré cette première bouffée enivrante d'air marin ! Autour de nous, c'était un vrai concert de chants d'oiseaux ; à part cela, pas un bruit, pas une fumée, pas une once de suie, et personne à l'horizon. Nous étions comme Adam et Ève au Paradis terrestre. Albert joignit ses doigts aux miens, et je sentis sa joie s'insinuer en moi.

— On dirait la baie de Naples, murmura-t-il d'une voix émue. Ces couleurs, la douceur de l'air... J'ai peine à croire que nous sommes en Angleterre.

Quant à moi, j'exultais.

— Nous serons divinement bien ici. Loin de la bousculade

1. Le confort. *(N.d.T.)*

et des badauds ! Nous pourrons nous promener et nous distraire comme le commun des mortels.

— Il y a aussi une plage, me confia Albert. Une petite crique sableuse, avec des coquillages, et des mares entre les rochers où les enfants pourront se baigner.

— Une plage privée ?

Cela me semblait trop beau pour être vrai. J'allais peut-être apprendre enfin à nager, moi qui n'avais jamais pu jusque-là prendre un bain de mer en public !

— Tous nos enfants sauront nager et ramer ! s'écria Albert. Et nous ferons construire un embarcadère pour aller faire des promenades en mer sans attirer l'attention des curieux.

— Plus de discours ni de fanfares, plus de délégations pour nous accueillir ! Ce sera merveilleux, n'est-ce pas, Albert ?

— Merveilleux ! Et nous pourrons acheter les terres voisines pour mieux nous isoler. Nous aurons une véritable exploitation agricole et j'ai des tas de projets en tête pour la mettre en valeur.

— Nos chers petits auront une enfance heureuse et saine ici, et ils hériteront de notre domaine à notre mort.

— À notre mort ?

Il m'attira contre sa poitrine, et je levai les yeux, le cœur battant à tout rompre. Il me souriait, si beau, si épanoui, que j'en eus le souffle coupé.

— Qui parle de mourir ? Notre bonheur sera éternel, ma bien-aimée ! reprit-il.

— Peut-être, murmurai-je d'une voix défaillante.

Il se pencha vers moi et ses lèvres se joignirent aux miennes avec une infinie tendresse.

— Je t'aime, *kleines Frauchen*[1].

Incapable de répondre, j'abandonnai ma joue contre la sienne.

— Si nous allions nous promener dans les bois ? dit-il en se redressant. Ce n'est pas le meilleur moment de l'année pour entendre les rossignols en plein jour, mais je pense qu'ils sont nombreux par ici.

1. Petite femme. *(N.d.T.)*

14

13 juillet 1900, à Windsor

Je n'écris rien depuis plusieurs jours car j'ai été très prise — entre autres par une garden-party à Buckingham, le 11 juillet. Nous avions donc quitté Windsor pour Londres où il faisait une chaleur intenable. Je portais toutes mes perles, une capote de crêpe ornée de roses et de fleurs blanches, et une ombrelle de soie noire et blanche, avec des franges. Il me semble que j'ai encore belle allure pour une femme de mon âge... Tout le monde s'est montré très gentil et attentif. Je deviens une sorte de héros national, ce qui me paraît assez attendrissant.

Une dame m'a parlé pendant quelques minutes avec beaucoup d'entrain, sans se rendre compte qu'elle avait oublié de retirer l'étiquette indiquant le prix de son chapeau — une petite étiquette, discrètement fixée à un ruban, mais néanmoins une étiquette ! Ce détail m'a rappelé une anecdote amusante du début de mon règne, alors que, assistant à un bal, je bavardais avec une duchesse, dont je préfère taire le nom. Comme elle cherchait à faire étalage de son élégance et de sa distinction devant sa jeune souveraine, survint un laquais, qui s'inclina devant elle en lui tendant une vilaine saucisse de crin et de toile, avec des rubans de coton dont l'un était déchiré.

— Votre Grâce a laissé tomber cela, déclara-t-il.

Il s'agissait bien sûr d'une tournure que les femmes portaient à l'époque sous leurs jupes pour se donner une silhouette intéressante. La pauvre femme, rouge de honte, protesta que l'objet ne lui appartenait pas : je suppose que, le sentant glisser, elle s'était éloignée dans l'espoir que personne ne s'en apercevrait. Mais ce laquais venait de la confondre en présence de la reine ! Ce dernier s'éloigna et revint au bout de quelques secondes, brandissant toujours l'horrible objet.

— Je vous demande pardon, Votre Grâce, mais votre femme de chambre m'a assuré que cela vous appartenait, insista-t-il.

Je dus feindre une quinte de toux pour masquer mon fou rire !

Il fait maintenant une chaleur étouffante ici aussi, et cela me fatigue. Reid m'a conseillé de me reposer une heure après le déjeuner : quelle perte de temps ! J'ai mes affaires à régler comme en toute période de l'année, et je ne peux pas me permettre de prendre du retard. Enfin, j'en profite pour poursuivre mon récit, car ma solide digestion semble me jouer des tours et je suis incapable de faire la sieste. Le moment de partir à Osborne approche et tout ira mieux là-bas, car je me sentirai plus proche de mon bien-aimé.

Je regrette parfois l'ancienne maison d'Osborne telle que nous l'avions visitée, Albert et moi, en 1844. Elle se suffisait à elle-même et ses proportions enchantaient mon sens artistique. Bien qu'elle soit un peu décriée aujourd'hui, l'architecture classique offre un confort et une beauté inégalables... Mais cette demeure était certainement trop exiguë pour une résidence royale. Même dans sa résidence privée, une reine ne peut échapper aux courtisans, aux politiciens, et aux ambassadeurs, qu'il faut accueillir, ainsi que leur suite ! Sans oublier les réunions du Conseil privé, nécessitant non seulement une salle d'audience, mais une antichambre pour les ministres, la possibilité de les recevoir avec leurs secrétaires, de leur servir des repas et parfois même de les loger. D'où, de nombreux domestiques en plus !

Dès le début, il nous sembla nécessaire d'agrandir Osborne, et Albert proposa d'emblée d'ajouter une aile, sans toutefois passer par l'Office des travaux publics.

— En effet ! approuvai-je en riant. Nous voulons que notre maison soit prête avant le prochain millénaire.

Anson nous conseilla de consulter Thomas Cubitt — un de ces nouveaux entrepreneurs qui avaient fait fortune en achetant des terrains et en construisant des rues entières dont ils vendaient ou louaient les maisons ; mais, dans son cas, il ne s'agissait pas de spéculation. Certains coins de Londres portaient déjà sa marque, et on appelait parfois « Cubitopolis » le quartier de Belgravia. Cubitt méritait bien sa réputation, car, à la différence de la plupart des entrepreneurs, il s'imposait deux contraintes : construire des maisons agréables à habiter et toujours respecter ses devis. Anson lui-même habitait à Eaton Place une maison Cubitt, dont il appréciait la disposition et le confort. Quand il nous présenta l'entrepreneur, ce dernier nous plut beaucoup. C'était un homme proche de la soixantaine, à la charpente solide, au visage ouvert et aux yeux clairs. Alors au sommet de sa carrière, il était sûr de lui, ni flatteur, ni trop familier, fin et raisonnable, et doué d'un très vif sens de l'humour.

Nous l'emmenâmes à Osborne Albert et moi. Après avoir marché, discuté, pris des mesures et fait des croquis, il nous exprima son admiration pour le choix et la nature du terrain.

— Je peux faire les modifications que vous me demandez et construire une aile supplémentaire, déclara-t-il, mais il serait mille fois préférable de détruire l'ancienne maison et d'en construire une nouvelle. Si je reprends tout de zéro, vous aurez exactement ce que vous souhaitez !

Une étincelle brilla dans le regard d'Albert, mais il ajouta prudemment :

— Ce projet risque d'être trop coûteux. Nos moyens sont limités...

— Mr. Cubitt pense peut-être à son propre intérêt plus qu'au nôtre, fis-je observer sur un ton sec.

Cubitt tourna vers moi un visage respirant l'honnêteté.

— Je serais certes ravi, madame, de vous construire une maison ; cet honneur ne pourrait qu'accroître ma réputation. Mais, en ce qui concerne les dépenses, j'estime qu'à long terme une nouvelle maison serait moins coûteuse et plus satisfaisante que des modifications partielles de celle-ci.

— N'oubliez pas, Mr. Cubitt, que ma famille a fait la triste expérience de projets qui ne sont jamais arrivés à leur terme. Les plans de mon oncle George IV concernant Buckingham ont été abandonnés faute de temps et d'argent...

Les yeux de Mr. Cubitt pétillèrent de malice.

— Mais Sa Majesté le roi George IV n'a pas eu affaire à moi. Permettez-moi de suggérer qu'il a eu tort de faire appel à un architecte.

— Vous n'estimez pas les architectes ? s'étonna Albert qui mettait tous les beaux-arts sur un piédestal.

— Je les considère exactement comme les médecins. Ils sont parfois nécessaires, mais je préfère mille fois m'en passer !

Cette remarque nous amusa, et Cubitt poursuivit :

— Voyez-vous, madame, quand vous faites appel à un architecte, il sous-traite le travail à une multitude d'individus, de sorte que personne ne tient les rênes. Mon système est différent : je me charge de tout moi-même. J'ai sous mes ordres des maçons, des charpentiers, des dessinateurs, des forgerons et des vitriers. Quand on a la bonté de me passer commande, je supervise tout, depuis les fondations jusqu'à la peinture des plafonds. Ainsi, je contrôle la qualité du matériel, son prix, l'efficacité de la main-d'œuvre et la durée des travaux.

— Ce dernier point est essentiel pour nous, approuva Albert. Nous avons trouvé ici un séjour paisible dont nous ne souhaitons pas profiter dans plusieurs années.

— Dans ce cas, pourquoi ne pas construire par petites unités de façon à ne jamais vous priver d'une résidence à Osborne ?

— Qu'entendez-vous par là ? demandai-je.

— Eh bien, madame, les travaux nécessaires dans cette maison sont réalisables en deux mois. Dès qu'ils seront achevés vous pourrez vous installer ici confortablement pendant que je bâtirai le nouvel édifice. Le bruit et la poussière risquent de vous déranger un peu, mais je ferai le nécessaire pour limiter ces inconvénients autant que possible. Il me faut à peine plus d'un an pour construire une maison de taille équivalente à celle-ci !

— Si peu de temps ? s'étonna Albert.

— J'ai mes méthodes, monsieur. Je fabrique les éléments de base dans mes ateliers et je me contente de les assembler sur le site, ce qui est naturellement beaucoup plus rapide. Et comme j'ai mes propres équipes d'ouvriers, je peux coordonner leur travail.

— Vous parlez d'une maison équivalente, mais nous vous avons déjà dit qu'elle était trop petite, objectai-je.

— À vrai dire, madame, mon projet serait de construire par tranches successives : réaliser la première partie pendant que vous demeurez ici, puis la relier à celle-ci, et finalement détruire cette partie d'origine pour bâtir la dernière section. Un autre avantage de ce projet, reprit-il en tournant les yeux vers Albert, est que les dépenses seraient échelonnées.

— Mr. Cubitt, vos idées me semblent très judicieuses, déclara ce dernier après un moment de réflexion. Nous devrions discuter en détail de votre plan, et si vous le permettez, j'aimerais visiter vos ateliers à notre retour à Londres.

L'arrêt de mort de l'ancienne maison fut ainsi prononcé, presque sans que j'aie mon mot à dire. J'eus le cœur serré lorsqu'on la détruisit, mais Albert se faisait une telle joie de voir nos projets aboutir que je ne pus me plaindre. La nouvelle maison d'Osborne est finalement si imprégnée de son esprit et évoque de si bons souvenirs, que je l'aime du fond du cœur.

Nous avons donc acheté Osborne, qui devint notre propriété

en mai 1845, après que Sir James Clark l'eut visitée pour nous donner son avis sur la qualité de l'air — « très pur, un tantinet trop "amollissant" à certains moments de l'année, mais plus tonique au nord de l'île, où se situe Osborne, donc tout à fait acceptable ». Le 15, je dis adieu à la demeure de rêve que j'avais découverte avec Albert la première fois ; dès le lendemain, on coupa les arbres les plus proches pour dégager le terrain, et les ouvriers commencèrent à creuser les fondations.

D'un bout à l'autre, Osborne fut du ressort d'Albert : il discutait avec Cubitt, puis m'expliquait la décision qu'ils avaient prise. Je comprenais parfaitement l'attitude de mon bien-aimé. Depuis le début de notre mariage, il avait été mon hôte, il vivait sous mon toit et selon ma règle ; il pouvait enfin, comme tous les hommes depuis la nuit des temps, construire un foyer pour son épouse. Chaque modification du plan, chaque idée nouvelle ou chaque étape franchie étaient des dons qu'il venait déposer en hommage à mes pieds... J'aurais été bien ingrate si j'avais formulé des objections à une telle galanterie de la part de mon chevalier servant.

Tout le monde sait à quoi ressemble Osborne : un édifice de pierre à l'italienne de trois étages, avec deux campaniles identiques et un grand bow-window donnant sur la mer. Le jour de notre première visite, Albert avait évoqué la baie de Naples ; ce fut donc une villa napolitaine qu'il fit construire... L'intérieur était décoré de colonnes de marbre, de statues, de niches voûtées, le sol recouvert de dalles de couleur. L'Italie transférée à l'île de Wight ! Même le mot *Salve* était gravé dans le sol du grand corridor. Bien que certains membres de l'intelligentsia aient critiqué notre goût (évidemment, nous avions osé innover sans demander leur avis !), la mode des villas à l'italienne ne tarda pas à se répandre dans tout le pays.

La maison portait incontestablement le cachet de Mr. Cubitt (« plutôt londonien », selon l'expression de l'une de mes dames d'honneur), grâce à toutes sortes d'inventions ingénieuses. Très préoccupé des risques d'incendie — évidents à cette époque où les bougies et les lampes à pétrole étaient la règle —, Mr. Cubitt opta pour une charpente de poutrelles métalliques, fabriquées dans ses ateliers et assemblées sur le site. Les plates-formes de séparation entre les étages furent renforcées par des briques, et des couches de coquillages insérées entre le plancher et le plafond constituèrent une protection contre le bruit et la propagation du feu d'un étage à l'autre. Les plinthes n'étaient pas non plus en bois mais en ciment, pour permettre la mise en application d'une idée d'Albert : insuffler de l'air chaud dans les couloirs, à travers des grillages métalliques, comme du temps des Romains. Je pense que l'idée de doubler les volets intérieurs de glaces pour qu'ils reflètent la pièce et la rendent plus spacieuse lorsqu'on les fermait le soir, fut suggérée par Cubitt.

En revanche, Albert conçut toute l'installation sanitaire, dont il confia la réalisation à Cubitt. Nous eûmes des commodités extrêmement modernes, et point d'odeurs nauséabondes (la plaie des autres résidences royales !). Luxe inouï pour l'époque, les salles de bains furent dotées d'eau chaude — courante — et d'un système d'écoulement permettant aux baignoires de se vider.

Cubitt eut le grand mérite de ne jamais nous entraîner dans des dépenses imprévues. Il respecta toujours scrupuleusement ses estimations, et je pus apprécier la rigueur de ses comptes... Il nous suggéra même plusieurs solutions astucieuses, destinées à limiter nos frais. La pierre de Portland étant fort coûteuse, il nous conseilla de l'utiliser avec modération, et seulement dans les endroits importants, comme la grande entrée. Bien que la maison semble construite en pierre, l'essentiel est donc en briques — recouvertes de « ciment romain », moulé et coloré à l'imitation de la pierre. De même, les colonnes sont en ciment, enduit de plâtre, et c'est une peinture en trompe-l'œil qui donne l'illusion du marbre. Bien rares sont ceux qui voient la différence ! L'artisan chargé de cette tâche était particulièrement doué, et j'aimais le regarder travailler.

Le 23 juin 1845, eut lieu une petite cérémonie lorsque fut posée la première pierre. Nous y assistâmes Albert et moi, en compagnie de Vicky et Bertie. Les enfants avaient apporté une boîte en verre contenant des pièces de monnaie à mon effigie, sur lesquelles étaient gravés nos noms et la date de l'événement. Ils placèrent cette boîte dans un trou, aussitôt cimenté, puis, quand l'énorme première pierre fut déposée, nous en fîmes le tour en lui donnant un coup de marteau symbolique. Dans la joie de cette fête mi-chrétienne, mi-païenne, j'adressai une fervente prière à Dieu pour qu'il bénisse cette future demeure et nous permette d'y passer des jours heureux, en compagnie de nos enfants et des enfants de nos enfants...

Trois mois après, le corps principal de la nouvelle maison (que nous appelâmes le Pavillon) sortait de terre, mais il manquait le toit. En novembre, la tour apparut : elle n'était pas disproportionnée, comme je l'avais redouté d'après les plans ! Le 1er mars 1846, Albert et Cubitt me firent visiter l'intérieur, et l'avancement des travaux m'étonna agréablement, car les plafonds étaient déjà posés. Une autre surprise m'attendait : sachant que j'admirais le magnifique escalier en encorbellement de Claremont, Albert avait prié Cubitt d'en réaliser une copie (en un peu plus petit) pour me faire plaisir.

Le Pavillon fut achevé en septembre 1846, à peine un an et trois mois après la pose de la première pierre — un travail d'une grande rapidité ! Puis en août 1847 ce fut le tour de l'aile abritant les communs, et il fallut détruire l'ancienne maison l'année suivante. Il n'en reste aujourd'hui que la belle porte d'entrée avec son imposte, incorporée dans le mur du jardin potager. L'aile principale, entre le Pavillon et les communs, fut construite sur les fondations d'une maison encore plus ancienne, découverte au cours de la démolition. L'achèvement de cette aile, en 1851, mit fin aux travaux.

Le Pavillon représentait le summum du *gemütlichkeit*[1], comme aimait à le répéter Albert. C'était une construction en fer à cheval, avec un escalier au milieu et des pièces communiquant entre elles tout autour. Le rez-de-chaussée, réservé aux pièces de réception, comprenait une salle à manger, un salon dont le bow-window donnait sur la mer, une salle de billard et un petit salon. Au premier étage se trouvaient les appartements d'Albert et les miens : notre chambre à coucher, mon cabinet de toilette et notre salon avec bow-window et balcon ; puis venaient le cabinet de toilette d'Albert et les pièces habitées par son valet et ma femme de chambre. Nous pouvions accéder facilement à la nursery, au second étage, qui comportait aussi les appartements de Lady Lyttleton.

Tout était impeccable et douillet, et, le 15 septembre 1846, nous passâmes notre première nuit dans la nouvelle maison. Elle nous parut claire et aérienne, mais solide, et, miraculeusement, il n'y avait pas la moindre odeur de peinture ! L'idée que chaque objet nous appartînt — des bibelots de porcelaine aux primitifs italiens d'Albert pendus aux murs — m'enchanta. Lorsque je franchis le seuil pour la première fois, l'une de mes jeunes femmes de chambre lança une vieille chaussure derrière moi pour me porter chance, selon une ancienne coutume écossaise qui amusa beaucoup les enfants.

Ces derniers, fort excités, couraient d'une pièce à l'autre, et il fut terriblement difficile de les envoyer au lit. Puis Vicky se prétendit effrayée par la nouveauté des lieux. Mais elle devint

1. Confort. *(N.d.T)*

douce comme un agneau quand je l'eus rassurée en lui disant que la statue de son père — dans une niche en haut de l'escalier de la nursery — était là pour veiller sur elle. (À vrai dire, cette statue d'Albert portant une armure grecque venait de nous être offerte. Elle me plaisait beaucoup, mais il la jugeait indécente à cause de ses jambes et pieds nus. Nous l'avions donc reléguée à l'étage de la nursery, où elle fit la joie des enfants, qui déposaient des fleurs devant les scandaleux pieds nus de leur père à chacun de ses anniversaires.)

Lorsque la nuit tomba, vint l'heure de dîner dans notre nouvelle salle à manger. Les volets restèrent ouverts pour que la lumière de nos lustres, aperçue du rivage, annonce à tous que nous avions emménagé. Après le dîner tout le monde se leva pour porter un toast, puis Albert déclara d'une voix sereine en me regardant dans les yeux :

— En Allemagne, nous célébrons de telles occasions par un psaume qui commence ainsi : *Gott behüte dieses Haus / Und die da gehen ein und aus.*

Je traduirais par « Dieu bénisse cette maison et ceux qui y entrent et qui en sortent » ; des paroles de circonstance qui m'émurent aux larmes ! Il y eut un murmure d'approbation autour de la table, mais bien qu'Albert se fût adressé à tous, son regard et le tendre sourire qu'il esquissa n'étaient destinés qu'à moi.

Une fois seuls dans notre salon, nous allâmes sur le balcon respirer la douceur de l'air automnal. Albert avait passé un bras autour de ma taille et ma tête reposait sur son épaule, tandis que nous regardions les petites lumières des bateaux, et, au-delà, celles du continent, briller dans la nuit.

— De loin, la maison doit ressembler à un grand navire voguant dans le ciel, et illuminé pour une occasion solennelle, murmurai-je. Les gens vont penser que nous donnons un bal et imaginer la musique, les invités et les robes aux couleurs chatoyantes.

— Espérons que les bateaux ne nous prendront pas pour un phare et n'iront pas se fracasser sur les rochers !

— Oh non ! m'écriai-je, cette maison doit porter bonheur.

Albert serra ma taille et baissa les yeux vers moi.

— Alors, petite femme, êtes-vous heureuse ? Votre nouvelle maison vous plaît-elle ?

— Plus heureuse encore que je ne saurais le dire !

Il déposa un baiser sur mes cheveux, puis se tourna à nouveau vers le paysage.

— Nous serons heureux ici. Nos enfants gambaderont dans la verdure, vous vous assiérez sous les arbres pour faire des croquis, et je...

Il s'interrompit avec un regard étrange, presque mélancolique, qui m'alarma.

— Albert, que ferez-vous ?

Plongé dans ses pensées, il sembla revenir brusquement à la réalité.

— Je vous créerai une véritable Arcadie... Pour cela, il va falloir creuser, planter, percer des ouvertures sur la mer. Il y aura un chemin qui serpentera jusqu'au rivage, à travers des buissons de rhododendrons et de magnolias ; de charmants bouquets de chênes et de hêtres anglais ; des myrtes et des cyprès qui se détacheront sur le vert pâle de la pelouse. Je prévois aussi une terrasse avec des arcades, un parterre, et au-delà une pente douce, s'inclinant aussi naturellement que si Dieu l'avait tracée de sa main. Il faudra remodeler le terrain, et je déplacerai beaucoup de terre — sinon des montagnes — pour vous.

Je souris, soulagée de le voir détendu.

— En bas, reprit-il, nous construirons une terrasse, et, au milieu, face à la fenêtre de notre chambre, il y aura une grande fontaine comme celle du Rosenau : en été, nous nous allongerons sur notre lit pour écouter le clapotis de l'eau dans le bassin. Nous nous promènerons ensemble sur la terrasse, ma chérie, et je vous dirai des mots d'amour. Les années passeront, nos enfants grandiront, nous deviendrons vieux, et nos petits-enfants gambaderont autour de nous...

M'entendant soupirer, il ajouta :

— Vous êtes en train de prendre froid !

— Mais non, répliquai-je, persuadée qu'il avait mal interprété mon soupir de béatitude.

— Je suis sûr que vous avez froid ! Au lieu de vous garder debout sur ce balcon, je devrais vous emmener vous coucher.

J'avais enfin compris son arrière-pensée...

— Oui, c'est le meilleur moyen de me réchauffer, approuvai-je.

Ainsi, dans notre magnifique lit en bois de rose, parmi les tentures de chintz toutes neuves, nous célébrâmes l'événement en privé. Après de tendres étreintes, je m'assoupis dans ses bras en croyant entendre le doux murmure d'une fontaine. Ma tête reposait sur sa poitrine, mon oreille contre son cœur, dont dans un demi-sommeil je percevais les battements.

Osborne, 20 juillet 1900

Nous sommes installés ici depuis hier, et je me sens déjà mieux. Le voyage en chemin de fer ne m'a pas incommodée malgré la chaleur. Le Salon royal était fort bien rafraîchi grâce à des blocs de glace placés dans des seaux, entourés de bouquets de fleurs. Les œillets embaumaient délicieusement. Cette pauvre Marie Mallet, à mon service depuis peu, n'a pas supporté la chaleur ; Reid a dû l'aider à descendre du train. Elle souffre d'un lumbago et doit garder la chambre, ce qui est très pénible et déprimant, surtout par un temps pareil.

Béatrice et ses enfants sont ici, bien sûr, ainsi que Lenchen et Thora ; les petits York arrivent la semaine prochaine. Louise viendra le mois suivant, mais en fin de compte Affie ne viendra pas — ce qui me déçoit cruellement, car je l'ai très peu vu ces dernières années, et je m'attendais à une longue visite. Sa santé laisse à désirer, semble-t-il. J'espère qu'il est devenu plus prudent : nous lui avons répété maintes fois qu'il buvait trop, mais les hommes ne supportent pas ce genre de remarque.

Le navire royal est immobilisé à Portsmouth et semble pourri de la proue à la poupe. J'ai déclaré à l'Amirauté que je ne tolérerais pas cela. Il pourrait bien y avoir du grabuge, car le gouvernement rechigne à « gaspiller » cinq cent mille livres ; mais si chacun faisait correctement son travail, nous n'en serions pas là.

Malgré tout, on ne peut jamais se sentir tout à fait mécontent ni découragé à Osborne ! Ce jardin conçu par Albert sur notre baie de Naples à l'anglaise est un véritable paradis, et la présence de mon bien-aimé imprègne encore les lieux. Son pas rapide et léger résonne dans le clapotis de la fontaine, et le chant hésitant du rouge-gorge me rappelle son sifflement pensif. Quand le soleil effleure mon visage, c'est lui qui m'adresse un sourire comme il ne manquait jamais de le faire chaque fois qu'il passait à côté de moi.

Les jours de chaleur estivale, j'aime encore maintenant prendre mon petit déjeuner sous la tonnelle de la terrasse. Je ferme les yeux et je hume avec délices l'odeur chaude du gravier et le parfum entêtant du chèvrefeuille, des roses, des fleurs d'oranger et du jasmin blanc. Les odeurs, plus que les autres sens, ont le pouvoir magique de nous remettre en mémoire les lieux que nous avons aimés en des temps anciens... Une douce brise agite les papiers posés sur la table, et je le vois assis face à moi, tournant les pages d'une lettre calée contre sa tasse de café. Dans un instant, il va me lire un passage amusant ou intéressant, et j'entendrai à nouveau sa voix ! Si je garde les yeux fermés, il tendra peut-être sa longue main fuselée vers moi, sans interrompre sa lecture, simplement pour me dire : « Je suis là. » Brusquement, quelqu'un parle, un chien aboie, ou une tasse heurte maladroitement la soucoupe, et le charme est rompu. J'ouvre les yeux ; il n'y a plus que Bébé, ou cette chère Jane Churchill assise en face de moi. Je suis une vieille femme, et Albert n'a jamais connu cette main ridée, aux articulations noueuses, qui repose sur la nappe...

Je ne peux plus marcher le long des chemins qu'il a tracés pour moi, mais je me fais conduire ou rouler dans mon fauteuil là où nous nous promenions, bras dessus, bras dessous, tout en devisant et en songeant à l'avenir. Au-delà des petits jardins que les enfants cultivaient s'étend un pré dont l'herbe, haute jusqu'à la ceinture, est constellée de fleurs sauvages comme une tapisserie : vesce pourpre, trèfle de trois couleurs, bugle bleue et cramoisie, marguerites blanches et or, angélique vert pâle, bleuets de la couleur du ciel, et ces petites orchidées sauvages que les abeilles adorent butiner.

Je m'y revois assise à l'ombre, avec mon carnet de croquis. Albert avait enlevé sa jaquette et relevé ses manches de chemise pour avoir le plaisir de couper l'herbe avec une faux. Les moindres détails de cette journée restent gravés dans ma mémoire : le bruissement de la lame cinglant l'air, la senteur de l'herbe, le vrombissement monotone des bourdons au milieu des fleurs. J'entends encore le chuchotement du vent léger dans les arbres et l'écho intermittent des voix de nos enfants qui jouent non loin de là. D'un fourré de bambous, derrière moi, s'élève une froide odeur de terre humide, qui surprend mes narines chaque fois que se calme la douce brise, chargée de senteurs estivales.

Au bout d'un moment, mon bien-aimé vint se reposer dans l'herbe à côté de moi, épongeant son front moite avec son mouchoir. Je respirai l'âcre odeur de sa sueur et en éprouvai une étrange émotion.

— Je n'ai pas l'habitude de ce genre de travail, murmura-t-il avec béatitude. (Il enleva le chapeau de paille à large bord qu'il portait lorsqu'il jouait les paysans, et observa le ciel dont le bleu rivalisait avec celui de ses yeux.) Mais quelle magnifique journée !

— Il fait trop chaud pour travailler en plein soleil. Vous allez vous fatiguer.

Ma mise en garde l'amusa...

— Me fatiguer ? Une bonne nuit de sommeil me remettra d'aplomb.

Il posa son bras tranquillement sur mes genoux et j'abandonnai mon crayon. Je mourais d'envie de déposer un baiser sur le haut de sa tête, là où ses fins cheveux laissaient transparaître une calvitie naissante. Mais je m'en abstins, car mon bien-aimé ne supportait pas cette légère imperfection que pourtant je trouvais charmante.

Soudain, il leva les yeux.

— Avez-vous fait mon croquis en train de travailler, petite femme ? me demanda-t-il en s'emparant de mon carnet. Montrez-moi !

Comme je n'avais représenté que les prés et les bois, je chuchotai, confuse :

— C'est un simple paysage, sans personnages...

Il me rendit mon carnet, l'air un peu déçu.

— Une bonne leçon pour ma vanité ! Mais pourquoi ne me dessinez-vous jamais ? Tout le monde vous inspire, les enfants, maman, Laddle, et même George Anson. Tout le monde sauf moi !

— Je me méfie de mon coup de crayon, qui ne vous rendrait pas justice.

En réalité, c'était une affaire de superstition... J'avais fait un portrait d'Albert au tout début de notre mariage, mais, chaque fois que je le regardais, j'étais glacée de la tête aux pieds. J'avais l'impression de l'avoir mis en danger en arrachant son âme à son corps, sans savoir comment l'y remettre.

Il me sourit comme s'il avait deviné la vérité et se releva.

— Et maintenant au travail ! Ma tâche n'est pas encore achevée.

— Cet endroit est divin...

Émue par la silhouette de mon bien-aimé, par son torse que j'apercevais sous sa mince chemise et par le jeu des muscles de son avant-bras puissant, j'ajoutai :

— Et comme nous avons de la chance !

À cet instant, il poussa un léger cri et retira brusquement sa main, car il s'était coupé en faisant malencontreusement courir son pouce sur la lame de sa faux. Un trait ensanglanté, brillant et sombre comme le rubis, apparaissait maintenant sur la partie charnue de son doigt.

À la vue du sang, mes genoux se mirent à trembler.

— Mon Dieu, Albert !

— Ce n'est rien, répliqua-t-il en portant son pouce à sa bouche, puis il me sourit. Voyez-vous, *Kleinchen*[1], tout se paie ; dans le paradis se cache toujours un serpent !

Comme je ne parvenais pas à sourire, il se pencha vers moi et couvrit mes lèvres de baisers, tout en prenant garde à ne pas tacher ma robe de mousseline blanche.

— Vous voilà toute pâle, ma chérie, mais ce n'est qu'une égratignure, reprit-il. Ça ne saigne déjà plus.

Il me montra son doigt, puis se remit vite au travail pour couper court aux effusions.

Mon cœur battait à tout rompre... Pendant un moment, je ne sentis plus que l'odeur âcre de la terre, à l'ombre des bambous, et une tristesse — alors incompréhensible pour moi — m'envahit.

On a découvert en Italie une antique pierre tombale, ornée d'une tête de mort, sous laquelle sont gravés ces mots : *Et in Arcadia Ego*. Les érudits s'interrogent depuis fort longtemps sur le sens de cette inscription. Veut-elle dire : « Moi qui suis mort aujourd'hui, j'ai connu le Paradis » ou « Moi, la Mort, je suis présente même au Paradis » ? À mon avis, les deux versions se valent, car elles signifient : souviens-toi que tu es mortel...

Albert a conçu pour moi ce jardin, cette merveilleuse Arcadie, et sa présence imprègne encore les lieux. Avec du recul, je réalise que c'est là aussi qu'il commença à s'éloigner de moi. Il passait des heures à planifier, organiser et surveiller les travaux. Lui-même s'épuisait à la tâche, comme s'il craignait de ne pas avoir fini à temps. À temps pour quoi ? J'ignorais alors la réponse...

Mon Arcadie demeure et Dieu me fait la faveur de me garder en vie pour admirer la beauté qu'il a créée et que son serviteur a rehaussée. Mais son serviteur s'en est allé, et je suis seule et vieille, si vieille !

Comme disait Albert, tout se paie...

28 juillet 1900

La fanfare des marins de Portsmouth est venue jouer hier soir après le dîner. Quelle maîtrise ! Ensuite a éclaté un terrible orage, qui a merveilleusement dégagé l'atmosphère. J'ai donc

1. Chère petite. *(N.d.T.)*

beaucoup mieux dormi la nuit dernière. Aujourd'hui, tout resplendit de fraîcheur, le ciel est limpide, et, au loin, la mer étincelante m'invite à lever les yeux à chaque instant, comme pour échanger un regard avec une vieille amie.

À la différence des autres résidences royales, Osborne était aussi un domaine de rêve pour les enfants, et leur présence éclaire la plupart des souvenirs que j'en ai gardés. Albert voulut y ressusciter le bonheur qu'il avait connu au château de Rosenau, même si son enfance n'avait pas été aussi idyllique qu'il le prétendait dans ses accès de nostalgie. Disons qu'il sut recréer à Osborne les meilleurs moments de sa jeunesse, en les portant à la perfection, car nous étions des parents aimants, attentifs et surtout dignes de confiance.

Nos chers petits passaient la majeure partie de leur temps en notre compagnie lorsque nous séjournions à Osborne. Nous prenions le petit déjeuner et le déjeuner ensemble si nous n'avions pas d'invités de marque. Le plus jeune était habituellement assis entre nous afin de recevoir de l'aide des deux côtés. S'il savait faire régner l'ordre, réprimandant sévèrement ceux qui se tenaient mal, Albert aimait plus que tout bavarder gentiment avec ses enfants ou les faire rire par ses plaisanteries ou ses imitations.

Et puis, il y avait nos sorties ! Jamais enfant ne fut plus libre et plus joyeux que les nôtres en ce temps-là. Albert les encourageait à gambader, attraper des papillons, grimper aux arbres et se laisser rouler le long des pentes — comme j'aurais souhaité le faire à Windsor quand j'avais leur âge. Pour ne pas entraver leur liberté de mouvements, ils étaient toujours habillés avec simplicité quand nous étions entre nous : les petites filles portaient des robes de toile de Hollande et les garçons des costumes de marin, qui devinrent très à la mode pour cette génération.

Notre lieu de promenade favori était notre petite plage, où je m'asseyais pour faire des croquis, tandis qu'Albert bâtissait d'extraordinaires châteaux de sable, jetait des bâtons à la mer pour les chiens, ramassait des coquillages, explorait les flaques au milieu des rochers, marchait au bord de l'eau ou allait se baigner.

S'étant promis que ses enfants apprendraient à nager, il fit construire une sorte de piscine flottante — à mi-chemin entre le radeau et la passoire. Elle comportait une plate-forme en bois avec une cabine pour se changer ; le bassin, quant à lui, était formé d'une paroi de zinc et d'un fond en lattes s'élevant ou s'abaissant à volonté. Le tout, amarré à des pontons, suivait le mouvement de la marée et pouvait servir en toutes circonstances. Les enfants y prenaient leurs premières leçons de natation, avant d'être autorisés à nager en pleine mer dès qu'ils étaient capables de parcourir sans problème plusieurs longueurs.

Dans l'intimité de ma plage privée, je pris mon premier bain de mer en 1847. J'avais une cabine montée sur roulettes, qu'on pouvait faire glisser dans la mer, et une femme très gentille et expérimentée me donnait des leçons de natation. Une expérience passionnante jusqu'au jour où, mettant mon visage sous l'eau, j'eus l'impression d'étouffer ! Hélas, je n'ai jamais su nager, mais j'adorais m'éclabousser et sauter dans les vagues, tandis qu'Albert, debout à côté de moi, me prodiguait ses encouragements. Après sa mort, j'ai renoncé aux bains de mer. Quel plaisir aurais-je pu y trouver sans lui ?

Albert fit aussi bâtir pour les enfants un chalet suisse — un modèle réduit, mais soigneusement construit en bois, avec de vraies cheminées. Au rez-de-chaussée, la cuisine et l'office étaient équipés d'un fourneau miniature, d'une bouilloire, et de tout le matériel permettant de cuisiner et de tenir une maison. À l'étage, les enfants pouvaient nous inviter — ainsi que certains hôtes privilégiés — dans leur salle à manger, et nous servir des repas préparés par leurs soins. Il y avait aussi un salon où ils collectionnaient leurs trésors trouvés dans la nature. (Albert et son frère Ernest avaient eu une collection semblable au Rosenau.) Devant le chalet suisse, chacun de nos enfants cultivait, avec des outils à sa mesure, un petit jardin planté de fleurs et de légumes. Mon bien-aimé voulait leur transmettre sa passion du jardinage ; il leur achetait aussi leurs récoltes au tarif officiel, afin de leur donner le sens du commerce.

Par la suite, dans cette même partie du domaine, Albert renoua plus encore avec son enfance en faisant construire une forteresse miniature, avec des terrassements et une caserne. Son frère et lui avaient joué autrefois à la guerre dans un tel fort ! Le but était de leur enseigner la stratégie ; mais des enfants aussi énergiques que les nôtres ne demandaient qu'à batailler. (Filleul du duc de Wellington, car il était né le jour de son quatre-vingt-deuxième anniversaire, Arthur, plus que tous les autres, eut dès son plus jeune âge le goût des armes ! À deux ans, on lui offrit un uniforme de fusilier écossais — avec bonnet à poil et fusil miniature — qui lui allait à ravir.

Winterhalter fit son portrait dans cette tenue, pour la plus grande joie d'Albert !)

Toutes ces merveilles étaient le signe indiscutable du tendre intérêt d'Albert pour ses enfants. Pour ma part, je chéris de tout mon cœur certains instants privilégiés de notre vie familiale. Albert jouant de l'orgue avec un bébé sur chaque genou ; Albert balançant doucement un tout petit dans une serviette, sous le regard envieux des aînés, devenus trop grands pour mériter cette faveur... Je me rappelle nos pique-niques, nos chevauchées sur des poneys, nos promenades dans le phaéton miniature, et ces orgies de framboises et de groseilles dans le jardin potager des enfants. Je revois Albert, à plat ventre avec Bertie et Affie, organisant des batailles de soldats de plomb. Albert, lançant le cerf-volant d'Affie et l'empêchant de disparaître à l'horizon ! Albert, les enfants et les chiens, jouant à cache-cache comme des fous au milieu des arbres !

Je revois Albert apprenant la valse à Vicky — oh ! quel souvenir poignant ! Il virevoltait avec grâce, tandis qu'elle gardait les yeux baissés sur ses petits pieds chaussés de mules, précautionneusement posés sur ceux de son père. Je le revois aussi, ce jour d'octobre, en train d'observer notre petite Alice essayant de recoller les feuilles sur les arbres pour que l'été se prolonge. Son visage exprimait alors une telle tendresse que j'en étais émue aux larmes.

C'était Albert qui décorait les tables d'anniversaire et composait de vrais festins à ces occasions. À Pâques, il cachait les œufs durs peints de couleurs vives dans la salle à manger et criait « chaud », « froid » ou « brûlant », tandis que les enfants partaient à leur recherche. Un été, il fit des culbutes dans une meule de foin pour montrer à Bertie comment s'y prendre. Une autre fois, par un après-midi d'automne trop humide pour les promenades, il organisa un jeu de charades en donnant aux filles des rôles de garçons, et inversement, ce qui déchaîna l'hilarité générale. Un hiver, enfin, il construisit pour Vicky un bonhomme de neige de dix pieds de haut et traîna Affie sur une luge. Ce jeune tyran en herbe osa alors faire claquer son fouet en hurlant !

Mais je me rappelle surtout l'été, car nous passions nos journées dehors. Un soir, nous étions restés sur la pelouse jusqu'à sept heures, et Albert avait inventé le jeu du « Méchant lapin », à mi-chemin entre chat perché et la main chaude. Les enfants couraient et riaient à gorge déployée, tant et si bien que Laddle craignit qu'ils ne digèrent mal et ne dorment pas. (En fait personne ne tomba malade... à l'exception de Dacko, l'un des lévriers que nous avions ramenés de Cobourg : le malheureux avait mangé de l'herbe !) Ce soir-là, après le dîner, nous montâmes Albert et moi, la main dans la main, dans la nursery, jeter un regard sur les petits visages assoupis mais encore rouges d'excitation.

— Qu'ils sont beaux ! murmura Albert. Dieu les bénisse.

Lenchen avait rejeté ses couvertures, il la borda tendrement, puis déposa un baiser léger comme une plume sur sa joue, sans la réveiller.

— Elle sent le foin, reprit-il comme s'il se parlait à lui-même.

En de tels instants, je ne songeais plus à me plaindre des épreuves de l'enfantement. Avoir donné une telle joie à mon bien-aimé me semblait un privilège sans pareil...

Quand nous redescendîmes, Albert vint me rejoindre dans mon cabinet de toilette. Tandis que ma femme de chambre m'aidait à me déshabiller, il resta accoudé à la cheminée pour bavarder avec moi. J'avais tressé des roses et du lierre dans mes cheveux, car je préférais les fleurs fraîches aux bijoux lorsque nous n'avions pas d'invités. Une fois ma tresse dénouée, il tendit la main vers l'une des roses posées sur la coiffeuse et il la respira.

— Le parfum d'une fleur est éphémère, murmura-t-il. Cette pauvre rose se flétrit déjà !

— Elle a duré « ce que durent les roses », répliquai-je. Voulez-vous que je la fasse sécher pour vous, en souvenir ?

Il me jeta un regard perplexe, comme si j'avais plaisanté ou parlé une langue étrangère, puis s'approcha de moi et déposa doucement la rose entre mes mains.

— Gardez-la, chuchota-t-il à mon oreille, après avoir effleuré mon épaule de ses lèvres. *Die Frau hat gar hübsche Schultern* — Vous avez de magnifiques épaules, ma femme !

Ce compliment accéléra les battements de mon cœur. Albert avait toujours admiré mes épaules, mais j'étais émerveillée qu'il me désire encore après tant d'années... Je le vis dans la glace franchir la porte du salon en direction de son cabinet de toilette.

— À tout de suite, me dit-il, sentant que je l'observais.

Je mis la rose de côté pour m'en occuper dès que j'aurais un moment. Ma femme de chambre m'avait déshabillée, puis avait brossé mes cheveux. Une fois seule, je mis une goutte d'eau de Cologne derrière mes oreilles, puis, revêtue de mon peignoir favori — en soie brune et verte — je partis en quête de mon cher époux. Il n'était pas encore dans la chambre à coucher, mais, l'entendant jouer de l'orgue, je compris qu'il m'attendait dans son salon.

Quand j'ouvris la porte, il jouait, les yeux perdus dans le vague, et il ne m'entendit pas entrer. J'ignorais cet air, mais sa mélancolie me fit frissonner. Quelques notes sur un mode mineur, et d'une telle tristesse ! Son visage me sembla pâle et figé comme un masque. Ayant deviné ma présence, il se tourna vers moi et plaqua encore deux accords avant de s'interrompre. Puis il reprit vie : une lumière qui s'allume à la fenêtre d'une maison qu'on croyait déserte. J'eus l'impression de ressusciter moi aussi...

— Qu'y a-t-il ? T'ai-je fait attendre ? demanda-t-il d'une voix presque normale.

Il se leva, prit mes mains glacées dans les siennes et répéta en me dévisageant :

— Qu'y a-t-il ?

— Albert, balbutiai-je, tu ne vas pas me quitter ?

Après un silence qui me parut une éternité, il plaisanta :

— Petite sotte, où irais-je ? (Puis il ajouta, gravement :) Ce n'est pas *vous* que je quitterais, l'ignorez-vous ? Vos bras sont mon seul refuge, et maintenant allons au lit.

Il semblait bien las... Troublée par ses paroles mystérieuses, je le laissai me prendre par la taille et m'entraîner dans la chambre. Quelques instant plus tard, il éteignit sa lampe de chevet, avant de m'attirer vers lui en chuchotant :

— Enfin seuls au monde !

Je lui tendis mon visage, et, malgré l'obscurité, nos lèvres se trouvèrent aussitôt. Il m'embrassa avec une incroyable tendresse. Puis son bras se souleva vers le petit levier de cuivre qui actionnait le verrou de la porte, et mon cœur bondit de joie en entendant le cliquetis familier qui nous assurait que plus personne ne pourrait nous déranger.

Plus tard, il s'endormit d'un sommeil paisible...

15

Osborne, 7 août 1900

Mon Dieu, ce pauvre cher Affie ! La nouvelle — l'effroyable nouvelle — nous est parvenue par télégramme, le 31 juillet au matin. Je venais de m'habiller quand Bébé m'a annoncé que je venais de perdre un troisième enfant. Quelle épreuve pour moi, d'autant plus que je ne m'attendais pas à une fin si proche ! Marie ne m'en avait rien dit, quand elle m'a rendu visite en juin avec Baby Bee, mais peut-être ne s'en doutait-elle pas elle-même : depuis la mort du jeune Affie, elle l'avait à peine vu.

Je réalise maintenant que Béatrice essayait de me préparer depuis une semaine. Pourtant, elle-même n'était pas réellement prête à ce choc : les médecins lui avaient affirmé qu'Affie pourrait vivre encore six mois. On m'a caché la vérité, mais il souffrait depuis deux ans du mal incurable qui a emporté Fritz, le mari de cette pauvre Vicky. Pendant les deux dernières semaines, il fallait, paraît-il, le nourrir avec une paille, tant il était faible. Dans un tel état, la mort a dû lui paraître une délivrance, mais une mère supporte difficilement que Dieu rappelle son fils à lui ! Au moins, ses derniers instants ont été paisibles : il s'est couché à neuf heures, après avoir passé la fin de l'après-midi au jardin, puis il s'est tranquillement endormi, et il est mort une demi-heure après. Je suis désolée pour cette pauvre Marie qui a perdu son seul fils l'année dernière, et maintenant son mari. Quant à ses chères filles, qui adoraient leur papa, elles vont avoir bien du chagrin !

Trois enfants partis avant moi, ainsi que trois de mes chers gendres ! Quelle épreuve à quatre-vingt-un ans ! Mes souvenirs d'Affie sont mon seul réconfort : les moments heureux de son enfance, ses cadeaux de Noël, ses anniversaires qu'il passait toujours ici... Il aurait eu cinquante-six ans lundi prochain ! C'est au Rosenau qu'il est mort : il s'y était installé en 1893, l'année où il hérita du titre de duc de Cobourg. Je l'avais peu vu ces derniers temps, car il a passé quatre ans à Devonport et cinq à Malte. Lenchen est fort triste, car elle a toujours eu un faible pour lui.

J'étais si accablée que je n'ai pas écrit une seule ligne pendant plusieurs jours. Le temps s'est mis à l'unisson et nous avons eu de terribles bourrasques, absolument inhabituelles en cette saison. Beaucoup d'arbres ont été endommagés, des bateaux mouillant dans le détroit de Solent ont eu leur ancre arrachée, et notre pauvre vieille piscine s'est échouée, en miettes, sur les rochers. Irréparable, m'a-t-on dit. Je l'évoquais justement dans ce récit il y a peu de temps... Serait-ce l'ironie du sort ?

Mais la vie continue, et le beau temps succède au mauvais, comme le mauvais au beau. Inclinons-nous devant la volonté de Dieu avec patience et humilité, et n'oublions jamais que, dans la pire détresse, on peut encore glaner quelques instants de joie !

Les enfants ont été très amusants pendant le déjeuner. Debout à côté de mon siège, le petit David m'a raconté une partie de football avec des gamins du village, en se vantant de ses prouesses.

— Très bien, lui dis-je, mais j'espère que cela ne t'empêche pas d'apprendre tes leçons.

Il m'affirma qu'il était studieux et parlait très bien allemand. Maurice, de trois ans son aîné, le considéra alors d'un air hautain en le mettant au défi de prononcer un seul mot dans cette langue. Comme de juste, David resta muet.

— Vous voyez, Gangan, il vous raconte des histoires ! s'exclama Maurice, triomphant.

À cet instant, le petit David, les joues écarlates et exaspéré par les moqueries de son frère, eut ce mot adorable :

— Mais si, je parle allemand ! Je sais dire *lumbago*...

Il m'avait sans doute entendu demander des nouvelles de sa crise à Marie Mallet... Malgré ma morosité, je ne pus retenir mon rire. Les enfants ont un tel pouvoir de nous ramener à la vie !

Me voici à nouveau en train d'écrire au soleil, ce qui m'aide à chasser mes idées noires. J'ai griffonné une lettre à Victoria de Battenberg (la fille aînée de cette pauvre Alice), qui m'a envoyé une charmante photo du bébé pour m'égayer. Un bébé si robuste pour ses sept semaines ! Quand je l'ai pris sur mes genoux, au baptême, il m'a arraché mes lunettes et a failli me cogner l'œil par la même occasion. Pour me faire plaisir, Victoria et Louis l'ont prénommé Albert Victor Nicolas Louis Francis, mais ils l'appellent toujours Dicky. Je ne vois pas pourquoi...

Les trois problèmes qui avaient été depuis le début du siècle un véritable casse-tête pour les chefs de gouvernement (les lois sur les céréales, l'Irlande, le chartisme) se trouvèrent inextricablement mêlés et atteignirent leur paroxysme en 1848 — *annus mirabilis*, comme on qualifia alors cette année pendant laquelle le continent européen entra en ébullition, déborda, pour se rétablit finalement dans un ordre totalement différent.

Peel avait fini par me convaincre que les taxes sur les céréales, représentant une charge injuste et inutile pour les classes laborieuses, devaient être abolies. La mauvaise récolte de pommes de terre en Irlande et la famine qu'elle entraîna chez les paysans en 1845 mirent la question à l'ordre du jour. La baisse du prix du blé n'aida en rien les Irlandais : même si on leur en avait fait cadeau, ils n'auraient su qu'en faire, car ils consommaient surtout des pommes de terre et ne possédaient pas de matériel pour moudre le grain ! Cependant, cette famine mit en évidence le fait que les classes inférieures avaient un besoin pressant d'une nourriture moins chère, de sorte que Peel soumit au Parlement, en janvier 1846, un projet d'abolition des Corn Laws.

Albert assista symboliquement aux débats à la Chambre des communes. Sa présence fut, hélas, peu appréciée dans certains milieux : d'une part, on lui reprochait toujours son origine étrangère ; d'autre part, l'aristocratie terrienne d'Angleterre trouva choquant que je donne ainsi mon soutien à une mesure susceptible de lui faire un tort considérable. Lord George Bentinck alla jusqu'à m'écrire une lettre très impertinente qui m'irrita autant qu'Albert. Celui-ci, toutefois, sur les conseils de Peel, ne se rendit plus jamais à la Chambre.

Le projet de Peel adopté, les lois sur les céréales furent abolies le 26 juin 1846. Les propriétaires terriens mécontents prirent leur revanche en obligeant Peel à démissionner immédiatement après, pour une tout autre raison. Il me fallut prier Lord John Russell de former un gouvernement whig. Je perdis Peel à regret, car il m'inspirait à l'époque une confiance absolue tandis que je n'avais aucune sympathie pour Russell — un vilain petit homme, content de lui et aux manières déplaisantes ! Mais, relevant tout juste de couches (Lenchen était née le

25 mai), je venais de retrouver mon tendre époux. Ce changement de gouvernement, qui m'aurait bouleversée en d'autres temps, ne me troubla pas outre mesure : la continuité de ma vie de famille et mon bonheur auprès d'Albert donnaient aux questions politiques une importance secondaire !

En 1846, la récolte de pommes de terre fut encore pire, tandis que celle de céréales était mauvaise dans tout le pays. Pendant l'hiver suivant, particulièrement froid, les Irlandais endurèrent des souffrances inimaginables. En même temps, la suppression du contrôle des prix entraîna une folle spéculation sur le blé. Après avoir atteint 115 shillings en 1846, le prix redescendit à 49 shillings en 1847 à la suite d'une récolte très abondante. Les spéculateurs furent ruinés, onze banques firent faillite, et ce fut un véritable désastre à la City ! Le Lord Lieutenant, représentant de la Couronne en Irlande, réclamait des subsides pour soulager les plus malheureux, mais, sous la pression de la crise financière, le chancelier de l'Échiquier lui répondit qu'il ne pouvait lui donner ce qu'il n'avait pas...

Le chartisme entretenait des liens étroits avec le problème irlandais car Feargus O'Connor, député de Cork, était à la fois le leader des chartistes et celui des nationalistes irlandais. L'ombre du chartisme avait plané sur ce pays sous des formes diverses depuis ma naissance (le massacre de Peterloo [1] eut lieu précisément en 1819), et, depuis 1839, ce mouvement réclamait avec insistance l'application des six points de la « Charte du Peuple » à laquelle il devait son nom.

Ces points étaient les suivants : le droit de vote pour tout homme à partir de vingt et un ans, le vote secret, un découpage équitable des circonscriptions électorales, une indemnité parlementaire et une session annuelle du Parlement. Des exigences exorbitantes... En outre, le chartisme était d'autant plus dangereux qu'il entretenait le mécontentement et l'agitation parmi les classes laborieuses. Dans l'ensemble, les travailleurs ne souhaitaient pas de bouleversement politique, mais lorsque les emplois ou la nourriture venaient à manquer et qu'ils avaient des griefs contre leurs employeurs, le terrain était favorable aux chartistes. Appartenant en général à la classe moyenne instruite

1. En 1819, une manifestation de 60 000 personnes réunies pour demander l'abolition des Corn Laws fut chargée par la cavalerie, qui fit plusieurs morts et de nombreux blessés. Cet épisode violent qui se déroula à Manchester (à St. Peters Fields) fut appelé « massacre de Peterloo » — une allusion à Waterloo. *(N.d.T.)*

et aisée, ces derniers poussaient le peuple à la violence et à la désobéissance civile dans leur intérêt personnel.

Ainsi éclata, selon moi, la révolution française de 1789, et peut-être toutes les révolutions commencent-elles ainsi... Comme me le dit un jour Lord M., les pauvres se contentent du nécessaire pour se nourrir et d'un peu plus du nécessaire pour boire ; mais, dans leur ignorance, ils se laissent manipuler par des agitateurs politiques, décidés à faire tomber les gouvernements. Quand les événements tournent mal, les plus démunis finissent au bout d'une corde ou aux travaux forcés, alors que les agitateurs s'enfuient à l'étranger pour comploter les prochaines émeutes.

La révolution était dans l'air... Dès 1847, il nous parut évident que l'orage couvait en Europe et que la colère grondait. En Espagne, la guerre civile se profilait à l'horizon ; au Portugal, la reine Marie s'opposait au prétendant au trône et faisait face à un violent conflit entre deux factions ; l'empire d'Autriche se fissurait en raison des aspirations nationalistes, et les mouvements reprenaient en faveur de l'unité italienne ; enfin, la Grèce, sous le joug d'un roi corrompu et tyrannique, n'avait jamais été aussi pauvre. Dans ce tumulte politique, seuls deux pays vivaient en paix : la Belgique, où mon cher oncle Léopold avait modernisé les institutions et faisait régner la justice dans le cadre d'une constitution libérale ; la Russie, où le tsar Nicolas Ier gouvernait avec une poigne de fer un peuple bien misérable.

Néanmoins, la première révolution de 1848 — l'année des révolutions — nous prit tous par surprise. Nous savions depuis quelque temps le roi de France, Louis-Philippe, impopulaire — son régime était corrompu et son Premier ministre, Guizot, passait pour un détestable réactionnaire ! Mais personne ne croyait le trône réellement en danger. Des liens très étroits unissaient nos deux familles, car Louis-Philippe — encore duc d'Orléans à l'époque — avait retrouvé au Canada, durant ses années d'exil, sa vieille amie, Julie de Saint-Laurent. Celle-ci l'avait présenté à mon père, qui devint le grand ami du duc, et lui prêta généreusement deux cents livres (une somme sans doute au-dessus de ses moyens) pour qu'il s'installe comme professeur. À son retour en Europe, le duc séjourna en Angleterre et se lia avec le régent, la princesse Charlotte, et mon oncle Léopold. En 1830, le duc d'Orléans montait sur le trône de France, tandis que mon oncle Léopold devenait roi des Belges en 1831, puis épousait, l'année suivante, la fille du roi de France, ma bien-aimée tante Louise.

Tante Louise avait insisté pour que nous rendions visite, Albert et moi, au roi et à la reine de France. Pour ne pas donner à cette visite un caractère officiel — ni une trop grande signification politique — nous allâmes les voir au château d'Eu, l'une de leurs résidences privées, lors de notre première croisière sur le yacht royal. Le roi et la reine avaient eu la délicate attention de faire venir de Londres une grande quantité de fromage de cheddar et de bouteilles de bière, pensant sans doute qu'il s'agissait des seules choses que mangeaient et buvaient les Anglais. (S'ils avaient su, comme je l'appris plus tard, que Peel, qui n'était pas du voyage, avait envoyé un message à Lord Aberdeen, en lui souhaitant une traversée calme « afin de ménager toutes les bonnes choses embarquées sur le bateau » !)

Nous reçûmes un accueil fort émouvant ; le roi, la reine et leurs enfants se montrèrent très affectueux, et nous les considérâmes dès lors comme des membres de notre famille. Nos relations diplomatiques et mes sentiments envers le roi se sont, hélas, détériorés par la suite, du fait de son absolutisme croissant et surtout de son attitude déplaisante à propos des mariages espagnols.

Nous avions longuement discuté de ce problème au cours de notre seconde visite à Eu, en 1845, et j'espérais que nous nous étions compris le roi et moi. La situation en Espagne se présentait ainsi : le roi Ferdinand, après deux unions stériles, s'était marié pour la troisième fois en 1829, et avait eu deux filles : Isabelle et Louise. À sa mort, en 1832, Isabelle n'ayant que deux ans, sa mère, la reine Christine devint régente. Le choix du futur époux d'Isabelle apparaissait donc comme un sujet de préoccupation majeur pour tous. Albert et moi étions favorables à Léopold de Cobourg (jeune frère de Ferdinand, lui-même époux de Marie de Portugal), ce qui permettrait au trône d'Espagne de rester dans la famille.

Or, le bruit courut, en 1843, que le roi Louis-Philippe caressait le projet de marier la reine Isabelle à son cousin le duc de Cadix, et l'infante Louise à son propre fils, le duc de Montpensier. Le duc de Cadix ne pouvant, paraît-il, avoir d'enfants, cela signifiait que le trône d'Espagne reviendrait finalement à l'infante Louise et à son époux français...

Ce projet — s'il n'était pas une simple rumeur — me parut inadmissible : non seulement le traité d'Utrecht interdisait de réunir les trônes de France et d'Espagne, mais il refusait à tout membre de la maison d'Orléans le droit de monter sur le trône d'Espagne ! Lors de notre visite à Eu, en 1845, le roi Louis-Philippe m'assura qu'il n'avait aucune vue sur l'Espagne. Il prétendit souhaiter ce mariage parce que l'infante, très fortunée, serait un excellent parti pour son fils. De plus, il promit de ne pas réaliser son projet tant qu'Isabelle ne serait pas mariée et mère d'un héritier.

Nous le crûmes et continuâmes à apporter notre soutien à une union entre Isabelle et notre cousin Léopold de Cobourg. Mais la rumeur persista et, brusquement, les plénipotentiaires français et espagnols (poussés par cet odieux Guizot) se réunirent pour arranger le double mariage, le même jour, d'Isabelle avec le duc de Cadix et de Louise avec le duc de Montpensier. Imaginez ma colère et mon indignation, d'autant plus que le cousin Léopold avait été traité avec une désinvolture qui révolta Albert encore plus que moi. C'était un coup fatal à l'entente cordiale entre la France et l'Angleterre — qui combla d'aise la Russie et l'Autriche... Par ailleurs, Louis-Philippe ne tira aucun avantage de ce projet, car la reine Isabelle donna cinq enfants au duc de Cadix. Le trône d'Espagne lui échappa et, quatorze mois plus tard, il perdit aussi le trône de France !

Je le répète, nous savions Louis-Philippe impopulaire, mais nous pensions que l'opposition française visait plus le gouvernement que la monarchie elle-même, et Paris était la mieux défendue des capitales. Plusieurs réunions antigouvernementales s'étaient tenues dans le calme, mais, le 22 février, Guizot interdit un rassemblement à Paris, craignant une foule trop nombreuse. Cette interdiction suscita aussitôt une énorme manifestation. Une telle agitation couvait à Paris que la Garde nationale envoya des émissaires aux Tuileries pour avertir le roi qu'elle ne répondait de rien s'il maintenait le même gouvernement.

Le roi se sépara donc de Guizot, et tout parut rentrer dans l'ordre. Mais le lendemain une autre manifestation eut lieu en plein centre de Paris. La foule immense semblait néanmoins paisible, jusqu'au moment où un coup de feu fut tiré devant le ministère des Affaires étrangères. Personne ne sut qui était le coupable, mais la balle brisa la jambe d'un cheval, lequel appartenait au commandant du bataillon qui montait la garde. Dans son chagrin et sa colère, ce dernier ordonna de tirer sur la foule.

Une cinquantaine de personnes furent atteintes — dont un bon nombre de femmes et d'enfants. La foule battit en retraite et se répandit dans les faubourgs pour ameuter amis et voisins. Les insurgés pillèrent les armureries, édifièrent des barricades, et la Garde nationale se joignit à l'émeute. La révolution de 1789 semblait recommencer. Le roi et la reine reçurent des rapports alarmants pendant toute la nuit, et, au matin, un représentant de la Garde nationale vint présenter au roi un acte d'abdication rédigé à la hâte.

Pour rendre justice à Louis-Philippe, je dois dire qu'il refusa d'abord, en déclarant qu'il aimerait mieux mourir qu'abdiquer ; mais les siens ne partageaient pas son point de vue, et le duc de Montpensier le persuada de signer. Il était temps : au moment où la famille royale s'enfuyait à travers les jardins des Tuileries, la foule pénétra dans le palais qu'elle mit à sac. Le vieux roi murmurait à qui voulait l'entendre : « J'abdique, j'abdique ! » Dans la confusion générale, les membres de la famille furent dispersés, ainsi que leurs biens, et quand ils parvinrent à se réfugier en Angleterre, il ne leur restait plus que les vêtements qu'ils avaient sur le dos — et, dans le cas de la duchesse de Nemours, pas même ceux-ci, car la foule les lui avait lacérés.

Bien sûr, nous n'eûmes pas tout de suite des informations claires et nettes sur les événements. Les fausses nouvelles et les rumeurs se succédèrent pendant les premiers jours ! Ayant appris, le 25 février, que Louis-Philippe avait abordé à Folkestone, j'annulai une invitation à dîner pour prier Russell et Plamerston de lui donner asile. Cette nouvelle se révéla inexacte, mais j'obtins de mettre le yacht royal à la disposition du roi et de sa famille s'ils parvenaient à s'enfuir. Mes ministres nous conseillèrent cependant de nous montrer prudents avec les exilés, pour ne choquer personne et ménager nos relations diplomatiques ultérieures avec la France.

— C'est une affaire de famille, répliquai-je sèchement. Quant à mes sujets, je leur donnerais une piètre opinion de moi-même si je ne venais pas en aide à un parent en difficulté. Je n'ai pas l'intention d'encourager les révolutionnaires et je ne peux ignorer l'épreuve que traverse la famille royale française.

— Très bien, madame, approuva Palmerston en imposant silence à Russell d'un regard.

Comme j'étais en fin de grossesse, je suppose qu'il jugeait bon de m'épargner le manque de tact proverbial de mon Premier ministre.

— Je ne songe pas à vous demander l'impossible, reprit-il, mais je vous conseille certaines précautions. Notre entente cordiale avec la France a échoué par la faute du roi. Mieux vaut ne pas l'inviter ici, au palais de Buckingham, en tout cas pour l'instant. Voyez d'abord comment réagira le pays.

— Claremont ? proposa soudain Albert. Claremont a-t-il un caractère suffisamment privé ?

— Oui, Claremont, répéta Palmerston d'un air convaincu. Et, dans l'immédiat, nous pourrions leur procurer une aide grâce aux fonds secrets — que nous présenterons comme un don d'un sympathisant anonyme.

Seuls ou par deux, commencèrent à arriver des Français dans le malheur, mais ni le roi ni la reine. Nous craignions le pire, et, bizarrement, Albert semblait encore plus affecté que moi. Peut-être mon état me protégeait-il des chocs émotionnels. Enfin, le 3 mars, nous parvint de Newhaven une lettre dans laquelle le roi lui-même nous annonçait son arrivée : le consul britannique au Havre l'avait autorisé à traverser la Manche avec la reine, sous un déguisement. Cette missive me toucha beaucoup, car il m'appelait « madame » et non plus « *ma sœur*[1] », comme il le faisait quand il était roi, et il signait de son nom, sans titre.

Albert alla voir les exilés à Claremont dès qu'ils furent installés, et, le 6 mars, Palmerston leur permit de nous rendre visite à Buckingham. Pâles et fatigués, ils semblaient fort éprouvés par les événements. Leur situation financière était extrêmement difficile, et je dus procurer à la reine certains objets de première nécessité — dont une brosse à cheveux, qui me valut des remerciements émus. Elle pleura beaucoup ; je fis de mon mieux pour la réconforter et perdis toute envie de lui dire que le roi avait bien mérité d'en arriver là. La vision de cet homme vieilli et brisé nous rappela combien nos destins sont précaires.

Pour donner une note moins sombre à cette histoire, j'ajouterai que l'Assemblée nationale française vota à la quasi-unanimité, en octobre, une loi restituant à la famille d'Orléans en exil ses biens et revenus privés. Russell me confia que le roi disposerait, en principe, de plus d'un million de livres, si bien que sa famille et lui pourraient vivre à l'abri du besoin jusqu'à la fin de leurs jours. Ce geste d'une générosité inattendue de la part de la République française signifiait, apparemment, qu'elle n'avait pas d'animosité contre lui, à condition d'en être débarrassé. Il me rappela, à ma grande honte, une plaisanterie de Lord M. : les Français, me déclara-t-il un jour, ne suppor-

1. En français dans le texte. *(N.d.T.)*

tent pas *l'ennui*[1], et s'ils sont prêts à tolérer de mauvais rois, ils ne leur pardonneraient pour rien au monde d'être ennuyeux.

9 août 1900

Sans nul doute, la révolution en France nous troubla profondément : nous avions les victimes sous les yeux, et le souvenir tragique de 1793 hantait la mémoire de tous les souverains. Albert semblait très abattu, et je me fis beaucoup de souci à son sujet, mais ce n'est qu'au début d'avril que m'apparut l'existence d'un danger pour nous aussi. Depuis mars, j'étais beaucoup trop absorbée par la venue au monde de notre sixième enfant pour me soucier d'autre chose. Notre fille — un beau et gros bébé — naquit le 18 mars non sans difficulté, mais je possédais une certaine expérience et j'avais eu la chance d'accoucher chaque fois de bébés en parfaite santé ! Après tant de douleur le comble eût été de donner naissance à un enfant mort-né — ou destiné à mourir au bout de quelques jours — comme c'est hélas, le cas de nombreuses femmes.

Notre fille fut appelée Louise, en souvenir de la mère d'Albert, cette mère qu'il avait adorée et perdue si jeune. Elle devint la plus jolie de nos filles, la plus vive et la plus douée sur le plan artistique — elle sculpte fort joliment —, mais elle a la langue acérée et une personnalité complexe. À vrai dire, on prétend qu'elle en a fait voir « des vertes et des pas mûres » à tous les gens qu'elle côtoie ! Mais la pauvre petite n'a pas eu une vie facile. À seize ans, elle faillit mourir d'une méningite tuberculeuse, cause de sa stérilité, et, je le crains, de ses malheurs conjugaux. Lorne et elle ne parvenaient pas à s'entendre ; d'ailleurs j'ai toujours admis leur droit de vivre séparément à condition de sauver les apparences en public. (Elle est sûrement difficile à vivre — même enfant, elle avait déjà l'esprit de contradiction — mais je crois savoir que Lorne a eu des torts envers elle... Depuis quelques années, je constate avec joie qu'ils ont retrouvé un terrain d'entente et redeviennent amis, comme devraient toujours l'être mari et femme.)

Pour en revenir à mon récit, mon « confinement » se termina le 3 avril 1848, et je pus reprendre mon petit déjeuner avec

1. En français dans le texte *(N.d.T.)*

Albert, selon notre habitude. La saveur du premier œuf que je dégustai, assise face à mon mari, lorsque je relevais enfin de couches, restera toujours inoubliable pour moi.

— Comme c'est bon ! murmurai-je. J'ai l'impression de sortir de prison.

— Sans vous, je me sens en prison moi aussi, répliqua Albert. Mais notre fille est magnifique ! La blancheur extraordinaire de sa peau me rappelle ma mère.

— Née en des temps aussi troublés, elle ne peut être qu'exceptionnelle.

Albert me considéra d'un air perplexe.

— Plus troublés que vous ne pensez ! Les chartistes, stimulés par ce qui s'est passé à Paris, ont organisé des manifestations et des défilés presque chaque jour, dans tous les coins de Londres.

— Quelques fauteurs de troubles, je suppose. Dans sa majorité, le peuple ne les soutient sûrement pas.

— Sans être alarmiste, ma chérie, observa Albert en fronçant les sourcils, je tiens à vous signaler que ces chartistes disposent d'une étonnante organisation. Leurs espions sont partout, ils ont un code secret et des pigeons voyageurs pour communiquer d'une ville à l'autre. Personne ne connaît leur nombre exact, mais ils ont l'appui des nationalistes irlandais, toujours à l'affût d'une révolution...

— Une révolution ! m'exclamai-je, ne sachant si je devais rire ou pleurer. Vous plaisantez ?

— Nullement ! Les bouleversements sur le continent ont ralenti le commerce, or l'Europe est notre marché. La baisse de nos exportations a accru le chômage, et des milliers de gens meurent de faim. Il suffit d'une étincelle pour mettre le feu aux poudres !

Effarée, je posai ma petite cuillère sur le bord de mon assiette : mon délicieux œuf à la coque avait subitement perdu sa saveur.

— Ai-je donc vécu sur la lune ? Ces quelques troubles dans notre pays me semblaient... sans conséquence.

— Vous aviez, naturellement, d'autres sujets de préoccupation. Mais, reprit-il après avoir hésité un instant, je vous avoue mon inquiétude. À mon avis, nous sommes en danger.

Je le savais soucieux depuis le début des événements en France — plus soucieux que les circonstances ne l'exigeaient... Son origine étrangère (que je m'efforçais d'oublier autant que possible) était sans doute à l'origine d'une certaine incompréhension réciproque entre le peuple anglais et lui. Il me semble, avec du recul, qu'il lui manquait cette intuition dont je suis douée et qui se révèle bien souvent plus utile à un monarque que les analyses les plus fines.

À l'époque, il me communiqua son inquiétude, d'ailleurs partagée par Russell et Sir George Grey — mon ministre de l'Intérieur —, qui me demandèrent une audience urgente dans l'après-midi. Le visage grave, ils m'annoncèrent que les chartistes avaient prévu un grand rassemblement à Londres, le 10 avril — à peine une semaine plus tard.

— Ils auraient l'intention, me déclara Russell, de rassembler à Kennington Common des délégations d'origines diverses ; de là, ils iraient en cortège à Westminster présenter une pétition portant un million et demi de signatures.

Albert pâlit.

— Un million et demi d'hommes vont marcher sur le Parlement et...

— Beaucoup moins ! le coupa Russell. Les signatures ont été recueillies dans tout le pays. O'Brien compte, paraît-il, sur une demi-million de manifestants, mais je suppose qu'il exagère. Vous savez comment sont ces Irlandais !

— Vous ne semblez pas prendre ce rassemblement au sérieux, observai-je d'un ton sec, car son attitude vis-à-vis d'Albert frôlait l'irrespect.

Grey répondit à la place de Russell :

— Je vous assure que nous le prenons au sérieux, madame, mais nous sommes avertis une semaine à l'avance, ce qui nous donne le temps de nous préparer.

— Cette manifestation est inadmissible, déclara Albert. Il faut l'interdire.

Je lui jetai un regard courroucé, car c'est par ce genre d'interdiction qu'avaient commencé les troubles en France.

— Pardonnez-moi, monsieur, fit observer Grey, mais mieux vaut ne pas mettre d'huile sur le feu.

— Pourquoi avez-vous libéré les meneurs ? grommela Albert. Il fallait les laisser sous les verrous, ils y étaient fort bien !

— Nous ne raisonnons pas de cette manière, répliqua Russell, offusqué. O'Brien et les siens ont été incarcérés parce qu'ils troublaient l'ordre public ; il était normal de les libérer une fois leur peine purgée. J'estime que ces gens-là ont le droit de s'exprimer ; si leurs revendications ne sont pas sérieuses, l'affaire n'aura pas de suite. En les réprimant, on risque de les rendre plus agressifs... Tout finira par rentrer dans l'ordre, à condition de ne pas leur accorder une importance démesurée.

— Si tout devait rentrer si facilement dans l'ordre, vous ne seriez pas ici, répliquai-je.

Russell haussa un sourcil mécontent.

— En effet, madame, il y aura certainement un rassemblement monstre ; mais notre devoir est de le contenir et de le contrôler, non de l'interdire.

— De plus, il n'y aura pas de marche sur le Parlement, ajouta Grey d'un ton rassurant. Une loi datant du XVIIe siècle interdit la présentation d'une pétition par plus de dix personnes. Nous allons l'invoquer !

Cette loi avait rendu de grands services en plus d'une occasion...

— Espérez-vous convaincre un demi-million d'hommes ? demandai-je.

— Ils ne seront pas si nombreux ! protesta Russell avec son insupportable suffisance.

— Dans ce cas pourquoi m'avez-vous communiqué ce chiffre ?

Russell resta imperturbable.

— Les chartistes l'ont annoncé. Mon devoir était d'en informer Votre Majesté.

— Sans vouloir alarmer indûment Votre Majesté, intervint Grey, ce genre de manifestation attire les fauteurs de troubles et je pense qu'il faut se préparer au pire.

— Dans ce cas, faisons appel au Duc, décrétai-je, inquiète. Chaque fois qu'elle a connu des crises, l'Angleterre s'est toujours tournée vers lui.

Albert se retira en compagnie des deux ministres. Son absence se prolongea un moment, pendant lequel une véritable angoisse m'assaillit. Un rassemblement d'un demi-million de chartistes à Kennington Common ! J'imaginais une horde d'hommes brutaux et incultes, enflammés par des idées révolutionnaires. Ils traversaient le pont, entouraient le Parlement, munis de pierres et de barres de fer, hurlant comme des sauvages. Westminster est un quartier de taudis, aux rues étroites et insalubres, peuplées de mendiants, de voleurs, de prostituées et de criminels — la lie de la société... Ces canailles sauteraient sur l'occasion pour sortir de leur trou comme des rats et envahir les quartiers voisins plus riches, en détruisant et pillant tout sur son passage.

Arrivés à Buckingham, ils n'auraient aucun mal à escalader

ses grilles. Ils envahiraient le parc (comme les Parisiens avaient envahi les Tuileries), puis ils pénétreraient dans le palais, lacérant tableaux et tentures, brisant vitres et miroirs, nous arrachant nos vêtements, tandis que nous essaierions en vain de nous enfuir, au milieu des cris d'épouvante de nos enfants !

Je dois dire, pour ma défense, que j'avais tendance à tout voir en noir, comme souvent quand je relevais de couches. Lorsque Albert revint, il me trouva en larmes et tremblante.

— Vous me délaissez ! m'écriai-je.

— Je faisais quelques pas dans le jardin, répliqua-t-il. Ces nouvelles m'ont un peu troublé et j'avais besoin de reprendre mes esprits.

— Et moi, avez-vous pensé à *moi* ? grondai-je. Vous disparaissez sans prévenir et vous m'abandonnez à mon triste sort. Quel égoïsme ! Vous, vous ne risquez rien, c'est à moi, la reine, que la foule va s'en prendre, et à mes pauvres enfants. Et mon dernier-né, à peine âgé d'un mois ? Les révolutionnaires vont le dépecer ! Mon Dieu, qu'allons-nous devenir ?

Je dus continuer un bon moment sur ce ton, et mon pauvre Albert eut fort à faire pour m'apaiser. (Mais peut-être ma crise lui permit-elle aussi de surmonter ses propres craintes...) Quand j'eus retrouvé un semblant de calme, il m'annonça que Russell et Grey jugeaient préférable — au vu des derniers événements en France — que je quitte Londres pour quelques jours avec les enfants.

— Ils veulent que je prenne la fuite ! m'indignai-je.

— Il ne s'agit pas de prendre la fuite, rectifia Albert. Environ deux jours avant la manifestation, vous irez vous installer tranquillement à Osborne avec les enfants. Vous y serez en sécurité, et le gouvernement aura la tâche plus facile s'il n'a pas à assurer votre protection à Londres. Peut-être que tout ira bien, mais on ne sait jamais...

Mes larmes s'étaient taries ; j'ouvris des yeux ébahis.

— Les enfants et moi, mais vous ?

— Moi je reste, répondit-il d'un air désinvolte, comme s'il était question de prendre un bain ou d'aller au lit.

— Non !

— Quelqu'un doit prendre en main vos intérêts.

— C'est le rôle de mon gouvernement, observai-je. Nous allons ensemble à Osborne ou pas du tout. Je refuse de me séparer de vous !

— Écoutez-moi bien, petite femme...

Je l'interrompis aussitôt.

— Inutile de discuter ! Nous ne nous quitterons pas, que je reste ici ou que j'aille à Osborne ! Croyez-vous que j'aurais un moment de répit si je vous savais en danger loin de moi ?

Devant mon intransigeance, il jugea inutile d'insister. Peut-être pensait-il que le Duc me persuaderait de partir, mais, lorsque vint le moment de prendre des dispositions, ce dernier partagea mon point de vue. Il était accompagné de Richard Mayne, le directeur de la police métropolitaine — un homme capable et intelligent que j'appréciais fort.

— L'essentiel, madame, me déclara le vieux soldat (il se tenait debout, les mains croisées dans le dos comme un stratège à la veille d'une bataille), est de ne pas faire monter la pression. Je suis d'accord sur ce point avec Russell : des troupes dans la rue risqueraient d'exciter la foule au lieu de l'apaiser. Ne suivons pas l'exemple des Français !

— Nous comptons ne faire appel qu'à des agents de police pour que l'opération garde un caractère strictement civil, précisa Mayne.

— Très bien, Richard, répondis-je, mais aurez-vous assez d'hommes ?

Le temps des larmes était passé, et j'avais retrouvé toute ma raison. (Je garde toujours mon calme dans les grandes occasions, alors que de petits riens me perturbent parfois.)

— Nous allons mobiliser des agents de police spéciaux — cent cinquante mille, si possible. Tout ce que Londres compte de gentlemen sera assermenté.

— Parfait ! Mais peut-on éviter toute présence militaire ? demandai-je au Duc.

Il se mit à faire les cent pas comme un vieux cheval de bataille ayant flairé la poudre à canon.

— Nos troupes seront là, madame, mais hors de vue dans la mesure du possible. J'ai donné des ordres et j'aurai neuf à dix mille hommes, y compris la cavalerie et l'artillerie. Nous allons les dissimuler dans les points stratégiques de la capitale. Il y aura un détachement dans chaque bâtiment officiel, et nous barricaderons les fenêtres. Des navires de guerre seront amarrés sur la Tamise et l'artillerie pourra intervenir s'il le faut. Tous les ponts seront gardés car, selon moi, l'homme qui tient les ponts tient la ville !

Je me sentis rassérénée. Rien de grave ne pouvait m'arriver tant que le Duc était aux commandes, et les chartistes eux-mêmes savaient à qui ils avaient affaire !

— Le palais sera bien défendu, poursuivit-il. J'installerai des artilleurs dans les écuries royales et un détachement d'infanterie dans les jardins, pour doubler la garde habituelle. Votre Majesté n'aura pas à se plaindre d'un seul carreau cassé !

— Et moi, que devrai-je faire ? demandai-je au Duc après l'avoir remercié.

— Je souhaiterais que Votre Majesté quitte Londres dès le 8 avril, deux jours avant la manifestation. Un train à destination de Gosport partira à huit heures et demie du matin. Vous serez en compagnie de Son Altesse Royale, de vos enfants et de votre suite. Pas d'escorte militaire, je vous en prie ! Il faut donner l'impression d'un simple départ en vacances.

— Mais n'ayez crainte, madame, nous aurons de nombreux agents de police prêts à intervenir en cas de besoin, précisa Richard Mayne.

— Tout semble parfaitement organisé...

— Que Votre Majesté se rassure, nous sommes prêts à toute éventualité ! s'exclama le Duc. Et pour éviter la propagation de fausses nouvelles dans le royaume, je compte faire saisir le télégraphe : pendant cette journée, toutes les informations passeront par moi.

Je souris intérieurement, car les communiqués du Duc étaient réputés pour leur froideur et leur brièveté. On racontait souvent qu'il avait annoncé la victoire de Waterloo avec un tel laconisme que certaines personnes avaient cru à une défaite !

Après le départ de mes deux valeureux défenseurs, Albert me prit dans ses bras, et je restai un moment la tête sur son épaule, apaisée...

— Je continue à penser qu'il vaudrait mieux arrêter les meneurs, me confia-t-il au bout d'un moment.

— On ne peut pas les arrêter tant qu'ils n'ont rien fait.

— Il vous suffit de donner des ordres !

— Non, objectai-je, je fais confiance à Russell et au Duc. Si nous donnons aux meneurs l'auréole du martyre, le peuple va les encenser.

— Toute cette agitation est dangereuse.

— Elle risque de s'aggraver si nous commettons des maladresses. Le fait que ce mouvement ne soit pas dirigé contre moi personnellement me console toutefois, repris-je après un silence.

Tout en prononçant ces mots, je pris conscience de ma naïveté. Si révolution il y avait, elle serait de toute façon dirigée contre la Reine, sinon contre Victoria...

Les jours suivants, nous préparâmes notre départ. Albert me

tenait régulièrement au courant des événements. Les grands propriétaires terriens ayant une résidence à Londres prenaient la menace très au sérieux et avaient fait venir des hommes pour les défendre. Lord Malmesbury, par exemple, avait six gardes-chasse, armés de fusils à deux coups, continuellement sur le pied de guerre. Comme on était en avril et que de nombreuses familles se trouvaient à Londres pour la saison, on assista à l'exode massif de femmes et d'enfants partant à la campagne et emportant dans la nuit des cargaisons entières d'objets précieux. Des troupes, arrivées par petits détachements, stationnaient à l'abri des regards, mais les pièces d'artillerie installées sur les ponts ne passaient pas inaperçues. Leur présence dut impressionner Fergus O'Connor, car il déclara à ses collègues des Communes qu'il n'y aurait nulle violence et qu'il interdirait le rassemblement si la paix civile risquait d'être perturbée. Pendant ce temps, des gentlemen accouraient en grand nombre pour s'engager comme agents de police assermentés. Nous étions en paix depuis 1815, je suppose qu'ils mouraient d'envie de se battre pour quelque juste cause...

(Parmi eux, figurait Louis Napoléon Bonaparte, le neveu du Tyran, qui deviendrait lui aussi empereur des Français quelques années plus tard. Un homme très intéressant, bientôt l'un de nos grands amis. Lorsqu'une nouvelle révolution (ah, ces Français !) les chassa de France l'impératrice et lui, en 1870, je les accueillis à bras ouverts en Angleterre. Il est mort trois ans plus tard, mais, elle, est toujours mon amie.)

Le matin du 8 avril, mon cœur se serra à la vue des soldats stationnant dans les jardins du palais. À peine six semaines plus tôt, une manifestation pacifique avait renversé le roi de France, qui avait dû s'exiler chez nous, sans un sou. Où irions-nous en cas de malheur, si nous parvenions à sauver notre tête ? L'idée de l'exil, loin de mon pays bien-aimé, me faisait horreur. D'autre part, qui nous accueillerait ? Peut-être mon oncle Léopold, mais je ne voulais pas finir mes jours en Belgique. La mort — à condition que nous périssions tous ensemble, les miens et moi — me semblait préférable.

Après avoir pris le petit déjeuner en silence, nous allâmes, Albert et moi, voir si les enfants étaient prêts. La tension ambiante influait aussi sur eux : ils étaient silencieux, contrairement à leurs habitudes. Cette chère Lady Lyttleton était pour sa part un monument de calme. Alice accourut vers son papa dès qu'elle le vit, tandis que Vicky, cramponnée à la main de sa gouvernante, me demandait d'un ton grave :

— Maman, si le bébé pleure, ne va-t-il pas nous trahir ?

J'échangeai un regard avec Laddle. Depuis l'arrivée des exilés français, nos enfants avaient joué avec les plus jeunes d'entre eux, et Vicky avait entendu de nombreux récits d'évasion dramatiques.

— Voyons, Pussy, nous ne sommes pas en danger !

— Mais nous nous enfuyons, n'est-ce pas, maman ? insista Bertie.

Je n'aurais su dire s'il attendait des paroles rassurantes ou s'il brûlait de vivre une grande aventure.

— Nous allons simplement en voiture à la gare, expliquai-je, puis nous prendrons le train et le bateau pour Osborne.

— Ainsi, tu pourras voir si les travaux de Mr. Cubitt ont progressé, ajouta Albert.

Bertie hocha la tête sans grand enthousiasme, mais Affie intervint aussitôt.

— Nous pourrons aider le monsieur qui mélange le ciment, comme la dernière fois ?

— Oui, à condition de bien obéir à Laddle pendant tout le voyage. Mais les voitures doivent nous attendre, fit remarquer Albert en tirant sa montre de son gousset. Il est temps de descendre.

Les chevaux franchirent les grilles sous une pluie battante. Pourquoi ces rues familières me semblaient-elles soudain si menaçantes ? Le nez collé aux vitres, je me demandais pourquoi les gens étaient si nombreux, puis, l'instant suivant, je m'étonnais au contraire qu'ils soient si peu — tout me semblait de mauvais augure... Albert me tenait la main et je sentais de l'électricité dans l'air.

Autour du palais de Westminster, la circulation et la foule avaient leur aspect coutumier. Grimpés sur des échafaudages, des ouvriers s'affairaient sur les délicates flèches gothiques de Pugin s'élançant vers le ciel. Les travaux seraient bientôt terminés — à condition que la populace en furie n'y mette pas le feu, dans un désir de vengeance, me dis-je en frissonnant. L'artillerie déployée sur le pont de Westminster me rassura et m'inquiéta à la fois ; une frégate se balançait doucement sur le quai. Qui se serait douté qu'elle était pleine à ras bord d'hommes armés ?

Nous arrivâmes à la gare de Waterloo à dix heures et demie précises, entre deux rangées d'agents spéciaux de la police. Richard Mayne, entouré de plusieurs officiers supérieurs, nous accueillit.

— Nous avons fait dégager la gare, me déclara-t-il. Le train est prêt à partir dès que vous serez montés.

Nous traversâmes le hall vide, dans un silence sépulcral, nos pas résonnant étrangement. Je m'attendais, d'un instant à l'autre, à entendre la détonation d'une arme à feu — j'en avais déjà l'expérience ! Perché dans les chevrons, un tireur était peut-être en train de me viser comme celui qui guettait l'amiral Nelson depuis une tourelle de l'arrière-pont, sur le *Victory*... Galvanisée par cette idée, je relevai la tête : j'étais fille de soldat, et si je devais tomber sous les balles d'un assassin, que ce soit avec dignité !

J'arrivai malgré tout soulagée dans le compartiment royal, et je m'allongeai avec plaisir sur un sofa, la tête sur des coussins. Aussitôt les portes fermées, le train se mit en marche lentement, puis fonça à travers les faubourgs crasseux et la verte campagne encore humide, à une vitesse qu'Albert n'aurait guère appréciée en temps normal. Mais, pour une fois, il ne trouva rien à redire ! Excités par la vitesse, nos enfants se détendirent et se montrèrent bientôt aussi bruyants et turbulents que d'habitude. Puis le bébé se mit à pleurer.

Nous débarquâmes à Osborne à deux heures et quart de l'après-midi. Il pleuvait, et les arbustes verts ruisselaient piteusement. Après le tumulte de Londres, le calme et la solitude avaient un côté angoissant. Ce départ précipité, au moment où survenaient des événements d'une importance décisive, ne m'était guère agréable. Maintenant que nous étions en sécurité, je me reprochais de plus en plus d'avoir quitté Londres.

— Ma place n'est pas ici, grommelai-je au cours du dîner, mais dans la capitale, auprès de mon peuple. Je n'aurais pas dû partir !

— C'est votre peuple que vous fuyez, observa Albert d'un air sombre, penché sur une côtelette.

— C'est faux ! Mon peuple m'aime. Quelques agitateurs sèment le trouble, c'est tout. Je n'avais jamais reculé devant le danger jusqu'à maintenant. Que va-t-on penser de moi ? On va m'accuser de lâcheté, moi, la fille d'un soldat. C'était la dernière chose à faire, au moment où le peuple hésite.

Albert pose sa fourchette d'un air grave.

— Vous prétendiez à l'instant que votre peuple vous aimait, et maintenant vous admettez qu'il hésite. Expliquez-moi clairement le fond de votre pensée !

— Pourquoi cherchez-vous à me mettre dans l'embarras, Albert ? En réalité, vous savez parfaitement ce que je veux dire.

— Serais-je donc capable de lire dans vos pensées ?

Ce fut une pénible soirée...

Le lendemain, le colonel Philipps, écuyer d'Albert, à qui j'avais adressé un télégramme urgent, parcourut les rues de Londres pour connaître la réaction populaire face à mon absence. « Le courage de Sa Majesté est si bien connu de tous que je n'ai entendu personne exprimer l'idée que son départ était motivé par des inquiétudes personnelles », m'écrivit-il dans son rapport. Une fois rassurée, il ne nous resta plus qu'à attendre la suite des événements. Dans l'intérêt de notre famille, nous fîmes bonne figure Albert et moi, mais les quarante-huit heures séparant notre arrivée à l'île de Wight du rassemblement me parurent les plus longues de ma vie.

Le 10 avril, à deux heures précises, un message télégraphique de Lord John Russell me fut transmis via le *Victory*, qui mouillait en rade de Portsmouth. Incapable de fixer mon regard sur le papier qui tremblait dans ma main, je le tendis à Albert.

— Lisez-le-moi, le priai-je, m'attendant au pire.

— « À l'intention de la Reine... » lut-il. (Puis il parcourut les quelques lignes du regard, et esquissa un sourire, avant de poursuivre :) « Le rassemblement de Kennington Common s'est dispersé dans l'ordre. L'idée d'un cortège a été abandonnée et la pétition sera portée discrètement à la chambre des Communes. Aucun trouble n'est à signaler ; l'armée ne s'est pas montrée. »

Avant le soir, nous eûmes un compte rendu détaillé des événements : le rassemblement avait été un échec cuisant... Le nombre, très réduit, des partisans d'O'Connor variait selon les estimations. Environ quinze mille d'après Russell ; vingt mille d'après le *Times* — en comptant les curieux ! À dix heures, le chariot contenant une montagne de pétitions avait quitté le quartier général des chartistes, tiré par six chevaux de trait. Les boutiques étaient closes, les rues emplies de citoyens assermentés faisant fonction d'agents de police, mais il n'y avait pas un seul soldat en vue. Toute la matinée de petits cortèges, à dominante irlandaise, avaient convergé vers Kennington Common, éveillant la curiosité plutôt que l'enthousiasme parmi les passants. Après quelques discours peu enflammés, un cortège s'était formé derrière le chariot des pétitions qui se dirigeait lentement vers Westminster.

Laissant à peine le temps aux premières voitures de s'ébranler, un agent de police annonça poliment à O'Connor que

Mr. Mayne souhaitait s'entretenir avec lui. O'Connor retrouva donc Richard Mayne et Lord John Russell attablés au coin du feu dans un pub tout proche — sans doute devant quelque boisson remontante. Le directeur de la police lui annonça que leur réunion ne soulevait pas d'objection, mais que le cortège ne serait pas autorisé à franchir la Tamise. Il pouvait appeler un fiacre — ou même deux ou trois — pour déposer la pétition à Westminster.

Le visage blême, selon Russell, O'Connor serra la main de Mayne et se hâta d'aller demander à ses partisans de se disperser. Une pluie battante s'étant mise à tomber, la foule avait déjà commencé à se désagréger. Quelques petits groupes essayèrent d'entamer des discours, mais avant deux heures moins le quart, la place était presque déserte, et la police autorisait les derniers traînards à franchir les ponts pour rentrer chez eux.

Trois fiacres, hélés par un agent de police, déposèrent O'Connor et deux de ses hommes à Westminster. Là, les pétitions furent remises à un employé, puis disparurent dans quelque obscure antichambre — autant dire dans un éternel oubli... On découvrit par la suite que certaines signatures — dont celles de la reine Victoria, de Sir Robert Peel et du duc de Wellington — étaient des faux manifestes, ce qui discrédita O'Connor. Quelques mois plus tard, son mouvement s'effondrait, faute de partisans et de subsides.

— Cependant, me déclara Albert, nous ne devons pas ignorer les griefs légitimes des plus pauvres. Certains membres des classes laborieuses vivent dans des conditions sanitaires effroyables et n'ont aucune possibilité de s'instruire ni d'améliorer leur sort. Si nous voulons réellement éviter une révolution, il nous incombe de les protéger, afin de nous montrer dignes de notre rang.

— Vous avez raison ! m'écriai-je, impressionnée par ses paroles. Un bon chrétien, surtout s'il est roi, doit aider son prochain, mais que faire ?

Albert se mit à tourner en rond comme un lion en cage.

— Les problèmes de logement sont particulièrement dramatiques. Je souhaiterais tant faire démolir ces affreux taudis, derrière Westminster, et les remplacer par des logements corrects ! Comment peut-on vivre dans une telle misère à deux pas du palais de Buckingham ? Avez-vous conscience que des familles entières vivent dans une seule pièce et parfois dorment à sept dans le même lit ?

Pour Albert qui rêvait d'espace et de solitude, l'idée d'une telle cohabitation devait être particulièrement insupportable. Pour ma part, il m'arrivait de me demander si ces gens ne trouvaient pas agréable de se blottir les uns contre les autres, surtout par les grands froids. Et s'ils ne voulaient pas partager le même lit, pourquoi ne dormaient-ils pas à même le sol ? Mais, au nom des valeurs familiales, j'approuvais Albert. Un logement correct et propre, avec un nombre de pièces suffisant pour protéger les plus jeunes de la promiscuité, n'était-il pas le minimum auquel pouvait légitimement prétendre une famille digne de ce nom ?

— Eh bien, que faire ? demandai-je à nouveau, impressionnée par l'ampleur de la tâche.

Albert réfléchit un moment.

— Demandons conseil, conclut-il. Envoyons chercher Lord Ashley.

Ce que nous fîmes... Le grand philanthrope Lord Ashley, futur comte de Shaftesburg, vint nous rejoindre à Osborne le 19 avril. Toute la journée, nous nous promenâmes sur nos terres, discutant de la condition des classes laborieuses et de ce que nous pourrions faire pour leur venir en aide.

Ashley partageait mon avis concernant leur état d'esprit.

— Ce sont de braves gens, d'une grande loyauté, me dit-il. Il leur faut un peu plus de confort et quelques améliorations pour rendre leurs logements moins insalubres. C'est d'un peu de sympathie et de bonté, qu'ils ont besoin, pas d'une « charte ».

Plus concrètement, il suggéra qu'Albert ouvre la voie en se plaçant à la tête de différentes associations caritatives. Dans un premier temps, il lui proposa de visiter en sa compagnie les quartiers les plus misérables du Strand et d'être son invité d'honneur à une réunion de la Société pour l'amélioration de la condition des classes laborieuses.

Albert se lança avec succès dans cette voie et ce fut un nouveau sujet d'intérêt dans sa vie. Je veux dire un intérêt actif — car nous nous préoccupions depuis longtemps lui et moi de la situation dramatique de certaines personnes, malgré les progrès rapides réalisés au XIXe siècle. J'avais toujours trouvé injuste que ceux qui travaillaient le plus dur soient aussi privés de distractions. Mal nourris et mal logés, pourquoi n'auraient-ils pas au moins le droit de se changer les idées ?

C'est pour cela que je me suis toujours insurgée contre nos sinistres et sacro-saints dimanches anglais. Les bourgeois peuvent respecter sans peine le « sabbat » dans leurs intérieurs confortables ; mais s'il n'y a, le dimanche, ni musées ouverts, ni fanfares dans les parcs, ni foires, ni bals, quel autre jour nos travailleurs peuvent-ils se distraire ? On peut aller à l'église sans se priver pour autant d'une heureuse journée, et ce n'est pas en renonçant à d'innocents plaisirs que les classes populaires s'ouvriront davantage aux enseignements chrétiens. Dans ma propre famille, j'ai d'ailleurs cherché à supprimer les restrictions qui rendent le dimanche si déplaisant. (Un évangéliste fort impertinent s'étant étonné un jour que mes enfants aient le droit de jouer au tennis le jour du Seigneur, je lui répondis que je les priais de ramasser eux-mêmes leurs balles ce jour-là, alors qu'en semaine les domestiques s'en chargeaient.)

À son propre intérêt pour la construction de logements corrects, Albert ajouta donc mes préoccupations personnelles concernant le développement des loisirs. Les bibliothèques publiques, les parcs, les promenades, les musées, les salles de lecture et toutes les institutions dignes d'intérêt, reçurent son appui. Il ouvrit des souscriptions, assista à des réunions et des inaugurations, prit la parole à des banquets, organisa des collectes, et accepta des présidences à titre honorifique. Ces responsabilités pesaient lourd sur ses épaules et l'éloignaient de moi beaucoup plus souvent que je ne l'aurais souhaité. Mais nous savions tous deux que nous n'avions pas été mis sur terre pour notre seul plaisir, et le bonheur de venir en aide aux plus démunis nous récompensait de nos efforts.

AUTOMNE

16

Osborne, 20 août 1900

Je rêve que je suis seule dans un grand édifice regorgeant de trésors merveilleux. J'avance lentement le long des bas-côtés, éblouie par les ors et la pourpre, les marbres et les cristaux étincelants. Au loin, une brume légère s'est levée ; l'air est doux et parfumé comme en mai, un sentiment délicieusement paisible m'envahit, et pour comble de félicité, j'ai l'impression de sentir la présence d'Albert autour de moi. J'ouvre grand les yeux et je m'émerveille, mais j'éprouve un trouble étrange. Pourquoi suis-je ici ? Pas seulement pour le plaisir mais pour apprendre. *Quelle leçon en as-tu tirée, Victoria ?* Je reconnais sa voix sage et posée, joyeuse malgré son intonation solennelle. Étonnée, je regarde autour de moi...

Rien ne se perd, tout a un but et concourt à la gloire de Dieu, murmure sa chère voix, à la fois proche et lointaine dans l'immensité qui m'entoure. Ses lèvres effleurent mon front et sa présence m'emplit de béatitude. *Sois en paix, je suis près de toi...* En effet, sa présence et son influence sont partout. Je sais de quoi je rêve ; il est temps d'en parler. Il s'agit d'un souvenir heureux, que je dois évoquer d'un cœur joyeux et d'une plume légère.

La haute société — les aristocrates et les riches oisifs que j'appelais les « mondains » — n'a jamais apprécié mon bien-aimé Albert. Sa grande timidité et sa réserve donnaient une impression de *hauteur*[1], or les gens n'aiment pas se sentir méprisés ; mais, surtout, en leur âme et conscience, ils le savaient supérieur à eux et en éprouvaient du ressentiment. Mais comment aurait-il pu ne pas regarder de haut ces purs

1. En français dans le texte. *(N.d.T.)*

produits du libertinage de la régence — ces cyniques aux mœurs dépravées, s'adonnant au jeu et à la boisson, indifférents à la respectabilité et tolérant tout sauf la critique ? Quant à eux, comment auraient-ils pu s'accommoder de cet idéaliste vertueux, studieux, diligent et cultivé, qui avait le tort d'être allemand et de ne pas s'intéresser le moins du monde aux races des chevaux ?

Alors que les mondains gravitaient naturellement autour des salles de jeu et des champs de courses, Albert fréquentait les sociétés éclairées dont les membres — au moins en théorie — avaient pour idéal la recherche et la diffusion de la Vérité et des Lumières. Dans ces imposants édifices néo-classiques, avec leurs immenses bibliothèques, leurs salles de lecture lambrissées, leurs corridors retentissant d'échos, leurs bustes de marbre, il trouvait une atmosphère propice à son esprit supérieur. *Es bildet ein Talent sich in der Stille*, dit Goethe — « Le génie se développe dans les endroits tranquilles ».

La plus éminente de ces sociétés était la Société pour le développement des arts, des manufactures et du commerce, connue sous le nom de Société des Arts. Albert en devint président en 1845 et lui fit accorder la Charte royale. Cette présidence lui permit de contrarier plus de mondains à la fois qu'il n'aurait rêvé de le faire. Elle eut aussi une conséquence — grave celle-ci — que nous ne pouvions prévoir. Mais, l'aurions-nous imaginée, je ne sais s'il aurait agi autrement... Mon mari avait une conception de l'existence très personnelle — en tout cas fort différente de la mienne — qui lui permettait de distinguer les méandres plutôt que les lignes droites.

L'Exposition universelle fut une idée d'Albert. Plusieurs personnes — Henry Cole ne fut pas le moins véhément — en ont revendiqué la paternité ; mais je puis affirmer qu'Albert les avait devancés, car ce projet naquit à la suite d'une discussion que nous eûmes un soir de 1848.

À l'époque, l'Europe était en pleine effervescence, les nationalismes s'enflammaient, et on ne pouvait exclure l'hypothèse d'une guerre.

— Les affrontements entre nations sont une pure folie, me dit Albert d'un ton passionné. Personne n'y gagne, tout le monde y perd. La guerre engendre le deuil et la pauvreté.

— Lord M. estimait que toutes les guerres ont des motivations commerciales, quoi qu'en disent les politiciens, répliquai-je, penchée sur ma tapisserie. Je suppose qu'on ne peut empêcher les gens de convoiter le territoire de leur voisin.

Albert accompagna ses objections d'un geste énergique.

— Non, nous ne sommes plus des tribus primitives, s'entretuant pour un terrain de chasse ! Nous vivons dans des sociétés complexes, commerçant entre elles et interdépendantes. On ne vole pas son voisin sans se voler soi-même. Comment les hommes peuvent-ils être assez présomptueux pour s'imaginer qu'un bien permanent peut naître d'une perte infligée à un autre pays ?

— Si seulement tout le monde pensait ainsi ! répondis-je, pensive, après avoir posé mon ouvrage.

Il s'avança vers moi, les yeux brillants, sans écouter mes paroles.

— Savez-vous, Victoria, me dit-il, je pense qu'il y a enfin une chance pour que l'unité du genre humain se réalise. Jusqu'à maintenant, les problèmes de temps et d'espace ont fait obstacle à l'évolution du monde. Pouvait-on considérer comme nos frères les hommes de lointains pays avec lesquels nous communiquions difficilement ? Le chemin de fer, le télégraphe, les bateaux à vapeur capables de franchir les océans ont aboli les distances. Notre siècle permettra aux nations de se comprendre et de fraterniser dans la civilisation !

— De quelle manière ?

Je n'aurais pas dû interrompre son envolée en l'interrogeant sur des points de détail.

— Je l'ignore, me répondit-il après un moment de silence. Mais j'ai la certitude que rien n'est possible sans le libre-échange, sans la suppression de toutes les barrières douanières entre pays. Depuis que les événements de 1815 se sont répercutés sur notre commerce, nous savons que la prospérité de chaque nation est à la base de la prospérité générale. L'Angleterre doit donner l'exemple ! Nous sommes le berceau de la démocratie et de l'industrialisation. Nous prouverons au monde que la paix et la prospérité vont de concert, et que toutes deux dépendent de la libre concurrence et de l'échange des idées.

Ce fut notre première conversation à ce sujet, lequel devint bientôt la préoccupation majeure d'Albert. Il fallait rassembler toutes les nations du monde ; organiser un grand rassemblement, non de politiciens douteux et corrompus, mais d'industriels et de commerçants, afin de faire le point et d'inaugurer une ère nouvelle.

Restait à savoir comment...

L'idée d'une exposition se concrétisa dans les premiers mois de 1849. L'exposition des arts et manufactures, organisée tous les cinq ans à Paris par le gouvernement français, aurait lieu l'été suivant. La Société des Arts voulait depuis longtemps s'en inspirer pour l'Angleterre, mais aucun projet n'avait abouti. Le 30 juin, Albert convoqua au palais de Buckingham quatre de ses membres éminents — Thomas Cubitt, le dynamique Henry Cole, Fancis Fuller qui revenait de l'exposition parisienne, et Scott Russell, le secrétaire de la Société.

Il leur proposa d'organiser à Londres, en 1851, une exposition des arts et de l'industrie ouverte aux produits étrangers, à la différence de la manifestation française. Il souhaitait mettre sur pied, pour la première fois au monde, une foire d'une ampleur internationale. Chaque nation y contribuerait en présentant ses matières premières et ses meilleures réalisations sur le plan artistique et technique. Cette exposition serait le vivant symbole du niveau de développement atteint par l'humanité entière, et le point de départ des conquêtes futures.

— Nous allons détourner l'esprit des hommes de l'agressivité militaire en le dirigeant vers la compétition économique, déclara-t-il.

— Je crains que nos industriels ne soient pas favorables à une plus grande concurrence, objecta Scott Russell. Quel avantage y trouveront-ils ?

Albert resta imperturbable.

— La concurrence internationale sera bénéfique à l'humanité entière ! Elle accroîtra la qualité et la quantité de la production, elle ouvrira de nouveaux marchés et offrira un champ plus grand à l'invention et à l'originalité — ce qui donnera un niveau de vie plus élevé aux nations concernées...

— Nos chefs d'industrie comprendront-ils ce point de vue ? insista Russell.

— En tout cas, il se feront une joie d'exhiber leurs produits, intervint allègrement Henry Cole. Ils ont une si haute idée d'eux-mêmes qu'ils seront persuadés de pouvoir devancer tous leurs concurrents étrangers.

Une exposition internationale devait avoir le soutien du gouvernement, chargé de solliciter la contribution des pays étrangers. Quinze jours plus tard, se tint une deuxième réunion. Outre le même groupe, y assistaient Sir Robert Peel (l'allié naturel d'Albert dans cette affaire, en tant que fils d'industriel), et un ou deux membres du cabinet, dont Labouchère, le président de la Chambre de commerce.

Je vois encore l'air déconfit d'Albert après cette réunion.

— Un vrai cercle vicieux ! me confia-t-il. Le gouvernement ne veut pas s'engager tant qu'il n'a pas la preuve que ce projet éveille l'intérêt du pays. Or, comment pourrions-nous obtenir la participation des industriels sans les assurer du soutien du gouvernement ?

Je lui suggérai de réunir une commission royale.

— Ce sont bientôt les vacances parlementaires, me répondit-il en hochant la tête ; une demande de commission royale ne peut donc être présentée au Cabinet avant le mois d'octobre. Labouchère estime que nous devrions nous prévaloir d'ici là d'un soutien — surtout financier.

— Vous faut-il beaucoup d'argent ?

— Nous devrons faire construire un nouvel édifice, car nous ne disposons pas de locaux convenables. Cubitt évalue le projet à soixante-quinze mille livres. Et puis il faudra décerner des prix pour attirer les exposants, sinon ils ne viendront pas : les industriels redoutent toujours qu'on ne leur vole leurs idées. Des prix substantiels qui motiveront les meilleurs d'entre eux ! Fuller avance le chiffre de vingt mille livres.

— Donc, environ cent mille livres. Où les trouverez-vous ?

— La Société n'a pas de fonds propres. Nous ouvrirons des souscriptions, mais sans le contrôle d'une commission royale — et sa garantie de respectabilité et d'impartialité — personne ne s'intéressera à notre projet.

— En somme, il vous faut une commission pour gagner la confiance du public, mais vous n'en obtiendrez une que si vous pouvez donner la preuve de cette confiance... Êtes-vous persuadé qu'un projet d'une telle envergure peut soulever un réel intérêt dans le pays ?

— Une fois lancé, il avancera tout seul. Mais comment le mettre en route ? Toute la difficulté est là.

Albert me semblait abattu : les esprits enthousiastes se laissent souvent arrêter par des obstacles mineurs qui ne troublent guère les gens — comme moi — de simple bon sens.

— On ne peut rien obtenir du Cabinet avant octobre, mais en attendant rien ne vous empêche de préparer l'opinion. Sachant que vous êtes à l'origine de ce projet, personne ne doutera de son intérêt. Envoyez vos amis de la Société des Arts informer les industriels, les maires et les chambres de commerce. Si vous leur donnez des lettres d'introduction et s'ils font bien leur travail, tout le pays parlera de l'exposition avant la prochaine session parlementaire, et le gouvernement n'aura plus qu'à s'incliner.

Il n'en fallut pas plus pour convaincre Albert. Son visage s'éclaira, et il me baisa la main en murmurant :

— Ma petite femme clairvoyante, vous avez raison. C'est exactement ce qu'il faut faire !

Cole et Fuller, les deux membres les plus dynamiques du groupe, firent le tour des grands centres industriels d'Angleterre, d'Écosse et d'Irlande et rédigèrent avant octobre un rapport très positif. Ce projet éveillait un vif intérêt parmi les industriels, mais aussi parmi les commerçants, les banquiers et même les personnes sans lien direct avec le monde des affaires. De plus, tout le monde semblait apprécier son caractère international et en comprendre la signification exceptionnelle. Quant à l'idée de décerner des prix, Cole et Fuller la jugeaient maintenant superflue : les gens voulaient exposer leurs produits, les comparer à ceux des autres nations et réfléchir aux moyens de les améliorer. « Donnez-nous un bon emplacement, nous ne demandons pas d'autre faveur », déclara un groupe du Lancashire, tandis qu'Edimbourg estimait que la compétition économique ne pourrait que contribuer à « arrondir les angles entre les nations » ; Manchester, pour sa part, jugeait la libre concurrence profitable à tous.

Munie de ce rapport, la Société invita à Mansion House quatre cents personnages influents de la City, devant lesquels Henry Cole fit un brillant discours. Il décrivit toutes les merveilles qu'offrirait l'exposition, insistant sur l'intérêt pour l'humanité entière et pour Londres en particulier de « cette célébration, unique au monde, de l'industrie de paix ». Le public lui fit une véritable ovation et les plus grands financiers du pays furent gagnés à sa cause. À ce stade, le *Times* se prononça pour l'exposition et présenta Albert, qui en avait eu l'idée, comme un bienfaiteur. Une semaine après, le gouvernement, soumis à cette pression indirecte, surmonta toutes ses réticences et accepta de former une commission extra-parlementaire.

Le principe de la grande exposition universelle était désormais acquis ; restait maintenant à l'organiser. La masse énorme de travail et de soucis qui allait écraser Albert commença ainsi à dévaler doucement la pente dans sa direction..

21 août 1900

Parmi les commissaires — dont les noms furent publiés le 4 janvier 1850 — figuraient Albert (président), Lord Granville (vice-président), Peel et Russell, qui situés aux deux pôles, garantissaient un soutien politique au-dessus des partis. Il y en avait au total vingt-quatre, mais la plupart jouaient un rôle symbolique, sans participation active. C'est à Granville, homme fin, cultivé, travailleur et d'humeur égale, qu'Albert finit par s'en remettre presque entièrement.

Il fallut ensuite trouver des fonds. Albert ayant persuadé le Duc de mettre son nom en tête de liste, la souscription connut un grand succès. Ma contribution fut de mille livres, celle d'Albert de cinq cents livres ; au bout de six semaines quinze mille livres avaient déjà été collectées ! Un ouvrier envoya un shilling avec une lettre très touchante, et Henry Cole, qui s'évertuait à faire connaître le projet et à soutirer de l'argent de toutes les poches — riches ou pauvres — la fit publier dans le *Times*.

Encore fallait-il décider de l'édifice où se tiendrait l'exposition. Des demandes d'information arrivaient du monde entier, et, comme il semblait impossible de connaître le nombre même approximatif des exposants et la quantité d'articles exposés, les commissaires durent fixer arbitrairement la taille du bâtiment. Il couvrirait huit cent mille pieds carrés — quatre fois la surface de la plus grande exposition jamais organisée.

Mais où trouver un terrain d'une telle superficie ? Albert proposa Leicester Square, un vaste espace non encore urbanisé, mais entouré de zones pauvres et à l'abandon qui risquaient de faire mauvaise impression sur les visiteurs. Henry Cole suggéra Hyde Park, ce beau et grand jardin du centre de Londres. Toujours dynamique, il emmena sa femme et ses enfants s'y promener un dimanche, après le service religieux, et ils marchèrent jusqu'à ce qu'il découvre l'endroit idéal — entre Albert Gate et Prince's Gate, la rivière Serpentine et la caserne de cavalerie de Knightsbridge. Albert approuva ce choix ; moi de même lorsque j'eus l'assurance que les mouvements de cavalerie ne seraient pas entravés. La question nous parut réglée...

À quoi ressemblerait le nouvel édifice ? Un comité de construction, composé de deux commissaires, trois architectes et trois ingénieurs civils (dont Mr. Brunel, l'homme des chemins de fer), décida que, le temps pressant, un concours serait le moyen le plus rapide de recueillir des idées intéressantes. Le 13 mars, un appel fut lancé au public anglais et étranger, invitant chacun — architecte ou amateur — à faire part de ses suggestions quant au bâtiment, et ce, avant le 8 avril.

Malgré les délais limités, deux cent quarante-cinq projets — du plus fantaisiste au plus démesuré — furent soumis. Le comité les rejeta tous en moins de temps qu'il ne fallait pour le dire et publia un rapport selon lequel aucun de ces plans, bien que parfois très judicieux, ne convenait à une exposition internationale. Il se proposait donc d'élaborer un projet sérieux, qui mettrait en valeur les caractéristiques particulières de l'industrie anglaise du bâtiment. Après quoi, il s'enferma pour réfléchir, et nous attendîmes en silence le résultat de ses cogitations.

Si seulement le reste du pays avait gardé le silence lui aussi ! Tandis que le comité délibérait, une violente réaction dénonçant l'euphorie générale se fit jour, bientôt relayée par les journaux. L'attaque avait été lancée à la Chambre des communes par Lord Brougham, un ancien partisan de l'exposition. Selon lui, on allait étouffer Hyde Park, « poumon de la capitale », par une énorme bâtisse payée par les Anglais pour promouvoir l'industrie étrangère.

À la Chambre, il reçut l'appui du colonel Sibthorpe, un petit homme truculent, à la barbe noire hiruste et à l'œil de verre étincelant, qui avait horreur des innovations et rejetait à priori toute idée postérieure à 1815. Il avait découvert que dix ormes de Hyde Park, marqués au blanc de chaux, seraient abattus pour la réalisation du projet. Ces ormes étaient la propriété du peuple, qui allait être victime de la plus grande escroquerie du siècle et devenir la risée des étrangers, ravis de se remplir les poches à ses dépens...

Le *Times* se mit de la partie, en prétendant qu'Hyde Park et Kensington Gardens deviendraient le bivouac de tous les vagabonds de la capitale comme au moment du couronnement, à la différence près que cette fois les ennuis dureraient plusieurs mois ! Tout le voisinage en pâtirait — les belles demeures de Kensington Gore et de Park Lane seraient mises à sac, les servantes violées, les cavaliers privés de leur exercice quotidien sur Rotten Row. Hyde Park serait saccagé, on abattrait des arbres, les enfants perdraient leur terrain de jeux, et plus personne ne dormirait tranquille. Le prince Albert, concluait l'article, devrait y réfléchir à deux fois avant d'associer son nom à une telle infamie.

Sur ces entrefaites, le projet du comité de construction fut publié le 27 juin. L'opposition l'accueillit avec des cris d'horreur et force railleries, Albert se limitant pour sa part à un gémissement affligé. Leur plan était monstrueux ! La bâtisse, quatre fois plus longue que l'abbaye de Westminster, était surmontée d'un dôme plus imposant que celui de Saint-Pierre de Rome ! En outre, de grandes arcades, influencées par Brunel, rappelaient nettement la gare de Paddington.

Nous regardâmes un moment ce plan en silence, Albert, Granville et moi, puis ce dernier grommela :

— Un véritable hall de gare, entré en collision avec un observatoire...

— Ils vont nous ridiculiser ! s'écria Albert.

— On dirait qu'ils font le jeu de l'opposition, admit Granville. Nous leur avons demandé un édifice provisoire, et ils nous proposent de la pierre, de la brique et du fer. Un bâtiment aussi solide que le palais de Buckingham !

— Cela prendra au moins un an pour le construire, et nous en aurons pour plus de cent mille livres, renchérit Albert.

— Il faudra aussi une chaufferie, observai-je, toujours penchée sur le plan. Des cheminées et des pompes à vapeur au milieu de Hyde Park, quelle horreur !

Albert semblait inquiet : nous étions déjà en juin, et l'exposition devait ouvrir moins d'un an plus tard, en mai 1851.

— Ce projet est inacceptable, conclut-il d'un air sombre.

Les lettres de protestation affluaient à l'intention des commissaires, et surtout d'Albert. Des solutions de rechange sans grand intérêt paraissaient dans les journaux, et les deux Chambres étaient en ébullition à propos du site et du type de bâtiment. Une association de protection de l'environnement présenta même une pétition aux Communes pour « sauver les arbres de Hyde Park ».

Tout allait de mal en pis...

Le 29 juin à midi, Sir Robert Peel assista, au palais de Buckingham, à une réunion des commissaires de l'exposition. Le débat sur le choix du site s'ouvrirait le 4 juillet, et Peel — qui nous soutenait — serait notre porte-parole. La décision fut prise de renoncer à l'exposition si le gouvernement nous refusait Hyde Park.

Après la réunion, nous eûmes, Albert et moi, une entrevue privée avec Peel. Il était question de créer une allée cavalière provisoire à Kensington Gardens, afin de remplacer la partie de Rotten Row dont seraient privés les cavaliers pendant la durée de l'exposition.

— J'ai écrit aux Bois et Forêts, précisa Albert en m'adressant un sourire complice, mais la réponse de Lord Seymour a été des plus sèches. Il estime que le sol est trop meuble pour permettre le passage des chevaux et qu'une clôture coûterait cher.

— Lord Seymour a tout d'un protectionniste, fit remarquer Peel. Il est ravi d'avoir trouvé un prétexte pour faire obstacle à l'exposition !

— D'ailleurs, je doute que le sol soit plus meuble ici qu'à Hyde Park en mai, juin, et juillet, ajoutai-je. Sans compter que, même en dehors de cette période, les cavaliers ont parfois des surprises, où qu'ils aillent.

Peel ayant acquiescé, Albert suggéra que Lord John Russell ait un entretien privé avec Lord Seymour, à ce sujet.

— Quant à la clôture, ajouta-t-il, je ne pense pas qu'elle soit très coûteuse.

— Les Bois et Forêts ont certainement de nombreuses grilles en stock, m'exclamai-je. Ils passent leur temps à les mettre en place et à les retirer !

— Fort juste, madame, approuva Peel. Et s'ils en manquent, ils peuvent en louer pendant quelque temps.

— À St. James Park, il y a une quantité d'enclos en bois qui devraient être remplacés par des grilles métalliques. Les grilles utilisées pour l'allée cavalière de Kensington Gardens pourraient être transférées à St. James après l'exposition, suggéra Albert.

— Voilà une excellente idée ! m'écriai-je, admirative. De quoi mettre Lord Seymour au pied du mur.

— Peut-être, admit Peel, l'air toujours aussi préoccupé, mais il ne faut pas négliger la force de l'opposition, madame, et je ne suis guère optimiste quant à l'acceptation du site de Hyde Park.

Albert se rembrunit.

— Un refus nous obligerait à tout annuler, dit-il, et ce serait un désastre! Rappelez à Palmerston que vingt-trois nations étrangères ont déjà pris la décision d'exposer ; rappelez à Labouchère que deux cent quarante comités locaux se sont créés à travers tout le pays ; enfin, rappelez à George Grey que la souscription s'élève déjà à soixante-quatre mille livres, et que, partout, des ouvriers organisent des collectes afin de pouvoir venir à Londres visiter l'exposition. Il est trop tard pour reculer. Dites-le à Russell et faites en sorte de convaincre les Communes !

Peel s'inclina avec son sérieux habituel.

— Votre Altesse Royale peut compter sur moi.

— Je sais que vous êtes notre meilleur soutien, Sir Robert, lui répondis-je en lui tendant la main.

Lorsque la porte se fut refermée, Albert resta un moment pensif et murmura à voix basse :

— S'il n'obtient pas gain de cause, tout est perdu.

— Cher Albert, ne prenez pas cette affaire trop à cœur, répliquai-je doucement. Vous avez fait tout ce qui était en votre pouvoir.

Je faillis lui dire qu'il s'agissait d'une simple exposition et qu'un échec ne serait pas une catastrophe nationale, mais il était si motivé par ce projet qu'il le considérait comme une sainte croisade...

— Faites confiance à Sir Robert, insistai-je. Il saura convaincre la Chambre des communes.

Depuis sa démission, Peel n'appartenait plus à aucun parti, ce qui le mettait en position de force pour influencer les Communes. Le sachant, Albert retrouva un certain calme et m'exposa ses projets concernant le drainage du site.

Peu de temps après, mon cousin George vint nous apporter la terrible nouvelle qui pouvait tout remettre en cause. La jument brune de Peel, ayant fait un faux pas en remontant Constitution Hill, était tombée, coinçant son cavalier sous elle. Peel avait été piétiné par l'animal quand celui-ci s'était relevé. Un passant l'avait ramené chez lui en voiture, puis avait aussitôt fait venir le médecin. Tout laissait supposer que Peel était dans un triste état.

Albert se rendit immédiatement chez Peel afin de prendre de ses nouvelles. Quand il revint, il était bouleversé.

— Comment va ce cher Sir Robert ? demandai-je.

— Il souffre beaucoup !

— Le pauvre homme, lui qui ne supporte pas une piqûre d'aiguille ! Mais que disent les médecins ?

— Il souffre trop pour qu'ils puissent l'examiner à fond. Il s'agit probablement d'une fracture de la clavicule ou de l'épaule. D'ici un ou deux jours, ils en sauront davantage.

— Prions Dieu que ce ne soit pas plus grave ! Je vais envoyer Sir James Clark à son chevet pour être certaine qu'il bénéficie des meilleurs soins.

— Il y avait foule autour de sa maison, surtout des pauvres.

Ce n'est pas sans raison qu'ils l'adorent : ils savent à qui ils doivent la baisse du prix du pain.

— D'autres que les pauvres partagent ce sentiment ! m'exclamai-je.

Albert esquissa un sourire mélancolique.

— En effet, le Duc lui-même arrivait au moment où je partais.

Clark se rendit à Whitehall Gardens et revint optimiste : il s'agissait d'une simple fracture de la clavicule. Malgré son embonpoint, sa goutte et sa tension, Sir Robert allait se remettre... Je fus rassurée. Albert, qui allait voir Peel chaque jour, restait d'une gravité impénétrable : le blessé était stoïque, mais souffrait le martyre. Un policier, posté devant sa porte, transmettait régulièrement des bulletins de santé à la foule de plus en plus dense qui attendait, angoissée.

Une histoire bizarre se répandit alors : la jument brune, une acquisition récente de Peel, aurait été cédée par son précédent propriétaire parce que celui-ci ne supportait plus les faux pas continuels de l'animal. De là à faire courir le bruit d'un complot... Palmerston objecta que Peel était fort mauvais cavalier, ce que j'avais eu l'occasion d'observer moi-même. S'étant emmêlé dans les rênes au moment de sa chute, il n'avait pu se relever à temps ; la jument ne pouvait être mise en cause.

Le 2 juillet, le médecin personnel de Peel nous avertit qu'il était au plus mal. Une côte brisée avait apparemment transpercé l'un de ses poumons. Après avoir annulé une soirée à l'opéra, nous attendîmes les nouvelles, si anxieux que ni l'un ni l'autre nous n'eûmes le cœur de dîner. Une demi-heure avant minuit, une lettre nous parvint. Incapable de l'ouvrir tant mes mains tremblaient, je la tendis sans un mot à Albert. Il me jeta un regard éploré et la décacheta d'un grand geste nerveux. Sir Robert Peel venait de rendre l'âme.

27 août 1900

Nous avons pris hier sur la terrasse une photo de famille que j'ai envoyée à cette pauvre Vicky. Sa dernière lettre me plonge dans l'inquiétude, car elle est habituellement très stoïque. Elle souffre tant qu'elle doit rester au lit, paraît-il ! Je ne l'ai pas vue depuis l'été 1896, date de sa visite à Balmoral. C'est à son retour qu'elle a fait cette mauvaise chute de cheval. Depuis, elle se plaint de ce qu'elle appelle un « lumbago », mais après les nouvelles alarmantes que je viens de recevoir de Cobourg, j'ai tendance à craindre le pire. Non, je ne peux pas perdre un autre de mes enfants ! J'aimerais tant qu'elle vienne ici, ou aller moi-même la voir, ma Vicky, ma fille aînée ! Elle a beau avoir soixante ans, je n'en suis pas moins sa mère...

Demain, mon bien-aimé Albert aurait eu quatre-vingt-un ans. Je me souviens de ces joyeuses journées d'anniversaire, et des préparatifs pendant lesquels je me réjouissais de le combler de cadeaux. Mais il se plaisait à répéter que mon amour serait toujours le plus précieux des présents. « Malgré tous les orages qu'il a traversés, notre amour reste toujours aussi vert et vivace », m'écrivit-il tendrement le jour de son dernier anniversaire — après plus de vingt années de mariage. Quelle chance nous avons eue de nous aimer jusqu'au dernier instant ! Lorsque nous posions hier devant le photographe, sur la terrasse, j'ai senti comme une chaleur sur ma nuque : Albert se tenait là, derrière moi, occupant sa place dans ce tableau de famille. D'aucuns diront qu'il s'agissait seulement d'un rayon de soleil, mais je sais qu'il est toujours proche de moi en cette période de l'année.

La disparition de Peel porta un coup terrible à Albert : très attaché à lui, il lui faisait confiance en tout. Ils avaient souvent travaillé ensemble, entre autres sur le projet d'exposition. De nombreux points communs les rapprochaient, et Peel, mieux que personne, savait apprécier Albert à sa juste valeur. Cette perte fut d'autant plus éprouvante que George Anson — le secrétaire et ami intime d'Albert — avait succombé à une attaque soudaine au mois d'octobre précédent. « J'ai perdu mon dernier ami ! » soupira Albert en apprenant la mort de Sir Robert Peel.

Je m'inquiétais depuis quelque temps de la surcharge de travail qui pesait sur les épaules de mon bien-aimé. Le 1er mai 1850, j'avais mis au monde Arthur, un heureux événement qui signifiait cependant un surcroît de travail pour Albert. Puis il y eut deux attentats successifs contre ma personne, dans les semaines qui suivirent mes relevailles : le 18 mai, un homme tira sur moi (par chance, avec un pistolet chargé à blanc) ; huit jours plus tard, Pate me frappait au front avec le pommeau de sa canne. À cela s'étaient ajoutées les attaques contre l'exposition, et maintenant la mort de Peel. Albert, accablé de soucis, sombra dans un profond désespoir. J'écrivis à Stockmar une lettre le priant d'accourir : mon pauvre mari avait besoin de ses conseils et de son soutien. Mais il ne put — ou ne voulut — céder à ma demande.

Et soudain, le 4 juillet, un miracle se produisit. Avant l'ouverture du débat aux Communes sur le choix de Hyde Park comme site de l'exposition, Lord Russell évoqua brièvement le souvenir de Sir Robert Peel. J'ignore ce qui se passa dans l'esprit des parlementaires, mais la motion proposée par le colonel Sibthorpe fut repoussée à une forte majorité. Sans doute par respect pour la mémoire de Peel, qui avait été favorable à ce projet, l'opposition s'était tue. Le site de Hyde Park fut donc accepté, et, à la Chambre des lords, Lord Brougham lui-même retira sa motion.

Deux jours après, un second miracle permit de résoudre le problème du bâtiment. Le Comité, devant la levée de boucliers suscitée par son projet, avait revu et corrigé celui-ci dans un esprit d'économie, supprimant — sans doute avec regret — le dôme et autres fantaisies. Toutefois, le projet demeurait trop coûteux, et l'édifice, toujours aussi massif, semblait plus bizarre que jamais après l'opération chirurgicale qu'il avait subie.

D'où vint donc le miracle ? Les travaux de reconstruction du palais de Westminster étaient maintenant très avancés, et une séance parlementaire fictive eut lieu pour contrôler l'acoustique de la nouvelle Chambre des communes. L'un de ses membres, John Ellis, par ailleurs président de la Midland Railways, était accompagné d'un ami ingénieur très intéressé par l'architecture moderne. Cet homme avait notamment conçu des entrepôts de stockage et des serres — dont la gigantesque serre de Chatsworth — et donc résolu de multiples problèmes de chauffage, d'éclairage, de ventilation et de condensation. Il était l'inventeur d'un nouveau type de châssis de fenêtre entièrement métallique, pour lequel il avait reçu la médaille de la Société des Arts, et il s'intéressait passionnément à l'exposition universelle.

Cet homme était naturellement Joseph Paxton, l'ancien jardinier du duc de Devonshire, devenu depuis son ami. Après la séance d'essai, il déclara à Ellis que l'acoustique lui semblait défectueuse. Il craignait, d'ailleurs, que les locaux de l'exposition ne soient guère plus réussis.

— Le problème paraît insoluble, répliqua Ellis. Il faut un

édifice assez grand et solide, mais comment un bâtiment en dur peut-il être temporaire ?

Paxton avait son idée sur la question. Il traça un croquis sous le regard ébahi de son ami, lequel lui proposa de l'emmener à la Chambre de commerce où il pourrait s'entretenir avec Granville.

Le projet de Paxton n'était autre qu'une immense serre. Et, alors qu'un bâtiment traditionnel de brique et de ciment pouvait mettre des mois à sécher, il n'utiliserait que des matériaux « secs » — métal, bois et verre. Tous les éléments seraient fabriqués en série hors du site, et interchangeables. Monté rapidement et modifiable à volonté, l'édifice pourrait être démonté dans les plus brefs délais après l'exposition, et remonté ailleurs pour servir de jardin d'hiver — ou bien stocké dans l'attente d'expositions futures. Avant tout, ce serait une structure légère et gracieuse, adaptée au cadre du parc, et dont l'apparence ne choquerait personne. Enfin, son prix de revient serait inférieur de moitié au prix initialement prévu...

Sur les conseils de Granville, Paxton fit réaliser par son équipe des plans détaillés et les envoya, à peine dix jours après, au Comité de construction. Décidé à s'en tenir à son dernier projet, le Comité les refusa. Paxton eut alors la bonne idée de les confier à l'*Illustrated London News*, qui les publia le 6 juillet. L'enthousiasme du public fut immédiat, les lettres de lecteurs affluèrent... Le comité dut céder, pour la plus grande joie d'Albert et de Granville. Le 15 juillet, il renonçait officiellement à son projet et confiait à une entreprise la réalisation de cette merveille que le *Punch* baptisa « le Palais de Cristal » au mois de novembre suivant !

30 août 1900

Mais l'opposition n'avait pas dit son dernier mot. Le colonel Sibthorpe continua à fulminer conte le coût exorbitant du projet, réalisé avec les deniers des contribuables. Le *Times* estimait que la serre serait inondée les jours de pluie et deviendrait une véritable fournaise sous le soleil. Selon d'autres, la vibration de milliers de pieds ébranlerait l'édifice, une bourrasque le renverserait, une pluie de grêle le réduirait en miettes. Cependant, les travaux progressaient à une vitesse incroyable, et, bien vite, le public s'enticha de cette construction étincelante et enchanteresse, parmi les arbres. Une véritable « manie du verre » prit naissance. L'opposition fourbit alors ses dernières armes dans l'espoir de dissuader les éventuels visiteurs.

Elle persuada l'Astronome royal d'écrire un pamphlet dénonçant le manque de qualification officielle de Paxton : l'édifice serait dangereux et risquait fort de s'écrouler un jour ou l'autre sur la tête des visiteurs. Le colonel Sibthorpe fit à nouveau signer des pétitions pour protéger les derniers ormes du parc. Paxton trouva la réplique à cet argument : il ajouterait un toit voûté au transept pour leur conserver leur place. (Ces malheureux arbres devinrent alors un élément particulièrement remarquable de l'exposition, aux dépens de Sibthorpe qui se sentit quelque peu ridiculisé. Je n'en fus pas mécontente, car je le haïssais depuis qu'il avait pris l'initiative, en 1839, de demander une réduction de la pension d'Albert.)

D'autres membres du Parlement prétendirent que l'afflux d'étrangers allait provoquer une révolution, la fin de la monarchie et l'établissement de la république. Des économistes calculèrent que le prix des matières premières atteindrait un niveau colossal, et qu'un tel afflux de population à Londres provoquerait une pénurie alimentaire, puis la famine. Des médecins prédirent que la promiscuité entre races déclencherait une véritable peste noire en Angleterre. Quant aux théologiens, ils comparèrent le Palais de Cristal à une seconde Tour de Babel, qui attirerait la vengeance de Dieu sur toutes les nations représentées.

Évidemment, Albert était considéré comme le coupable. Tandis que les accusations les plus absurdes pleuvaient sur sa pauvre tête, il se préoccupait jour et nuit d'innombrables points de détail. La disposition des stands, l'attribution d'un espace à chaque État, l'arrivée en temps voulu du matériel exposé... À cela s'ajoutaient l'organisation des transports, les demandes incessantes d'information, les mécontents qu'il fallait calmer et les incidents imprévus ! La Russie avait envoyé ses marchandises avant que le gel ne bloque les ports, mais où pouvait-on les entreposer ? La Suisse tenait à exposer ses fromages — en plus de ses cuirs, de ses soieries et de ses cotonnades — ce qui posait un double problème d'emplacement (aucun stand n'était prévu pour ce genre de produit) et de conservation (tiendraient-ils cinq mois ?). D'autre part, si les fromages suisses étaient admis, les fermiers anglais voudraient exposer les leurs, avec toutes les conséquences olfactives que l'on peut imaginer... Finalement, les fromages n'eurent pas droit d'asile !

Le gouvernement chinois nous posa aussi des problèmes en affichant une suprême indifférence à l'égard de cet événement. Les articles envoyés occupaient à peine trois cents des cinq mille pieds carrés qui lui avaient été alloués. Que faire pour ne pas décevoir le public qui s'attendait à une fabuleuse exposition d'art oriental ? Pour compenser la pauvreté de la participation chinoise, Albert suggéra aux commissaires d'écumer les grandes collections privées anglaises — sans doute plus riches en art chinois que la Chine elle-même.

Mon bien-aimé n'était pas le seul à se donner beaucoup de mal, mais personne n'eut une tâche aussi rude, car il était l'unique responsable du projet dans son globalité. Il avait en tête aussi bien l'ensemble que les moindres détails — ce qui supposait une intelligence, une mémoire et une concentration au delà de l'imaginable ! Sans lui, déclara par la suite Granville, tout aurait sombré dans la confusion et l'anarchie ; il sut diriger l'opération de main de maître, et en faire un symbole d'espoir et de paix pour l'humanité entière.

Rien n'avait été laissé au hasard : les risques d'incendie, les toilettes publiques, le prix des billets, le balayage des planchers, les transports, la police... Jusqu'au jour de l'ouverture, il dut faire face à de petits imprévus, comme il dut résoudre des problèmes de première importance. Tout cela, sans se départir de sa bonne humeur, malgré son épuisement croissant. Bien que cette exposition triomphale fût son œuvre, il se montra toujours modeste, sa seule ambition étant de se mettre discrètement au service de son pays.

Mais à quel prix ?

17

Balmoral, 2 octobre 1900

Cette guerre n'en finit pas ; j'ai bien fait de mettre Salisbury en garde contre un enthousiasme prématuré ! Je me félicite d'avoir là-bas Kitchener — dont l'énergie inlassable et l'esprit méticuleux sont exactement ce qu'il nous faut pendant cette période de « nettoyage » qui peut durer encore des mois. Néanmoins, le gouvernement a décidé d'organiser des élections, dans l'espoir que nos victoires et le soulagement dû au retour des soldats renforceraient sa majorité — qui a pris un sérieux coup depuis cinq ans. C'est une initiative de Chamberlain qui ne m'enchante guère. Albert, j'en suis certaine, ne l'aurait pas trouvée *fair play*. En outre, il me semble imprudent de profiter d'un succès ponctuel pour imposer différentes mesures impopulaires — mais je pense qu'il faudra en passer par là !

De retour à Balmoral, je reprends ma plume abandonnée depuis plusieurs semaines, car l'air est si pur et frais que je me sens beaucoup mieux. À cette saison, les couleurs sont un ravissement ! Assise dans mon petit pavillon, j'aperçois par la porte ouverte des poupres et des verts, des ors et des bleus, aussi somptueux que les trésors de l'Orient. C'est « une vraie fête pour les yeux » comme disait l'un de mes valets de pied à propos du Palais de Cristal, il y a bien des années.

Dès le début, le Duc s'inquiéta des troubles que pourrait provoquer le rassemblement de tant de gens en un même lieu. Quand Albert s'extasiait sur la beauté du projet, il lui répondait en insistant sur la nécessité de garder les routes ouvertes pour faciliter le passage des soldats. Et quand Albert doutait qu'un événement « aussi innocent et pacifique » puisse présenter des risques, il se contentait de regarder dans le vague en marmonnant : « Soyons prêts à tout, monsieur. »

Toujours est-il que le Duc s'entretint avec John Russell, lequel, après avoir demandé l'avis de Richard Mayne, hocha la tête et alla déclarer aux commissaires que la cérémonie d'inauguration devrait avoir un caractère privé. Par mesure de sécurité, il valait mieux que je proclame l'exposition ouverte devant une poignée d'officiels et que je me retire avant l'arrivée du public. Londres étant envahi de visages barbus, de fez, de pantalons bouffants et autres chapeaux bizarres, je ne fis pas d'objection. Toujours prête à prendre des risques dans l'exercice de mes fonctions, je devais malgré tout tenir compte de l'avis de mes ministres. Albert, pour sa part, semblait soulagé de ne pas avoir à organiser une cérémonie publique, en plus de tout le reste.

Lorsque la presse annonça la nouvelle à la mi-avril, les commissaires furent à nouveau submergés de lettres, et des éditoriaux virulents parurent dans les journaux. Il semblait aller de soi depuis le début que l'inauguration serait publique, et huit mille visiteurs, déjà en possession d'un abonnement pour l'exposition, avaient pris des dispositions pour y assister. Un bon nombre allait venir du fin fond du pays en espérant m'apercevoir...

— Écoutez ceci, me dit Albert au petit déjeuner, en dépliant le *Times* : « Nous pensons que Sa Majesté ne serait guère plus exposée à l'intérieur qu'à l'extérieur, car les socialistes, français ou allemands, décidés à l'agresser, n'auraient nul besoin d'entrer dans le Palais de Cristal pour mettre à exécution leurs projets. »

— Assez juste, mais peu rassurant...

— Ils en prennent à leur aise avec votre sécurité, reconnut Albert, avant de poursuivre sa lecture : « Notre Gracieuse Majesté doit-elle s'abriter derrière ses gardes du corps comme un Tibère ou un Louis XI ? Et quelle satisfaction trouverait-elle à entrer dans ce vaste entrepôt bourré d'objets et de machines, en compagnie d'une poignée de dignitaires ? Sa place la plus sûre est au milieu de ses fidèles sujets. »

— Cet argument me touche ! m'écriai-je. J'ai toujours affirmé que notre peuple était bon et éprouvait un amour sincère à mon égard.

— Ce n'est pas notre peuple que craint le gouvernement ! objecta Albert en parcourant un autre journal. Mais la presse semble unanime. Le *Chronicle* dit qu'une inauguration privée dénote un manque de confiance outrageant vis-à-vis de vos sujets. Et le *Globe* affirme que la présence de la reine au milieu de ses sujets serait le clou de l'exposition.

— Ils seraient prêts à me ligoter à mon trône pour m'exhiber à tous les curieux ! m'indignai-je.

Albert posa son journal.

— Vous pourriez faire de petits saluts comme un automate.

Son visage se figea en un sourire béat, puis il leva la main avec raideur tout en tournant la tête de droite à gauche, mécaniquement, ce qui me fit rire aux éclats.

Dans la journée, nous reçûmes Granville qui s'était absenté pendant quelques jours. En traversant Londres, il avait constaté l'indignation et la déception « de Bishopsgate à Bayswater ».

— Nous avons lu les journaux, dit Albert. Le *Globe* parle de trahison...

— La déception est-elle si vive ? demandai-je.

— Les gens ne voient pas l'intérêt de célébrer la grandeur de notre pays si la reine n'est pas au centre de l'événement.

— L'exposition concerne l'humanité entière, rectifia Albert gravement. Elle doit transcender le sentiment national !

Granville esquissa un sourire charmeur.

— Oui, monsieur. Mais notre peuple n'est pas peu fier de ses réalisations et il se réjouit de se faire valoir devant le reste du monde.

— Eh bien, je ferai ce qu'il faut, déclarai-je. À condition que Russell ne présente pas d'objections !

— Je saurai le persuader, trancha Granville. Il ne tient pas à mécontenter la bourgeoisie...

— Tout cela est très bien, l'interrompit Albert, mais il va falloir réfléchir au protocole, aux discours à prononcer... Une simple visite ne suffit pas.

— En vérité, j'en ai touché un mot à Cole ; il a une idée sur la question, expliqua Granville. Nous pourrions envisager que les commissaires de l'exposition — sous votre conduite, monsieur — remettent à Sa Majesté un rapport officiel en insistant sur l'importance de votre participation. Un document impressionnant par sa taille et orné de rubans et de cachets ! Suivrait un discours sur la portée de l'événement, se terminant peut-être par une allusion au règne paisible et glorieux de Sa Majesté.

L'idée de mon bien-aimé s'adressant au public de sa voix inspirée, dans un silence ému, me combla de joie.

— Oui ! m'exclamai-je, un discours du prince serait le bienvenu.

Je souris à Albert, qui avait lu dans mes pensées. Il hocha légèrement la tête d'un air sceptique, comme s'il me reprochait de vouloir faire de lui le point de mire.

Mais l'opinion publique semblait dans un tel émoi qu'après un échange intensif de lettres et un certain nombre de réunions orageuses la cérémonie fut organisée selon les suggestions de Granville. Une inauguration simple et solennelle, mais sans caractère religieux (l'archevêque prononcerait toutefois une prière d'action de grâces) et accompagnée de musique. Pour sauver la face, Russell expliqua que c'était la présence d'une foule en surnombre qui l'avait inquiété plus qu'un éventuel risque d'attentat ; il insista donc pour que l'admission fût strictement limitée aux abonnés. Quand la presse annonça cette disposition, quatre mille nouveaux abonnements se vendirent en quatre jours, ce qui porta leur nombre à douze mille !

— Comment pourra-t-on accueillir tant de monde ? demandai-je, impressionnée.

Albert soupira en songeant au surplus de travail que cela supposait.

— Nous ferons installer des tribunes qui seront démontées avant l'ouverture au grand public. Réfléchissons aussi au protocole, car l'inauguration d'une exposition internationale — réunissant des diplomates du monde entier — peut donner lieu à d'innombrables bévues ! Il faudra naturellement un vestibule pour la suite royale. Pardonnez-moi, ma chérie, j'ai des lettres urgentes à écrire...

Il ne restait plus que dix jours avant la date de l'inauguration, et tous les problèmes étaient soumis à Albert.

L'événement tant attendu eut lieu le 1er mai 1851 — jour du premier anniversaire d'Arthur et des quatre-vingt-deux ans du Duc. Après un froid glacial au petit matin, le soleil finit par se lever, la brume se dissipa, et nous eûmes un temps radieux, comme on en voit parfois chez nous au printemps. Albert alla vérifier à la première heure que tout était en ordre au Palais de Cristal, et revint avec un calme olympien qui contrastait avec mon inquiétude croissante. Comment tout irait-il bien, alors que le jour de mon couronnement tant de choses ne s'étaient pas passées comme prévu ?

À midi moins vingt, nous montâmes en voiture Albert, Vicky, Bertie et moi. Une ondée survint au niveau de Constitution Hill, mais elle cessa au bout de quelques minutes, et nous eûmes « un temps de reine ». Une foule encore plus dense que le jour de mon couronnement se pressait sur les trottoirs, dans le Parc et aux balcons. Pas une seule fenêtre n'était fermée de Apsley House à St. George, et tous les visages semblaient hilares. À Hyde Park, circulaient des voitures et des cavaliers, des bateaux bondés de monde voguaient sur la Serpentine, et les magnifiques châtaigniers croulaient sous les gamins sifflant et agitant leur casquette. Notre voiture s'engagea le long de Rotten Row avec son escorte de cavaliers, et soudain le grand édifice de verre apparut devant nous, étincelant au soleil dans son écrin de verdure, comme un palais de conte de fées.

À midi pile, nous descendîmes devant l'entrée nord et nous nous arrêtâmes dans le vestibule pour vérifier notre mise. Je portais une robe de soie rose pâle ornée d'un brocart d'argent, le ruban de l'ordre de la Jarretière, ainsi qu'une tiare de diamants. Je me trouvais à mon avantage ! Vicky, en satin et dentelles blanche, avec une guirlande de roses sur la tête, était absolument délicieuse ; Bertie, pour sa part, était parfait dans sa tenue de Highlander. Dans le vestibule, maman et Mary of Teck nous attendaient avec d'autres membres de la famille, le prince héritier de Prusse, la princesse et Fritz. Nous les avions invités à titre privé afin de ne pas vexer le roi de Prusse.

Albert me donna le bras, nous prîmes Bertie et Vickie par la main et pénétrâmes dans la nef nord. À travers des grilles en fer forgé, apparut le transept. Les palmiers, les fleurs, les statues, les myriades de gens qui circulaient dans les galeries ou occupaient les sièges disponibles m'impressionnèrent au plus haut point. Des trompettes d'argent retentirent à notre arrivée et, lorsque les hallebardiers de la garde royale ouvrirent les grilles, les lumières scintillantes de ce vaste espace m'éblouirent. L'air était tiède et serein comme si un perpétuel été régnait entre les murs translucides du palais. Partout brillaient des feuillages tropicaux, au milieu de massifs de fleurs aux couleurs chatoyantes.

Nous avançâmes sous un dais aux franges d'or, orné de plumes d'autruche blanches. Au centre de l'édifice trônait une imposante fontaine de cristal dont les jets s'élevaient à cinquante pieds dans les airs. Les stands et les galeries étaient drapées de damas d'un rouge profond, sur lequel ressortaient des statues d'un blanc immaculé. Au-dessus, tels des gardes sereins et mystérieux, les ormes déployaient leur feuillage.

Au moment où nous arrivâmes devant les grilles, le grand orgue, accompagné de deux cents instruments et d'un chœur de six cents voix, joua l'hymne national. Mais nous n'entendîmes que les premières notes, car la suite fut couverte par les acclamations montant de l'assemblée d'une même voix. Devant moi s'alignaient des rangs entiers de visages illuminés par la joie, sous les hauts-de-forme et les capotes de soie. Tous ces gens étaient venus pour m'honorer et plus encore pour célébrer la gloire de l'Angleterre, ses succès, la paix et la prospérité qu'elle offrait à ses enfants, sa place au cœur de tout ce qui était noble et bon dans le monde. Une ambiance plus envoûtante que celle d'un service religieux... L'instigateur de cette « fête de la paix », dédiée aux arts et à l'industrie de toutes les nations de l'univers, n'était autre que mon Albert bien-aimé, dont l'idéal grandiose et les efforts acharnés avaient permis à l'Exposition de voir le jour.

Lorsque le brouhaha se calma, Albert alla se placer sous le dais, au premier rang des commissaires. Il lut le rapport à voix haute, s'exprimant avec simplicité, demandant à Dieu de bénir ce travail, ces gens et l'ensemble de mon règne. Après quoi, je prononçai une brève allocution. Ma voix s'éleva, douce et claire, au sein d'une sphère intangible — l'amour de mon peuple. J'étais le cœur d'une rose ; si l'on effeuillait la rose, le cœur disparaissait... Quel grand moment d'émotion et de mystère !

Après mon discours, l'archevêque récita une prière d'action de grâces, et, comme de juste, l'orgue, le chœur, les musiciens, deux fanfares militaires et neuf trompettistes entonnèrent l'infernal *Alléluia* de Haendel ! Nous échangeâmes un regard, Albert et moi... Puis nous fîmes le tour du Palais de Cristal en compagnie des commissaires, des représentants étrangers, des ministres et des fonctionnaires de la maison royale.

Un curieux incident se produisit alors ! Un Chinois en costume de soie traditionnel figurait parmi les dignitaires : l'ayant vu serrer la main du Duc et de Lord Anglesy, je me promis de demander à Albert de qui il s'agissait, car l'Empire céleste n'avait pas envoyé d'émissaire officiel. Un instant après, le mandarin bondit à travers la foule et vint se jeter à mes pieds. Les officiels restèrent figés sur place devant une telle audace, mais personne ne voulait offenser la Chine, même si elle avait enfreint les régles de bienséance. Malgré ma contrariété, je souris à l'intrus et priai Lord Chamberlain de lui trouver une place dans le cortège. Le mandarin alla donc se poster derrière les diplomates étrangers, à côté du Duc. Ce dernier offrit son bras à Lord Anglesy, qui avait perdu une jambe à Waterloo, prenant ainsi, mine de rien, ses distances par rapport au Chinois. Les spectateurs qui se souvenaient qu'Anglesy, dans sa folle jeunesse, avait enlevé la sœur du Duc, étaient ravis de voir ces deux vieux rivaux en si bons termes...

Je visitai donc l'exposition au bras de mon bien-aimé Albert, posé et discret selon son habitude. Il tenait Vicky par la main, tandis que Bertie marchait à mon côté. Les deux enfants étaient en admiration devant ce qu'ils découvraient — d'ailleurs comment aurait-il pu en être autrement ? Nous ne fîmes qu'un tour rapide, mais je garde jusqu'à ce jour un souvenir ébloui de cette inauguration. Dans ce décor féerique, les tapis, les riches tentures et les fleurs aux couleurs arc-en-ciel resplendissaient sous le soleil. J'étais grisée par le brouhaha des voix, la musique, le doux clapotis de la fontaine de cristal et, surtout, j'éprouvais une immense gratitude envers mon peuple, dont l'amour se manifestait si spontanément. Faible femme, je marchais sans crainte au milieu de la foule : pas un soldat, pas un garde du corps et pas même un policier en vue ! Dans quel autre pays une telle confiance aurait-elle pu régner ?

Revenue sous le dais, je priai Lord Breadalbane de déclarer l'exposition ouverte, ce qu'il fit d'une voix claironnante. Une fanfare de trompettes entonna un hymne et cent coups de canon résonnèrent dans le Parc, accueillis par les acclamations du public. Puis nous regagnâmes Buckingham au milieu d'une foule en liesse, mais parfaitement digne, comme elle l'avait été depuis le début de cette grande journée.

À une heure vingt, dès que nous eûmes franchi les grilles de Buckingham, les gardes laissèrent passer le public, qui envahit le Mall, les yeux tournés vers le palais comme s'il attendait encore quelque chose. Albert me suggéra alors d'apparaître un moment au balcon central — une excellente idée, qui sembla ravir les curieux. Nous les saluâmes, et je pense qu'ils nous auraient acclamés jusqu'au soir si nous étions restés. (Depuis, nous avons pris l'habitude d'apparaître à ce balcon dans toutes les grandes occasions ; j'espère que cette coutume se perpétuera. L'amour a besoin de s'exprimer, et le sentiment qui unit le peuple anglais à son souverain est au cœur même de nos institutions.)

Granville nous adressa plus tard un message au sujet du mystérieux Chinois. Ce n'était pas un émissaire de l'Empire céleste, mais le propriétaire d'une jonque amarrée au bord de la Tamise, qu'il faisait visiter moyennant un shilling. Comme cette affaire défrayait la chronique, il vit affluer les clients et fit une excellente saison ! Après coup, j'en ris de bon cœur. Albert déclara que le but de l'exposition étant de célébrer l'esprit d'entreprise et le libre-échange, ce Chinois, qui en avait parfaitement compris le sens, méritait d'être considéré comme notre mascotte !

3 octobre 1900

Une réalisation, faisant pourtant partie de l'exposition, ne fut pas exposée au Palais de Cristal. Il s'agissait de l'immeuble modèle, dessiné par Albert lui-même, en tant que président de la Société pour l'amélioration du logement des classes laborieuses.

Après de longues tractations avec les *horse-guards* et ces détestables Bois et Forêts, il eut l'autorisation de le construire, à ses frais, sur un terrain vague situé près des casernes. Cet astucieux édifice comprenait quatre logements, répartis sur deux étages identiques, qu'on pouvait surélever en cas de besoin. Une cage d'escalier extérieure était l'élément central, et le tout reposait sur une armature de briques — au lieu de poutres — en raison des risques d'incendie, fréquents à l'époque dans les quartiers insalubres. Chacun des logements comprenait une salle de séjour, trois chambres à coucher, et une cuisine équipée d'un évier, d'un coffre à charbon, d'un égouttoir, d'un garde-manger, etc. Sous l'escalier était ménagé un espace entièrement clos pour les ordures, et chaque famille pouvait vivre dans de bonnes conditions d'hygiène grâce à un water-closet équipé de faïence vernissée du Staffordshire.

À la fin de l'exposition, l'immeuble modèle fut transféré en bordure de Kennington Park, où il est resté jusqu'à ce jour. Albert, hélas, ne put convaincre un seul investisseur de construire de tels logements pour les classes populaires. Quant à ces dernières, méfiantes, elles semblaient préférer les habitations insalubres dont elles avaient l'habitude... La mesquinerie humaine est telle que les généreux projets d'Albert n'ont toujours pas été réalisés, malgré le taux de mortalité incroyable qui règne dans les taudis !

Albert avait décidé que des rafraîchissements seraient proposés aux visiteurs de l'exposition (car certains venaient de fort loin et passaient toute la journée sur place), mais pas d'alcool ni de plats chauds — à l'exception de pommes de terre. En effet, ces tubercules cuisaient en toute sécurité à la vapeur produite pour actionner les mécanismes de la salle des machines ! D'autre part, il n'était pas question d'incommoder les visiteurs par des odeurs de viande et d'oignons ; mais il y avait un élégant comptoir de sandwiches, pâtés en croûte, fruits, pâtisseries et boissons chaudes ou froides.

Les sieurs Schweppe obtinrent pour cinq mille livres le monopole de la fourniture des rafraîchissements — une aubaine, car ils réalisèrent, sur l'exposition, un chiffre d'affaires de soixante-quinze mille livres ! Des quantités astronomiques de denrées se vendirent : un million de petits pains, trente-trois tonnes de jambon, huit mille gallons de crème... Dans deux des salles, une nourriture moins coûteuse, sous forme de cacao, de bière, de pain et de fromage, était proposée aux visiteurs plus modestes : Albert tenait à ce que tout le monde puisse satisfaire son appétit. Hors du parc et dans les rues, on pouvait naturellement acheter à des marchands ambulants toute une gamme de produits allant des saucisses et des pâtés en croûte aux noix de coco et aux oranges.

L'exposition fut une réussite absolue, qui surprit tous ceux qui avaient fait obstacle si longtemps aux projets de mon bien-aimé. Les gens vinrent de l'autre bout du pays la visiter. Des industriels louèrent des trains entiers pour leurs ouvriers, des pasteurs transportèrent leurs ouailles sur des chars à bancs, des villageois organisèrent des tombolas, et des artisans arrivèrent avec femme et enfants, quittant parfois leur village natal pour la première fois de leur vie. Un fabricant de matériel agricole envoya son personnel par voie fluviale, à bord de deux bateaux de location, qui furent ancrés sur un quai de Westminster. Une femme fit tout le trajet à pied depuis Plymouth, et les Londoniens furent assiégés par des amis d'enfance depuis longtemps perdus de vue, désireux de se rendre à Londres cet été-là.

Les gens arrivaient de partout, et personne ne fut déçu ! Ceux qui en avaient les moyens revinrent plusieurs fois. Moi-même je dus effectuer une quarantaine de visites, car je me faisais une joie d'emmener mes hôtes à cette merveilleuse exposition. J'offris même le voyage à mon principal *gillie*[1] — Grant à l'époque, et pas encore ce cher Brown — qui vint de Balmoral en cette occasion exceptionnelle.

1. Serviteur en écossais.

Le Duc lui-même, si sceptique les premiers temps, se laissa prendre au charme du Palais de Cristal et multiplia les visites. Quatre jours avant la fermeture, il vint tout seul jeter un dernier regard sur ses stands préférés. Ce frêle vieillard aux cheveux argentés remonta sans escorte la grande nef, au milieu d'une foule compacte. Inévitablement, ses admirateurs le reconnurent. Accourus en grand nombre, ils voulurent toucher sa main, et, dans le tumulte général, des visiteurs mal informés crurent à un désastre — peut-être l'effondrement du Palais de Cristal, que le colonel Sibthorpe n'avait cessé de prédire. Des milliers de gens au bord de la panique foncèrent vers la sortie ; un grand étalage de porcelaine française fut renversé. Six agents de police, qui escortaient le Duc à son insu, se précipitèrent sur lui et emmenèrent, manu militari, le vieux héros, pâle et indigné.

En cinq mois et demi, ce fut le seul incident fâcheux de cette exposition, qui se déroula selon un ordre parfait. Plus de six millions de personnes franchirent ses grilles cet été-là, et cinq cent mille curieux se pressèrent autour du Palais de Cristal le jour de l'ouverture. La ville regorgeait de gens issus de toutes les catégories sociales et venant de tous les horizons ; pourtant aucun crime majeur ne fut commis à l'intérieur ou à proximité de l'exposition. On eut à déplorer moins de crimes que les autres années dans l'ensemble de Londres. Quant aux forces de police renforcées de Richard Mayne, elle n'arrêtèrent autour du Palais que des pickpockets et des vendeurs de faux billets. Quel pays que l'Angleterre !

En fin de compte, les bénéfices atteignirent cent quatre-vingt-six mille livres. À l'instigation d'Albert, cette somme fut utilisée par les commissaires pour acheter environ quatre-vingts acres de terrain au sud de Kensington Road. Ils décidèrent d'y construire des musées, des instituts et des jardins dédiés aux arts, aux sciences et au développement du savoir. Sur ce site se trouvent maintenant les jardins botaniques, le Museum d'histoire naturelle, le Collège royal de musique et un ensemble de bâtiments appelés Musée de South Kensington. L'année dernière, j'ai posé la première pierre d'une nouvelle construction qui abritera les collections de ce dernier. Le futur *Victoria and Albert Museum*, dédié aux beaux-arts et aux arts appliqués de tous les pays, sera ouvert gratuitement à tous — comme l'avait souhaité mon bien-aimé.

Quant au palais de verre de Paxton, les Anglais l'avaient adopté et ne voulurent plus s'en séparer. Le Parlement vota donc à la sauvette une motion prévoyant de l'acheter pour en faire un jardin d'hiver permanent. Toutefois, les commissaires de l'exposition furent priés de rendre aux Bois et Forêts le site de Hyde Park dans l'état dans lequel ils l'avaient trouvé. Ainsi, au printemps de l'année 1852, la grande salle d'exposition fut démontée et transférée à Sydenham, où elle prit officiellement le nom de Palais de Cristal. J'ai entendu dire qu'elle passe toujours pour une grande attraction...

5 octobre 1900

Après la clôture de l'exposition, nous nous installâmes ici, en Écosse. Jamais Albert ne m'avait semblé si las. Les préparatifs de l'exposition et la controverse à son sujet l'avaient usé : pendant des mois il avait mal dormi, se levant au milieu de la nuit pour aller lire à son bureau, puis revenant se blottir dans mes bras au petit matin. Il souffrait aussi de maux de tête et de rages de dents intermittentes, de crampes d'estomac et de dérangements intestinaux fort pénibles pour un homme menant une vie aussi active. Le soir de notre arrivée à Balmoral, je le surpris en train de pleurer d'épuisement, dans son cabinet de toilette. Effrayée, je l'enlaçai tendrement, et il continua à sangloter comme un enfant, le visage contre mon cœur.

Mais l'Écosse le remit sur pied. Le silence des grands espaces sembla revivifier son esprit comme l'air frais ses poumons. Un jour, sur une hauteur d'où nous apercevions à perte de vue des montagnes sauvages, des lochs et des landes couvertes de bruyère — sans une habitation ni le moindre signe de vie humaine — il sembla retrouver la paix. Ses yeux s'illuminèrent, il redressa les épaules comme un brin d'herbe trop longtemps comprimé, et je l'entendis murmurer :

— Comme c'est merveilleux ! Je me sens vraiment chez moi.

« Par chez moi » il fallait comprendre non pas le palais de Buckingham, ni Windsor, ni Osborne qu'il aimait tant, mais Rosenau. Les hauteurs des environs de Balmoral lui rappelaient les collines boisées de Thuringe où il avait passé son enfance. Connaissant maintenant la principauté de Cobourg (j'ai séjourné au Rosenau et même dormi dans la chambre d'enfants d'Albert et Ernest), je puis affirmer qu'il n'y a pas la moindre ressemblance entre ces deux endroits. Mais je comprends d'une certaine manière ce qu'il voulait dire. Il exprimait ainsi son besoin d'évasion, qui l'a poursuivi sa vie durant et que je n'ai pas su deviner à temps !

« Ce n'est pas *vous* que je quitterais... Vos bras sont mon seul refuge », m'avait-il dit un jour, et je m'étais sentie apaisée, sans doute à tort. Je finis en effet par comprendre qu'il n'était pas fondamentalement attaché à l'existence. Une force l'entraînait comme un cerf-volant lancé dans la brise entraîne votre main. Quelle sensation enivrante ! Mais je pense que cette obligation de résister épuisait Albert. Son âme se débattait contre un courant puissant dont nous n'avions pas conscience. Que de fois il dut souhaiter dire adieu à cette terre, se libérer des épreuves et des soucis de tous les jours, et s'élancer dans l'espace infini où il rencontrerait le visage éblouissant du Créateur !

Mais le sens du devoir l'obligeait à rester. C'est pourquoi il travaillait avec acharnement ; toujours patient, assidu et joyeux, car il croyait comme moi que Dieu aime voir ses serviteurs accomplir leur tâche d'un cœur léger. De temps à autre, il cédait à son désir d'évasion en partant à Osborne, puis à Balmoral, et en se réfugiant de plus en plus dans son travail. Ce conflit entre son corps et son âme le mettait à dure épreuve ! Il ne trouvait la paix que dans mes bras, quand je l'assurais de mon amour et qu'il s'abandonnait à moi avec une passion inextinguible.

Albert, qui n'exprimait guère ses sentiments, éprouva un cruel chagrin lorsqu'il perdit l'un après l'autre les deux êtres qu'il considérait comme des amis. Anson était l'équivalent d'un jeune frère — la seule personne qu'il se permettait de prendre par l'épaule en de rares occasions. Peel lui inspirait une réelle sympathie et, surtout, il ne doutait pas de son estime. Leur mort survint pendant les préparatifs orageux de l'exposition.

À ces deuils, s'ajouta le départ de deux personnes qu'Albert admirait et dont il appréciait la compagnie. Notre Laddle prit sa retraite en janvier 1851, convaincue que la nursery devait être dirigée par une personne plus jeune. D'autre part, Thomas Cubitt remballa ses plans, une fois les travaux d'Osborne achevés, et s'en fut réaliser d'autres œuvres.

C'est ainsi, je pense, que se précisa le projet de Balmoral. Dès octobre 1848, après de délicieuses vacances en Écosse, nous avions annoncé à Russell notre intention d'acheter une maison dans les Hautes Terres où l'air serait plus tonique qu'au sud de l'Angleterre. (Nous voulions aussi nous mettre à l'abri de mes boîtes de dépêches et de mes ministres, mais il nous sembla inutile de lui en faire l'aveu...) Lord John répliqua qu'il n'était pas question de compter sur les fonds publics pour l'achat et l'entretien d'une nouvelle résidence. D'autre part, l'Aberdeenshire étant très éloigné de Londres, nous devrions nous assurer de la présence permanente d'un ministre auprès de nous, lequel serait entièrement à notre charge.

Cela ne nous empêcha pas de louer Balmoral. Le château — comme l'ancienne maison d'Osborne — était fort exigu et inconfortable ; Albert souhaitait donc le reconstruire, mais nous n'avions pas les moyens de réaliser un second Osborne ! Un véritable miracle se produisit au cours de l'été 1852, car je fis un énorme héritage. De tous les cadeaux — allant de la citrouille géante à la parure de diamants — que je reçus de chefs d'État étrangers ou de mes sujets, le plus étonnant fut celui de Nield !

Camden Nield menait une vie recluse, dans une misère noire, et personne ne se doutait de sa richesse... N'ayant pas d'héritier, il me légua à sa mort une fortune de plus d'un quart de million de livres, avec la certitude « que je n'allais pas la gaspiller ». Je fis donc en sorte d'exaucer ce souhait. Après avoir béni la générosité de mon bienfaiteur, restauré l'église de sa paroisse et posé une plaque en sa mémoire, je remis le reste de sa fortune à Albert pour l'achat du domaine de Balmoral et la construction d'un nouveau château.

Cette fois, il fit appel à un architecte. Cependant, Balmoral — comme Osborne — fut conçu selon les plans de mon bien-aimé, qui se soucia des moindres détails. Lorsqu'il s'agissait de manipuler des matériaux, de jongler avec des chiffres et des équations mathématiques, aucun problème ne lui semblait insoluble. Les contradictions et les émotions humaines ne risquaient pas de fausser les résultats ni de troubler ses calculs ; il se sentait heureux, et son travail était toujours couronné de succès...

Balmoral, c'est Osborne avec des tourelles. Nous y reprîmes certaines des innovations de notre résidence préférée : le système de chauffage (bien que chaque pièce fût dotée d'une cheminée à cause du froid plus rigoureux) et les installations sanitaires (quatre salles de bains — dont deux pour les enfants — et quatorze water-closets !) La demeure fut entièrement construite en pierres afin de se fondre harmonieusement dans le paysage. Par amour de l'Écosse nous choisîmes, Albert et moi, de l'écossais pour les papiers muraux, les tapis et les tentures ; l'emblème du chardon apparut dans les moulures de chaque pièce, et les bois de cerf furent utilisés pour la fabrication de nombreux objets. Tous les domestiques étaient recrutés sur place, les jardiniers et les *gillies* venaient des Hautes Terres et nous assistions aux offices religieux de l'église locale de Crathie, dont la simplicité nous enchantait.

Albert trouvait le protestantisme écossais assez semblable à celui qu'il avait connu pendant son enfance. (Quant à moi, j'avais l'impression d'être le chef de l'Église d'Ecosse, autant que celui, de l'Église d'Angleterre. Bien des années plus tard, je fus profondément déçue en comprenant que tel n'était pas le cas !) Nous admirions, Albert et moi, le caractère de ce peuple — fier, honnête, courtois et candide — et son amour pour nous était un honneur insigne.

Je me souviens encore d'une remarque malicieuse de Lord M. au sujet de l'Écosse, il y a bien longtemps. Il affirmait n'avoir rien à reprocher aux Écossais, si ce n'était la très haute opinion qu'ils avaient de leur pays. « Ces clans écossais, si intéressants et romantiques, heureusement qu'il en reste si peu ! » avait-il ajouté d'un air bizarre. Je pense qu'il n'avait jamais mis les pieds en Écosse, mais il avait sans doute rencontré des Écossais à Londres, et personne n'aime entendre un visiteur étranger faire l'éloge de son propre pays !

Notre séjour à Balmoral en 1852, alors qu'Albert réfléchissait au plan du futur château, fut une époque très heureuse pour nous et, à la fin de l'été, je m'aperçus que j'étais de nouveau enceinte. Mais, en cette période de joie et de renouveau, un deuil terrible, bien que prévisible nous frappa : le 14 septembre, le Duc mourut brusquement...

Je pus me réjouir, par la suite, qu'il se fût éteint sans souffrir, mais ce fut un grand choc pour l'Angleterre. Toute la nation pleura avec une sincère affliction cet être exceptionnel par sa noblesse et ses talents. Quant à moi, je perdais un ami loyal et désintéressé. Il avait assisté à tous les événements importants de ma vie — ma naissance, mon couronnement, mon mariage, le baptême de mes enfants — et je m'étais toujours fiée à lui en cas de crise, personnelle ou politique. Il ne m'avait jamais aimée en tant que personne, mais il était homme de devoir et j'avais la certitude de pouvoir compter sur lui quoi qu'il arrive.

Pour nos soldats, le héros de Waterloo était un personnage légendaire et le parangon de toutes les vertus militaires. Je crois savoir qu'il le reste, une cinquantaine d'années après sa mort...

En décembre 1852, survint un événement fort alarmant, mais dont les véritables conséquences ne nous apparurent pas tout de suite. Un an plus tôt, Louis Napoléon avait perpétré un coup d'État et s'était fait proclamer prince-président pour une période de dix ans. Nous avions désapprouvé cette violation de la Constitution et prié le ministère des Affaires étrangères de garder une absolue neutralité en la matière. Or, Palmerston avait déclaré en privé à l'ambassadeur de France à Londres, le comte Walewski, qu'il approuvait les actions du prince. Ce dernier s'étant empressé de transmettre le message, nous nous trouvions dans une situation pour le moins ambiguë !

Ce n'était pas la première fois que Palmerston nous mettait dans l'embarras par des initiatives intempestives ou contraires aux instructions reçues, mais cette fois, Russell, excédé par une telle provocation, le renvoya à notre grande surprise et à notre égal soulagement. Le départ de Palmerston contribua pour beaucoup à la satisfaction d'Albert cet été-là, et, de fait, à la conception de notre nouvel enfant...

En 1852, un an exactement après son coup d'État, Louis Napoléon se fit proclamer empereur sous le nom de Napoléon III — avec l'appui de l'armée française qui rêvait de se venger de Waterloo. La flambée de militarisme qui suivit et les rumeurs concernant un projet d'invasion de l'Angleterre nous inquiétaient grandement. Mais le départ ou la mort du dictateur risquant de jeter la France dans un terrible chaos, et le nouveau ministre des Affaires étrangères, Lord Malmesbury, étant de ses amis, je me rangeai à l'avis de mes ministres et je reconnus le nouvel empereur.

Celui-ci faisait preuve d'une parfaite correction et semblait désireux de gagner l'amitié de l'Angleterre — si bien qu'il me demanda la main de ma nièce Adélaïde, la fille de Feodore, dans l'espoir d'une alliance avec la monarchie britannique. Je ne souhaitais nullement voir Adélaïde épouser un tel aventurier, et, par chance, cette dernière et Feo partageaient mon point de vue.

Ayant dû renoncer à cette alliance, Louis Napoléon épousa Eugénie de Montijo, une personne charmante et d'une grande beauté (la fille naturelle de Palmerston, selon certains), mais au passé mouvementé. Elle devint pourtant une bonne et vertueuse impératrice — bien plus digne du trône de France que certaines femmes de haute naissance —, et je me pris d'amitié pour elle. Elle me témoigna toujours beaucoup d'admiration et de respect. Je me souviens d'une soirée à l'Opéra, à l'occasion d'une visite que je fis à Paris avec Albert. Une de ses dames d'honneur ayant observé que je ne m'étais pas assurée d'avoir un siège derrière moi avant de m'asseoir dans la loge impériale, elle lui répondit, paraît-il, ceci : « La reine d'Angleterre sait qu'il y a un siège, car il ne peut en être autrement. Elle n'a donc pas besoin de regarder ! Vous, madame, qui n'êtes pas de sang royal, devez regarder avant de vous asseoir. »

La guerre de Crimée fut une conséquence directe, quoique imprévisible de la proclamation du second Empire. Si Louis Napoléon n'avait pas cherché à se concilier l'armée française et à assurer sa popularité par des succès militaires, il n'aurait pas affronté le tsar. Il entra en guerre avec la Russie, sous prétexte de mettre Constantinople à l'abri des ambitions russes ; sans l'alliance de la France et son ardeur au combat, je pense que nous n'aurions pas bougé.

Une guerre sans le Duc nous laissa cruellement désemparés ! Lord Raglan, le secrétaire militaire de Wellington à Waterloo — où il avait perdu un bras —, reçut le commandement suprême. (Lord M. m'avait raconté qu'après son amputation, alors que les infirmiers emportaient son bras, il s'était écrié : « Rapportez-le-moi ! Il y a au petit doigt un anneau offert par ma femme !) Raglan fit de son mieux pour être à la hauteur de la situation, mais je pense qu'il n'y parvint pas réellement. Pendant toute la campagne, il ne cessa de considérer les Français comme des ennemis, incapable qu'il était de réaliser que ces derniers étaient devenus nos alliés !

Rétrospectivement, je reconnais que cette guerre eut certaines conséquences positives, mais mon cœur saigne à la pensée de ceux de nos soldats qui tombèrent au combat, laissant des veuves et des orphelins dans une misère noire. Ayant eu le malheur de perdre mon mari et deux de mes fils, je n'ignore plus rien de ce deuil cruel que rien n'apaise, raison pour laquelle j'ai si souvent répété à des souverains plus jeunes et moins expérimentés qu'il fallait y regarder à deux fois avant de s'engager dans une guerre !

Lors de sa visite en 1855, le roi Victor Emmanuel me confia que la guerre était ce qu'il appréciait le plus dans l'exercice du pouvoir. Comme je lui objectais que les rois ne doivent se battre que pour de justes causes, car ils auront à répondre devant

Dieu des vies qu'ils ont sacrifiées, il me déclara que Dieu nous pardonnerait nos fautes. « Pas toujours ! » lui répondis-je alors.

Il existe un lien mystique entre un souverain et son armée — un lien que j'ai ressenti vivement pendant la guerre de Crimée et qui ne s'est jamais démenti depuis. Ces braves se battent par patriotisme, mais cette notion me paraît bien vague ! En réalité, ils risquent leur vie pour leur reine, et plus d'une fois, en passant mes troupes en revue, j'ai senti de grandes vagues d'amour déferler sur moi. Par la pensée, je me suis mise à la tête de mes hommes et j'ai reçu les blessures qui leur étaient destinées. Si Dieu n'avait pas fait de moi une simple femme, j'aurais su montrer le chemin à mon armée ! Que de fois j'ai vu une lueur apparaître dans les yeux des blessés auxquels je rendais visite, et j'ai assisté à de véritables miracles lorsque des moribonds ont retrouvé la santé après avoir touché ma main.

En mai 1855, une fois la paix revenue, je remis leurs décorations aux anciens combattants de la guerre de Crimée, lors d'une cérémonie solennelle à la caserne des horse-guards. J'étais grimpée sur une estrade, au côté du ministre de la Guerre, Lord Panmure, qui tenait une corbeille contenant des médailles d'argent fixées à un ruban bleu et jaune. Une foule immense m'entourait et plusieurs fanfares jouaient en même temps, tandis que défilaient ces valeureux soldats, parfois appuyés sur des béquilles ou poussés sur des chaises roulantes.

Comme je les félicitais, plusieurs n'osèrent même pas lever les yeux, d'autres me regardèrent en souriant ; mais tous me touchèrent la main, et je lus dans leurs yeux un profond respect à l'égard de leur bien-aimée souveraine. Mes mains tremblaient si fort que j'eus grand-peine à saisir les décorations que me tendait ce vieux Panmure. Certains soldats refusèrent, paraît-il, de rendre leur médaille pour y faire graver leur nom, de peur de ne pas retrouver celle que je leur avais moi-même remise !

On raconte à ce propos une anecdote qui me fit rire de bon cœur. Une femme du monde ayant demandé à Lord Panmure, au cours d'un dîner, si j'avais été « touchée » pendant cette cérémonie, il lui répondit d'un air indigné : « Grâce au ciel, il y avait une barrière métallique devant la reine ; personne ne l'a touchée ! » « A-t-elle été remuée ? » insista la dame. « Non, elle n'a pas eu l'occasion de bouger » répliqua-t-il, imperturbable.

18

Balmoral, 15 octobre 1900

Le 7 avril 1853, je mis au monde un garçon, baptisé Léopold comme notre cher oncle. Cette naissance fut marquée par une innovation, heureusement entrée dans les mœurs aujourd'hui. Mon dévoué médecin, Sir James Clark — écossais lui-même — avait suivi avec intérêt les travaux du Dr Simpson d'Edimbourg, sur l'usage du chloroforme. On a peine à croire que les propriétés de cette substance étaient connues depuis le début du siècle grâce à un article de Humphry Davy (l'inventeur de la lampe de mineur) sur les conséquences de l'inhalation du protoxyde d'azote. Le grand chirurgien, Robert Liston, utilisa l'éther dans un hôpital londonien dès 1846, lors de l'amputation d'une jambe. Puis le Dr Simpson administra avec succès du chloroforme à une femme en couches, si reconnaissante qu'elle prénomma Anesthésie la fille qu'elle mit au monde !

L'assistant de Simpson avait publié un article à ce sujet. « Si les souffrances d'une femme n'excèdent pas sa capacité de résistance, avait-il écrit, il est inutile de lui administrer du chloroforme, mais si elle souhaite un apaisement, je ne vois pas d'obstacle sérieux à l'utilisation de ce produit. »

Tel était son point de vue, mais la majorité du corps médical refusait d'entendre parler d'anesthésie. La douleur était censée jouer un rôle essentiel en tant que stimulant de l'organisme, ouvrant la voie au rétablissement du patient. Sans souffrances, ce dernier risquait de sombrer dans une léthargie mortelle ! Hors du corps médical, on estimait que la douleur était le secret des caractères bien trempés et que, sans elle, l'humanité risquait de dégénérer. Pour l'Église, la suppression de la douleur n'était rien moins qu'un refus de se soumettre à la volonté de Dieu.

Lorsque le Dr Simpson recommanda d'administrer du chloroforme lors des accouchements, un tollé général s'ensuivit.

De toute évidence, il s'agissait d'un péché car, ainsi qu'il est écrit dans la Genèse, la femme doit enfanter « dans la douleur » ! Le Dr Snow avait beau objecter que Dieu avait plongé Adam dans le sommeil avant de lui retirer une côte — ce qui n'était pas sans évoquer l'anesthésie — les hommes restaient persuadés que les femmes n'aimeraient pas leurs enfants si elles les mettaient au monde sans souffrir.

Ayant eu vent de cette controverse, je prêtai une oreille attentive à mon cher Clark lorsqu'il me suggéra de proposer au Dr Snow (qui pratiquait l'anesthésie dans une clinique dentaire de Londres) de m'assister le moment venu. Cette méthode avait été maintenant suffisamment utilisée pour avoir fait la preuve de son innocuité tant pour la mère que pour l'enfant.

« Rien n'est plus simple, m'expliqua-t-il. On verse quelques gouttes du liquide sur un tampon, placé dans un entonnoir, lequel est maintenu au-dessus du nez et de la bouche de la parturiente. Elle en respire les émanations, nullement déplaisantes — car ce produit est inclus dans la plupart des potions contre la toux — et la douleur s'apaise, au point de disparaître totalement dans certains cas. »

Je ne voyais pas la nécessité d'endurer des souffrances inutiles, et Albert estimait, pour sa part, que Dieu avait doté l'homme d'un esprit inventif afin qu'il pût jouir de ses fruits. Je donnai donc mon accord, non sans une certaine inquiétude, je l'avoue. Le Dr Snow ne chercha pas à m'insensibiliser totalement, mais il m'administra une quantité suffisante de chloroforme pour calmer mes douleurs. L'expérience me parut délicieusement apaisante, et mon seul regret fut de ne pas en avoir bénéficié lors de mes précédents accouchements.

La rumeur se répandit bientôt que j'avais accouché sous anesthésie, ce qui fit grand bruit dans la presse. On ressassa les mêmes arguments, et des vieillards s'offusquèrent de mon impiété, et pis encore. Mais après ce dernier sursaut, il n'y eut plus que les extrémistes pour fulminer dans les journaux de province. Les gens de bien virèrent de bord, et je me félicite d'avoir contribué à cette évolution. Puisque la reine d'Angleterre avait bénéficié d'une anesthésie, aucune *lady* ne devait se priver de ce bienfait.

Par ailleurs, mon rétablissement fut beaucoup plus rapide qu'après la naissance de mes sept premiers enfants. Toutefois, le bébé ne semblait pas d'une santé florissante : au bout de quelques semaines, ce nouveau-né dodu et paisible se mit à perdre du poids. Clark crut à un problème de digestion et recruta une autre nourrice. Après une brève amélioration, le petit Léo tomba à nouveau malade, et la cruelle vérité se fit jour : mon enfant souffrait d'hémophilie.

Ce mot résonne à lui tout seul comme une effroyable malédiction. Je fus sidérée par la nouvelle — et le suis encore aujourd'hui : personne, dans notre famille, n'avait jamais été atteint de cette maladie héréditaire. Je n'ai aucun doute à ce sujet, car on ne peut dissimuler un tel fléau dans une famille royale, et je sais qu'aucun de mes ancêtres n'en avait souffert. Ce problème ne se posait pas non plus du côté des Cobourg — mais je dispose sur eux d'informations moins précises, en particulier concernant les enfants morts en bas âge sans que la cause ait été diagnostiquée. Quoi qu'il en soit, ni maman ni Albert n'avaient jamais entendu parler de cette maladie dans leur famille. Elle se transmet paraît-il par les femmes, et je ne comprends toujours pas ce qui a pu se passer !

Comment décrire ce qu'éprouve une mère qui a transmis ce mal horrible à son propre enfant ? Chaque fois que Léo était souffrant, je me sentais coupable et j'avais l'impression de l'avoir poignardé de ma propre main. Ce tourment n'avait d'autre issue que la mort du cher petit ! Le moindre coup, la moindre petite chute — et un enfant normal passe son temps à tomber ou à se cogner — risquait de provoquer une hémorragie, suivie d'enflure et de fièvre. Je me souviens avec angoisse de ses cris déchirants et du spectacle insoutenable de ses souffrances impossibles à apaiser. De telles crises, l'enfant pouvait se remettre, ou mourir, ou encore survivre avec une invalidité permanente.

Quel calvaire pour une mère ! Et que peut-elle faire sinon protéger son enfant en lui interdisant de courir, de jouer à des jeux brutaux et de grimper aux arbres, tout en exigeant des autres membres de la famille une attention de tous les instants ? Je ne sentais Léopold à l'abri que lorsqu'il dormait dans son lit — mais quelle précaire sécurité ! Il devint un petit garçon particulièrement intelligent et appliqué — de tous mes fils, celui dont les facultés mentales rappelaient le plus celles de mon cher Albert. Il apprit très jeune à aimer la peinture italienne dont raffolait son père, sa passion pour la musique était sans égale dans la famille, et il avait un don extraordinaire pour les langues étrangères. Comme de juste, mes exhortations à la prudence l'incitaient à faire tout ce que je lui interdisais. J'admirais son ardeur que ni la maladie ni la crainte de la mort ne purent jamais tempérer. Tout en me plaignant amèrement de son caractère insoumis et de son refus d'écouter ses médecins, je l'aurais sans doute moins aimé s'il avait docilement écouté mes conseils.

En 1876, Disraeli, frappé par ses capacités et son désir de se rendre utile, me suggéra de le prendre comme secrétaire particulier. Il me rendit de grands services à ce poste et fut très fier de posséder la clef de mes « boîtes », comme son père de son vivant. Nous avions craint qu'il n'atteignît pas l'âge adulte, mais il vécut assez longtemps pour servir son pays, se marier et même donner naissance à deux enfants en parfaite santé. Craignant pour lui un surcroît de fatigue, j'avais désapprouvé son projet de mariage, mais il s'était entêté selon son habitude. Hélène, qu'il épousa en 1882, se révéla une jeune femme aussi charmante qu'intelligente, s'intéressant beaucoup aux mathématiques et d'une conversation fort agréable, ce qui me la rendit très chère. Moins d'un an après son mariage, elle mit au monde une petite fille, qu'ils baptisèrent Alice.

Bouleversée en apprenant sa naissance, je me tordis la cheville dans ma hâte d'aller la voir, et il fallut me porter dans la chambre de la jeune accouchée. Lorsque j'arrivai, fort mal en point, Hélène et Léopold reposaient chacun sur un sofa. Une scène assez comique, tout compte fait !

Par je ne sais quelle ironie du sort, le fragile Léo survécut à son père. Pendant toute son enfance, j'avais tenté de le protéger contre les chutes et les accidents, mais il mourut — une semaine avant son trente et unième anniversaire — dans son lit, en plein sommeil, à la suite d'une hémorragie cérébrale. (Coïncidence étrange, sa mort survint le jour anniversaire de celui où il m'avait annoncé que mon cher John Brown avait succombé dans son sommeil.) C'était le deuxième de mes enfants qui disparaissait avant moi, et j'en fus profondément chagrinée.

Léopold mourut à peine deux ans après son mariage. Son fils posthume, Charlie, naquit quatre mois plus tard. Un charmant enfant pour qui j'ai toujours éprouvé une grande affection ! Hélène a su élever parfaitement ce pauvre orphelin, et maintenant que mon pauvre Affie a suivi son frère dans la tombe, Charlie héritera du trône de Cobourg, la patrie bien-aimée de son grand-père. Je crois qu'Albert aurait été content de savoir sur le trône de Cobourg le fils de Léo, cet enfant qui risquait tant de ne jamais atteindre l'âge adulte...

J'eus plus de chance que ma douce Alice qui perdit son petit garçon, Frittie, âgé de trois ans, à la suite d'une chute par la fenêtre. Frittie était un enfant d'une extrême vivacité — une qualité fréquente chez beaucoup de jeunes hémophiles... Elle éprouva un chagrin indicible, et moi de même : rien n'égale la douleur d'une mère qui se sait coupable d'avoir transmis ce terrible mal.

Et pourtant, cela ne venait pas de ma famille ! D'où pouvait venir ce fléau ? À la nouvelle que Léopold était atteint, les paroles de Lord Melbourne me revinrent à l'esprit : « Épouser son cousin germain est une bien mauvaise idée... On peut craindre certaines conséquences... Les enfants nés d'une telle union peuvent avoir des problèmes... » Se pouvait-il que le mal de Léopold fût une conséquence de mon mariage ?

L'idée que mon amour pour Albert ait pu avoir des conséquences dramatiques me parut si insupportable que je parvins à la chasser aussitôt de mon esprit et je n'en fis part à personne, pas même à mon bien-aimé. Mais elle avait germé en moi, en même temps qu'une profonde inquiétude concernant cet enfant ; et qu'une autre crainte encore plus diffuse. Tant de soucis inavoués affectèrent mon tempérament et ma santé. J'étais tour à tour déprimée, anxieuse et irritable. Mon bien-aimé dut affronter mes sautes d'humeur. À nouveau, la paix de notre ménage fut troublée pendant quatre années consécutives. De violentes querelles éclataient entre nous ; pires que celles qui avaient précédé et suivi la naissance de Bertie !

Je cherchais à me maîtriser, mais on ne peut pas se contrôler en permanence, et parfois je sortais de mes gonds. J'entrais en rage et Albert m'adressait des lettres — calmes et froides, teintées de reproches ou apitoyées et compréhensives. Je l'aurais maudit !

> « *Ma chère enfant,* m'écrivait-il, *prenons le temps de regarder la réalité en face... Je m'étonne souvent de l'effet produit sur vous par des paroles anodines, bien qu'après coup vous m'expliquiez parfois en toute candeur l'origine véritable de votre désarroi. J'insiste sur le fait que je ne suis pas la cause — mais bien souvent le prétexte — de vos souffrances...*
>
> « *Jusqu'à maintenant la méthode que j'ai employée n'a pas été couronnée de succès, mais je ne vois pas d'autres possibilités. Si je ne dis rien, vous m'accusez de froideur, d'indifférence, etc, etc. Si je me retire pour vous permettre de vous reprendre, vous me suivez pour raviver la querelle et "mettre tout sur le tapis"...*
>
> « *Mon devoir est de garder mon calme et tous mes efforts vont dans ce sens, car vos souffrances m'inspirent la plus grande pitié. Mais si*

vous cessiez de vous apitoyer sur vous-même pour vous intéresser au reste du monde, vos colères me seraient épargnées...

« Que craignez-vous réellement de ma part ? En quoi puis-je vous contrarier, sinon en ne vous écoutant pas assez lorsque mes affaires m'appellent ailleurs ? »

Oui, en quoi ? Oh, Albert, j'étais lucide ; je *savais* même si je te semblais trop sotte et égoïste pour comprendre ! Mais comment aurais-je pu aborder un tel sujet avec toi, alors que j'osais à peine y penser moi-même un instant ? Et comment aurais-je pu t'écrire à ce propos, car les écrits demeurent et risquent de nous hanter par la suite. Néanmoins, mon bien-aimé, je savais, et je lisais dans tes yeux que tu savais aussi. Je t'ai vu t'éloigner de moi d'année en année, te retirer petit à petit du monde et cheminer vers la mort.

À Londres et à Windsor, ses « affaires » lui fournissaient un excellent prétexte. À vrai dire, elles étaient assez envahissantes pour qu'il m'abandonne toute la journée afin d'assister à des réunions, prononcer des discours, superviser de nouveaux projets, planter des arbres, poser la première pierre de différents édifices. Président de mille sociétés et œuvres charitables, ami de tous les éducateurs, sympathisant avec tous les hommes de progrès, il se dépensait sans compter au service d'autrui comme si son temps était inépuisable. Quant à moi, il ne me restait plus que le petit déjeuner et le dîner en sa compagnie. Le matin, il avalait son repas à toute vitesse, troublant sa digestion par la lecture de journaux et de rapports. Le soir, pâle et sans appétit, il s'efforçait de se montrer aimable avec nos invités ou de plaisanter si nous étions en famille. Nous partagions le même lit : blottie contre lui dans l'obscurité, j'ouvrais un œil quand il se levait sans bruit au milieu de la nuit pour conjurer son insomnie en travaillant à son bureau. Que faire alors, sinon me rendormir aussitôt, par égard pour lui ?

J'ai tenté maintes fois de l'arracher à ses soucis, mais en vain ! À Osborne, il partait toute la journée pour surveiller l'exploitation des terres ; et à Balmoral, lorsqu'il n'avait pas à se pencher sur des projets de construction ou d'œuvres philanthropiques, il s'épuisait à aller chasser dans les montagnes.

C'est là qu'il s'éloignait le plus de moi, cherchant à retrouver dans la nature sauvage les grands espaces de sa Thuringe natale qui lui manquait tant. Lui-même n'en avait pas conscience, mais moi, je savais ! Il marchait pendant des heures dans la lande, grimpant par des chemins pierreux, toujours impatient de partir et déçu à son retour — car ce qu'il cherchait était introuvable...

Au début je l'accompagnais, mais il prolongea ses marches à tel point que je dus renoncer à le suivre. Pour pouvoir s'éloigner davantage, il prit l'habitude de passer la nuit sous la tente, en compagnie de Löhlein, son valet, et d'un ou deux *gillies*. Plus tard, il fit même construire sa cabane à Feithort — une simple pièce avec un lit, une table, une chaise, un poêle et quelques étagères. Une seconde cabane, toute proche, était réservée à son escorte. Il y restait deux nuits, parfois trois, et seules ses nombreuses obligations le contraignaient à revenir.

Je me sentais bien seule, et accablée de soucis : la santé du petit Léo, les fiançailles de Vicky (si jeune !) avec Fritz, les progrès insuffisants de Bertie, la situation internationale, les crises gouvernementales. À cela s'ajoutait cette autre angoisse que j'osais à peine m'avouer... Toute la journée, j'attendais avec impatience le retour d'Albert. Mais il rentrait fatigué, le regard perdu dans le vague, et il m'interrogeait poliment sur mes activités — comme une étrangère. Néanmoins, ces expéditions l'aidaient à trouver le sommeil. Après une longue journée d'exercice physique, il s'endormait dans mes bras, où il trouvait enfin la tendresse et l'oubli.

Tout juste après qu'il eut fait construire sa cabane, il m'arriva un jour de me rebeller contre ma solitude ; je pris donc la décision de le rejoindre, avec Brown pour guider mon poney sur les chemins abrupts — Brown qu'Albert avait choisi pour me promener en voiture ou tenir la bride de mon cheval, en raison de son physique imposant, de sa parfaite honnêteté et de sa droiture.

Je me suis toujours souvenue avec plaisir que Brown m'avait été attribué comme *gillie* personnel par Albert. Il n'aurait pu imaginer alors la place que cet homme occuperait un jour dans ma vie. Trois ans après la mort d'Albert, je pris la décision d'emmener Brown avec moi à Londres, en tant que « Highlander, serviteur de la reine » ; après quoi, il ne me quitta plus jusqu'à la fin de ses jours.

C'est grâce à lui que j'ai pu surmonter ces terribles années d'épreuves. Il faisait tout pour moi : portait mes messages, allait chercher mon châle, passait le buvard sur mes lettres, conduisait ma voiture, menait mon poney. En bien des occasions, il m'a sauvé la vie ; en d'autres, il a séché mes larmes ! Lorsque mes pas furent devenus incertains, il m'a soutenue de son bras robuste. C'est lui qui nouait les rubans de ma coiffe lorsque mes doigts se furent engourdis. Il me versait aussi le thé, en y ajoutant une bonne dose de whisky pour me remonter le moral ! Il était une véritable mère pour moi, une infirmière, un garde du corps et un ami. Surtout un ami ! Le plus sincère, le plus attentionné, le plus désintéressé et le plus fidèle des amis... Et puis je pouvais toujours compter sur sa présence : je n'avais même pas besoin de l'envoyer chercher, il était *là* !

Mais je me laisse entraîner par mes souvenirs... Le jour où Johnny Brown me conduisit à la cabane, il n'était qu'un jeune homme plutôt timide, au visage austère, et qui semblait plus à l'aise avec les chevaux qu'avec les humains. Valet d'écurie avant d'entrer à notre service, il savait se faire obéir des animaux les plus impétueux, et tous les chiens accouraient vers lui, oreilles basses, pour se faire caresser.

La randonnée fut longue. La nature devenait de plus en plus sauvage, et, malgré le beau temps, les tons pourpres des montagnes et les ombres indigo qui s'étiraient sur leurs flancs semblaient de mauvais augure. Mon poney, Fyvie, avançait vaillamment, guidé par Brown qui marchait d'un bon pas devant lui. Cette situation ne favorisait guère la conversation, et j'attendis un arrêt au sommet d'une côte pour demander à mon *gillie* s'il allait pleuvoir. Il scruta le ciel en humant le vent, avant de me répondre : « Pas par ici, plus loin peut-être. » Il avait vu juste. Un peu plus loin, la pluie tombait d'un nuage violacé sur l'autre versant, tandis que le soleil brillait au-dessus de nos têtes. Une vision étrange et particulièrement impressionnante qui me laissa sans voix...

En arrivant au camp, nous vîmes les poneys attachés, un feu dont la fumée bleu acier s'élevait mollement parmi les arbres, et deux *gillies* accroupis, fumant la pipe devant leur cabane. Ils se redressèrent précipitamment lorsque les chiens aboyèrent ; Löhlein apparut à la porte de la cabane d'Albert, un chiffon à la main et l'air pour le moins éberlué. (Ce valet très dévoué à Albert était venu de Cobourg avec lui. Après mon veuvage, je l'ai gardé à mon service car il ne savait que faire. Aujourd'hui il est mort lui aussi. On enterre tant de gens dans une longue vie !)

— Où est le prince ? demandai-je en allemand.

— Il est parti chasser le cerf au petit matin, Votre Majesté, me répondit-il d'un air contrit. Il était en compagnie de Herr Grant et de Herr Macdonald. Je ne sais quand il rentrera.

— Eh bien, j'attendrai un moment, maintenant que je suis ici, déclarai-je en dissimulant ma déception.

— Son Altesse ne savait pas que vous veniez...

Jugeant inutile de répondre à Löhlein, je priai Brown de desseller Fyvie pendant que je me reposais. Il me jeta un regard entendu avant de m'aider à mettre pied à terre, puis, ayant constaté que Löhlein restait planté devant moi, son chiffon à la main, il s'adressa à lui d'un ton sec :

— Qu'attendez-vous, Mr. Löhlein ? Donnez donc un siège à Sa Majesté, vous voyez bien que je m'occupe du poney et que je ne peux m'en charger moi-même !

Löhlein obtempéra. Il alla chercher dans la cabane une chaise qu'il plaça sur le seuil, et je m'assis, tandis que Brown attachait mon poney, avant de rejoindre les autres *gillies*. Au bout d'un moment, je les entendis bavarder à mi-voix, mais Brown ne se mêla pas à la conversation. Assis, les mains sur ses genoux relevés, il m'observait mine de rien.

J'attendis en me demandant si j'avais bien fait de venir, combien de temps j'allais patienter et comment réagirait Albert à son retour. Plus j'attendais, plus je me sentais comme une gamine follement éprise et non comme une femme d'expérience. L'air était d'un calme inhabituel dans ces montagnes — si calme que la fumée du feu se dissipait dans les branches des arbres, telle une légère mousseline. Une senteur automnale de résine emplissait l'atmosphère de mélancolie. Sous mes pieds, s'étendait un épais tapis d'aiguilles de pin. Dans un profond silence, je ne distinguais que les intonations mélodieuses des *gillies* parlant le gaélique, les soupirs ou les coups de sabots occasionnels des poneys, et de temps à autre les crépitements du feu.

Levant la tête, j'aperçus le ciel dans un lacis de branches à demi dénudées — un ciel bleu et vide, dans lequel tournoyait un unique oiseau de proie au plumage sombre, si haut et si éloigné que je n'aurais su dire s'il s'agissait d'un aigle, d'un milan ou d'une buse. (Lorsque j'avais fait la connaissance d'Albert, j'étais incapable de distinguer un oiseau d'un autre, mais j'avais appris depuis à les reconnaître, ainsi que les fleurs et les arbres...) Quelle vue magnifique il devait avoir de là-haut ! me dis-je. Une vue semblable à celle de Dieu sur sa Création, cette terre si belle et si douce qu'il nous a donnée en partage. Soudain mon cœur se serra face à ce spectacle tellement mélancolique. Peut-être Albert éprouvait-il ce même sentiment face à l'immensité de l'univers... Je n'aurais jamais dû m'inquiéter à son sujet et il ne me restait plus qu'à repartir au plus vite sans le déranger.

À cette pensée je me relevai. Brown, à qui rien n'échappait, suivit mon exemple avec la grâce d'un danseur de ballet. Puis un chien aboya, devançant le reste de la troupe qui apparut bientôt au détour du chemin — chiens, *gillies*, poneys et, enfin, Albert. Les chasseurs revenaient bredouilles, car la selle des poneys était vide. Son fusil sous le bras, Albert portait un kilt confectionné dans le tartan gris de Balmoral et une veste en tweed. Il pénétra dans la clairière, se dirigea vers moi, mais ne sembla pas me voir. (Était-ce une illusion d'optique ou avait-il l'esprit ailleurs ?) Aurais-je été un fantôme évanescent, ma présence ne l'aurait pas moins affecté...

Il s'immobilisa à quelques pas comme un aveugle rencontrant quelque obstacle impossible à identifier, et je pus l'observer aussi lucidement que s'il m'était étranger. Un homme d'une trentaine d'années, mais paraissant plus âgé ; marié, père de famille, le visage marqué par les responsabilités et les soucis quotidiens, une calvitie naissante, un double menton, un soupçon d'embonpoint autour de la taille et des cernes sous les yeux. Qu'était devenu l'éphèbe aux cheveux d'or et au teint de porcelaine, pareil à un ange descendu du ciel ? Je ne m'en souciais guère, car j'aimais l'homme qui se tenait debout face à moi. J'avais partagé sa vie, ses repas, son sommeil ; mis au monde les enfants qu'il avait conçus. Toutes ces années vécues ensemble se lisaient sur son visage et je sentis mon cœur vibrer d'amour pour lui...

— Albert, murmurai-je enfin, j'espère que vous êtes content de me voir.

Il ne répondit pas. Malgré la douce fraîcheur de l'air, un frisson me parcourut — un frisson d'angoisse. Ses yeux bleus étaient vides, et j'eus l'impression de voir une tête de mort à la place du visage tant aimé.

— Albert ! repris-je d'une voix angoissée.

Tout était calme autour de nous, sans un souffle d'air ; le feu lui-même avait cessé de crépiter.

Il chuchota en allemand :

— Que faites-vous ici ? Ce n'est pas le moment !

À son ton, je compris que ce n'était pas à moi que ses paroles s'adressaient.

— Vous ne reconnaissez pas votre petite femme ? insistai-je, au comble du désespoir.

Du coin de l'œil, je vis quelque chose bouger à l'autre bout du campement. Au même moment, Albert cligna les yeux et porta sa main à son front d'un air incrédule. Puis il m'aperçut et ses yeux retrouvèrent brusquement leur beau regard bleu.

— Votre visite est une surprise pour moi, me dit-il. Mon esprit voguait bien loin d'ici. Chère petite, j'espère que vous ne m'apportez pas de mauvaises nouvelles.

— Pas le moins du monde, mais vous me manquiez et j'avais hâte de vous revoir, balbutiai-je.

Il sourit et prit mes mains qu'il porta à ses lèvres l'une après l'autre.

— J'ose espérer que vous déjeunerez avec moi ici, dans les bruyères.

— S'il y a des pommes de terre, je reste, répliquai-je de bonne grâce.

— Il y a toujours des pommes de terre en Écosse ! Mais n'avez-vous rien apporté, reine imprévoyante ? Si nous n'avions pas été ici, vous seriez morte de faim.

— Aucunement ! déclarai-je, hautaine. Brown aurait abattu un cerf ou pêché un poisson.

Il éclata de rire — un son délicieux, plus doux pour moi qu'une mélodie.

— Certes, mais Brown lui-même aurait été incapable d'arracher des pommes de terre à cette montagne ! *Kennst du das Land, wo die Kartoffeln blühn*[1] ? chantonna-t-il, paraphrasant Goethe.

Me voyant rire à mon tour, il serra mes mains dans les siennes et ajouta :

— Allons, venez, ma chérie, nous allons voir ce que nous pouvons vous offrir...

Ce fut un charmant repas, cuisiné devant la cabane et consommé en plein air, sur une nappe déployée pour nous dans la bruyère. Sous nos yeux s'étendait un paysage pourpre et rose au premier plan ; émeraude, indigo et d'un bleu fabuleux dans le lointain. Aucun bruit ne troublait le silence, à part le cri du coq de bruyère et le bourdonnement discret des abeilles.

Nous nous régalâmes de pommes de terre bouillies et de bœuf froid, de fromage et de pain de seigle, enfin, d'une délicieuse tarte aux airelles, préparée le matin même par Löhlein. Il ouvrit une bouteille de bordeaux et une d'eau de Seltz, que nous vidâmes au cours de ce long déjeuner. Grant fit ensuite du thé et nous offrit du whisky, servi par Brown — lequel remporta la bouteille de bordeaux en la tenant entre le pouce et

---

1. Connais-tu le pays où fleurissent les pommes de terre ?

l'index d'un air méprisant qui nous amusa. Tout en mangeant, nous parlions de tout et de rien d'une manière si détendue qu'il nous sembla que le poids des ans s'évanouissait : nous étions à nouveau le jeune couple sur lequel ne pesaient pas encore les soucis de la famille et de l'État.

Après le repas, Albert inscrivit nos noms ainsi que la date du jour sur un papier, puis le glissa dans la bouteille d'eau de Seltz qu'il enfouit sous la terre. Nous observions depuis quelque temps ce rite dans les occasions particulièrement mémorables. Lorsque nous serons vieux, disait-il, nous viendrons les déterrer et nous remémorer nos jours heureux.

Ensuite, nous gardâmes le silence un moment, tandis que le soleil de l'après-midi devenait plus doux et les ombres moins denses.

— Êtes-vous content que je sois venue vous rejoindre ? demandai-je non sans malice.

— Enchanté ! (Albert me tenait la main et faisait tourner mon alliance autour de mon doigt d'un air pensif.) Mais pourquoi cette visite ?

— Je me sentais bien seule.

— Deux jours d'absence ne sont pas une si longue séparation !

— Je ne m'habituerai jamais à votre absence si courte qu'elle soit. Sans vous, rien ne m'intéresse — et je prie Dieu de n'avoir pas à vous survivre.

Il m'observa, perplexe.

— Pourquoi dites-vous cela ?

— Parce que je serais incapable de me passer de vous, répliquai-je, en esquivant la question qu'il m'avait posée.

— Vous avez toujours tendance à sous-estimer vos forces, Victoria. Je vous assure que vous seriez parfaitement capable de vivre sans moi. En revanche, s'il vous arrivait quoi que ce soit, je serais perdu.

— Vous ? m'étonnai-je, troublée à mon tour.

D'une légère pression de la main, il me réduisit au silence.

— Vous devriez savoir que je suis d'une nature peu expansive. Lorsque j'essaie d'exprimer mes sentiments par écrit, mes mots me semblent bien pâles et bien ternes comparés à ce que j'éprouve. Quant à vous dire face à face les secrets de mon cœur...

Albert s'interrompit, détourna les yeux, et ses deux joues s'empourprèrent. Mon époux, à qui j'étais unie depuis tant d'années, pouvait encore rougir devant moi !

— J'aimerais vous dire, reprit-il, que vous êtes tout pour moi. Chère petite, vous êtes ma vie, mon refuge ; comprenez-vous ?

Muette d'émotion, je saisis sa main avec ferveur, et il fit de même. Il poursuivit d'une voix plus calme, les yeux tournés vers la vallée :

— Si vous m'aimez, Victoria, soyez généreuse et laissez-moi partir le premier.

— Oh non ! m'écriai-je en me mordant les lèvres pour les empêcher de trembler. (Puis j'attendis d'avoir repris mes esprits pour ajouter :) Vous m'aviez promis que nous vieillirions ensemble... que nous nous promènerions un jour sur la terrasse d'Osborne en regardant nos petits-enfants gambader autour de nous.

— Oui, murmura-t-il face à la montagne couverte de bruyère, comme si cette charmante scène se déroulait à cet instant sous ses yeux.

— Nous vieillirons ensemble. Jamais Dieu ne nous séparera !

— Certes, approuva Albert.

Comme je restais silencieuse tant mon cœur débordait d'émotion, il ajouta sereinement :

— Mais la vie ici-bas n'est qu'un commencement. Quoi qu'il nous arrive en ce monde, n'oublions jamais qu'une vie future nous attend.

— Serons-nous ensemble ? demandai-je en ravalant mes larmes.

Il se tourna vers moi, apparemment surpris par ma question.

— Bien sûr, nous serons ensemble ! En doutez-vous ?

— Non, mais je voulais connaître votre opinion.

Je craignais, en effet, que son point de vue sur l'au-delà ne fût trop austère pour faire place à de si douces joies.

— J'ignore sous quelle forme nous nous retrouverons, mais j'ai la certitude que nous nous reconnaîtrons et que nous serons réunis pour l'éternité, déclara-t-il d'un ton solennel, en me regardant au fond des yeux. C'est pourquoi je ne crains pas la mort. Pensez-vous que je mourrais le cœur léger si je devais vous abandonner pour toujours ? Le Dieu que je révère est un Dieu d'amour ; puisqu'il nous inspire le désir de rester ensemble, il n'aurait pas la cruauté de nous séparer...

Je sentis la chaleur de sa main sur la mienne, et la ferveur qui brillait dans ses beaux yeux bleus m'enflamma comme d'habitude.

— C'est vrai, acquiesçai-je, songeuse.

Certes, j'étais soulagée d'apprendre qu'il croyait comme moi à l'éternité de l'âme, mais je regrettais qu'il accorde si peu de valeur à la vie terrestre. J'aimais non seulement son âme et son esprit, mais son corps, et je souhaitais vivre longtemps sur terre avec lui. Il ne devait pas mourir « d'un cœur léger » tant que nous ne serions pas, l'un et l'autre, affaiblis par l'âge. Et s'il disparaissait, je ne demandais qu'à le suivre !

31 octobre 1900

Cette année a été bien fertile en terribles épreuves ! De Prétoria nous est parvenue l'affreuse nouvelle que mon cher Christl vient de mourir de la malaria et d'une fièvre intestinale. Il n'avait que trente-trois ans et c'était un jeune homme chaleureux et gai. Nous étions tous si fiers de ses exploits ! Pourquoi Dieu rappelle-t-il à lui si vite les meilleures de ses créatures ? À trois semaines près, Christl aurait été de retour parmi nous. Il avait écrit à Lenchen, sa mère, combien il se réjouissait de retrouver ses amis, sa famille et ses chiens préférés. La pauvre petite Thora est dévorée par le chagrin : elle idolâtrait son frère, dont elle était si proche ! Quant à Lenchen, elle a beaucoup de cran, mais je sais ce qu'elle éprouve. Mon Dieu, quelle sale guerre ! Ce « continent noir » mérite bien son nom.

Hier, le petit Maurice, les yeux rouges de larmes, s'est adressé à moi d'un air grave :

— Gangan, j'ai décidé de m'engager dans le régiment de Christl quand je serai assez grand. Je veux être un aussi bon soldat que lui !

L'émotion m'a empêchée de lui répondre. On ne peut que s'incliner devant de si nobles sentiments. Cet enfant admirait beaucoup son cousin, mais je pense qu'il ne réalisera jamais son rêve, car il est hémophile.

Combien d'épreuves pourrai-je encore endurer ? Je me sens bien faible et bien lasse, mon appétit décline, et cette maudite insomnie sème le trouble dans mes activités. Pourtant, même aux heures les plus sombres, surviennent encore des accalmies. Dimanche, à l'église, le pasteur a prié très solennellement Dieu d'envoyer un peu de sa sagesse « au gouvernement de Sa

Majesté, qui en a bien besoin ». Si le Créateur ne nous avait pas dotés du sens de l'humour, que deviendrions-nous dans ces jours sombres ?

Je me fais un devoir de reprendre mon récit... Sans doute ai-je appris, sous l'influence de Lehzen, qu'il faut toujours finir ce que l'on a commencé. J'ignore combien de temps il me reste à vivre. En vérité, même les plus jeunes et les plus forts d'entre nous ne savent pas réellement à quoi s'en tenir. Comme ma très chère Alice, emportée par une horrible maladie ! Et ce pauvre Affie ! Quant à Vicky, elle est encore trop faible pour m'écrire après cette violente crise, et elle m'envoie ses affectueux sentiments par l'intermédiaire de Sophie. Quand cela finira-t-il ? Il est temps pour moi de changer le cours de mes pensées. Je dois écrire, écrire, écrire...

Un détail curieux me frappe au sujet de Lord Palmerston. Il exerçait une véritable fascination sur moi quand je suis montée sur le trône, et même avant — car j'avais eu l'occasion d'apprécier sa conversation passionnante lors de certains dîners. En revanche, il me parut insupportable en tant que ministre des Affaires étrangères — considérant sa charge comme son domaine privé, n'écoutant que ses préjugés, et nous plongeant dans l'embarras par ses initiatives personnelles, souvent contraires au point de vue du Cabinet.

Mais quand survint la guerre de Crimée, nous dûmes le prendre comme Premier ministre. En effet, le pays l'exigeait (seul « Pam » pouvait nous donner la victoire, pensaient beaucoup de gens), mais surtout, personne d'autre ne pouvait obtenir une majorité suffisante pour former un gouvernement. Dieu sait que j'ai cherché une autre solution ! Par un temps effroyable (c'était en janvier et février 1855), je fis d'innombrables allers et retours entre Windsor et Londres pour m'entretenir avec tous les politiciens — Derby, Lansdowne, Russell — qui auraient une chance éventuelle. Mais en vain...

Derby lui-même me déclara qu'il fallait choisir Palmerston, bien qu'à soixante et onze ans, il le jugeât sur le déclin. C'était en effet un vieil homme à demi aveugle, plus qu'à moitié sourd, inefficace et instable. Ses partisans l'appelaient « l'homme aux favoris », et Disraeli, dans son langage haut en couleur, « le vieux pantin ». Pourtant, une fois Premier ministre et encadré par des hommes de confiance, il m'inspira à nouveau une grande sympathie. Selon Albert et moi, de tous nos Premiers ministres, il fut celui qui nous causa le moins d'ennuis, le plus souple et le plus désireux d'accepter nos suggestions. À la tête du gouvernement, nous appréciions son esprit clair et logique et nous avions la certitude que l'honneur et les intérêts de sa patrie lui tenaient à cœur.

Au début, j'étais tout à fait opposée à la guerre, malgré l'humeur belliqueuse du pays. Il semblait que les jeunes gens — et d'autres, moins jeunes — brûlaient d'aller se battre. La presse parlait de « glorieuses hostilités » et fulminait contre les « pacifistes à tout crin », comme si la guerre était quelque délicieuse activité dont tout le monde avait sa part sauf nous. J'en vins à croire finalement qu'il valait mieux s'engager dans la guerre et régler le problème que s'accommoder d'une paix douteuse qui nous mènerait à une guerre encore pire. L'agression russe devait être étouffée dans l'œuf...

Sur ce point, au moins, je pense avoir eu raison. L'Ours russe ne m'a jamais inspiré confiance, et le tsar Nicolas — malgré ses nombreuses qualités que je pus apprécier en 1844, lors de sa visite impromptue en Angleterre — était tout sauf intelligent. Sa mort subite en 1855 calma les ardeurs guerrières des Russes. (Il eut, paraît-il, le cœur brisé par nos victoires à Inkermann et Balaklava, car, vu l'importance de leurs troupes et de leurs munitions, les Russes auraient dû gagner). Mais je suppose que nous devions donner au moins un bon coup sur la patte de l'Ours et le renvoyer dans sa caverne. Personne ne pourra jamais conquérir la Russie : ce pays est trop vaste, trop froid, et sa population trop dispersée. Et qu'en ferions-nous si nous y parvenions ? Ce n'est pas un pays que j'aimerais gouverner...

La guerre de Crimée se termina de manière aussi peu satisfaisante qu'elle avait commencé. Après un siège long et coûteux pour les Français, Sébastopol finit par tomber. J'eus grand mal à supporter que la paix soit signée avant que nos valeureux soldats aient pu remporter la victoire finale qu'ils avaient bien méritée et payée à l'avance par tant de vies humaines. Mais l'armée française était trop décimée par la maladie pour continuer à se battre, et la paix fut conclue en mars 1856. Palmerston gagna mon admiration en luttant bec et ongles pour améliorer les conditions de paix. Les Russes furent au moins repoussés de la mer Noire et Constantinople n'eut plus rien à craindre.

Une conséquence positive de la guerre fut le développement des techniques de photographie et l'extension de son usage dans l'intérêt de tous. Pour la première fois, les gens restés au pays purent voir exactement ce qui se passait sur le front. Impressionnés par les photos et les reportages, ils comprirent la nécessité d'améliorer la condition des simples soldats — ce qui donna à ces derniers meilleur moral et plus d'ardeur au combat. Le Duc se retournerait sans doute dans sa tombe s'il m'entendait, mais un soldat qui peut envoyer une partie de sa solde à sa famille se bat plus courageusement ! Sachant qu'il n'a pas laissé les êtres qu'il aime dans le besoin, il n'a nulle envie de déserter pour rentrer chez lui.

Le progrès des soins hospitaliers fut bénéfique à tous, car il se répandit dans les hôpitaux civils ; l'importance accordée à l'air pur et à l'évacuation des eaux usées sauva à elle seule des centaines de vies humaines. Je garde encore quelques réticences au sujet des femmes infirmières ; mais cette nouveauté est entrée dans les mœurs. Quand il s'agit de respectables femmes mariées appartenant aux classes laborieuses, je suppose qu'il n'y a rien à redire. En plusieurs occasions, j'ai rencontré Miss Florence Nightingale qui m'a paru tout à fait charmante, intelligente et sensée, je l'avoue. Douce et discrète, malgré son expérience, elle possède les qualités d'une véritable *lady*. Cependant, tout le monde n'a pas sa remarquable personnalité ! Je crains qu'une jeune fille ne puisse conserver son équilibre et sa modestie en de telles circonstances. À mon avis, nos demoiselles devraient encore éviter, dans la mesure du possible, de devenir infirmières...

Après la guerre, je pus constater que tous les membres du gouvernement appréciaient la grande part de responsabilités qu'Albert y avait prise. Cela avait représenté un immense surcroît de travail pour lui. Sans son esprit clair, ses fermes principes, et son sens aigu du détail, je ne sais ce que nous serions devenus, car l'administration se montra plus lente et inefficace que jamais. Selon Granville, Albert connaissait mieux le fonctionnement des ministères que les ministres en titre. Lansdowne estimait que mon mari avait tiré d'affaire le gouvernement bien des fois ; Clarendon, ministre des Affaires étrangères pendant la guerre de Crimée, affirmait qu'il avait rendu « de précieux services au gouvernement » et écrit les rapports « les plus percutants qu'il ait jamais lus ». Enfin, Palmerston (qui, je l'appris ensuite, ne tenait pas Albert en grande estime avant la guerre, en raison de leurs caractères et de leurs tournures d'esprit radicalement opposés) reconnut ensuite ses qualités exceptionnelles et déclara que le mariage de la reine avec un tel prince était une chance pour le pays.

J'ignorais ce total revirement à l'époque, mais j'avais observé une meilleure entente entre eux, plus de chaleur et de respect dans la manière dont Palmerston s'adressait à mon bien-aimé Albert. En juin 1856, j'écrivis donc une lettre à mon Premier ministre, remettant à l'ordre du jour un problème qui me tenait à cœur depuis longtemps et que mon petit Arthur avait énoncé ainsi avec son innocence enfantine : « Maman, puisque tu es reine, pourquoi papa n'est-il pas roi ? »

J'écrivis donc ceci à Palmerston :

> *« Par une étrange omission, notre Constitution accorde à l'épouse du roi le plus haut rang et la plus haute dignité du royaume après son mari, alors qu'elle ignore totalement l'époux de la reine régnante. Cela est d'autant plus étonnant qu'un mari exerce dans ce pays des droits et un pouvoir particulier sur sa femme, et que la reine, comme toute autre femme, jure obéissance à son seigneur et maître. »*

Je précisais ensuite que certains membres de la famille royale n'avaient guère apprécié autrefois l'idée d'accorder un titre à Albert, mais puisqu'ils étaient maintenant décédés, la question devait être tranchée pour lui et tous les futurs consorts. J'avais, quant à moi, une préférence pour le titre de roi, mais une telle nouveauté pouvant contrarier l'opinion, je considérais que le titre de « prince consort » — le plus haut rang après la reine — devait être attribué une fois pour toutes par le Parlement au mari de la reine régnante.

Le système d'alors présentait en effet de nombreux inconvénients. Mes enfants avaient officiellement la préséance sur leur propre père, à qui j'avais juré obéissance lors de mon mariage, ce qui était offensant pour nous deux. D'autre part, à l'étranger, le mari de la reine d'Angleterre n'avait d'autre titre officiel que celui de frère cadet du duc de Cobourg, ce qui était préjudiciable à la dignité de la Couronne. Enfin, dans mon propre pays, mon mari était constamment présenté comme un étranger — « la reine et son mari étranger, le prince Albert de Saxe-Cobourg-Gotha », ce qui était une insulte à la Couronne et empêchait de reconnaître les grands services qu'il avait rendus.

Je ne doutais pas d'obtenir l'accord du Parlement, surtout s'il était précisé que je ne demandais aucune augmentation de la pension d'Albert — lequel s'intéressait beaucoup moins que moi à ce projet. En théorie, il approuvait mes raisons, mais ne voyait aucune différence sur le plan pratique.

— Vous savez bien que je fais mon devoir et que je me moque des titres, me dit-il un jour.

— Bien sûr, répliquai-je, mais vous méritez un titre malgré tout. Je déteste que les gens du monde vous considèrent comme un Allemand.

Albert me sourit tendrement.

— Un titre n'y changera rien, petite chérie. Jamais ils ne m'aimeront. L'amour de ma femme et de mes chers enfants suffit à mon bonheur.

L'affront infligé par le roi de Prusse, qui, en 1845, avait donné à l'oncle de l'empereur d'Autriche la place due à Albert, me revint à l'esprit.

— Au moins, on ne manquera plus d'égards envers vous dans les cours étrangères ! insistai-je pour le convaincre.

— Vous allez au-devant d'une déception si vous attachez trop d'importance à ce problème.

— Point du tout ! rétorquai-je.

Mais Albert avait raison...

Le projet de loi fut d'abord ajourné sous la pression d'affaires urgentes. Examiné en mars 1857 par le gouvernement, il suscita une toute nouvelle objection — d'autant plus étonnante qu'elle apparaissait pour la première fois depuis dix-sept ans. La loi et l'usage anglais stipulant que le mari transmet son rang à sa femme, et non l'inverse, un problème se poserait si le mari de la reine régnante était traité comme la femme du roi : le « roi consort », en cas de veuvage, ferait de sa nouvelle épouse une reine s'il se remariait... De plus, en matière de préséance, l'adoption de ce projet de loi placerait le consort entre le trône et le prince de Galles, privant ce dernier de la priorité constitutionnelle de l'héritier présomptif et créant de graves problèmes au cas où la reine viendrait à décéder avant son mari.

Je fulminai ; Albert se montra philosophe ; et Palmerston, tout en comprenant parfaitement ma déception, m'assura qu'il n'y avait aucun espoir.

— Sur le plan légal, me dit-il, toutes ces questions sont extrêmement délicates et je ne vois pas qui pourrait soutenir ce projet de loi, et moins encore le faire passer à la chambre des Communes.

Après avoir entendu mes protestations, il ajouta avec aménité :

— La position d'une reine régnante est vouée, madame, à une certaine anormalité, mais l'une des grandes forces de notre Constitution réside en ce qu'elle ne spécifie pas. Son Altesse possède un pouvoir dans ce pays et une influence sur son gouvernement qui effrayeraient beaucoup de gens s'ils étaient définis par la loi ; nous risquerions alors d'être privés de ses précieux services.

Ces propos m'apaisèrent quelque peu, mais Palmerston avait compris mon profond chagrin.

— Permettez-moi, madame, de vous présenter une suggestion, conclut-il. Vous pourriez donner à votre mari le titre de prince consort par lettres patentes. Il suffit d'établir le document sur-le-champ !

— Quel serait son rang ?

— Il viendrait immédiatement après vous, sauf stipulation expressément contraire du Parlement.

Son raisonnement me rappelait Lord M. Nous en étions donc arrivés là au bout de dix-sept ans ! Mais l'avantage d'une formulation vague était clair : avec un peu d'adresse, on pourrait tirer au maximum sur le fil sans risquer de le rompre...

— Cela donnera à Son Altesse un titre anglais, précisa mon Premier ministre, persuasif.

— À Son Altesse Royale rectifiai-je, imperturbable. En effet, il ne sera plus traité par les cours étrangères comme le cadet de la maison de Saxe-Cobourg. Je vous prie de faire vite ! Je souhaite qu'Albert soit officiellement prince consort avant la fin de la saison.

Le 25 juin 1857, mon bien-aimé reçut donc le titre qui aurait dû être le sien depuis bien longtemps...

Entre-temps, une bien grande joie nous fut accordée. L'année précédente, 1856, nous avait apporté beaucoup de bonheur grâce à la paix et au retour de nos fils. Bals et banquets s'étaient succédé à Londres et la saison à l'Opéra avait été brillante. Nous avions eu le plaisir de voir naître une grande affection entre Fritz et Vicky, fiancés en secret avec notre permission. En mai 1856, la nouvelle salle de bal et de concert de Buckingham, dessinée par Albert, fut inaugurée pour les débuts dans le monde de Vicky. Je pus danser sans fatigue pendant toute la saison et m'entendis avec plaisir décrire comme « la femme la plus gracieuse du monde ».

Depuis la fin de la guerre, Albert semblait un peu moins accablé de fatigue et de soucis. Les fiançailles de Fritz et de Vicky l'enchantaient : c'était une étape dans la réalisation d'une Allemagne unie sous la conduite d'une Prusse libérale, qu'il appelait de tous ses vœux. Nous passâmes quelques jours fort agréables à Osborne où, en particulier, nous assistâmes à l'arrivée de notre nouveau yacht — baptisé *Victoria and Albert* comme le précédent, mais plus long de cent pieds, et si vaste que je m'y sentais littéralement perdue.

Ensuite, eut lieu un séjour à Balmoral : notre nouvelle demeure était achevée et toutes les traces de l'ancien château avaient disparu, pour la plus grande satisfaction d'Albert. Ainsi, au milieu de tous ces événements, je découvris sans grande surprise que j'étais à nouveau enceinte. Le 14 avril 1857, naquit — paisiblement, grâce à l'effet bienfaisant du chloroforme — notre fille Béatrice. Dès le début, nous eûmes la certitude qu'elle serait la fleur de notre petit troupeau. Appelée « Bébé » comme le sont couramment les derniers-nés, elle conserva par la suite ce surnom affectueux auquel nous étions attachés.

(Quelques années plus tard, Willy, le fils aîné de Vicky, venu nous rendre visite, l'appela « Bébé » comme le faisaient les grandes personnes. Quand nous lui enjoignîmes de s'adresser respectueusement à sa tante, même si celle-ci n'avait que deux ans de plus que lui, il se rebella. Finalement, il résolut le problème en l'appelant « tante Bébé » ce qui me fit bien rire — hors de sa présence, bien sûr.)

Après mes relevailles, Clark, mon cher médecin, vint m'annoncer solennellement que je ne devais plus avoir d'enfants.

— Votre Majesté ne serait pas en état de supporter une nouvelle grossesse, me dit-il d'un ton grave. Je vous déconseille vivement de vous embarquer dans une telle aventure.

Effarée, je m'écriai :

— Mais, docteur, dois-je renoncer à m'amuser au lit ?

Clark rougit, selon son habitude quand il devait aborder une question délicate ; cette pruderie avait le don de m'irriter... Après un instant d'hésitation, il suggéra que le prince me précisât lui-même son point de vue à ce sujet. Je passai donc une fort mauvaise journée et dus attendre d'être seule avec Albert, ce soir-là, pour lui rapporter les paroles de Clark.

— Ma petite chérie, me répondit-il avec un tendre sourire, je croyais que vous détestiez avoir des enfants ! Ne seriez-vous pas ravie d'en finir avec tout cela ?

— Je n'aime pas être grosse, protestai-je, mais pour qui me prenez-vous ? Seule une femme sans cœur ne s'attache pas aux enfants qu'elle a mis au monde !

— Certes, mais neuf est un bon nombre, et nous avons eu la chance de ne perdre aucun de nos enfants...

— Grâce au ciel ! soufflai-je en songeant à Léopold, et en croisant aussitôt les doigts.

— Grâce au ciel ! répéta docilement Albert, mais neuf enfants devraient vous suffire.

— Je n'ai pas d'ordres à recevoir de Clark. C'est moi qui décide.

— N'aurais-je donc pas mon mot à dire ? plaisanta Albert.

— Justement !

Quand je lui exposai alors la fin de mon entretien avec Clark, Albert étouffa un rire.

— Le pauvre homme, vous le mettez à rude épreuve, chère petite femme !

— Qu'a-t-il voulu dire ? insistai-je. Expliquez-moi !

Albert rougit tout comme Clark.

— Eh bien, mon cœur, il existe une possibilité de faire ce que nous faisons, mais sans risque de grossesse. Disons, sans aller jusqu'au bout...

— Non, ça ne me plaît pas ! m'écriai-je, après avoir imaginé ce qu'il voulait me suggérer. Cette solution sonne faux, et je tiens à ce que tout soit clair entre nous — clair comme de l'eau de roche. Aimons-nous comme par le passé ; je ne veux pas renoncer à avoir des enfants et je m'en remets à Dieu.

— Dieu a bien d'autres soucis ! observa Albert sans conviction en faisant tourner mon alliance autour de mon doigt. Nous sommes censés prendre nos responsabilités et décider nous-mêmes, de notre vie.

— Eh bien, ma décision est prise.

— Malgré les conseils de Clark ?

— Les médecins ne peuvent pas tout savoir !

HIVER

19

Windsor, 12 novembre 1900

Ce matin, un nouveau Conseil privé a prêté serment : Lord Salisbury s'est débrouillé pour revenir au pouvoir, avec une majorité accrue de trois voix. Une élection était-elle vraiment nécessaire ? lui ai-je demandé ensuite. (Les journaux parlent d'« élections kaki », et il y a eu quelques critiques, comme je l'avais supposé.) Lui — Salisbury — paraît tout à fait épuisé ; il va donc renoncer au ministère des Affaires étrangères. Lansdowne aura ce portefeuille, ce qui satisfait tout le monde. Il y a divers changements qui ne m'enchantent guère, mais je me félicite que les conservateurs restent au pouvoir ; ainsi, je n'aurai pas besoin de m'habituer à un nouveau Premier ministre. Nous nous entendons le mieux du monde, Salisbury et moi, et il n'ignore plus rien de mes petites manies — ni moi des siennes.

Les conservateurs s'opposent aujourd'hui aux libéraux, alors que dans ma jeunesse les whigs affrontaient les tories. Avec quelle passion j'ai été favorable aux whigs et hostile aux tories ! J'ai peine à le croire aujourd'hui vu le peu de différence qui existait entre les deux partis, dont les membres appartenaient aux mêmes classes sociales. Ce n'est plus le cas depuis les diverses réformes électorales. Les gens les plus bizarres ont accès au Parlement, quoiqu'ils semblent s'y comporter de façon satisfaisante une fois qu'ils y sont. La Chambre des communes est beaucoup moins turbulente, paraît-il, que dans les années vingt ou trente. Deux candidats du Parti travailliste indépendant ont même été élus dernièrement, ce qui a provoqué quelques remous, mais je n'y vois pas d'inconvénient. S'ils savent se conduire en gentlemen, je ne me soucie guère de connaître leurs origines.

Je me souviens qu'à mon premier Conseil privé, ce fut Lord M. qui m'apprit tout ce que j'étais censée faire. De ce premier Conseil personne n'a survécu, et les nouveaux venus comptent sur moi pour les guider à travers les méandres du protocole.

Au cours de mon long règne, j'ai eu dix Premiers ministres. Salisbury a été d'une certaine manière le meilleur ; Gladstone à tout point de vue le pire. Je repense à sa manière absurde de créer des frictions entre les classes sociales et de compromettre l'honneur de notre pays à l'étranger. Il manquait d'égards, se montrait parfois impertinent et me faisait la leçon comme à une écolière. Malgré ses mauvaises façons, c'était cependant un homme capable. On raconte qu'une jeune femme, assise à son côté pendant un dîner, sortit de table avec l'impression qu'il était l'homme le plus intelligent de toute l'Angleterre. Mais, le lendemain, dînant à côté de Disraeli, elle sortit de table avec l'impression qu'elle-même était la femme la plus intelligente de toute l'Angleterre...

Cher, très cher Dizzy ! Quel homme incomparable ! Son intelligence, son érudition, son esprit, égalaient son charme et sa chaleur humaine. À la différence de Gladstone, jamais il ne m'a sermonnée. Son admiration sincère me donnait conscience de ma féminité et de mes forces. Nous étions naturellement attirés l'un par l'autre — comme deux « marginaux » peut-être... Et plus nous nous sommes connus, plus notre amitié s'est approfondie.

En 1868, quand il devint pour la première fois mon Premier ministre, je commençais tout juste à me remettre du choc effroyable de la mort de mon bien-aimé. J'avais l'impression de m'être débattue, seule, dans un profond tunnel. En vérité, je ne suis jamais restée inactive — je dus même travailler plus que jamais, pour assumer les tâches d'Albert en plus des miennes — mais l'idée d'apparaître en public me faisait véritablement horreur. Je ne supportais pas de me montrer seule, là où il avait été à mes côtés. Je n'étais donc qu'une pauvre veuve, brisée par le chagrin, et je trouvais scandaleux que les gens tiennent à me voir dans mes voiles de deuil.

Il ne leur suffisait pas que je fasse mon devoir, ils souhaitaient me voir à l'acte. Le fait que je n'assistais plus aux manifestations publiques les contrariait, et un plaisantin alla jusqu'à épingler sur les grilles de Buckingham l'écriteau suivant : « À louer. Inoccupé. » C'était, hélas, une époque où le sentiment révolutionnaire se propageait en Europe. Je considérais comme une impertinence cette façon de vouloir régenter ma vie et de me traiter comme un mannequin de cire, mais la république venait de s'établir en France pour la troisième fois, et beaucoup de gens estimaient que l'Angleterre risquait de s'engager sur la même voie. À la Chambre des communes, quelqu'un demanda si je méritais vraiment ma liste civile et si je jouais un rôle utile — moi qui n'ai jamais cessé de m'affairer du matin au soir ! Cette question, posée par Sir Charles Dilke, me blessa d'autant plus que j'avais connu son père lorsqu'il travaillait avec Albert au projet d'exposition universelle. (J'avais même caressé les cheveux du petit Charles — alors à peine âgé de huit ans — au Palais de Cristal, mais sans doute à rebrousse-poil !)

Si la monarchie était en danger, l'ironie du sort voulut qu'elle fût sauvée par le spectre de la mort — d'abord en août 1871, lorsque j'eus un grave abcès au bras, puis en novembre de la même année, lorsque le pauvre Bertie faillit mourir de la fièvre typhoïde. Sur le point de nous perdre, le peuple vit de quel côté penchait son cœur. Par la suite, je repris l'habitude d'apparaître en public — moins souvent que ne souhaitaient les gens, mais trop souvent à mon gré. En 1874, à son retour au gouvernement, Disraeli sut habilement me convaincre de faire certaines choses qui me semblaient impossibles depuis longtemps. Sa manière de pencher la tête en me disant « chère madame » d'un air persuasif était irrésistible ! J'ai toujours ouvert les sessions du Parlement plus volontiers pour lui que pour tout autre.

Certaines personnes trouvaient choquant que le Premier ministre fût juif, mais une telle mesquinerie m'a toujours navrée. Je l'aimais vraiment, et lui de même. J'ai un profond besoin d'amour, et quoique rien n'ait jamais égalé ma passion pour mon très cher Albert, mes années d'amitié avec Disraeli m'ont apporté une grande satisfaction. Tout compte fait, notre relation me rappelle celle que j'eus avec Lord Melbourne, mais l'une était totalement fondée sur l'émotion, alors qu'il s'agissait avec Disraeli d'une véritable harmonie spirituelle. Il avait l'esprit audacieux, une grande largeur de vues, et sa conception du monde et de la place de l'Angleterre coïncidait parfaitement avec la mienne. Comme avec Lord M., j'ai continué à correspondre avec lui après qu'il eut quitté le gouvernement. Ainsi, il n'a jamais cessé de m'éclairer et de m'enrichir l'esprit grâce à son expérience. La période pendant laquelle il fut en poste restera l'une des plus stimulantes de ma vie : pendant six ans, nous avons gouverné l'Angleterre ensemble, et fait du bon travail...

Il est mort, hélas, depuis bien longtemps ; de même que

Gladstone ! Les politiciens se succèdent avec leurs aspirations, leurs certitudes et leurs petits travers, mais je demeure, immuable, année après année... Aujourd'hui, j'en sais plus sur l'art de gouverner que la plupart de mes ministres. C'est un des grands privilèges de la monarchie, car en république, personne n'a une vue d'ensemble assez vaste pour dire : « Nous avons tenté cela en telle ou telle année, mais sans résultat. » Malgré ma lassitude croissante, je dois prier Dieu de me garder encore un peu en ce bas monde dans l'intérêt de mon pays. Quand je ne serai plus là, qui tiendra les rênes d'une main ferme ? Certainement pas Bertie : il préfère passer son temps aux courses.

Mais revenons à ma neuvième grossesse, qui fut loin d'être sereine malgré les circonstances favorables dans lesquelles elle survint et son heureuse issue. J'étais encore plus « agitée » (comme disait mon cher époux) que de coutume, à tel point que Clark et Albert — je l'appris par la suite — s'inquiétèrent vivement pour ma santé mentale. Toujours cette terrible menace de folie, reçue en héritage des Hanovre ! Clark avait déclaré peu de temps avant à Albert que je risquais de perdre la raison si j'avais un autre enfant ; il trouvait donc mes terribles accès de mauvaise humeur plus inquiétants que jamais.

Mais j'avais des excuses... Une grossesse, avec tous ses désagréments et ses nombreuses humiliations (surtout à trente-sept ans !) apporte assez de trouble à une femme sans qu'elle ait à se soucier par surcroît de ses enfants adolescents. Or, je m'inquiétais fort au sujet de Vicky, fiancée à quatorze ans avec Fritz. Nous avions décidé qu'elle ne se marierait pas avant ses dix-sept ans, mais elle était encore bien jeune malgré tout ! Elle avait beau être très précoce et avoir des capacités mentales nettement supérieures à celles de beaucoup d'adultes, l'idée de la marier sous peu m'affligeait. En outre, l'alliance avec la Prusse n'était guère populaire en Angleterre et ce royaume me semblait très arriéré, surtout en ce qui concernait la maternité, l'accouchement et l'éducation des enfants. J'envisageais donc avec appréhension l'avenir de ma fille chérie. Sans le grand amour que Fritz et elle éprouvaient l'un pour l'autre, je me serais certainement opposée à cette union.

Ma mauvaise humeur avait aussi une autre raison, plus égoïste celle-là. Après avoir donné notre accord aux fiançailles de Vicky, il nous sembla impossible de continuer à la traiter comme une enfant : il fallut donc l'admettre en notre compagnie, d'autant plus qu'Albert voulait lui donner personnellement des leçons d'histoire germanique et de politique. Comptant sur elle pour favoriser ses projets d'unité allemande, il estimait qu'elle aurait beaucoup à apprendre à Fritz (et non l'inverse), car elle lui était supérieure sur le plan intellectuel. Tous les soirs, de six à sept, Vicky et Albert avaient donc leur séance de travail ; après quoi elle dînait et passait la soirée avec nous. Une bonne idée en principe ! Mais Albert, plongé dans ses affaires, était loin de moi toute la journée, et je tenais par-dessus tout à nos dîners en tête à tête — ces merveilleux moments d'intimité où je pouvais parler tranquillement avec mon bien-aimé. Je devais maintenant supporter la présence parfois gênante d'une adolescente amoureuse, prompte à ramener tous les sujets de conversation à son bien-aimé. Au lieu de monopoliser l'attention d'Albert, je devais la partager avec Vicky, qu'il adorait et dont il admirait l'intelligence. Au cours de ces soirées, il s'adressait souvent à elle beaucoup plus qu'à moi.

De telles faiblesses sont difficilement avouables, mais l'honnêteté m'interdit de les passer sous silence. J'adorais Vicky, j'en étais fière et j'appréhendais de la laisser partir, mais elle me privait de mes moments privilégiés avec mon mari. Cela s'ajoutait aux tracas de me grossesse ; on ne saurait donc s'étonner que j'aie eu parfois des humeurs... Albert, si calme habituellement, m'accusait de vouloir me débarrasser d'elle et je le trouvais injuste à mon égard. Aussitôt après la naissance du bébé, j'éprouvai un grand soulagement, et il n'y eut plus aucun problème jusqu'au départ de Vicky.

Cet accouchement fut le plus facile de tous, et, pendant tout le travail, je me sentis plus forte et plus à l'aise que jamais. Ma plus belle récompense fut d'entendre mon bien-aimé murmurer d'une voix émue et ravie : « C'est une fille ! » Nous avions assez de fils pour assurer notre succession quoi qu'il arrive ; une fille était donc la bienvenue, d'autant plus que le prochain départ de Vicky allait laisser une place vacante dans le cœur d'Albert.

Bébé avait toutes les qualités requises pour devenir sa nouvelle favorite. Il était impossible de garder son sérieux devant sa vivacité et son espièglerie ; et ses mots d'enfant nous faisaient rire aux larmes ! Elle passait beaucoup plus de temps avec nous que ses aînés au même âge. Elle prit donc l'habitude de parler comme une adulte, ce qui était d'une drôlerie irrésistible de la part de ce petit bout d'enfant rose et potelé ! Quand elle faisait une bêtise, comme toucher à un objet interdit ou renverser quelque chose, elle avait une manière bien à elle de vous regarder en susurrant « Mon Dieu, mon Dieu ! », qui vous désarmait aussitôt. Un jour, elle descendit nous voir en hochant la tête d'un air navré : « Mon Dieu, que Bébé a été méchante ! Pauvre Bébé ! » murmurait-elle. Nous n'avons jamais su de quelle faute elle s'accusait...

Elle éprouva immédiatement une véritable adoration pour Albert : son grand plaisir était de venir dans son cabinet de toilette tandis qu'il se rasait ou s'habillait. Elle le harcelait alors de questions invraisemblables. « Papa, pourquoi je n'ai pas assisté à ton mariage ? Étais-je trop petite ? » « Papa, quand la femme de Loth a été changée en sel, était-ce le même que celui que je mets sur mon poulet ? » « Papa, où va la flamme quand on souffle la bougie ? » Albert lui répondait avec le plus grand sérieux, la prenant parfois sur ses genoux quand les questions exigeaient de plus longues explications. C'est ainsi qu'elle prit l'habitude d'appeler les gens « ma chère » ou « mon cher » et d'émailler ses phrases de *zo*, prononcés en pinçant légèrement les lèvres.

Je reprochais parfois à Albert de se donner trop de mal pour lui répondre, car elle lui posait toutes les questions qui lui venaient à l'esprit, pour le plaisir d'attirer son attention et sans vraiment attendre une réponse. « Sait-on jamais ? Il se passe tant de choses dans cette petite tête ! » répliquait-il en tapotant de son index le front de sa fille. En effet, cette enfant ne cessait de penser ! Avec son espièglerie habituelle, elle déclara même un jour à l'une de mes dames : « J'ai eu une curieuse idée ce matin, mais ce n'était pas correct, alors j'ai préféré penser à autre chose. »

Parfois, on la voyait arpenter les couloirs, l'air affairé. Si on l'appelait alors pour se brosser les cheveux ou se laver les mains avant le repas, elle répondait d'un air grave : « Pas le temps, j'ai des lettres à écrire ! », avant de poursuivre son chemin — à la manière d'Albert, trop occupé, à mesure qu'elle grandissait, pour lui accorder toute l'attention qu'elle souhaitait. Je suis heureuse de lui avoir donné cette dernière fille qui l'a tellement fait rire, lui dont le rire chaleureux a laissé un souvenir inoubliable à tant de gens. Je suis non moins heureuse pour elle que son père ait pu la cajoler.

Quand je vois aujourd'hui cette belle et digne femme, mère et — hélas ! — veuve, j'ai du mal à reconnaître le bébé qu'Albert balançait doucement dans une serviette de table ou la petite fille qui lui offrait une page de son carnet de croquis en déclarant sérieusement : « J'ai dessiné une *rirafe*, mais elle n'est pas très ressemblante. » À la mort d'Albert, quelque chose s'est brisé dans le cœur de Bébé : en peu de temps, l'espiègle petite fille semblable à du vif-argent, gracieuse et légère comme un papillon, bavarde comme une pie, est devenue une enfant grave et pensive. Elle a hérité de l'altruisme et de la rectitude d'Albert. Une seule et unique fois, sa volonté s'est heurtée à la mienne : lorsqu'elle a insisté pour épouser Liko. Mais elle a bien fait, car en l'épousant elle m'a donné un gendre dont le charme a égayé mes pires moments de mélancolie. Sa mort m'a chagrinée au moins autant que celle de mes propres fils. Son esprit pétillait comme du champagne ; maintenant qu'il n'est plus là, la fête est finie...

15 novembre 1900

Alix est venue déjeuner hier. Je me suis épuisée à forcer ma voix, mais, après une bonne nuit, je me sens particulièrement bien ce matin. Pour la première fois depuis deux semaines, j'ai pu profiter de mon œuf, de mon café et de mon pain blanc. La mort de notre cher Christl m'a démoralisée. Ma pauvre Lenchen fait preuve d'un calme et d'un courage admirables ! Nous allons nous sentir bien mal quand tous les jeunes gens commenceront à rentrer chez eux, à l'exception de notre cher petit. Au moins, le brouillard a fini par se dissiper et nous avons vu réapparaître dans le parc les merveilleuses couleurs de l'automne, avec les dernières feuilles et les fougères cuivrées.

Revenons-en à 1857. De terribles nouvelles nous parvinrent des Indes cette année-là : révolte des cipayes (les soldats indigènes), meurtres d'Européens à Meerut et Delhi, horrible massacre de Cawnpore, siège de Lucknow. Dès que furent connus les événements de Meerut, Palmerston fit appeler Sir Colin Campbell, le héros de Waterloo et de la guerre de Crimée, qui s'embarqua dès le lendemain. Tous les enfants savent comment, à la tête du 93e régiment de Highlanders (baptisés les « démons en jupe » par les Russes), il libéra Lucknow dans un nuage de poussière, au son des cornemuses jouant *The Campbells are Coming, Hurrah !*

Dès la fin septembre, la mutinerie était terminée, mais les Anglais, effarés par les actes sanguinaires commis pendant le soulèvement, éprouvaient un profond désir de vengeance. Les officiers et les fonctionnaires se livrèrent sur le terrain à de terribles représailles que je préfère ne pas évoquer ici. Une fois le calme revenu, il fallut regarder la vérité en face : les Indes étaient devenues trop vastes pour rester sous le contrôle de la Compagnie des Indes. Combiner les exigences commerciales et gouvernementales n'était pas une tâche facile, et l'étendue des territoires indiens avait doublé depuis vingt ans grâce aux annexions. Il était temps que la Compagnie passe la main ! L'année suivante, la loi plaçant les Indes sous mon contrôle direct reçut mon paraphe, et le gouverneur général, Lord Canning (surnommé « La Clémence » parce qu'il avait tenté d'arrêter les représailles à la fin de la mutinerie), devint vice-roi.

Les principes conformément auxquels nous souhaitions gouverner les Indes furent énoncés dans une proclamation rédigée par Albert selon mes instructions. En premier lieu, je tenais à préciser que je n'avais nullement l'intention d'intervenir dans le domaine des religions et des coutumes indigènes ; je m'opposais en effet à tout prosélytisme et à toute forme de gouvernement qui aurait tenu pour négligeable la culture du pays. Je trouvais un trop grand réconfort dans ma foi personnelle pour priver qui que ce fût d'une semblable consolation. Mes représentants aux Indes devraient donc se plier à mes ordres et ne porter aucune atteinte aux coutumes locales, pourvu qu'elles fussent pacifiques.

Deuxièmement, j'annonçais mon intention de remédier à la pauvreté des Indes en y introduisant le télégraphe et les chemins de fer, en y construisant des canaux, cela, dans le seul intérêt de la population et nullement avec l'intention d'en tirer profit. Enfin, je proclamais que j'exercerais mon autorité — malgré les massacres sanglants de la guerre civile — dans un esprit de réconciliation. Rien n'excusait les atrocités commises aux dépens de femmes et d'enfants innocents, mais les habitants pacifiques qui s'étaient toujours montrés amicaux avec nous seraient traités avec la plus grande aménité. Je tenais à leur dire qu'il n'existait aucun préjugé contre les personnes à la peau brune, et que la reine souhaitait du fond du cœur les voir heureux et prospères.

Les Indes m'ont toujours inspiré un vif intérêt et j'ai toujours fait ce qui était en mon pouvoir pour que son peuple soit traité comme nous aurions aimé l'être à sa place. « Nous ne pouvons pas maintenir notre domination sur l'Inde par la seule force », avait dit l'un des membres de la Chambre des communes ; je l'approuvais totalement. Je n'ai que faire de la haine ou du mépris pour les races dites « inférieures » : il est contraire à la nature de les asservir ou de s'opposer à leurs croyances. Depuis que nous avons succédé à la Compagnie des Indes, j'ai toujours eu un ou deux Indiens à mon service ; je les considère comme d'excellents domestiques, absolument dignes de confiance. (J'eus hélas à combattre de déplorables préjugés au sein de la maison royale, et jusque dans ma famille. Et je dus même donner des instructions pour que mes domestiques indiens ne soient pas désignés comme les « hommes noirs », ce qui me semble la moindre des politesses !)

Disraeli m'affirma par la suite que « l'on ne pouvait agir sur l'opinion des peuples orientaux qu'en s'adressant à leur imagination ». En 1876, il présenta donc au Parlement un projet de loi destiné à me donner le titre d'impératrice des Indes — projet qui fut ratifié non sans peine, car beaucoup d'esprits avides et mesquins s'y opposèrent. (Je n'ai jamais pardonné à Gladstone d'avoir manifesté son hostilité en termes aussi vils et injurieux !) Disraeli avait vu juste ! L'Inde, le plus beau joyau de la couronne d'Angleterre, brille plus que jamais depuis que ces braves gens me considèrent comme leur impératrice. Mon nouveau titre fut proclamé à Delhi le 1er janvier 1877, et je tins à célébrer l'événement par un banquet à Windsor. Je portais tous mes bijoux indiens et, lorsque Albert leva son verre en l'honneur de la « Reine et Impératrice », une immense fierté illumina mon cœur.

Plus tard

Ayant passé la soirée à regarder d'anciennes photos, je suis tombée par hasard sur le daguerréotype pris le matin du mariage de Vicky avec Fritz, et je l'ai emporté dans ma chambre pour le regarder à nouveau. Nous sommes face à face, Vicky et moi ; Albert se tient derrière nous. Ma douce Vicky, les yeux baissés d'un air grave, est ravissante dans sa robe blanche de soie moirée, et me ressemble étrangement — bien que mille fois plus jolie que moi. Elle porte en voile mes dentelles de mariage, retenues par une couronne de roses blanches et de myrte. On sent qu'elle est au bord des larmes. Albert est de face, imposant dans son uniforme de cérémonie. Je le trouve beau sur cette photo, bien que ce ne soit pas celle que je préfère. Quant à moi, on me distingue mal, car je tremblais tant que mon image est floue. Seule ma tiare de diamants permet de me reconnaître !

Vicky avait eu dix-sept ans en novembre 1857. Il n'était donc plus question de différer la date de son mariage, qui fut fixé au 25 janvier 1858. Comme je l'avouai à Albert ce matin-là en me réveillant, j'avais l'impression de mener un innocent agneau à l'autel du sacrifice. Assez pâle lui aussi, il m'enjoignit sèchement de ne pas exagérer. Un homme n'imagine pas les épreuves et les dangers que présente le mariage pour une femme, même si elle l'a ardemment désiré, ce qui était le cas de Vicky. Moi qui savais, je m'effrayais à l'idée de ce qui attendait ma fille. En outre, elle partait en Prusse, et bien que Fritz fût un homme bon et libéral, je ne savais que penser du reste de sa famille, de la cour et du gouvernement dans son ensemble. La Prusse était un pays peu évolué, à la politique réactionnaire. Vicky serait dans une situation délicate et une distance telle allait nous séparer que je ne pourrais pas lui venir en aide en cas de besoin.

Mais il était trop tard pour reculer. Aussitôt levée, j'écrivis quelques mots sur la solennité du mariage, que je fis porter à Vicky. J'avais prévu que nous nous habillerions ensemble afin de partager ces derniers instants de complicité.

Vicky arriva, en apparence heureuse et sereine.

— Tu me parais bien calme ! remarquai-je.

— J'épouse Fritz, je n'ai donc rien à craindre. N'éprouviez-vous pas le même sentiment quand vous avez épousé papa ? me répondit-elle simplement.

Je hochai la tête en me souvenant de mes noces : il m'avait semblé alors que je n'aurais plus jamais peur de rien...

— Prions Dieu que ton mariage soit aussi heureux que le mien, murmurai-je.

Elle me tendit les mains dans un élan de tendresse.

— J'espère être une fille digne de vous.

Émue aux larmes, je gardai le silence.

Une fois habillées, nous nous assîmes pour nous faire coiffer, et c'est alors qu'Albert vint nous chercher pour le daguerréotype. Nos regards se rencontrèrent dans le miroir et il me sourit.

— Je vous trouve splendide, me dit-il. On ne saurait dire si vous êtes la mariée ou la mère de la mariée.

— Ce n'est pas un compliment pour la mariée, répliquai-je en esquissant à mon tour un sourire.

Je portais une robe lilas et argent qui m'allait bien, me semblait-il. Vicky se leva et Albert profita d'un moment où elle détournait son regard pour déposer un baiser sur mon épaule nue.

— Ma femme a de magnifiques épaules, murmura-t-il, selon la formule rituelle.

Le mariage de Vicky fut célébré à la chapelle royale de St. James, comme le mien, et je fus bouleversée de voir ma fille chérie s'agenouiller au même endroit que moi, dix-huit ans plus tôt... Ce cher Fritz portait son uniforme de général prussien et sa voix tremblait d'émotion. Mes fils étaient très beaux dans leur kilt, mes filles respiraient la candeur dans leur robe blanche. Albert, enfin, debout à côté de moi, retenait difficilement ses larmes ; je doute qu'il aurait eu la force de prononcer un discours pendant la cérémonie si le protocole l'avait exigé.

Lorsque le couple descendit la nef, la main dans la main, au son de la marche nuptiale de notre cher ami Mendelssohn — jouée pour la première fois en cette occasion — le visage de Vicky me parut si calme et illuminé d'un tel bonheur que je n'eus plus aucune appréhension concernant ce mariage. De retour à Buckingham, Fritz et elle se montrèrent au balcon, et la foule les acclama chaleureusement. Puis eut lieu le banquet ; les deux jeunes gens, assis face à nous, étaient entièrement dissimulés par une gigantesque pièce montée.

Les enfants passèrent leur lune de miel à Windsor, où ils restèrent quatre jours, à peine plus qu'Albert et moi autrefois. Ils ne revinrent à Buckingham que pour repartir aussitôt pour Berlin. C'était une journée d'hiver comme je les déteste : un froid mordant et un ciel si sombre et si bas que le jour semblait ne s'être pas levé. La pauvre Vicky, les yeux gonflés de larmes, vint avec Fritz dans la salle d'audience, faire ses adieux à tous.

Ses jeunes frères et sœurs ne purent retenir leurs sanglots lorsqu'elle les serra dans ses bras en leur murmurant quelques mots à chacun. Alice s'accrocha à elle d'un air désespéré, et même Bébé se mit à pleurer, comme si elle comprenait que sa sœur aînée ne serait plus là pour la câliner. Je m'efforçais tant bien que mal de cacher mon émotion, mais lorsque nous nous dirigeâmes Albert et moi vers le grand escalier, et que je vis le visage blême de mon époux, des larmes se mirent à ruisseler le long de mes joues... Je ne pus prononcer un seul mot en embrassant ma chère fille qui s'accrochait à mon cou avant de se diriger vers la voiture. Puis sa frêle silhouette vêtue de velours blanc s'éloigna sous un ciel glacial. La princesse royale était maintenant l'épouse du futur héritier de la couronne de Prusse, elle ne m'appartenait plus...

Fritz monta en voiture à côté d'elle, suivi par Albert, qui les accompagnait jusqu'à Gravesend, si ému qu'il ne se retourna même pas pour me jeter un regard. Je savais que leur séparation serait particulièrement douloureuse, et je n'avais pas voulu le priver de ces derniers instants avec sa fille. Par la suite, Fritz me raconta qu'il avait regardé par la fenêtre pendant tout le voyage pour les laisser bavarder en paix.

Ils avaient à peine dépassé les grilles du palais que la neige commença à tomber. À Gravesend, le *Victoria and Albert*, sur lequel ils s'embarquaient pour Anvers, les attendait dans un monde d'une étrange blancheur : la neige tombait sur les flots gris, sur les épaules et les chapeaux des curieux accourus pour voir leur princesse, et sur les fleurs qu'ils avaient jetées sur les pavés. « Soyez gentil avec elle, ou nous la ferons revenir », cria un gamin des faubourgs à Fritz qui montait à bord. Une fois sur le pont, Vicky appuya son front sur la poitrine de son père en sanglotant : « Mon cher papa ! »

Albert rentra à Buckingham dans l'après-midi et alla droit dans sa chambre pour lui adresser une lettre qu'elle me montra des années plus tard. « Comme je ne suis pas d'une nature démonstrative, tu ne peux imaginer à quel point tu m'es chère et le vide que ton départ laisse dans mon cœur », lui écrivait-il. Quelle désolation dans ces quelques mots ! Le départ de Vicky était pour Albert un déchirement plus terrible encore que pour moi, car je savais que j'aurais en elle une correspondante fidèle — une femme mariée avec qui je pourrais m'exprimer sans la retenue qui s'impose lorsqu'on s'adresse à un homme ou à une jeune fille. Nos échanges épistolaires m'ont apporté un grand réconfort : voilà maintenant près de quarante-trois ans que nous nous écrivons — bien souvent plusieurs fois par semaine — et je l'aime et la connais comme personne d'autre au monde.

La pauvre Vicky eut beaucoup de mal à s'adapter à sa nouvelle vie. On l'appelait avec mépris « l'Anglaise », car la Prusse était aussi anglophobe que l'Angleterre était germanophobe, et sa franchise naturelle lui interdisait de dissimuler ses sentiments à l'égard de son pays natal, qu'elle considérait comme le meilleur et le plus éclairé du monde. Fritz et elle n'exerçaient guère d'influence sur la cour rétrograde et profondément militariste, et ils y avaient peu d'amis. Vicky était trop intelligente et Fritz trop bon pour ces hommes qui ne parlaient que d'uniformes et de manœuvres militaires et ces femmes qui ne s'intéressaient qu'à la mode et aux mondanités. Enfin, le roi et la reine affectaient d'ignorer le jeune couple, à qui on attribua des appartements humides, mal chauffés et insalubres — sans toilettes, sans salle de bains et avec une cuisine si éloignée que les plats arrivaient toujours froids...

À la mort de l'oncle de Fritz, en 1861, son père devint roi, et lui-même héritier présomptif. Vicky usa de sa nouvelle position pour se battre en faveur des droits des femmes et se mêler de politique, mais la lutte était bien inégale. À peine sur le trône, Guillaume Ier avait renvoyé le Parlement et fait appel à Bismarck, lequel prit des mesures répressives, instaurant notamment la censure de la presse.

Fritz, déchiré entre ses devoirs vis-à-vis de son père réactionnaire et ses principes libéraux, pencha finalement pour ces derniers et, soutenu par Vicky, prononça un discours accusateur. Bismarck ne leur pardonna jamais cette initiative : pendant les vingt-cinq années suivantes, il mit tout en œuvre pour discréditer le prince héritier et sa femme.

Albert avait pris le temps de rappeler à Vicky, avant son départ, son grand projet d'une Allemagne unie et libérale, réalisée par des moyens pacifiques. Elle ne cessa jamais d'agir dans ce sens, mais avec une marge de manœuvre très limitée... Guillaume 1er ne mourut qu'en 1888, et Fritz était déjà atteint d'un cancer de la gorge quand il devint à son tour empereur d'Allemagne. Ses terribles souffrances furent aggravées par l'incompétence des médecins allemands (dont j'ai toujours eu une piètre opinion) et par l'attitude de son fils, Willy, qui avait adopté les idées de ses grands-parents et de Bismarck — lesquels lui avaient monté la tête contre son propre père, tout en lui inculquant de dangereuses théories militaristes.

Fritz resta donc sur le trône trois mois à peine — trop peu de temps pour faire quoi que ce soit, d'autant plus que le parti au pouvoir avait fait alliance avec Willy. Le 15 juin 1888, ma pauvre Vicky se retrouva veuve et impératrice douairière. Willy — le kaiser Guillaume II — se fit aussitôt un devoir de préparer son armée et sa marine en vue d'hostilités avec l'Europe.

Ainsi échoua le rêve de mon bien-aimé Albert. Willy n'a aucune chance de devenir le monarque libéral et progressiste qu'Albert appelait de ses vœux. Bien qu'il ait de grandes qualités et que j'éprouve une certaine affection à son égard (d'ailleurs je suis sans doute le seule personne au monde qui ne lui inspire pas une totale indifférence), il a hérité de tous les traits des Prussiens.

Tout enfant, il s'amusait déjà à arracher les ailes et les pattes des mouches sans même se demander si elles pouvaient souffrir. À sa première visite en Angleterre, à l'occasion du mariage de Bertie, il n'avait que quatre ans, mais il laissa deviner sa future personnalité en jetant le manchon de Bébé par la fenêtre de la voiture. Pendant le service nuptial, bien qu'il parût charmant dans son kilt, il arracha le quartz ornant la poignée de sa dague et le lança à travers la chapelle avec un infâme juron. Quand Affie et Arthur cherchèrent à le calmer, il se démena comme un beau diable et leur lança des coups de pied, profitant de ce qu'ils avaient les jambes nues. Ensuite, amené devant moi, il m'appela « mon canard » — d'où lui venait pareille idée ? — mais je parvins à garder mon sérieux et à le foudroyer du regard. Dès le début, j'ai évité de le gâter ou de céder à ses caprices, ce qui a établi une certaine connivence entre nous. Mais je n'ai aucune influence sur lui quand il est loin de moi, et, en politique, je n'ai même pas mon mot à dire.

Je crains fort que tout cela ne finisse mal...

17 novembre 1900

J'ai rencontré hier un petit groupe de soldats revenus d'Afrique — de braves gens, aux visages francs, mais épuisés, et parfois gravement malades ou blessés. Après leur avoir adressé un bref discours, je leur ai serré la main et nous avons parlé des épreuves qu'ils venaient d'endurer. Même leur chapelain était bien mal en point : dans le veldt, un cheval fou lui avait arraché le pied d'un coup de dent. Quel triste sort !

Cela m'a passablement fatiguée, mais je me sens mieux aujourd'hui. J'ai sommé Reid, ce matin, de ne pas me traiter comme une infirme : inutile de me dorloter et de me cloîtrer entre quatre murs ! J'ai donc fait une agréable promenade avec les petits Battenberg. Le temps s'est beaucoup refroidi depuis, et je suis bien aise de m'installer auprès d'un bon feu pour écrire.

Après le mariage de Vicky, notre attention se porta sur Bertie. Gibbs — le précepteur que lui avait choisi Albert — était un homme d'une probité et d'une culture remarquables, mais sans affinités avec notre fils, dont il n'avait jamais tiré quoi que ce soit de bon. Il était temps d'intervenir ! Bertie fut donc installé à White Lodge, dans Richmond Park, et à la place de son précepteur, on lui assigna le colonel Robert Bruce comme gouverneur. Albert redoutait que de mauvaises influences ne s'exercent sur son fils adolescent, et surtout qu'il ne soit entraîné sur le chemin du vice. Il voulait qu'il reste pur, comme lui-même lorsqu'il m'avait épousée. À son avis, seule une parfaite rectitude morale lui permettrait de trouver le bonheur et de remplir ses devoirs à l'égard de la couronne d'Angleterre.

Je comprenais dans une certaine mesure les craintes d'Albert — qu'il ne m'exposa jamais directement mais à mots couverts. Sans partager son obsession, je tenais à ce que mon fils devînt un homme de bien et je m'inquiétais de savoir quel genre de roi il serait plus tard. Si j'étais morte soudainement, Albert aurait dû prendre toutes les responsabilités, ce qui, vu son état de santé, aurait risqué de le tuer ; ou bien Bertie aurait refusé d'écouter ses conseils, et fait tant de bêtises qu'il aurait sans doute été chassé du trône par une révolution...

Avec la garantie de Bruce, trois jeunes gens irréprochables — ses seuls compagnons — furent présentés à Bertie pour lui servir d'exemples, et Albert rédigea un long mémorandum indiquant exactement ce qu'il souhaitait pour son fils. Interdiction de se vautrer sur des sofas, de se balancer dans des fauteuils, de prendre des poses inconvenantes, les mains dans les poches. Bertie ne devait ni siffler, ni parler l'argot, ni jouer aux courses, ni faire de mauvaises plaisanteries. Il devait avoir des conversations sérieuses, éviter les bavardages futiles, et ses loisirs étaient destinés à enrichir sa personnalité. Ni cartes, ni billard, mais musique, dessin, étude d'œuvres d'art, audition de poèmes ou de pièces de théâtre lues à haute voix. Bruce était prié d'envoyer de fréquents rapports sur la conduite et les progrès de Bertie, et de noter précisément le nom de tous les gens qu'il rencontrait ou à qui il adressait la parole. Enfin, notre fils ne pouvait sortir sans l'autorisation expresse de Bruce.

L'année suivante, Bertie fut envoyé à Oxford — un sort que je ne lui enviais guère, car l'ambiance monacale de cet endroit m'a toujours paru sinistre. Le doyen de Christ Church nous pria avec insistance de l'autoriser à vivre au collège, pour qu'il se fasse des amis de son âge, mais Albert, toujours soucieux des mauvaises fréquentations, ne voulut rien entendre. Lorsque Bertie alla passer quelque temps à Cambridge en janvier 1861, il lui imposa les mêmes restrictions. À l'époque, Bruce, promu général, nous pressait lui aussi d'accorder plus de liberté à notre fils !

Il me semble, rétrospectivement, que nous n'avons pas bien mené cette affaire. Lord Melbourne lui-même m'avait mise en garde contre les dangers d'une éducation trop stricte, et j'ai donné les mêmes conseils à mes enfants lorsqu'ils devinrent parents. Mais Albert m'avait communiqué ses propres craintes, inspirées par l'exemple de son père et de son frère ; et je me préoccupais également de ma succession ! L'enjeu était si grand, s'agissant de Bertie, que nous avons tout tenté — à l'exception de ce qui aurait pu lui être profitable...

Bertie avait exprimé deux souhaits au sujet de son avenir : être autorisé à entrer dans l'armée (ce que je lui accordai, à condition qu'il n'y reste qu'un temps limité et sans affectation fixe), avoir la possibilité de voyager à l'étranger. En novembre 1858, il reçut donc la permission d'aller à Berlin pendant trois semaines, rendre visite à Vicky. Albert avertit cette dernière qu'elle le trouverait embelli mais toujours aussi futile : « Même à la chasse, il se préoccupe plus de sa mise que du gibier », lui écrivit-il, en la priant de veiller à ce qu'il ait une « occupation intellectuelle » pendant son séjour. Bertie se tailla un franc succès dans le monde. Malgré sa petite taille et ses genoux plutôt cagneux (comme son fils Georgie, je dois dire), il était à l'époque très joli garçon, bon danseur, et fort charmant. Vicky nous écrivit qu'elle avait été heureusement surprise par son frère et que tout le monde l'adorait.

Au cours de l'été 1860, nous l'envoyâmes avec Bruce en Amérique du Nord, où il fit excellente impression. Les États-Unis et le Canada lui réservèrent un accueil des plus enthousiastes — ce qui est surprenant quand on songe à la violence avec laquelle les États-Unis se révoltèrent jadis contre l'arrière-grand-père de Bertie ! Pendant ce séjour, en principe privé, il se comporta comme un excellent ambassadeur de notre pays. Selon Bruce, ce fut un véritable triomphe : les hommes l'appréciaient, les femmes étaient folles de lui, et les journaux le trouvaient tout à fait sympathique.

Après son retour d'Amérique, Bertie eut du mal à reprendre

sa vie d'étudiant, et Bruce, dans l'un de ses rapports, suggéra un mariage rapide — avant que son charme et sa légèreté ne lui aient attiré des ennuis. Nous avions déjà réfléchi à la question Albert et moi, mais le choix d'une épouse se révélait difficile. Il ne pouvait épouser une catholique et, par ailleurs, il avait déjà déclaré qu'il ne se marierait que par amour (ce que j'approuvais), or la liste des princesses protestantes dressée par Albert était fort brève et ces demoiselles très laides. Selon mes critères, il fallait lui trouver une femme raisonnablement jolie, vertueuse, et douée si possible d'une force de caractère suffisante pour l'influencer dans le bon sens. Après tout, elle serait tôt ou tard reine d'Angleterre...

Vicky, à qui nous avions demandé conseil, avança un seul nom — celui de la princesse Alexandra de Schleswig-Holstein, d'une grande beauté mais encore écolière, et qui posait des problèmes d'ordre politique, vu la complexité de la question du Schleswig-Holstein. (Palmerston déclara longtemps plus tard que seules trois personnes étaient parvenues à comprendre cette question : le prince consort, décédé ; un professeur allemand, devenu fou ; et lui-même, mais il avait oublié de quoi il s'agissait !) En ce qui nous concernait, le problème était que le le Danemark et la Prusse prétendaient tous deux à la souveraineté sur les duchés. Le duc de Schleswig-Holstein, père d'Alexandra, était aussi l'héritier du trône de Danemark. Or, Albert, en raison de ses projets d'unité allemande, avait toujours soutenu les prétentions de la Prusse, ce qui aurait créé une situation délicate si le duc devenait le beau-père de Bertie.

Sur ces entrefaites, nous apprîmes par Vicky, au printemps 1861, que le tsar, ayant des vues sur la princesse Alexandra pour le tsarévitch, s'était procuré des photos qu'il lui avait montrées. Cela stimula notre ardeur. Vicky et Fritz rencontrèrent Alexandra en mai, s'enthousiasmèrent pour sa beauté, son charme et sa gentillesse, et conclurent qu'il serait tragique de la laisser filer entre nos doigts. Vu l'intérêt que Bertie avait manifesté aux États-Unis pour les jolies femmes, et la laideur des autres candidates, Albert décida de le mettre au courant et de lui donner l'occasion de rencontrer cette jeune personne. Si elle lui plaisait, un mariage serait envisageable à condition qu'il n'ait pas d'implications politiques.

Tout fut organisé avec la plus grande discrétion par Vicky. Bertie devait lui rendre visite ainsi qu'à Fritz, et ils feraient un voyage à Speyer, où Alix (comme l'appelait sa famille) serait amenée par ses parents. Tout le monde se rencontra « fortuitement » à la cathédrale, le 21 septembre 1861. Dès son retour à Balmoral, Bertie m'annonça qu'il avait été charmé par la princesse, ses manières et son joli visage. Cependant, Vicky m'adressa de Prusse une lettre assez amère : « Bertie, écrivait-elle, se dit charmé par Alix, mais je doute qu'il soit capable de tomber amoureux ou de se passionner pour qui que ce soit. » En effet, il ne fit ensuite aucune allusion à Alix et ne manifesta aucun désir de mariage. Il me déclara même, au détour de la conversation, que la paternité l'horrifiait, ce qui augurait assez mal de son avenir et de celui de l'Angleterre. (Nous allions bientôt découvrir la cause de cette attitude !)

Peu avant, au printemps 1861, le général Bruce avait insisté auprès d'Albert pour qu'il autorise Bertie, étant donné le succès de son voyage aux États-Unis, à réaliser pendant quelque temps son autre souhait : entrer dans l'armée. Un entraînement de dix semaines au camp de Curragh, pendant les prochaines grandes vacances, serait, pensait-il, un excellent exercice pour le prince. Albert eut un entretien avec Bruce à Cambridge, en mars 1861, et la décision fut prise de donner à Bertie une formation accélérée en le faisant monter en grade tous les quinze jours. Au prix de quelques efforts, il serait capable au bout des dix semaines de commander un bataillon. Une étroite surveillance devrait l'empêcher de se mêler outre mesure aux autres jeunes officiers. Chaque semaine, il recevrait deux fois à dîner les officiers supérieurs, dînerait deux fois à son propre mess, une fois — en tant qu'invité — au mess d'un autre régiment, et deux fois, dont le dimanche, au calme chez lui.

Bertie était donc arrivé à Kingstown le 29 juin 1861, et, après quelques jours passés au château, s'était rendu au camp de Curragh. Malgré ses efforts, cet entraînement ambitieux dépassa ses capacités, mais il prit du bon temps. Nous en eûmes la révélation dans de pénibles circonstances, en même temps que nous apprenions qu'il est impossible de s'opposer aux mauvais penchants d'un jeune homme, à moins de l'enfermer... Alors que nous lui faisions rencontrer la vertueuse princesse Alix, Bertie nous cachait un affreux secret, dont la découverte eut de terribles conséquences.

En 1860, Alice, âgée de dix-sept ans, se retrouva dans la position d'une fille aînée, ce qui ne fut pas pour lui déplaire. Malgré son caractère calme et pensif, elle avait une gaieté spontanée, appréciait la danse et les spectacles. Elle était sensible aux compliments et aux regards qui se tournaient vers elle dès qu'elle entrait dans un salon. Il fallait songer à la marier...

Nous envisageâmes un moment de lui présenter le prince Guillaume d'Orange — petit-fils du prince Guillaume avec lequel la princesse Charlotte avait rompu en 1814 et fils du prétendant dont je n'avais pas voulu en 1836 — ce qui n'était pas un très bon présage ! Quand il nous rendit visite avec son frère, il nous parut terne et languissant, et Alice et lui ne se trouvèrent aucune affinité. Nous avons appris ensuite qu'il avait déjà mauvaise réputation ! D'ailleurs il n'est jamais monté sur le trône ; il mourut dans la débauche en 1879. Je frémis à l'idée qu'il aurait pu épouser notre gentille Alice...

Le candidat suivant nous fut signalé par Vicky ; et oncle Léopold, prié de faire son enquête, le jugea très recommandable. Il s'agissait de Louis de Hesse, le neveu et héritier du grand-duc. Agé de vingt-trois ans, il était intelligent, attiré par la politique — ce qui plut à Albert — et d'une réputation irréprochable, mais pas très beau selon mon oncle. Il nous rendit visite avec son frère pendant l'été 1860. Sa franchise et son esprit me plurent beaucoup. Il admirait Albert, à qui il demanda de fort jolie manière son avis sur la situation politique en Europe. Alice et lui tombèrent amoureux presque instantanément. Il revint nous voir en novembre et les fiançailles furent célébrées à Noël.

Cette fois, nous n'allions pas laisser notre fille nous quitter si jeune ! Albert la pria d'attendre un an pour célébrer ses noces, et le jeune couple accepta notre demande de passer six mois par an en Angleterre. Ce fut une union des plus heureuses ! La famille de Hesse nous « procura » ensuite deux autres jeunes gens — Louis de Battenberg, cousin germain du mari d'Alice, qui épousa ma petite-fille Victoria ; et son frère Henri, toujours appelé Niko, le futur mari de Bébé.

Le revers de la médaille était que la famille de Hesse éprouvait une grande sympathie à l'égard de la Russie : en effet, Marie, la tante de Louis, était l'épouse du tsar Alexandre II — un autre de mes prétendants de naguère. La seconde fille de Louis et d'Alice, Ella, épousa le grand-duc Serge de Russie, fils de Marie de Hesse. Elle devint ainsi la tante de sa propre sœur, Alicky, lorsque celle-ci convola avec Nicky, le neveu de Serge ! (Nicky appelait, en fait, Alicky « Tiotenka » — « petite tante » — quand ils firent connaissance.)

La Russie semble m'avoir poursuivie toute ma vie... Dagmar, la sœur d'Alix, épousa le tsar Alexandre III, ce qui représente un lien de plus ! Elle est la mère de Nicky ; la ressemblance entre Nicky et Georgie n'a donc rien d'étonnant, car ils sont cousins des deux côtés. Lors d'un séjour de Nicky à Windsor, le valet de Georgie, à la recherche de son maître, confondit bel et bien Nicky avec lui !

19 novembre 1900

J'ai reçu samedi le général Buller à dîner. Il a laissé entendre à l'une de mes dames que le général Roberts n'était pas à la hauteur et qu'il le jugeait responsable de la prolongation de la guerre en Afrique du Sud. Je lui ai donc fait dire que je n'admettais pas qu'il doute des autres généraux en ma présence et que des précisions au sujet de ce cher Christl seraient en revanche les bienvenues. Pendant le repas, il a cru très spirituel de raconter à sa voisine, Lady Errol — une partisane fanatique de la tempérance —, qu'il aimait avoir chaque jour sa pinte de champagne quand il était sur le terrain. Ma digestion me joue des tours, mais, grâce au ciel, j'ai gardé mon sens du l'humour !

À l'automne 1860, nous allâmes en visite à Cobourg. Albert tenait absolument à revoir sa terre natale ; d'autre part, c'était le seul moyen d'aller saluer Vicky et Fritz sans organiser une visite officielle. Vicky avait mis au monde un deuxième enfant, la petite Charlotte, en juillet — beaucoup trop vite après ses premières couches, mais tout s'était bien passé. Albert brûlait de revoir sa fille et son cher Rosenau, nous convînmes donc de nous y retrouver. Alice, dont ce fut le premier voyage à l'étranger, nous accompagnait.

Nos retrouvailles furent bien émouvantes ! Ma douce Vicky me parut en bonne forme, et toujours aussi jolie et féminine. Après m'avoir embrassée, elle se jeta dans les bras d'Albert, et ils pleurèrent tous deux en silence, trop bouleversés pour prononcer un seul mot. Ce cher Fritz, les sourcils froncés d'un air légèrement soucieux qui lui devint habituel, nous adressa des paroles aimables et enjouées, mais nous n'avions d'yeux que pour Vicky. Au bout d'un moment, toujours dans les bras de son père, elle prit juste assez de recul pour bien le voir.

— Papa, lui demanda-t-elle en scrutant son visage avec inquiétude, allez-vous bien ?

— Très bien, ma chérie, et toi ? Prends-tu soin de toi ? Respires-tu assez de bon air ? Après ce que tu m'as dit des canalisations du palais, je suis ravi de t'en éloigner, même pour une courte période.

— Oh, papa, quelle idée ! s'écria Vicky, en riant malgré elle.

— Rien de plus important que les canalisations ! répliqua Albert, le sourire aux lèvres. Et maintenant, je te laisse embrasser ta sœur, qui ronge son frein à l'idée que tu l'oublies.

Vicky se tourna vers Alice, avec qui elle s'était toujours entendue à merveille : rien n'a jamais pu les séparer, même quand leurs deux pays se battaient dans des camps adverses ! Quant à moi, je pris le temps d'observer Albert. Qu'avait décelé Vicky un instant plus tôt ? Nos regards se croisèrent, puis il se mit à questionner Fritz sur la situation politique. A la dérobée, je continuai à scruter son visage. Pour moi, il n'avait pas changé, mais je le voyais chaque jour, et il était une fois pour toutes mon mari, l'homme que j'aimais... Vicky, après de longs mois d'absence, avait noté une différence, et Albert en avait conscience. Qu'en était-il exactement ?

L'arrivée de Mrs. Hobbs (la nourrice anglaise emmenée par Vicky) fit agréablement diversion. Elle tenait par la main notre premier petit-fils, qui arriva en souriant, bien droit sur ses petites jambes robustes. Il portait un costume blanc, orné de nœuds noirs. Un enfant délicieusement potelé, au teint délicat ; il avait les yeux de Fritz, la bouche de Vicky et de belles boucles blondes. Il se montra fort sage en notre présence et comprit très bien qui nous étions. Je me fis un devoir de ne pas regarder de trop près son pauvre bras infirme, car je ne voulais pas inquiéter Vicky. Pourquoi y aurais-je accordé une attention particulière, puisque Clark m'avait dit que cela finirait par s'arranger ?

Nous profitâmes de ce séjour pour rendre visite à notre bon Stockmar, qui avait pris de l'âge mais gardait toujours l'esprit aussi alerte. Albert le trouva en piteux état. « Je ne m'attendais pas à le voir si faible et si mal en point », me déclara-t-il d'un air sombre. Pour ma part, je trouvais naturel qu'un homme de soixante-dix ans soit un peu affaibli. « Souvenez-vous que notre cher baron par toujours eu tendance à exagérer ses maux », répliquai-je, sans pour autant convaincre Albert. Voyant qu'il s'était laissé gagner par la mélancolie de Cobourg, je n'en dis pas plus, mais Stockmar ne me semblait certainement pas menacé d'une mort imminente.

À vrai dire, mon bien-aimé était bien plus en danger que son vieux maître... Dix jours après notre arrivée, Albert alla chasser à Kalenberg, où nous le rejoignîmes Vicky et moi avec nos carnets de croquis, car il y avait un merveilleux paysage autour du château. Un peu plus tard, Albert nous annonça son intention de regagner Cobourg pour quelque affaire. J'échangeai un regard navré avec Vicky (car je m'étais déjà plainte auprès d'elle de l'excès de zèle de son père) et nous convînmes de rentrer tranquillement à pied.

Nous nous dirigions vers les grilles du parc, nos carnets de croquis à la main, en riant de la manière dont une paysanne aux joues roses avait reproché à Vicky de salir sa robe en la laissant traîner à terre, lorsqu'un phaéton, traîné par deux chevaux impétueux, surgit devant nous. À côté du cocher était assis le colonel Ponsonby, l'écuyer d'Albert. En voyant son visage, mon cœur se glaça, et Vicky, guère plus rassurée, me serra brusquement le bras.

— Attendez, maman, me dit-elle, ne vous affolez pas ; mais sa voix tremblait.

Ponsonby s'approcha de nous à grandes enjambées, le visage blême.

— Mon Dieu, m'écriai-je de loin, c'est le prince, je le sais ! Dites-moi tout, Ponsonby, sans ménagement !

— Il n'est pas blessé, répliqua aussitôt le colonel. Il m'envoie vous prévenir qu'il n'a qu'une égratignure sur le nez — sans gravité, a dit le docteur.

— Que s'est-il passé ? A-t-il eu un accident ?

Mon cœur battait si fort que je crus défaillir. Me voyant chanceler, Ponsonby fit un pas vers moi, mais Vicky me soutenait fermement.

— Un accident de voiture, sans gravité. Il insiste sur le fait qu'il n'est pas blessé, et qu'il n'y a pas lieu de vous inquiéter.

Si Albert avait lui-même prié Ponsonby de me rassurer, son état ne devait pas être trop grave.

— Racontez-moi tout, demandai-je, après avoir pris deux grandes inspirations.

Voici approximativement son récit : Albert était dans une voiture tirée par quatre chevaux quand, à un mile environ de Cobourg, ceux-ci avaient pris peur et s'étaient emballés sans raison apparente. Après avoir poussé force jurons, le cocher s'était mis à prier à haute voix : il avait perdu le contrôle de la situation... Un peu plus haut, sur la route, un chariot attendait devant un passage à niveau dont la barrière était abaissée. Les chevaux continuant à foncer, Albert avait préféré sauter en marche pour éviter la collision.

Commotionné et souffrant de contusions, il avait une coupure sur le nez, des écorchures aux mains, aux genoux et aux bras, mais aucune blessure grave. Tout en essuyant le sang qui ruisselait sur son visage, il s'était remis sur ses pieds et avait couru en boitillant jusqu'au chariot accidenté. Le voiturier était gravement blessé, l'un des chevaux avait péri, ceux d'Albert ayant repris leur course folle jusqu'à Cobourg. Par chance, Ponsonby les avait reconnus et s'était aussitôt fait conduire en phaéton jusqu'au lieu de l'accident. Un médecin des environs était déjà arrivé ; Albert, qui l'aidait à secourir le blessé, avait prié Ponsonby d'aller me prévenir au plus vite.

Nous montâmes dans le phaéton Vicky et moi, Ponsonby s'assit à côté du cocher. Je dus faire un effort pour garder mon calme pendant tout le trajet. Vicky, malgré son naturel inquiet, semblait rassurée par les paroles de son père. À l'idée de la violente chute d'Albert, j'étais morte de peur ! J'ai fait de nombreuses chutes de cheval et j'ai eu de nombreux accidents de voiture dans ma vie : cela ne m'émeut guère plus que de voir un fou tirer sur moi ou d'assister à un incendie. Je ne suis affolée que si je ne sais pas exactement ce qui se passe, ou si je suis trop loin pour intervenir. Albert avait de tout autres réactions ! Les accidents le bouleversaient, même du temps où il était jeune et souple. Une chute de cheval, au cours d'une partie de chasse, en 1840, l'avait beaucoup affecté, bien qu'il ait eu une simple égratignure. De même, en 1841, la glace s'était brisée pendant qu'il patinait ; j'avais réussi à le tirer hors de l'eau tout de suite, et nous nous étions hâtés de rentrer à la maison pour qu'il ne prenne pas froid, mais cet accident l'avait choqué nerveusement.

Lorsque je le vis, allongé sur son lit, le nez, la bouche et le menton couverts de compresses, je ne fus guère surprise de trouver son visage blanc comme neige et ses mains glacées. Son corps était raide sous les couvertures, et il tremblait comme une feuille d'automne. Je lui baisai la main et l'appliquai contre ma joue, puis je lui dis combien j'étais reconnaissante à Dieu de l'avoir protégé. Comme il fixait sur moi un regard d'animal blessé, je m'entendis murmurer :

— Albert, ce n'est pas grave, n'est-ce pas ? Vous ne me cachez rien.

— Je suis couvert de bleus et commotionné, sans plus ! me répondit-il dans un souffle.

Le lendemain matin, à sept heures, il était déjà à sa table de travail, les traits tirés et les yeux embués de sommeil.

— Vous voyez, me dit-il avec un sourire triomphal, je vais bien. Il m'a suffi d'une bonne nuit de sommeil.

Je doutais cependant qu'il ait eu le sommeil réparateur dont il avait tant besoin. Toute la journée, il fit mine d'être gai, détendu, et très intéressé par tout ce qui se passait autour de lui, mais dès qu'il se croyait à l'abri des regards, son visage prenait une expression sombre et mélancolique.

Je maudissais son stoïcisme qui l'avait poussé à se lever si vite après son accident, sans prendre un repos suffisant. Il ne voulait pas m'alarmer, ni perdre un seul instant de son séjour à Cobourg auprès de Vicky. Tel un condamné à mort, il savourait ces derniers plaisirs et faisait bonne figure devant le monde, avant de monter sur l'échafaud ! Quel besoin avait-il de jouer les héros en me cachant son état, au lieu d'admettre qu'il se sentait mal et d'accepter que je le réconforte ?

Il va de soi que je ne laissai rien paraître de mon désarroi...

20

Windsor, 22 novembre 1900

Le temps, bien qu'humide, reste clair, donc tout à fait acceptable. La pluie ne m'a jamais gênée, seul le brouillard me déprime ! Ma santé est bonne, mais un rien me fatigue ; en conséquence, Reid me tourmente pour que je reste allongée sur mon sofa toute la journée comme une infirme — ce dont j'ai horreur. L'inactivité me met hors de moi, d'autant plus que la besogne ne manque pas et que tout prend un temps infini lorsque je dois me faire faire la lecture au lieu de lire moi-même.

Bébé se donne beaucoup de mal et lit fort agréablement, mais j'ai parfois l'impression qu'elle ne comprend pas tout... Lenchen comprend mieux, mais lit un peu trop vite. Comme tout était différent quand je partageais mon travail avec mon bien-aimé ! Nous étions assis côte à côte à nos bureaux, et je n'avais qu'à tourner la tête vers lui pour qu'il m'apporte aide et réconfort. Maintenant que je suis seule et que les forces commencent à me manquer, tout cela me semble un beau rêve, perdu dans la nuit des temps.

Noël 1860 fut merveilleux, avec du froid, de la neige, et un soleil radieux. Les étangs ayant gelé, Albert, Alice et les garçons allèrent patiner. Louis de Hesse se jeta à corps perdu dans une partie de hockey sur glace. Debout avec Léo et Bébé, je avais d'yeux que pour Albert : il portait un costume de velours noir qui lui allait à ravir et des patins dont les lames se terminaient en col de cygne ; et il se mouvait avec toujours la même grâce ! Comme je lui criais de ne pas aller près des roseaux — où la glace risquait de se briser —, Bébé me demanda d'un air inquisiteur si c'était dans ces roseaux qu'on avait trouvé Moïse. Elle venait d'apprendre cet épisode de la Bible !

Louis et Alice passaient leur premier Noël ensemble, et ils

étaient vraiment touchants à voir. Maman vint déjeuner avec nous et mes plus jeunes enfants apparurent au moment du dessert. Bébé grimpa aussitôt sur les genoux de son papa, prit sa cuillère et son regard s'éclaira à la vue d'un magnifique pudding. La voyant attirer le plat vers elle, je m'empressai de lui dire que ce n'était « pas bon pour Bébé ». « Mais Bébé aime ça, ma chère ! » me répondit l'espiègle enfant, si drôlement que je ne pus réprimer un éclat de rire.

Après le déjeuner, vint le moment des jeux. Albert s'amusa tant avec les enfants qu'ils étaient malades de rire. Il leur fit des tours de magie, et Bertie lui-même l'observa, bouche bée. (Je me souviens que nous avions fait venir, quand il était tout enfant, un prestidigitateur mondialement connu. Après le spectacle, il lui avait déclaré avec aplomb : « Mon papa connaît tous ces tours. » Il était convaincu que son père ne pouvait rien ignorer !)

Un peu plus tard, Bébé entraîna maman jusqu'au piano et la fit chanter ses airs préférés, en lui rappelant de sa petite voix flûtée les premières paroles qu'elle avait apprises par cœur, même si elle confondait parfois les airs. Dans la soirée, lorsque Arthur nous fit la lecture du Massacre des innocents, Bébé prit la bible et nous déclara d'un air grave : « Alors, les méchants ont massacré les enfants et les mamans ont pleuré très fort. »

Après ces heureux moments, l'année 1861 débuta bien mal. Ce pauvre fou de roi de Prusse (l'oncle de Fritz) mourut le 2 janvier ; le père de Fritz monta sur le trône et lâcha la bride à toutes ses tendances réactionnaires. D'amères controverses éclatèrent alors autour du projet d'unité allemande — ce qui donna beaucoup de soucis à Albert, désireux de conseiller Vicky dans son nouveau rôle de princesse royale de Prusse.

Puis, le 29 janvier, un accident de chemin de fer eut lieu à Wimbledon : une collision entre deux trains, dans laquelle notre médecin, le Dr Baly, trouva la mort. Il fut écrasé sous les roues, après être passé à travers le plancher du wagon. Ce jeune homme brillant avait remplacé depuis tout juste un an notre bon vieux Clark — qui s'était retiré à soixante-treize ans — mais il inspirait totalement confiance à Albert. Il fallut prier Clark de nous recommander quelqu'un d'autre.

Ce fut bien contrariant, d'autant plus qu'Albert avait commencé l'année avec une terrible rage de dents, suivie d'une pénible névralgie dans la partie supérieure de la joue, due à une inflammation des nerfs. Deux incisions successives de la gencive ne lui avaient apporté aucun soulagement. Les maux de dents sont un fléau qui m'a été épargné, grâce au ciel ! Épuisé par la douleur et les nuits blanches, le pauvre Albert ne voulut pas pour autant négliger son travail. Au plus fort de la crise, il se rendit à Trinity House pour assister à une réunion consacrée aux nouveaux types de phares, dont il revint épuisé. Clark, au bout d'un mois seulement, nous présenta le Dr William Jenner, un ancien ami de l'excellent Baly. La sérénité rassurante de Jenner me plut beaucoup et les douleurs d'Albert s'apaisèrent en quelques jours, par hasard ou à la suite de son intervention...

Aussitôt après, un autre coup du sort nous frappa : la mort subite, le 28 février, de Sir George Couper, qui s'éteignit « comme la flamme d'une chandelle », selon l'expression d'Albert. Il était depuis 1840 le contrôleur des finances de maman, mais en réalité beaucoup plus — son ami intime, son protecteur et son conseiller.

— Une mauvaise nouvelle, me déclara Albert ce soir-là, d'autant plus que ce choc risque d'être très éprouvant pour votre mère.

Depuis deux ans ma mère souffrait de crises d'érésipèle (cette affreuse maladie qui, en plus de l'abus de whisky, a largement contribué à la mort de ce pauvre John Brown) ; mais son état ne me semblait pas spécialement alarmant, malgré son grand âge — soixante-quinze ans. On s'imagine toujours que sa propre mère sera éternelle !

— Il n'y a pas lieu de s'inquiéter, répliquai-je.

— Son abcès au bras la fait beaucoup souffrir.

— Elle guérira, c'est une femme robuste.

— Ma chère, je vous trouve bien optimiste, observa Albert d'un air grave.

— Qu'y a-t-il ? En savez-vous plus que moi ?

Albert hocha la tête.

— Clark m'a dit qu'il fallait s'attendre au pire.

— Clark ?

— Oui, Clark ; mais nous n'avons pas jugé utile de vous alarmer.

— Quand vous a-t-il dit cela ?

— Il y a environ deux ans, au moment de sa première crise...

Je l'interrompis en riant.

— Clark vous a annoncé il y a deux ans qu'il fallait s'attendre au pire, mais elle est toujours bien vivante, n'est-ce pas ? Je ne vois aucune raison de me faire du souci.

— Cet abcès au bras est dangereux. Il risque d'empoisonner tout son organisme.

— Tout ira mieux d'ici à une semaine, déclarai-je sur un ton péremptoire.

Comme je me trompais ! Le 9 mars, Jenner prit la décision d'inciser l'abcès — une opération éprouvante, car il dut pénétrer jusqu'à l'os, ce qui ne procura qu'un soulagement temporaire à la patiente. Un nouvel abcès apparut, mais je n'avais toujours aucune inquiétude. Le 15 mars, nous étions au palais de Buckingham, moi en train de parcourir les journaux et Albert occupé à rédiger son courrier, lorsqu'un message nous parvint de Frogmore : le Dr Clark, qui était toujours le médecin de maman, nous annonçait que son état était désespéré.

— Je n'y crois pas, il doit se tromper ! m'exclamai-je.

Albert se leva d'un bond.

— Allons-y tout de suite. Préparez-vous, ma chérie, pendant que je fais avancer la voiture.

À huit heures du soir, nous étions à Frogmore. Je voulus me précipiter dans la chambre de maman, mais Albert me posa doucement la main sur le bras en me priant de l'attendre un moment. Il me sembla resté parti une éternité, mais en fait, j'étais plus impatiente de voir ma mère pour la réconforter que vraiment inquiète sur son état. Il revint enfin, les yeux noyés de larmes.

— Albert, lui demandai-je, comment se sent-elle ? Est-elle éveillée ?

Il me regarda d'un air affligé.

— Elle se meurt, Victoria. La fin est proche.

— Proche ? balbutai-je, frappée d'horreur. Vous voulez dire que son état ne va pas s'améliorer ?

— Elle ne passera pas la nuit.

— Mon Dieu, ce n'est pas possible !

Je lui tendis mes deux mains qu'il serra, et nous gravîmes ensemble l'escalier. Sidérée et ne sachant que penser, je m'accrochais désespérément à mon mari. Il me fit entrer dans la chambre. Ma vieille petite maman était là — la mère que j'avais mis si longtemps à aimer, la douce et tendre grand-mère de mes enfants... Allongée sur le sofa, elle portait un joli peignoir de soie verte et un bonnet de dentelles sur les cheveux. Sa tête reposait sur plusieurs oreillers, et elle respirait avec peine, mais son apparence tranquille me redonna espoir : elle n'allait sûrement pas mourir !

— Maman, murmurai-je, êtes-vous réveillée ?

Elle ouvrit les yeux — des yeux sombres et vides comme des gouffres — et ne sembla pas me reconnaître.

— Maman, c'est Vickelschen. Comment vous sentez-vous ?

Sa main trembla dans la mienne ; je posai mon autre main sur son épaule. Elle fronça alors les sourcils et eut un mouvement de recul, comme si une mouche ou une feuille l'avait effleurée.

— Maman ?

Elle détourna la tête.

— Où sont mes lunettes ? Qu'on me laisse et qu'on m'apporte mes lunettes !

Elle ne m'avait pas reconnue. Des larmes de désespoir se mirent à ruisseler le long de mes joues. Elle allait donc mourir d'une heure à l'autre et m'abandonner pour toujours ! Je sortis à la hâte de la chambre, suivie par Albert, pour aller retrouver notre bon vieux Clark qui s'était retiré discrètement à notre arrivée.

— Il n'y a plus d'espoir ? lui demandai-je en sanglotant.

Il prit un air misérable de chien battu.

— J'aimerais tant rassurer Votre Majesté ! Hélas, la fin me semble proche. Mais cela sera facile, à mon avis. Madame votre mère est maintenant au-delà de la souffrance.

Facile ? C'était bien là un langage de médecin. La mort était l'ennemie, il fallait la combattre. Les poings serrés, je faillis hurler de rage, mais une reine doit avoir une certaine retenue devant un médecin. Je lui tournai le dos et tendis la main à Albert, qui y glissa aussitôt un mouchoir et me soutint tandis que je me séchais les yeux. (Béni soit Albert qui était toujours auprès de moi quand j'avais besoin de lui !) Puis je lui fis comprendre d'un signe de tête que j'étais prête à retourner dans la chambre.

Oh, quelle longue et triste veillée ! Assis en silence, nous l'avons regardée dormir en guettant sa respiration. Tous les quarts d'heure résonnait le carillon argentin de la montre d'écaille, que j'avais entendue pendant toute mon enfance dans la chambre de ma mère. Ma mère, que j'avais quittée dans la colère et la haine, jusqu'à ce qu'Albert vienne adoucir mon cœur, éclairer mon esprit et m'arracher aux décombres d'une enfance malheureuse. Ai-je pu haïr maman à ce point sans me haïr un peu moi-même ? Et voilà que je la haïssais à nouveau de me quitter. Pouvait-elle partir ainsi, sans un adieu ? Tandis que le temps s'écoulait, ponctué par la montre de mon père et la respiration haletante de maman, je souhaitais de tout mon cœur qu'elle se réveille une dernière fois pour me sourire, m'embrasser et me dire qu'elle m'aimait.

Au petit matin, Albert m'obligea à aller me reposer sur un sofa, dans la pièce voisine. Malgré ma fatigue, je ne pus que sommeiller par à-coups, en m'éveillant chaque fois un peu plus lasse et désespérée. À quatre heures, je revins dans la chambre, mais il n'y avait aucun changement. À sept heures et demie, ayant renoncé à dormir, je m'assis sur un tabouret à côté de maman et repris sa main. Elle avait atteint un tel niveau d'inconscience qu'elle ne réagit pas. Clark s'approcha, jeta un coup d'œil au-dessus de mon épaule et prit son pouls. Nous échangeâmes un regard. Il avait veillé toute la nuit, mais la fatigue ne se lisait même plus sur son visage de vieillard, marqué par le temps.

— Ça ne sera plus bien long, me dit-il doucement.

— Seigneur ! soupirai-je.

Le son de ma voix m'avait paru méconnaissable. Albert vint se placer derrière moi : je ne pouvais le voir, mais sa présence me rassura. Il l'avait aimée, l'avait appelée maman : n'étant pas sa mère, elle n'avait jamais eu l'occasion de le trahir. Son souffle devenait de plus en plus faible, et sa main de plus en plus froide — aussi dénuée de vie que la plage quand la marée s'est retirée. Finalement, elle cessa totalement de respirer. J'attendis un instant encore, dans l'espoir que son souffle allait renaître, et alors sonna la demie de neuf heures : elle venait de s'éteindre...

Elle était partie sans un mot, sans un soupir, sans un geste, comme s'il s'agissait d'une affaire de moindre importance. C'était la première fois que je voyais la mort en face ; désormais, je saurais la reconnaître... Les poètes mentent : cette chair glacée comme le marbre n'évoque en rien le sommeil. C'est une imposture, destinée à nous faire croire que l'être aimé reviendra si nous sommes fidèles à sa mémoire — mais les impostures n'ont jamais convaincu personne !

J'entendis derrière moi Albert éclater en sanglots, comme s'il venait de perdre sa propre mère. Incapable de pleurer, je restai assise, pétrifiée par l'horreur et le mystère de la mort. Maman m'avait quittée et ne reviendrait plus jamais, même si je passais le reste de ma vie à l'attendre. Toujours en larmes, Albert m'enlaça pour m'aider à me relever et à sortir de la chambre. J'aurais aimé pleurer moi aussi, mais le moment n'était pas encore venu. J'avais la poitrine serrée dans un étau et il me sembla qu'un poignard me transperçait la gorge.

26 novembre 1900

Ce coup du sort m'éprouva terriblement. C'était la première fois que je perdais l'un de mes proches ; et, depuis quelques années, j'avais pris l'habitude de voir maman chaque jour ou de lui écrire. Elle était devenue pour moi ce que les mères devraient toujours être pour leurs filles : ma confidente, ma conseillère, mon soutien dans l'éducation de mes enfants, et la personne qui s'intéressait aux moindres détails de ma vie : ma coiffure, la garniture d'un nouveau jupon, le menu que j'allais commander. Elle était au courant de toutes mes activités quotidiennes, d'autant plus qu'Albert s'en mêlait de moins en moins. Il s'absentait toute la journée pour vaquer à ses affaires et revenait trop épuisé ou trop soucieux pour s'intéresser à des broutilles. Après la mort de maman, il dut aussi s'occuper de sa fortune, car elle l'avait désigné comme exécuteur testamentaire. Un tel surmenage aurait fait perdre la tête à plus d'un ; il fallut donc renoncer à nos derniers moments d'intimité.

Maman me manquait affreusement. Dix fois par jour, je me disais : « Il faudra que j'en parle à maman », ou « Maman sera contente de l'apprendre » — et l'horrible vérité me revenait soudain à l'esprit. Son côté irrévocable me chagrinait surtout — toutes ces occasions perdues, ces choses que je ne pourrais plus jamais lui dire...

Elle avait laissé une quantité de papiers et de courrier. En les triant avec Lady Augusta Bruce, je fondis en larmes : maman avait conservé chacune de mes lettres (même les plus insignifiantes), mes mèches de cheveux et jusqu'à mes petits souliers de bébé. Pendant toutes ces années où je la haïssais et où je répétais à Lord M. qu'elle ne m'avait jamais aimée, elle parlait de moi avec tendresse et mélancolie dans son journal. Elle avait certainement subi une mauvaise influence, mais elle n'avait jamais agi par malice ou indifférence. Elle se faisait des idées fausses sur ce qui serait le mieux pour moi ! À mon chagrin, se mêlaient les remords et un douloureux sentiment de culpabilité. Pendant ce froid et morne printemps, je la pleurai donc sans trouver la moindre consolation.

En mai, quand Louis de Hesse, impatient de voir sa douce Alice, vint nous rendre visite, il fut visiblement déconcerté par l'atmosphère sinistre qui régnait au palais. Il m'exprima sa sympathie, et je découvris alors quel précieux prétendant Alice avait là. Il restait assis avec moi pendant des heures, me parlait avec douceur et m'écoutait avec la tendre patience d'une femme. Il manifesta même un intérêt surprenant chez un si jeune homme pour le plan d'un mausolée que je voulais faire construire à Frogmore. Malheureusement, il attrapa la rougeole pendant son séjour et la transmit à nos enfants — Arthur, Léo et Bébé. Dans le cas de Léo, aucune maladie n'était bénigne, ce qui ne fit qu'accroître mes soucis et la lassitude d'Albert.

En août, nous nous rendîmes en Irlande pour voir comment avait progressé Bertie. Il parut fort content de notre visite et fier de sa réussite. Nous le regardâmes défiler à la tête de sa compagnie, avec plus d'assurance que je ne l'avais supposé.

À notre retour, nous fîmes un séjour à Balmoral où je me sentis enfin revivre grâce au bon air, à un entourage de gens simples et braves et aux escapades qu'Albert organisait pour me distraire. Dans ces cas-là, nous voyagions incognito : j'aimais séjourner dans de petites auberges et prendre le repas préparé par la patronne pour des hôtes « ordinaires ». J'avoue que ma joie était à son comble au moment où apparaissait notre supercherie — sinon, c'était comme une pièce de théâtre dans laquelle une héroïne prend la place de sa femme de chambre sans que personne découvre la vérité.

Le plus agréable était d'être reconnue au moment du départ et de voir les gens manifester leur surprise et leur excitation lorsque la voiture s'éloignait. Cela arrivait fréquemment, je suppose parce que nos domestiques devaient se lasser de ne pas recevoir les marques de considération habituelles ! À Grantown, j'ai éprouvé un bonheur sans pareil lorsque Albert fut reconnu et acclamé comme il le méritait.

À Balmoral, j'appréciais surtout de pouvoir enfin arracher Albert à son travail et de le voir prendre un peu de plaisir et de détente — non que la chasse ne demande nul effort, mais elle lui permettait d'échapper à ses névralgies et à l'insomnie. À Windsor et à Londres il n'avait pas un instant de répit, à tel point qu'il avait pris l'habitude de courir — au lieu de marcher — le long des corridors, afin de gagner du temps. Debout tous les matins à sept heures, il travaillait en robe de chambre à son bureau avant d'aller s'habiller. Au petit déjeuner, il lisait le *Times* en mangeant en vitesse son œuf et son pain beurré, et, à peine la dernière bouchée avalée, il appelait ses secrétaires pour discuter des affaires du jour.

Bien qu'il ait horreur de se montrer en public, de prononcer des discours et de porter des toasts, il ne refusait jamais une invitation si elle était « pour la bonne cause ». À l'approche d'un discours, il était sujet à des insomnies et à des crises de tremblement, pourtant il n'annula pas un seul engagement même quand il était vraiment malade ; il revenait donc souvent épuisé, dans un état nauséeux, et torturé par des rhumatismes ou des névralgies. Il refusa même, malgré mes protestations furieuses, d'annuler un rendez-vous aux jardins botaniques de Londres, alors que le petit Léo était au point culminant de sa rougeole. À cela s'ajoutait le flot ininterrompu des questions posées par tous les services du gouvernement : « Demandez au prince » était devenu la formule rituelle. Le prince n'éconduisait personne et déléguait ses tâches le moins possible.

Mais à Balmoral, mon mari me revenait un peu, et je garde un souvenir émerveillé de ces vacances de l'automne 1861. Louis de Hesse était avec nous et semblait déjà un membre de la famille ; l'absence de Bertie rendait la maisonnée plus paisible. Le fardeau qui pesait depuis deux ans sur les épaules de mon bien-aimé sembla s'alléger momentanément, et son visage retrouva un peu de sa gaieté. D'ordinaire, il semblait calme et digne, mais tous ceux qui l'ont vu sourire ou rire de bon cœur ont été vivement frappés par son expression. Nous organisâmes deux ou trois merveilleux bals ; Louis fut très impressionné de nous voir danser des quadrilles écossais Albert et moi.

Albert avait gardé une grâce incomparable, et je devenais plus légère qu'une plume quand je dansais avec lui... La nuit, quand nous nous retirions dans notre chambre, je retrouvais — après vingt et un ans de fidélité conjugale — l'amoureux tendre et passionné de ma jeunesse, et je débordais de joie en le serrant contre mon cœur.

Notre dernière expédition eut lieu le 16 octobre. Albert l'avait planifiée dans les moindres détails à l'aide de cartes et en consultant les *gillies* ; je fus donc soulagée de me réveiller par un temps splendide, car pour rien au monde il ne l'aurait annulée s'il avait plu. C'était un de ces jours d'octobre sans un souffle de vent, avec une douceur qui, à certains moments, rappelait l'été et des tons bleu et or qui évoquaient les miniatures du Moyen Âge. Il n'y avait pas un nuage dans le ciel (« aussi bleu que les yeux de papa », disait toujours Vicky). Il avait gelé pendant la nuit et, à l'heure du petit déjeuner — que nous prîmes dans notre chambre avec Alice, Louis et Lenchen —, une couche de givre recouvrait encore les pelouses, où se découpait l'ombre du château. Sur les branches dénudées des arbres, seules restaient quelques feuilles écarlates ou cuivrées, et les baies de sorbier étaient de pourpre.

À neuf heures moins vingt, nous partîmes en voiture jusqu'à Loch Callater où nous attendaient les poneys. Mon cher Fyvie hennit en me voyant ; Alice grimpa sur Inchroy et Lenchen sur Geldie, le poney gris d'Alice, au pas très sûr. Puis nous prîmes le chemin des collines. La campagne resplendissait par ce beau temps, les bruyères fleurissaient et les fougères étaient d'une teinte mordorée. Au loin, une brume bleutée flottait sur les montagnes. Nous avancions, parfois à pied, parfois sur nos poneys. Les hommes préféraient marcher, en parlant de chasse, de politique et autres sujets du même ordre. Louis venait de temps à autre marcher à côté de mon poney : nous discutions du paysage, de nos souvenirs et des croquis que nous pourrions faire. Puis il rejoignait Alice, et Albert prenait sa place.

Nous échangions alors mon mari et moi un sourire qui en disait long, et nous poursuivions notre chemin dans un silence plus doux encore que les mots. Albert portait sa pèlerine et sa casquette de chasseur de cerf, et je craignais qu'il n'ait trop chaud, mais cette tenue lui allait merveilleusement. Son couvre-chef cachait sa calvitie et le rajeunissait. Je le trouvais plus beau que jamais !

Un peu avant deux heures, nous nous arrêtâmes au-dessus de la vallée de Cairn Loach, à un endroit dont Grant nous avait à juste titre vanté la beauté. La montagne descendait à pic, verte et entrecoupée de sombres précipices ; la rivière Isla serpentait tout au fond, comme un ruban argenté. Nous nous installâmes pour déjeuner dans une clairière au bord d'une pente si abrupte, que je craignais sans cesse que quelqu'un ne fît un pas en arrière. Mais quelle vue magnifique ! L'air était vif dans les hauteurs, et Brown découvrit une petite flaque d'eau gelée, de l'épaisseur d'un shilling, qui ne fondait même pas dans sa main quand il nous en apporta un morceau. Mais le soleil nous réchauffait les épaules, et des abeilles bourdonnaient autour de nous dans la bruyère en fleur.

Duncan et Brown nous servirent le repas sur des couvertures étalées dans l'herbe ; nous mangeâmes tous de bon appétit, y compris Albert qui s'était assis à côté de moi : excellents petits pâtés en croûte, succulentes pommes de terre ; le tout arrosé d'un délicieux bordeaux, et, bien sûr, d'une grande gorgée du meilleur whisky. Un régal ! Je fis ensuite quelques croquis. Soudain, Albert, qui s'était approché de moi, déchira le coin d'une page, puis, pressant sa joue contre la mienne, il prit mon crayon et nota la date, le nom des présents et l'endroit où nous avions déjeuné. Je souris, et il effleura ma tempe d'un baiser pendant que personne ne nous regardait. « Souviens-toi », murmura-t-il. Ce papier, glissé dans une bouteille d'eau de Seltz, fut enfoui sous la terre, comme tant d'autres...

Nous rentrâmes par un chemin différent. Tout était nouveau pour nous, car nous n'avions jamais emprunté cette route au cours de nos précédentes promenades.

— J'aimerais connaître tous les recoins de ces montagnes, s'écria Albert, enchanté ; mais il nous faudrait partir plus d'une journée.

— L'année prochaine, peut-être, répondis-je.

Il écouta ma suggestion en souriant, mais garda le silence. Nous arrivâmes dans la plaine vers quatre heures et demie, à l'approche du crépuscule, et nous longeâmes la rivière, montés sur nos poneys. Un cerf détala à notre approche ; le temps qu'Albert épaulât son fusil, il était déjà trop tard pour tirer.

— Tant mieux pour lui, chuchota-t-il. Après une si belle journée, je m'en serais voulu de lui faire du mal !

La lune s'élevait dans le ciel clair, son disque à peine doré brillant légèrement dans une aura nacrée.

— Il va à nouveau geler cette nuit, fit remarquer mon bien-aimé.

Puis, approchant son visage si près de moi que sa moustache effleura ma joue, il murmura à mon oreille :

— J'espère que tu me tiendras chaud, ma petite femme !

Mon cœur bondit dans ma poitrine — de joie, naturellement...

Nous dînâmes en famille, ce soir-là, puis nous regardâmes des cartes d'Écosse en parlant de cette belle journée et de nos futures promenades. Louis demanda à Alice de chanter pour lui ; elle se mit au piano et entonna une mélodie mélancolique, qui résonna soudain comme une chanson d'amour, tandis qu'elle gardait les yeux fixés sur son bien-aimé. Appuyé au dossier de mon siège, Albert contemplait le feu, qui avait ce rougeoiement particulier des nuits de grand froid.

— J'aime ce feu, me dit-il.

— J'aime tout ce que vous aimez, mais je crois qu'il sera bientôt temps pour ces jeunes gens de se dire bonsoir.

Albert me sourit.

— Les moins jeunes feraient bien aussi de se coucher de bonne heure après cette longue promenade. Et puis, j'aimerais vous dire un poème que vous ne pouvez entendre que dans l'intimité.

Nous nous retirâmes donc dans nos appartements. Lorsque j'eus revêtu mon peignoir et dénoué mes cheveux, je renvoyai ma femme de chambre. Albert vint s'accouder au manteau de la cheminée selon son habitude, et me regarda me brosser les cheveux.

— Avez-vous été heureuse aujourd'hui ? me demande-t-il.

— J'ai passé une merveilleuse journée, mais je suis toujours heureuse quand nous sommes ensemble.

— Je ne vous ai pas quittée depuis six mois, et pourtant vous n'avez pas été si heureuse que ça, objecte-t-il d'un ton légèrement réprobateur.

— Je vais mieux ces derniers temps ! Depuis que nous sommes ici, je n'ai versé des larmes qu'une seule fois.

— Oui, je suis content de vous. Vous vous portez beaucoup mieux quand vous cessez de vous complaire dans votre chagrin...

— Il m'est parfois difficile de m'arracher à mes tourments, que je le veuille ou non.

— Je pense que la moitié de votre désespoir à la mort de votre pauvre maman tient à votre refus d'accepter la volonté divine. Vous êtes si autoritaire que vous ne supportez pas que le Tout-Puissant lui-même vous contrarie.

Un peu choquée, je protestai :

— Oh non, Albert ! Vous avez eu du chagrin, vous aussi.

— Oui, car j'aimais beaucoup maman, mais je me suis plié à la volonté de Dieu, et vous devriez apprendre à en faire autant pour avoir l'esprit en paix.

Soudain, je pinçai mes lèvres.

— On ne peut pas se résigner à tout.

— Oui, je sais que la mort vous révolte. Pour ma part, je me satisfais toujours de mon sort quel qu'il soit, et si Dieu me rappelait à lui, je m'en irais sans regret. Si j'avais une grave maladie, je ne ferais rien pour la combattre...

Ma réponse indignée ne se fit guère attendre :

— Ce serait, à mon avis, un manque de courage !

Au lieu d'entamer une polémique, il me regarda bizarrement : une tendre lueur brillait dans ses yeux, et sa moustache s'incurvait vers le haut comme s'il souriait des espiègleries d'une enfant incorrigible mais adorée.

— Oh, ma petite femme, comme vous m'avez manqué ces derniers mois !

— Je vous ai manqué ? Mais j'étais toujours là, alors que vous vous absentiez pour vaquer à vos affaires...

Il hocha la tête et leva la main pour m'interrompre.

— J'ai toujours été stimulé — égoïstement sans doute — par l'idée que vous vous passionniez pour tout ce que je faisais ; que vous étiez curieuse de tout ce qui m'arrivait, de tout ce que je disais ou entendais... J'aime vous parler et voir votre visage s'illuminer ou au contraire s'assombrir selon ce que je raconte. Mais, depuis quelques mois, j'avais l'impression de frapper à la porte d'une maison déserte : aucune lumière ne s'allumait, personne ne venait ouvrir, et j'attendais seul tandis que la nuit tombait.

Envahie de remords, je murmurai « Oh, mon chéri ! », puis je me levai et vins me blottir dans ses bras. Mon visage pressé contre son cou, je respirai l'odeur familière de sa peau, qui avait toujours signifié chaleur et sécurité pour moi. Et je lui demandai pardon en lui promettant de ne plus jamais me montrer aussi égoïste. Mais n'avais-je pas le droit de pleurer ma propre mère ?

— Il faut pleurer les morts avec modération, me répondit-il. (Il s'éloigna un peu de moi et plongea son regard dans le mien.) La raison, l'ordre et l'harmonie, voilà ce qui doit guider notre vie. J'espère que vous vous en souviendrez si vous devez me perdre un jour.

— La question ne se posera pas, car je serai incapable de vous survivre.

Il me regarda d'un air narquois et ajouta d'une voix différente, qui me troubla comme si j'avais dix-sept ans :

— Ne voulez-vous point entendre mon poème ?

— Si, bien sûr !

— Il est de Shelley et un peu osé, je suis donc sûr que vous l'ignoriez jusqu'à maintenant. Écoutez !

Les sources s'unissent aux rivières,
Les rivières se jettent dans l'océan,
Et les vents se mêlent en l'éther ;
Rien n'est unique en ce bas monde.
Par je ne sais quelle divine loi,
Toutes choses entre elles se fondent.
Pourquoi ne me fondrais-je pas en toi ?

— Je souhaiterais, ma douce Victoria, reprit Albert, que nous ne soyons qu'une seule et même personne. Je voudrais avoir votre vitalité, votre courage et votre persévérance. Mais comme nous sommes deux, faisons en sorte d'en tirer avantage. Si nous commencions tout de suite ? *Veux-tu, mon âme ?*[1]

— *Je le veux*[2].

Bien plus tard, je me blottis dans ses bras, ma tête au creux de son épaule : j'étais heureuse, aimée, à l'abri de tous les dangers. Il m'attira plus près de lui, comme un chat qui se pelotonne dans son panier, pour avoir bien chaud.

— Je voudrais ne jamais rentrer à Windsor, murmurai-je.

— Moi de même, approuva-t-il avant de sombrer dans un profond sommeil.

20 novembre 1900

J'aimerais que mon récit s'achève ici, mais le mauvais sort sembla s'acharner sur nous dès notre retour à Windsor. Le travail en retard s'abattit sur les épaules d'Albert, qui chancela sous son poids. Puis, début novembre, nous parvint la nouvelle que la famille royale du Portugal avait été frappée par la typhoïde : le roi Pierre et son frère Ferdinand étaient morts... Albert qui aimait ses cousins presque comme ses propres fils fut très affligé. Je fis de mon mieux pour le réconforter, mais sans y parvenir. Son chagrin se manifesta par différents troubles : maux de dents, de dos, de tête et une violente névralgie derrière un œil, dont il souffrit beaucoup.

Le 12 novembre — je n'oublierai jamais cette date — mon bien-aimé entra dans ma chambre d'un air navré, une lettre à la main.

— Mon Dieu, m'écriai-je, une autre mort ! Plaise au ciel que je me trompe !

— La mort serait une bénédiction, comparée à ce que je viens d'apprendre, répliqua-t-il d'une voix sépulcrale.

Il s'était approché et je reconnus l'écriture de Stockmar.

— Que dit le baron ? Que s'est-il passé ? Asseyez-vous et dites-moi tout !

Albert s'effondra littéralement sur un siège.

— Il s'agit de Bertie, notre fils.

Je m'attendais à tout sauf à cela.

1. En français dans le texte. *(N.d.T.)*
2. En français dans le texte. *(N.d.T.)*

— Que peut nous apprendre Stockmar à son sujet ?

Bertie venait de célébrer son anniversaire avec nous quelques jours plus tôt et m'avait paru en grande forme. Il était maintenant de retour à Cambridge, et je ne voyais pas comment Stockmar aurait pu être mieux informé que nous.

Sans même me donner la lettre, Albert se mit à parler, le regard perdu dans le vague.

— D'après le baron, le bruit court à l'étranger que, lorsqu'il était à Curragh, Bertie a commis un crime abject...

— Je n'en crois pas un mot ! m'indignai-je. Bertie a bien des défauts, mais il n'a rien d'un criminel ! Le baron déraisonne. Comment ose-t-il vous écrire une telle lettre ?

Albert, imperturbable, continuait à regarder droit devant lui, et je m'attendis au pire.

— Vous n'avez pas compris, Victoria, de quel genre de crime il s'agit. Le vol, le mensonge ou même le meurtre seraient moins vils que le crime qu'il a commis. Il nous a trahis, il a déshonoré notre famille et mis le trône en danger. Il fréquente une courtisane !

Éberluée, je répétai comme un automate :

— Une courtisane ?

Albert hocha la tête.

— Si Stockmar en a eu vent, toute l'Europe doit déjà connaître ses forfaits. Son projet de mariage avec Alix de Schleswig-Holstein est définitivement compromis ! Le père d'Alice a beau ne plus avoir un sou, il ne souhaite sans doute pas unir son innocente fille à un vaurien.

— Bertie, un vaurien ? Je vous en prie, dites-moi de quoi il est coupable !

— N'en savez-vous pas assez ? Souhaitez-vous donc des précisions sur sa scandaleuse inconduite ?

Je vis blêmir les lèvres d'Albert.

— Eh bien, reprit-il, sachez que, pendant son séjour à Curragh, ses compagnons ont... mis une femme dans son lit. Qu'il l'ait souhaité ou non, il n'a pas refusé, et le baron a entendu dire qu'il a ramené cette créature avec lui à Windsor.

— Si c'était le cas, nous le saurions. C'est une calomnie, et le reste ne vaut peut-être guère mieux !

— Il ne l'a pas amenée au château de Windsor, mais il a pu la loger en ville dans quelque auberge, ou chez des amis.

— Nous n'en savons rien, insistai-je, et Stockmar n'a pas toujours raison. De plus, il est loin de l'Angleterre... et de l'Irlande. Nous devons découvrir toute la vérité par nos propres moyens.

Albert se leva d'un air las.

— Je ne la connais que trop ! C'est un véritable poison qu'il a dans le sang ; l'héritage de ses grands-oncles... Notre fils est un homme corrompu. Que ne suis-je mort avant d'avoir cette cruelle révélation !

— Mon Dieu, m'impatientai-je, menons notre enquête avant de le condamner.

— Oui, mais si telle est la vérité, il faudra renoncer à cette alliance à laquelle je tenais tant. Et quelle princesse voudra encore de lui ? J'estime que...

Son visage tourna subitement au jaune blafard. Il s'interrompit, la main devant la bouche, et il s'éloigna précipitamment. Les contrariétés avaient toujours de pénibles incidences sur sa digestion !

Albert ne m'apprit jamais comment il avait eu confirmation de cette histoire, mais je finis par savoir qu'il la tenait de Lord Torrington, un grand spécialiste des ragots en tous genres. Torrington était au courant de tous les détails (que j'obtins d'Albert après beaucoup d'insistance) et prétendit que ce scandale avait déjà fait le tour des clubs londoniens !

L'événement avait eu lieu, semble-t-il, la dernière nuit au camp, après le bal d'adieu donné officiellement, à Dublin, en l'honneur de Bertie. Il était très populaire auprès des autres jeunes gens ; ensemble ils burent plus que de raison, dansèrent, courtisèrent des femmes, et rentrèrent fort tard se coucher. À son arrivée, Bertie trouva une femme nue dans son lit, laquelle se présenta comme un « cadeau » de ses compagnons d'armes. Elle s'appelait Nellie Clifden (un nom que je préférerais ignorer !), était actrice et passait pour fort jolie — quoique vulgaire. Bertie aurait dû la renvoyer sur-le-champ, ce qu'il ne fit point, et elle lui plut assez pour qu'il la ramène clandestinement non point à Windsor, mais à Cambridge où il l'installa dans un appartement.

Je me suis toujours demandé depuis s'il s'agissait d'une simple farce de la part des compagnons d'armes de Bertie. Je sais que ce genre de pratique est monnaie courante : les jeunes prennent un malin plaisir à corrompre leurs camarades plus innocents, et Albert n'avait pu, hélas, mettre son fils à l'abri des mauvaises fréquentations.

Pourtant, lors de notre séjour à Curragh, cette année-là,

Albert avait fait quelques remarques percutantes sur l'oisiveté et le libertinage des jeunes officiers.

Il avait déploré les propos superficiels qu'ils tenaient au mess, au lieu de discuter sérieusement. Certaines personnes à qui s'adressait ce blâme lui avaient alors jeté un regard furibond ; d'autre part, je me souviens que ses tentatives pour améliorer l'armée ont toujours été mal acceptées. L'armée est un domaine où l'intervention d'un étranger, surtout d'un Allemand, passe pour choquante... S'agissait-il d'une simple blague des compagnons d'armes de Bertie, ou d'une tentative délibérée pour le corrompre, afin de rendre la monnaie de sa pièce à Albert ? Nous ne le saurions jamais.

21

Windsor, 3 décembre 1900

Il me semble aujourd'hui que mon bien-aimé a dramatisé outre mesure cette affaire — « le plus grand malheur de sa vie », disait-il. En d'autres temps, et si sa santé n'avait pas été déjà gravement atteinte, il aurait mieux supporté cette épreuve. Mais, il fut affecté comme nous le sommes parfois par des banalités lorsque notre équilibre nerveux est soumis à des pressions constantes. Quant à moi, je partageais depuis tant d'années la moindre de ses pensées et de ses préoccupations, que je ne parvins pas à avoir une vue plus claire et raisonnable des événements. Ce qui chagrinait Albert me chagrinait également !

Le 16 novembre, après quatre jours de réflexion, il écrivit à Bertie. Avec le recul, j'éprouve une sincère pitié pour mon fils qui reçut une telle lettre, lui qui aimait et respectait tant son père, mais, à l'époque, j'estimais qu'il l'avait bien méritée. C'était une lettre interminable et cinglante. Albert m'en dissimula une grande partie (sous prétexte qu'elle abordait des questions que l'on ne doit pas évoquer devant une femme — sans doute la syphilis et ce genre de maladies), mais j'ai lu la dernière page, et pour rien au monde je n'aurais voulu recevoir une telle lettre...

> *« Tu es devenu la risée des oisifs et des libertins,* lui écrivait-il entre autres. *Une femme qui fréquente les salles de bal les plus vulgaires de Londres est déjà surnommée "la princesse de Galles". Elle risque d'avoir un enfant — ou de se faire faire un enfant — dont tu seras censé être le père. Si tu tentes de nier, elle te traînera devant les tribunaux pour t'obliger à en reconnaître la paternité. Pendant que tu seras dans le box des témoins, toi le prince de Galles, elle donnera pour convaincre le jury une multitude de détails avilissants sur ton comportement licencieux. Un procureur général, railleur et indécent, te fera subir un interrogatoire en règle, et tu seras hué par une foule en délire ! Et c'est toi qui as donné à cette femme le pouvoir de t'anéantir et de briser le cœur de tes pauvres parents ! »*

Son ton était passionné, sa grammaire hésitante, son écriture torturée ; mon bien-aimé était fou de chagrin à l'idée que ses pires appréhensions avaient fini par se réaliser. Et quelles en seraient les conséquences ? La nuit, incapable de fermer l'œil, il s'asseyait à son bureau éclairé par la petite lampe à abat-jour vert, et il souffrait en silence. Son père, son frère, mon demi-frère Charles, et maintenant son propre fils, avaient suivi la même voie dangereuse et haïssable. Quel échec pour lui ! Une fois, je le surpris pleurant de désespoir : « Je n'ai même pas été capable de préserver mon fils ! s'écria-t-il. Je me suis donné tout ce mal en pure perte ; aussitôt sur le trône il détruira tout ce que j'ai fait. » J'étais soucieuse et profondément déçue moi aussi : Bertie avait eu une conduite indigne de son rang. Mais y avait-il lieu d'en être mortellement blessé comme le fut Albert ? Certes, non.

Nous reçûmes bientôt une lettre émue et navrée de Bertie. Je pense que, dans son inconscience juvénile, il n'avait pas le sentiment d'avoir commis une faute beaucoup plus grave que de fumer ou de boire de l'alcool à notre insu. Nous lûmes d'abord la lettre ensemble, puis Albert la relut plusieurs fois, pesant chaque mot et ses implications possibles comme s'il déchiffrait un précieux manuscrit. Il voulait comprendre à tout prix ce que recelait le cœur de Bertie !

— Je crois qu'il comprend son erreur, me dit-il enfin avec une lueur d'espoir. Lis cette phrase, il me semble qu'il est sincèrement désolé.

J'approuvai de tout cœur, heureuse de le voir dans de meilleures dispositions. L'état d'âme de mon mari me préoccupait beaucoup plus que celui de Bertie !

— Je vais aller lui parler, me déclara Albert qui marchait de long en large, enfiévré par ses pensées. S'il se repent sincèrement, il mérite notre pardon, mais rien ne lui rendra son innocence perdue. Il doit désormais se voiler la face devant Dieu...

— À moins qu'il ne se conduise bien, dorénavant, qu'il ne se range et ne devienne un bon mari et un bon père.

— Seul un mariage rapide peut le sauver, si Alice et ses parents veulent encore de lui. Mais il ne faudra rien leur cacher.

Le jeudi 21, il adressa une lettre à Bertie, lui annonçant sa visite à Cambridge le lundi suivant :

> *« Tes proches feront le maximum pour t'aider, mais ils ne peuvent rien pour toi si tu ne possèdes pas la droiture et l'honnêteté qui doivent présider aux relations entre gens de bien. »*

Le vendredi, malgré un début de rhume, il alla inspecter les nouveaux bâtiments de l'école militaire de Sandhurst — un projet auquel il tenait beaucoup. Après avoir marché toute la journée sous la pluie, il revint à Windsor trempé et frissonnant. Il fut souffrant pendant tout le week-end, mais ne manqua à aucun de ses devoirs vis-à-vis de nos invités. Le dimanche soir, fiévreux et épuisé par des douleurs rhumatismales, il ne voulut pas renoncer à son projet d'aller à Cambridge le lendemain. Sachant qu'il ne pourrait guérir sans avoir l'esprit en repos, je ne voulus pas le contrarier outre mesure.

C'était une journée humide, avec une bruine intermittente, comme si le ciel ne pouvait retenir toute l'eau dont il était imprégné — le pire des temps, car, s'il avait plu à verse, ils ne seraient pas sortis. Mais il est toujours plus agréable de parler en marchant, et on se sent plus à l'aise loin de toute oreille indiscrète. Albert et Bertie allèrent donc se promener sur les chemins de campagne des environs de Madingley, où nous avions trouvé une maison pour notre fils, et ils eurent une longue explication.

Les deux plus grandes qualités de Bertie — sa franchise et son cœur affectueux — lui vinrent en aide, d'après ce que me raconta ensuite Albert. Il était désolé d'avoir peiné à ce point son cher papa, mais n'avait pas réalisé sur le moment la gravité de sa faute ; il en avait pris conscience depuis et promettait de ne plus jamais le décevoir. En toute sincérité, il raconta les faits à Albert...

On avait glissé à son insu une créature féminine dans son lit, et il avait cru à une bonne farce ; s'il n'avait pas été un peu éméché à la suite du banquet, il l'aurait chassée sans hésiter, mais il s'était retrouvé soudain en train de l'embrasser... C'était une gentille petite, il se sentait seul, et il avait bientôt perdu le contrôle de la situation. Contrairement à la rumeur publique, cette fille était bien intentionnée : il n'y avait pas lieu de craindre un chantage de sa part. Mais il se rendait compte qu'il devait rompre définitivement avec elle et ne plus jamais être un objet de scandale.

— Ses regrets m'ont touché, me dit Albert à son retour. Il m'a assuré de son amour et de son profond respect. Il m'a même dit qu'il se tuerait si je ne lui accordais pas mon pardon. J'ai fini par céder et je lui ai promis de ne plus jamais aborder ce sujet. M'approuvez-vous ?

— Bien sûr, du moment qu'il a reconnu son erreur ! Il s'est laissé égarer par son ardeur juvénile, mais je pense que, s'il épouse une femme qui lui convient, il trouvera un meilleur exutoire à son tempérament. Cependant, comment pourrai-je lui faire bonne figure quand nous nous reverrons ? Que doit-on dire dans ces cas-là ?

— Je voulais justement aborder ce point, me répondit Albert. Il préférerait que vous-même et ses sœurs ne sachiez rien de cette affaire... Je ne lui ai pas dit que vous étiez déjà au courant, afin de faciliter vos rapports avec lui.

La veille, alors qu'ils discutaient, le ciel s'était encore assombri et il s'était mis à faire très froid ; Bertie s'étant trompé de chemin, la promenade s'était prolongée plus longtemps que prévu. Albert, qui comptait rentrer le soir même, s'était senti si fatigué qu'il avait passé la nuit à Madingley. Il arriva donc au matin à Windsor, très mal en point, et dut s'allonger immédiatement. Mais sa conversation avec Bertie l'avait apaisé, et je crus qu'il ne tarderait pas à se remettre.

Le lendemain, ses troubles gastriques reprirent, et il envoya chercher Jenner. Sans oser l'évoquer ouvertement, nous étions tous deux terrifiés à l'idée qu'il pût s'agir de la typhoïde. Jenner diagnostiqua un simple refroidissement accompagné de fièvre, et justifiant un repos de quelques jours. Le pauvre Albert était incapable de s'alimenter et de fermer l'œil, et il souffrait tant de son rhumatisme à l'épaule qu'il renonça à une partie de chasse avec Louis de Hesse. Affaibli et fort las, il se plaignait de douleurs aux dos et aux jambes, mais refusait de prendre un repos sérieux.

Pourtant, le vendredi, Jenner trouvant son patient beaucoup mieux l'autorisa à sortir.

Cette fin de semaine fut troublée, hélas, par une nouvelle crise qui affecta particulièrement Albert. La guerre civile entre nordistes et sudistes faisait rage depuis huit mois aux États-Unis, mais nous ne nous sentions pas concernés, jusqu'au moment où nous parvint la nouvelle que l'un de nos navires postaux, le *Trent*, avait été arraisonné par un navire de guerre fédéral. Des hommes armés étaient montés à bord et avaient enlevé de force quatre passagers ; il s'agissait en fait d'émissaires sudistes envoyés à Paris et à Londres, et voyageant sous la protection du pavillon anglais. Cette violation du droit international provoqua un tollé dans le pays et le *Times* appela à la guerre. Les Américains en prenaient trop à leur aise . ıl était temps de leur donner une leçon — et, incidemment, de se venger de l'insulte subie en 1776. Palmerston s'excitait comme un vieux cheval de bataille qui a flairé l'odeur de la poudre, et

Gladstone (Dieu qu'il m'était antipathique !) déclarait que nos huit mille soldats stationnés au Canada étaient prêts à se lancer contre les États-Unis comme un seul homme.

Le vendredi, Russell, notre ministre des Affaires étrangères, nous soumit le projet de déclaration qu'il avait rédigé. Il exigeait la libération immédiate des passagers ainsi que des excuses, sur un ton belliqueux qui inciterait nécessairement les Américains à nous défier. Certes, ils s'étaient fort mal conduits, mais souhaitions-nous entrer en guerre avec eux ? D'autre part, nous reçumes des précisions de Palmerston : l'officier responsable de l'arraisonnement avait, paraît-il, déclaré à deux des passagers du *Trent* qu'il avait agi de son propre chef, sans instructions officielles.

En revanche, un officier nordiste, de passage à Paris, assurait que l'affaire avait été montée par Washington pour entrer en guerre avec l'Angleterre et conclure une alliance avec la France, en échange de la restitution du Canada.

— Je n'y crois pas, déclara Albert.

Il était gêné par une légère toux et par la sécheresse de sa langue, d'une vilaine teinte brunâtre. Ses yeux brillaient étrangement et il ne tenait pas en place, mais il prétendait ne pas avoir de fièvre malgré ses continuels frissons.

— À mon avis les nordistes ne souhaitent pas la guerre avec nous, reprit-il. Même s'ils se croient supérieurs sur terre, ils n'ont aucun doute sur la supériorité de notre flotte !

— Qu'ils souhaitent la guerre ou non, peu importe, répliquai-je d'un ton ferme. Ce qui compte c'est ce que nous voulons, nous. Or, je ne vois aucun intérêt à engager un combat avec ces rustres ni à verser du sang pour une telle cause.

— Dans ce cas, Russell doit tourner autrement son message ! Il faut donner aux Américains un moyen de présenter des excuses sans perdre la face. Je vais y réfléchir...

Le lendemain, un dimanche, Albert se leva en silence à sept heures du matin et revêtit son peignoir molletonné.

— Où allez-vous ? demandai-je. Travailler ?

Il se tourna vers moi sans croiser mon regard.

— Je vais réécrire le projet de Russell. Vous souvenez-vous de l'information donnée par Palmerston concernant les deux passagers ? Assurons Washington que nous ne croyons pas à une insulte délibérée ni à la volonté de compromettre la sécurité de notre courrier ; suggérons qu'il s'agit d'un excès de zèle du capitaine du navire ou au minimum d'un malentendu.

Ainsi, les Américains pourront nous présenter des excuses sans se déconsidérer.

— Une idée de génie ! m'écriai-je, mais attendez un peu, vous n'êtes pas assez bien pour vous lever.

— Il faut agir au plus vite si nous voulons éviter un incident diplomatique.

— Quelques heures ne feront guère de différence !

— Cessez de me tracasser, Victoria, je vous en prie.

Il s'installa à son bureau et revint au bout d'une heure, avec une feuille de papier qu'il me tendit d'une main tremblante.

— Je suis si faible que j'ai peine à tenir une plume, grommela-t-il. Lisez cela pendant que je m'habille.

— Vous êtes malade ! Recouchez-vous et permettez-moi d'appeler Jenner.

— J'ai trop mal pour rester allongé, me répondit-il d'un air irrité, et Jenner ne peut rien pour moi. Ce pauvre Baly me comprenait beaucoup mieux !

Il alla s'habiller et je lus son projet — une invitation à la négociation, magnifiquement formulée et ménageant parfaitement la susceptibilité de son destinataire. Je ne me doutais pas que ce texte serait le dernier qu'écrirait mon bien-aimé...

Il ne put rien avaler au petit déjeuner. Dans l'espoir de le soulager, je lui suggérai une promenade sur la terrasse où l'air frais lui ferait du bien. Il m'accompagna à la chapelle et s'agenouilla près de moi selon son habitude ; il paraissait si mal que j'étais incapable de prier. À midi, il ne déjeuna pas, mais s'assit avec nous pendant le repas : il nous raconta des anecdotes amusantes, et je ris comme tout le monde. Mais je me demandais, en l'observant, s'il savait vraiment ce qu'il disait.

L'après-midi, quand Jenner vint en compagnie de Clark rendre visite à Albert je fus frappée par leur expression navrée et par les regards qu'ils échangèrent en me déclarant que le malade n'avait pas de fièvre, comme si cela pouvait suffire à me rassurer.

Albert eut un rire étrange.

— Dans mon état, il ne manque que la fièvre pour m'achever !

— Ne dites pas ça, le suppliai-je.

— Qu'ai-je dit ? s'étonna-t-il en riant de nouveau.

Et pourtant, il ne délirait pas encore ; il me regarda d'un air narquois, et je fis mine de me mettre en colère.

— Vous le savez parfaitement ! grondai-je.

— Ma chère, il n'y a pas lieu de vous alarmer, conclut-il.

Il alla se coucher de bonne heure, sans dîner, mais resta éveillé jusqu'à une heure avancée de la nuit. Je dormis d'un œil et voulus une ou deux fois le prendre dans mes bras pour le réconforter, mais il me pria de ne pas le toucher tant il se sentait mal. Au matin il se leva et alla s'allonger sur le sofa, au pied du lit ; puis quand sept heures sonnèrent à l'horloge, il envoya chercher Jenner.

C'était le lundi 2 décembre ; à partir de ce jour, il ne quitta plus nos appartements. Aujourd'hui encore, je repense avec angoisse aux deux semaines qui suivirent. Il refusait de se nourrir, ne parvenait pas à dormir, et errait d'une pièce à l'autre. Je le suivais comme son ombre, lui apportant des boissons et l'aidant de mon mieux à s'installer confortablement. Il fixait sur moi ce regard absent qui m'avait déjà effrayé à Feithort, et dont le sens m'échappait encore. Les jeunes gens peuvent jouer avec l'idée de la mort, évoquer son nom, la chanter dans des poèmes, car ils se croient immortels. Quand on atteint un âge suffisant pour se sentir concerné, on préfère ne pas attirer son attention...

Je refusais de penser à la mort, d'en envisager l'éventualité ! Albert avait un refroidissement qui lui donnait la fièvre, mais il guérirait quand il aurait pris du repos et cessé de se faire du mauvais sang. Si seulement il avait eu meilleur appétit ! Il buvait un peu d'eau de Seltz parfumée au vinaigre de framboise, pour se rafraîchir la bouche ; il prenait aussi du bouillon et du pain bis qu'il ne parvenait pas à digérer. Il faisait les cent pas en frissonnant, gémissait. Quand Alice lui lisait un livre, il la congédiait au bout de quelques pages d'un air las. Jenner venait lui administrer de l'éther et des sédatifs ; il dormait alors paisiblement pendant une heure et demie et se réveillait dans un état de grande agitation et l'esprit confus.

La nuit du 6, il dormit dans sa chambre personnelle, si on peut appeler cela dormir. Jenner ne le quitta pas, et Clark vint à plusieurs reprises. (Le malheureux était lui-même très angoissé car sa femme se mourait...) Le 7 au matin, j'entrai chez Albert à huit heures, tandis que ses médecins se retiraient pour discuter de son cas ; il semblait calme, mais si fatigué que j'en fus bouleversée. Assise à son chevet, je voulus lui embrasser le front : le bleu de ses yeux semblait disparaître au fond de ses orbites et il avait les joues creuses, mais il me regarda avec reconnaissance. On aurait dit qu'une fenêtre de sa prison venait de s'ouvrir et qu'il apercevait à nouveau la lumière du soleil.

— Combien de temps cela va-t-il encore durer ? me demanda-t-il d'un air pitoyable.

— Dans une semaine, vous serez guéri.

— Pourquoi suis-je tombé malade ?

— Le surmenage, les soucis, les contrariétés...

Il hocha la tête comme pour chasser de sombres pensées.

— C'est trop ! Il faudra que vous parliez aux ministres.

— Je l'ai fait. (J'avais découvert depuis quelques jours tout le travail qu'il m'épargnait.) Mais il y a aussi vos projets personnels, le jardin botanique...

Pendant que je parlais, il avait suivi le fil de ses pensées.

— À l'aube, quand les oiseaux se sont mis à chanter, je me suis cru au Rosenau. J'ai fermé les yeux pour garder cette impression.

— Nous y retournerons dès que vous serez remis. Nous rendrons visite à Vicky, comme l'année dernière.

— L'année dernière, murmura-t-il, je savais que c'était ma dernière visite... (Il cligna les yeux comme pour retenir des larmes, mais son corps n'en sécrétait déjà plus.) De quoi parlais-je ?

— Du chant des oiseaux, prétendis-je pour donner un tour plus heureux à ses pensées.

— Quand la fenêtre est ouverte je peux les entendre, ainsi que la fontaine. Ne vous ai-je pas dit, pendant notre première nuit ici, que nous aurions une fontaine sur la terrasse — une fontaine que nous pourrions écouter de notre lit ?

Son enfance comptait plus que tout, mais il pensait donc à moi aussi...

— Oui, à Osborne, répondis-je avec le sourire. Oh, mon bien-aimé, guérissez vite pour que nous allions dormir dans cette chambre et ce lit bien à nous !

— Chère petite femme, chuchota-t-il en allemand.

Il ferma les yeux en soupirant. Voyant sa main s'agiter sur la couverture, je lui tendis la mienne qu'il serra doucement. Était-ce mauvais signe ? Clark et Jenner entrèrent alors, et ce dernier me fit comprendre qu'il voulait me parler hors de la chambre. Albert ne sembla pas remarquer mon départ ; Jenner me suivit dans le couloir, puis dans mon boudoir dont il referma la porte derrière lui.

— Votre Majesté... fit-il, comme je me tournais vers lui.

Je faillis hurler mais aucun son ne sortit de ma bouche.

— Votre Majesté, reprit-il, je dois vous dire que ce matin j'ai cru voir des rougeurs sur la personne du prince. Ce symptôme confirme nos pires craintes. (Il me dévisagea dans l'espoir de découvrir dans mes yeux la preuve que j'avais compris, mais mon visage resta de marbre.) Il s'agit d'une fièvre dite gastrique...

— La typhoïde ?

Je plaquai ma main sur mes lèvres, effrayée d'avoir laissé échapper ce mot.

Jenner me considéra avec bonté.

— Votre Majesté ne doit pas désespérer. Nous connaissons bien cette fièvre maintenant ; nous savons la traiter, et certains symptômes sont favorables. À notre avis, Son Altesse est tombée malade le 22 novembre, elle devrait donc être rétablie d'ici à une quinzaine de jours, car le mal évolue sur un mois.

Il me parla encore un moment, mais, partagée entre l'espoir et l'angoisse, je ne parvins pas à l'écouter...

Le lendemain — à nouveau un dimanche — Albert demanda à être transporté dans la chambre Bleue, dite aussi « chambre du Roi », car George IV et Guillaume IV y avaient rendu leur dernier soupir. Lohlein y porta ses affaires, fit installer un lit et un sofa, mais au lieu de s'allonger, Albert continua à faire les cent pas d'une pièce à l'autre. Je le suivais avec de l'eau de Cologne et des sels. Parfois il me reconnaissait, mais pas toujours. Il avait des accès de mauvaise humeur pendant lesquels il appelait le général Bruce ou me reprochait d'avoir perdu un papier important. Il demanda à Alice de se mettre au piano, puis l'interrompit tandis qu'elle jouait. Un autre jour, il me pria de couvrir tous les miroirs, car les reflets l'effrayaient.

J'appréhendais surtout ses moments de lucidité : il me regardait alors en murmurant *« Frauchen »* — ma petite femme — comme un prisonnier à qui son geôlier donne un instant de sursis pour faire ses derniers adieux. Mais je ne voulais pas le laisser partir, j'avais tant besoin de lui...

Le vendredi suivant, il resta allongé en gémissant, les yeux grands ouverts. Jenner craignit une congestion pulmonaire. Je sortis prendre l'air sur la terrasse par ce froid après-midi de décembre. Les branches des arbres étaient noires et dénudées, l'herbe terne, et une nappe de brume s'étirait au loin. Le printemps allait-il revenir un jour ? Je repensais aux primevères qui formaient un tapis si épais dans les bois autour d'Osborne qu'on en cueillait un plein panier en quelques minutes. Je repensais à Lord Melbourne attendant avec impatience sa retraite pour pouvoir assister aux changements de saisons. Sur cette même terrasse, il m'avait fait ses adieux, à la lumière des étoiles, et il avait détourné la tête, les yeux noyés de larmes. Il était mort, seul, depuis treize ans déjà. Je l'avais négligé car je pouvais me passer de lui : Albert, mon nouvel amour, était devenu tout pour moi ! L'amour est parfois si cruel !

Pendant ce temps, Albert eut une crise de délire, accompagnée de terribles frissons. Jenner, croyant voir venir la fin, pria Alice (ma douce Alice quittait son père le moins possible) de faire venir Bertie. Mais le véritable sens du télégramme — rédigé avec de grands ménagements — échappa à ce dernier ainsi qu'à Bruce, qui acceptèrent une invitation à dîner avant de prendre le dernier train. Ils arrivèrent au matin, empestant le vin et les cigares, et manifestement égayés par de joyeux propos — une soudaine bouffée du monde extérieur, qui nous parut aussi incongrue dans notre prison que l'odeur des clous de girofle et de la cannelle quand Noël est passé depuis plusieurs mois.

Albert semblait mieux bien que terriblement faible. On lui donnait du cognac toutes les demi-heures pour le remonter. Nous nous assîmes à son chevet, Alice et moi, et je lui pris la main. Bertie, qui n'avait rien su jusque-là de la maladie de son père, fut bouleversé en le voyant. Ce brave Jenner m'assura qu'il avait vu guérir des cas plus graves, qu'il ne perdait jamais espoir devant une fièvre, et que tout pourrait s'arranger si le prince surmontait cette crise.

Je sortis retrouver Bertie : le pauvre garçon se jeta dans mes bras, en larmes.

— Maman, je ne savais pas ! Pourquoi ne m'a-t-on pas prévenu plus tôt ? s'écria-t-il.

Je lui rapportai les paroles de Jenner, et je l'entendis gémir, le visage enfoui dans mon épaule :

— Pourvu qu'il guérisse ! Je ne veux pas qu'il meure.

— Ne perdons pas espoir, murmurai-je en essayant de retenir mes larmes.

Devinant mon désarroi, il releva la tête. Je sentis qu'au lieu de s'accrocher à moi, il me soutenait de ses deux bras.

— Je vous aiderai, maman, déclara-t-il courageusement. Je vous aiderai de mon mieux !

— Mon cher fils, je compte sur toi, répondis-je, très émue, en l'embrassant.

Il m'embrassa à son tour, timidement. Mon pauvre Bertie !

Tandis que je prenais un peu de repos dans ma chambre, les

messages qui me parvinrent à intervalles réguliers me parurent plus rassurants. À sept heures, je me rendis dans la chambre Bleue. La grisaille de la veille avait cédé la place à un matin lumineux — un jour de renouveau et d'espoir. Par la porte ouverte, j'aperçus les chandelles consumées pendant une longue nuit de veille. Les médecins étaient là, le visage anxieux, les yeux cernés. Depuis deux jours, Sir Henry Holland, le Dr Watson et le Dr Brown s'étaient joints à Jenner et Clark. Voyant mon bien-aimé éveillé, mon cœur bondit de joie : il allait certainement mieux...

Albert avait un visage paisible. À la lumière du soleil matinal, sa peau me parut presque transparente comme dans sa jeunesse ; on aurait dit ces délicates feuilles d'ivoire sur lesquelles peignaient les minaturistes ! Il ne m'avait jamais paru si beau. Ses yeux brillaient d'un faible éclat et semblaient fixer quelque scène plaisante qui échappait à mon regard. « *Hertzliebste, wie geht es dir ?* »[1], chuchotai-je, mais il ne sembla pas m'entendre et se contenta d'ébaucher un sourire.

Par cette belle matinée, un regain d'espoir semblait permis, telle une rose fleurissant hors de saison, abusée par ce soleil hivernal. Le lit fut roulé dans la pièce voisine, plus chaude le matin. Jenner et Clark croyaient à une réelle amélioration, mais s'inquiétaient de sa respiration, toujours trop rapide.

Et, soudain, dans l'après-midi, le ciel se couvrit de nuages, le soleil disparut et il se mit à faire très froid. Tous les espoirs du matin s'évanouirent... Le soir venu, quand on alluma les lampes, mon bien-aimé avait le visage blafard, la respiration haletante. Penchée vers lui, je murmurai. « *Es ist kleines Frauchen*[2] » et je vis qu'il m'avait reconnue. Il tourna la tête vers moi et la laissa reposer contre ma main avec un profond soupir. Un soupir arraché à ses entrailles... Il savait que le moment du départ approchait et l'idée qu'il allait falloir me quitter lui était pénible, si pénible !

Tremblante et au bord des larmes, je m'enfuis dans la pièce voisine et je m'assis à même le sol, avec l'impression que je ne pourrais plus jamais me relever. Comment Albert pouvait-il me quitter ? Sa maladie durait depuis si longtemps que je me berçais d'illusions, je finissais par ne plus croire à l'issue fatale, mais maintenant il n'y avait plus d'espoir...

J'entendis l'horloge sonner dans le couloir — trop tard pour

1. Très cher cœur, comment vas-tu ? *(N.d.T.)*
2. C'est ta petite femme. *(N.d.T.)*

compter les coups — et j'aperçus du coin de l'œil la mince silhouette d'Alice dans l'embrasure de la porte, la fidèle et aimante Alice qui se pencha vers moi en chuchotant :

— Maman, revenez ! Il est temps.

Je m'agenouillai près du lit et pris la main froide d'Albert dans la mienne — une main inerte, comme si la vie s'en était déjà retirée. La mort arrivait ! Je la reconnaissais car je l'avais déjà rencontrée. La respiration de plus en plus faible de mon bien-aimé me rappelait la mer à l'heure du reflux... Combien de temps suis-je restée agenouillée à son chevet, écoutant son souffle décroître ? Quand sonna la demie de dix heures, il était toujours là, mais bien loin. Puis il respira longuement, deux fois de suite, et je n'entendis plus rien. Tout était fini...

11 décembre 1900

Charles Ier continua, paraît-il, à marcher et à parler une heure après que sa tête eut été tranchée. J'ai fait mieux encore : je survis depuis bientôt quarante ans !

Au début, j'étais dans un état second — un bienfaisant endormissement des sens, envoyé par Dieu pour calmer la douleur de l'amputation. Pendant les premiers jours, je marchais, je dormais, j'essayais de travailler, sans rien éprouver sinon une réelle hébétude. Mon instinct me poussait à chercher Albert, et j'allais sans cesse dans la chambre Bleue, comme un chien perdu qui retourne à l'endroit où il a vu son maître pour la dernière fois. Mais il n'y était plus, je ne le savais que trop ! Par la suite, j'eus parfois l'impression — et de plus en plus souvent ces derniers temps — que l'esprit d'Albert veillait sur moi, mais à l'époque je ne trouvais que le vide là où il avait été. Dans sa joie d'échapper à la prison du corps, l'esprit nouvellement libéré s'enfuit peut-être au loin, puis il se rapproche de la terre longtemps après, une fois purifié...

Quand je sortis de cet état de choc, une profonde angoisse m'envahit. Comment pourrais-je survivre à mon bien-aimé ? Moi qui priais Dieu chaque jour de nous permettre de mourir ensemble ! Moi qui, blottie dans les bras d'Albert — aux heures sacrées de la nuit où le monde semblait nous appartenir —, m'imaginais que jamais rien ne pourrait nous séparer ! Je croyais que Dieu nous protégerait et je ne m'étais jamais imaginée dans une pareille solitude. Désormais, que je pleure ou que je garde mon calme, que je prie ou que je jure, que je fasse vœu de servir Dieu ou que je me révolte, cela ne changerait rien : Albert m'avait quittée pour toujours, et cette terrible fatalité me désolait.

Cinq jours plus tard, on m'emmena à Osborne. Je ne sais qui avait pris cette initiative. Peut-être Alice, car elle s'occupa de moi avec une grande tendresse pendant ces tristes semaines. Ce fut un long et lugubre voyage ; je me souviens d'une traversée pluvieuse et agitée, mais la tempête était-elle en moi ou à l'extérieur ? La nuit, je m'endormis, seule, dans notre chambre à coucher, qu'il avait conçue et aménagée dans les moindres détails. En posant ma tête sur l'oreiller, je me suis tournée instinctivement pour me réfugier dans ses bras, et soudain je me suis souvenue. Rien ne me fut plus pénible que ces trous de mémoire passagers, suivis d'une replongée brutale dans la cruelle vérité !

Désormais, seule j'irais me coucher, seule je me lèverais. J'étais folle de désespoir ! J'aimais autant Albert que si nous nous étions mariés la veille, et je voulais le toucher, sentir son corps tiède à côté du mien ! Levant les yeux vers le dossier du lit, j'aperçus le levier de cuivre permettant de verrouiller la porte quand nous nous aimions. Plus jamais je n'en aurais besoin... Je finis par trouver le sommeil, les bras repliés sur ma poitrine, après avoir longuement pleuré. Au matin, une vague inquiétude succéda à un bref instant d'oubli, puis me revint l'horrible certitude.

À mesure que les jours passaient — quels tristes jours ! — l'idée me vint que Dieu ne m'abandonnerait pas sur terre sans Albert ; que ma mort ne saurait tarder et que j'allais bientôt le retrouver. Ma conviction était si forte que je pris la décision de mettre de l'ordre dans mes affaires et de réaliser les derniers souhaits de mon bien-aimé pendant qu'il en était encore temps.

Le mariage d'Alice et de Louis, ardemment désiré par Albert, méritait la priorité. Il eut lieu le 1er juillet, dans la salle à manger d'Osborne House. Nous n'avions invité que de proches parents et l'archevêque célébra le service nuptial sous le grand portrait de famille peint par Winterhalter en 1847 : Albert, la main tendue, semblait donner sa bénédiction à son enfant chérie.

Je permis aux demoiselles et aux dames d'honneur de porter une tenue de demi-deuil en cette occasion. Alice avait revêtu une robe de satin blanc et mes dentelles de mariage ; moi, j'étais tout de noir vêtue. « *Quel effroyable rêve !* » pensais-je en ajustant ma coiffe de veuve. Je retins mes larmes jusqu'à la fin, mais Bébé ne cessait de répéter à haute voix : « Pourquoi on n'attend pas papa ? », et Affie sanglota pendant toute la durée du service religieux. Pour la pauvre Alice, ce fut plus un enterrement qu'un mariage ; mais elle a été heureuse avec Louis, et la vie ne les a pas séparés.

Puis il fallut organiser le mariage de Bertie avec Alix — un devoir sacré qu'il devait accomplir en mémoire d'Albert. Abattu, se reprochant sans cesse d'avoir contribué à la mort de son père bien-aimé, il ne présenta aucune résistance. (Une chance pour moi, car je n'aurais pas pu le marier de force s'il s'était opposé à ce projet...). Vicky se chargea d'avouer à Alix et à ses parents la tentation à laquelle avait succombé mon pauvre fils : rien ne devait être dissimulé de son inconduite ! Nous avions eu tort de nous inquiéter : le futur roi d'Angleterre était un gendre de prix pour un prince désargenté, fût-il héritier du trône de Danemark.

En septembre 1862, je me rendis en Belgique pour rencontrer Alix personnellement. Elle était ravissante dans sa robe noire toute simple. Ses cheveux auburn, tirés en arrière, dégageaient son front pur et retombaient en boucles sur ses épaules. J'ai toujours été sensible à la beauté humaine, et la sienne me parut angélique ! En outre, c'était une jeune fille de bonne compagnie, non qu'elle me parût particulièrement spirituelle ou cultivée, mais elle avait des principes, le sens du devoir, un caractère agréable et un tempérament affectueux. Elle me dit combien elle regrettait de n'avoir jamais rencontré Albert, elle qui souhaitait depuis longtemps devenir sa belle-fille. Selon moi, elle saurait tenir sa place, pourvu que je lui donne un peu d'assurance et de sens politique.

Bertie arriva quelques jours plus tard. Après avoir passé quatre heures en tête à tête avec elle, il fit sa demande en mariage — qui fut acceptée. Grâce au ciel, ils tombèrent amoureux pendant ce court laps de temps ! Je n'aurais pas aimé qu'Alix épousât à contrecœur un jeune homme indifférent. La cérémonie eut lieu le 10 mars 1863, à la chapelle St. George de Windsor. Tous deux rayonnaient de bonheur. L'archevêque se plaignit de célébrer ce mariage pendant le carême, mais je lui objectai sèchement que, dans mon jeune temps, il n'était pas question de carême. C'était une invention de la Haute Église et des adeptes de Pusey[1]. Respecter le carême ne vous rend pas meilleur pour autant. Les Russes qui en font grand cas brillent-ils par leurs vertus chrétiennes ?

Alix fut une bonne épouse pour Bertie, qui se rangea quelque peu grâce à elle. Néanmoins, elle ne parvint pas à le garder dans le droit chemin. Elle s'efforça donc de sauver les apparences, ce qui était le mieux à faire. « Certes, il est volage, me dit-elle un jour, mais j'ai toujours été sa préférée » — ce qui aurait été un piètre réconfort pour moi, mais chacun réagit face aux épreuves selon sa nature... Elle lui donna six enfants pendant les huit années qui suivirent leur mariage : Eddy, Georgie, puis les trois filles, et enfin John, un dernier fils qui ne vécut qu'un seul jour. Tous naquirent prématurément et avaient une apparence fragile !

Les filles, avec leurs yeux globuleux, leurs mentons fuyants, leur nervosité à fleur de peau, m'ont toujours fait penser à de petites souris. Pour leur plus grand malheur, elles ressemblaient plus à leur père qu'à leur jolie maman ! Alix les a beaucoup trop couvées et dorlotées, à mon avis, et elle a gardé ses fils dans ses jupons — peut-être pour compenser l'absentéisme de leur père.

Le pauvre Eddy était particulièrement bizarre : il avait un cou et des bras si longs que Bertie l'avait surnommé « col et manchettes ». Son caractère léthargique et sa lenteur d'esprit me préoccupaient sérieusement, mais c'était malgré tout un bon garçon, très gentil avec ses sœurs. Je l'aimais beaucoup ; dans son délire c'est moi qu'il a appelée, et non point sa mère. La veille de son dix-huitième anniversaire, peu de temps après ses fiançailles, il attrapa une mauvaise grippe, qui se compliqua d'une pneumonie, et il mourut six jours plus tard. Georgie, le plus beau et le plus vif des six enfants, prit la relève et épousa la fiancée de son frère, Mary of Teck. Ils ont maintenant assuré amplement la relève : le trône ne risque pas de rester vide...

Ainsi s'écoulèrent les premières années qui suivirent le décès d'Albert. Je ne l'avais toujours pas rejoint dans la tombe, malgré un travail de Titan qui aurait dû m'épuiser. Tout ce que je faisais auparavant avec sa collaboration retombait sur mes seules épaules, car ce stupide gouvernement s'était mis en tête que je ne devais pas avoir de secrétaire. Le Premier ministre l'était

1. L'un des instigateurs de mouvement d'Oxford, qui chercha à introduire dans l'Église d'Angleterre les doctrines et rites catholiques d'avant la Réforme.

de facto, comme du temps de Lord Melbourne prétendaient-ils. À vrai dire, Lord M. faisait fonction de secrétaire particulier, ce dont Palmerston aurait été incapable, même si j'avais été encline à le garder constamment à mes côtés. Ce cher Sir Charles Grey, l'ancien secrétaire d'Albert, s'efforça de me venir en aide, mais le gouvernement n'accepta qu'en 1867 de lui attribuer officiellement le poste de secrétaire particulier.

Cependant, le travail était une bénédiction en soi. Je passais mes journées à mon bureau, à l'exception des heures des repas ou de mes promenades à pied ou en voiture. J'étudiais le contenu de mes boîtes de dépêches, ne négligeant aucun détail, même quand les textes étaient rédigés en si mauvais anglais qu'on aurait dit une langue étrangère ! Mon bien-aimé Albert n'était pas là pour me les lire et me les analyser, chercher des références historiques et m'expliquer le contexte ! Je ne pouvais plus en discuter avec lui ; j'étais désormais seule face à mes décisions.

À sa mort, je m'étais promis de me laisser guider par la pensée de ce qu'il aurait fait à ma place ; mais, au fil des ans, il me sembla de plus en plus difficile d'imaginer sa position sur tel ou tel point. Rétrospectivement, je me dis que je me suis souvent éloignée de ses principes... Je suis même un peu gênée à l'idée de me retrouver un jour face à lui, car je crains d'avoir pris certaines mesures qu'il n'aurait pas approuvées. Lorsque j'ai décidé de me soumettre à lui en tout et de fondre ma vie avec la sienne, ce fut comme si j'avais glissé mon pied dans une chaussure trop étroite. Si je peux me permettre cette comparaison, une fois la chaussure enlevée, le pied a repris sa forme originelle... (Je ne voudrais pas suggérer qu'Albert avait moins de grandeur d'âme que moi, mais il avait sans doute un esprit trop rigoriste pour une rebelle de mon espèce !)

Deux années, puis trois s'écoulèrent sans lui, et il m'apparut clairement que je n'allais pas rejoindre mon bien-aimé de sitôt. C'était une idée difficile à supporter, bien que je n'aie pas imaginé à l'époque que je lui survivrais si longtemps. Je lui en voulais tant de m'avoir quittée ! Souvent, pendant mes longues nuits de solitude, je me souvenais de ces dernières années où je l'avais vu se replier sur lui-même, où je m'étais inquiétée, tout en refusant de regarder la vérité en face. J'ai fini par comprendre qu'il était mort parce qu'il ne désirait plus vivre.

Accablé par le poids du travail et des soucis, il a renoncé à se battre. Il m'arrivait de l'injurier au milieu de mes larmes. Albert, m'écriais-je, je ne t'aurais jamais quitté, même faible ou malade ! Je me serais battue jusqu'au dernier souffle pour rester avec toi ! Comment as-tu été capable de m'abandonner ? Pourquoi m'as-tu laissée si seule ? À la fin, il m'aimait toujours, mais sans joie. « Ce n'est pas vous que je quitterais », m'avait-il dit, mais il ne tenait pas assez à moi pour rester. J'ai toujours voulu le croire parfait, aussi ai-je eu beaucoup de mal à admettre cette regrettable faiblesse.

Osborne, 20 décembre 1900

Le Jour du Mausolée (commémoration de la mort d'Albert) et ses cérémonies, puis le voyage jusqu'ici m'ont bien fatiguée : pendant plusieurs jours, j'ai dû rester allongée sur un sofa, tandis que Thora me faisait la lecture. La chère enfant ! J'adore bavarder avec elle de choses et d'autres ; elle est si intéressante ! Noël approche, et le cœur me manque quand je me souviens des joies que nous donnaient jadis les montagnes de cadeaux, le sapin, les odeurs envoûtantes et les délicieuses friandises. Sans Albert, c'est comme un anniversaire en l'absence du héros de la fête. Je dois sauver les apparences à cause des enfants, mais mes heures d'insomnie perturbent tant le rythme de mes journées que je manque absolument d'allant.

Aujourd'hui, je me sens un peu mieux. Je vais donc poursuivre mon récit, puisque je suis encore capable de tenir ma plume. Mais je vois à peine la page, et je doute que quelqu'un parvienne à déchiffrer mes pattes de mouche. Après tout, que m'importe ? Je dois finir ce que j'ai commencé, et ensuite Dieu en décidera. Quand j'aurai terminé, peut-être devrais-je laisser mon manuscrit en évidence, au lieu de le cacher. Les gens cherchent ce qu'on leur cache, et ignorent en général ce qui est sous leurs yeux...

En décembre 1864, je fis venir John Brown de Balmoral afin de me remettre à l'équitation. Jenner me conseillait de faire de l'exercice, et je souhaitais accompagner Bébé qui venait de prendre ses premières leçons, mais je n'aurais pas fait confiance à un inconnu. Ce fut un réel plaisir de monter à nouveau ma chère Flora et de chevaucher sur les chemins familiers d'Osborne, et je me sentais si sûre de moi lorsque Brown était à mes côtés ou tenait la bride, que je ne vis aucune raison de me priver de ses services dans d'autres domaines. En Écosse, un *gillie* fait office de valet d'écurie, de majordome, de cuisinier et même de femme de chambre, ce qui est fort appréciable quand on a affaire à une personne efficace et dévouée. Brown ne tarda pas à se rendre indispensable... Calme mais rapide, il était doué d'une excellente mémoire ; en outre, il avait une force physique et un courage qui me rassuraient quand il m'accompagnait dans mes promenades à cheval.

Si j'ai bon souvenir, c'est alors que mon état commença à s'améliorer. Je n'étais pas encore sortie du tunnel, mais il m'arrivait de retrouver le sourire en entendant les bons mots de mes enfants ou en admirant la beauté d'une fleur ou d'un paysage. Très vite, Brown devint pour moi bien plus qu'un simple *gillie*. Lorsque Albert mourut, si peu de temps après maman, j'eus la conviction que plus personne ne s'intéresserait à mes problèmes et n'aurait pour souci exclusif de veiller à mon bonheur. Mes enfants me furent d'un grand réconfort, certes, mais à leur âge ils ne pouvaient m'aider autant que des adultes. Devenus parents à leur tour, ils ont donné la priorité à leur famille, comme il se doit. Quant aux domestiques, quel que soit notre attachement pour eux, ils savent qu'une barrière nous sépare, car nous pouvons les congédier dès qu'ils nous déçoivent. Ils se montrent donc soumis, parfois serviles, et ils nous dissimulent leurs véritables sentiments.

Brown était d'une autre trempe. Malgré son absolu dévouement — je sais qu'il aurait donné sa vie pour moi — il n'hésitait pas à discuter mon point de vue et à me contredire quand nous n'étions pas d'accord. Si je l'avais congédié, il aurait été navré de me quitter, mais il ne s'est jamais abaissé devant moi par crainte de perdre son emploi ! Cela irritait les membres de ma famille et de la maison royale, qui le jugeaient arrogant et s'offusquaient qu'il ne sache pas « rester à sa place ». Eh bien, sa place il la connaissait parfaitement : elle était à mes côtés... Les années passant, il devint beaucoup plus qu'un simple serviteur. Il prenait des libertés parfois surprenantes, s'adressant souvent à moi sans la déférence qu'une reine attend d'un serviteur, mais il savait jusqu'où aller et ne dépassait jamais les limites acceptables. Combien de fois il m'a réconfortée grâce à sa bonne humeur et à son franc-parler ! Je l'entends encore me disant : « Ah non, vous n'allez pas encore mettre cette vieille robe noire. Elle doit être toute moisie ! » Comme je regrette ce très cher et fidèle ami ! Plus personne ne se préoccupe maintenant de ma mise ni de la fréquence avec laquelle je me change.

Quand il tomba malade et que sa mort fut proche, je lui promis que, s'il s'en allait avant moi, je ferais mettre sa photo et une mèche de ses cheveux dans mon cercueil le jour venu.

— Dans votre main ? insista-t-il, anxieux.

Je levai la main gauche, celle que je posais sur son bras robuste quand nous marchions ensemble.

— Dans celle-ci !

Il hocha la tête, satisfait de ma réponse.

— Personne ne m'aime plus que vous, murmura-t-il.

— Personne ne me sert plus fidèlement que vous, répliquai-je. Vous êtes un véritable ami.

J'ai donc laissé des instructions : Reid veillera à ce qu'elles soient exécutées — secrètement, afin de ne pas choquer ma famille. Mais j'estime qu'il faut toujours tenir parole, et je me sens engagée par cette promesse à mon vieil ami. On placera, dans ma main gauche, sa photo et une mèche de ses cheveux enveloppées dans du papier de soie, après m'avoir déposée dans mon cercueil. Je suis sûre qu'Albert ne m'en tiendra pas rigueur : puisque l'éternité nous appartient, pourquoi refuserait-il cette petite faveur à mon fidèle serviteur ?

Osborne, 14 janvier 1901

Mon Dieu, quelle triste fin d'année ! Ma chère Jane Churchill s'est éteinte le jour de Noël, après quarante-six années passées à mon service. On me l'avait caché, par crainte du choc, mais Béatrice a fini par m'annoncer la nouvelle : la pauvre femme a succombé à une crise cardiaque — une mort rapide qui a tout d'une délivrance — mais cette perte me touche profondément. Ensuite, les derniers jours de décembre ont été marqués par une série de violentes tempêtes qui m'ont empêchée de sortir pendant près d'une semaine. Une nouvelle année, un nouveau siècle commencent, mais avec quelle tristesse ! Je me sens bien faible. Reid m'assure que j'irai mieux au printemps si je ne me surmène pas. En somme, si j'accepte d'être traitée comme une invalide...

Ce matin, j'ai eu un entretien d'une heure au sujet de l'Afrique du Sud avec Lord Roberts, à qui j'ai décerné l'ordre de la Jarretière le 2 janvier, pour la façon dont il a mené la guerre. Elle est maintenant dans sa phase finale selon lui. J'espère que nous ne perdrons plus aucun de nos hommes avant la signature de la paix. Notre conversation m'a fatiguée, mais je me suis promenée en voiture cet après-midi et le grand air m'a fait du bien.

Je me suis couchée de bonne heure, très fatiguée ; pourtant, je n'arrive pas à dormir. Je continuerai donc à écrire, aussi longtemps que possible. Cela me demande de plus en plus d'efforts, mais j'ai l'esprit encore vif, si mon corps n'est plus qu'une épave, et je n'ai nullement l'intention de m'interrompre !

J'en étais donc restée à la mort de mon cher Brown. Cela me semble si loin aujourd'hui ! J'ai vécu et régné si longtemps que je me fais à moi-même l'effet d'une légende : il m'arrive de me surprendre parlant ou agissant comme la reine impératrice, et non comme cette Victoria que je suis encore au fond de ma vénérable carcasse. Quand Albert m'a quittée, j'ai souhaité mourir moi aussi. À un moment de grand désespoir, j'ai même songé à attenter à mes jours (comme c'est mal !), mais j'ai cru entendre l'esprit de mon bien-aimé me donner l'ordre de persévérer. C'est ce que j'ai fait, et, les années passant, j'ai fini par survivre aux uns et aux autres. Mon règne est le plus long de toute l'histoire de la monarchie britannique. Je crois que pour la première fois un souverain et trois héritiers en ligne directe (appartenant à trois générations successives) sont en vie simultanément. En effet j'ai maintenant des petits-enfants et des arrière-petits-enfants aux quatre coins de l'Europe. Nous avons « pourvu » Albert et moi les trônes de je ne sais combien de pays...

Mais que je suis donc lasse ! Cette dernière année m'a apporté bien des chagrins. La mort de mon cher Affie — le troisième de mes enfants dont je porte le deuil — a été un choc terrible ! Quant à ma Vicky chérie, ma fille aînée et la préférée de mon bien-aimé Albert, on essaie de me cacher son état, mais une mère ne se laisse pas abuser. Je sais qu'elle est mourante ! On a vécu trop longtemps quand on a l'âge de survivre à ses propres enfants.

En d'autres temps, même au milieu des épreuves, je sentais en moi une force qui me rattachait au monde ; je souffre maintenant de tant de maux que j'arrive à peine à prendre du repos. Mon pauvre ange se sentait-il ainsi pendant les dernières semaines de sa vie ? Si oui, je regrette ce que j'ai écrit au sujet de son manque de courage. S'il était dans un tel état, comment pourrais-je le blâmer d'avoir abdiqué devant la mort ?

Non que je prie véritablement Dieu de me rappeler à lui ; mais si je devais rendre l'âme à cet instant précis, je ne trouverais rien à redire. Mon cher ange m'a quittée depuis si longtemps que je souhaite ardemment aller le retrouver. Seigneur, je suis prête ! Bertie ne deviendra ni meilleur ni pire, mes affaires sont en ordre et mes funérailles réglées dans les moindres détails, de manière que chacun n'ait qu'à suivre mes volontés. J'ai même choisi mon hymne préféré :

Le rêve de la vie s'achève,
Adieu péchés, adieu tristesse ;
L'aube enfin se lève,
Pour un jour d'allégresse.

Je mourrai avec joie, et je pense que Bertie ne regrettera pas de monter enfin sur le trône.

Ce pauvre Bertie ! Il fut un temps où je lui reprochais durement — et injustement — d'avoir sa part de responsabilité dans la mort de son père. (Je lui ai exprimé ensuite mes regrets, mais je sais qu'il eût mieux valu ne jamais l'accuser à tort.) Oui, je me suis montrée injuste, car mon bien-aimé s'était lassé de vivre depuis longtemps, et tôt ou tard il aurait trouvé le chemin de l'éternité. Bertie ne s'est pas conformé au modèle qu'avait choisi son père, mais qu'y peut-il ? Lord Melbourne avait raison : personne ne peut changer sa nature. Nous sommes les jouets de Dieu, des êtres faillibles, de chair et de sang... Quels que soient nos efforts, nous n'échappons pas à notre destin !

Bertie était voué à devenir un mondain, un amateur de vêtements élégants, de bons vins et de coûteux cigares ; un expert en chevaux, en femmes et en automobiles. Il n'est pas une hôtesse qui ne vendrait son âme au diable pour l'avoir à sa table. Je pense qu'il deviendra un roi populaire, à défaut de devenir un bon roi. On n'a pas lieu de s'inquiéter outre mesure !

Mon destin était de devenir le symbole de l'Angleterre : une vieille dame vêtue de noir qui règne sur la moitié du globe, un profil sur les timbres-poste, un visage austère dont l'image, mille fois reproduite, est reconnaissable par les populations les plus diverses — depuis ces grands Yankees bizarrement vêtus, jusqu'aux petits gamins bruns sautillant sur les rives du Gange. Moi, Victoria, née pour être reine, moi dont les pieds atteignent à peine le sol quand je m'assieds sur le trône, et qui suis si timide que j'ai toujours tremblé de peur avant chaque nouvelle rencontre, j'incarne l'Angleterre, je suis devenue un monument... Étrange ironie du sort !

Que dire du destin d'Albert ? C'est lui qui a changé notre manière de parler, de penser et d'agir, de même que l'essence de nos croyances et de nos convictions. Aujourd'hui, nous sommes tous un peu marqués par son influence germanique — à l'exception de l'entourage de Bertie, qui représente une minorité. Je n'ai jamais aimé particulièrement l'aristocratie, les classes dites « supérieures » ; je peux me permettre maintenant d'avouer que je n'aime guère plus les classes moyennes — trop satisfaites d'elles-mêmes, trop sévères et trop intolérantes. Mais elles ont su apprécier mieux que quiconque et faire leurs les vertus de mon bien-aimé : son zèle, sa volonté de progrès, son esprit charitable et sa curiosité.

À mon avis, ces classes moyennes représentent notre avenir. L'Angleterre deviendra un pays de classes moyennes après Bertie, lorsque Georgie et Mary régneront à leur tour. J'ai fait observer un jour à Lord M. que les femmes modernes sont plus accomplies, que les hommes boivent moins et que les chiens respectent plus le mobilier que par le passé. Cette tendance se vérifie plus que jamais aujourd'hui. N'y a-t-il pas là de quoi justifier un règne ?

Je suppose qu'après ma mort on parlera de l'« époque victorienne », de même qu'on parle aujourd'hui de l'« époque élisabéthaine » ; mais les faits dont on m'attribuera le mérite seront en réalité à mettre sur le compte d'Albert. En aurait-il été contrarié s'il l'avait su ? J'imagine son visage éclairé d'un sourire et j'entends sa voix me citant Goethe comme il aimait à le faire : « *Die Tat is alles, nicht der Ruhn* » : « Seuls comptent les actes, la renommée importe peu ». Sa vie durant, il s'est battu avec ardeur, ployant sous le fardeau du devoir, pour permettre les changements qui lui semblaient souhaitables ; mais il n'a jamais éprouvé le besoin d'entendre chanter ses louanges.

Eh bien, mon bien-aimé, j'accepte le mérite en ton nom ; et le blâme, aussi — car tel est mon privilège. J'étais reine, alors que tu n'étais, Albert, qu'un petit prince sans le sou, venu d'un pays à peine plus grand que la ville de Bristol ! Tu as changé la face de l'Angleterre, puis tu t'es évanoui dans les ténèbres en me laissant seule pendant quarante longues années, sous les feux de la rampe. Mais je n'ai jamais manqué à mon devoir, et je tiendrai bon jusqu'à la fin.

Je ne peux plus écrire : ma pauvre main me fait tant souffrir que j'arrive à peine à tenir ma plume. Je m'arrête et je reprendrai demain. Je suis maintenant si fatiguée que je vais enfin pouvoir dormir...

Postface

Le lendemain du jour où elle écrivit ces lignes, la reine alla se promener en voiture dans le parc avec sa belle-fille, la duchesse de Cobourg : ce fut sa dernière sortie. Le 16 janvier au matin, elle se sentit trop faible pour quitter son lit, bien qu'elle en eût manifesté plusieurs fois l'intention. Reid alla lui rendre visite dans sa chambre sans qu'elle l'eût appelé. Il la voyait au lit pour la première fois, et il s'étonna qu'elle fût si petite. Elle semblait hébétée, et il soupçonna une légère attaque.

Un spécialiste londonien, appelé au chevet de Victoria, conclut lui aussi à une atteinte cérébrale. Jugeant sa fin prochaine, Reid envoya un télégramme au Kaiser qu'il avait promis d'informer en priorité. Arthur était à Berlin à cette période, et il fit donc le voyage avec Willy. Ils arrivèrent à Osborne le 21 janvier, en même temps que Bertie. La reine allait un peu mieux, mais, le 22, il fut clair qu'elle n'en avait plus que pour quelques heures. Elle mourut ce soir-là à six heures trente : Willy la soutenait de son seul bras valide ; Bertie lui avait pris la main ; Bébé, Lenchen, Louise et Arthur étaient au pied du lit. Seule manquait à l'appel Vicky, qui se mourait d'un cancer en Allemagne.

L'enterrement eut lieu deux semaines plus tard, tout en blanc selon les instructions de Victoria. Son cercueil, si petit qu'on aurait pu le prendre pour celui d'un enfant, fut déposé dans le mausolée de Frogmore, à côté de celui d'Albert. Au-dessus de la porte, elle avait fait graver en 1862 l'inscription suivante :

SA VEUVE, LA REINE VICTORIA, A ORDONNÉ QUE LA DÉPOUILLE MORTELLE DU PRINCE ALBERT SOIT PLACÉE DANS CE SÉPULCRE.

ADIEU, MON BIEN-AIMÉ. ICI, ENFIN, JE REPOSERAI AVEC TOI ; AVEC TOI JE RESSUSCITERAI DANS LE CHRIST.

Après la mort de la reine, Bertie et Bébé trièrent ensemble sa volumineuse correspondance et en détruisirent une bonne part. Quant à ses journaux intimes, après la publication d'extraits retranscrits et sévèrement censurés, ils furent brûlés...

TABLE

Préface de Françoise Barret-Ducrocq 7
Enfants, petits-enfants et arrière-petits-enfants de la reine Victoria et du prince Albert en 1900 15
Alliances avec la Hesse et la Russie 19
La famille de mon père 20
La famille de ma mère 21

Hiver 23
Printemps 127
Été 227
Automne 325
Hiver 383

Postface 449

Composition réalisée par Nord-Compo
Achevé d'imprimer en décembre 1996
sur presse Cameron
dans les ateliers de ***Bussière Camedan Imprimeries***
à Saint-Amand-Montrond (Cher)

N° d'Édition : 3326. N° d'Impression : 1/2892.
Dépôt légal : décembre 1996.
Imprimé en France